씨뮬이 제안하는 가장 효율적인 학습법!

온·오프 블렌디드 러닝 (on/off Blended Learning)

1 STEP ONE OFF-LINE

기출은 수능 대비의 기본! 기본에 가장 충실한 씨뮬로 실전연습하자

- 다양한 구성의 기출문제집으로 목표에 맞는 학습 가능
- 씨뮬 교재를 풀면 온라인에서 자동채점 & 성적분석 가능

2 STEP TWO ON-LINE

스터디센스 STUDY SENSE

QR 찍고 회원가입 → 씨뮬 문제 풀기→ 자동채점 → 성적분석

- 내 등급컷과 취약 유형까지 완벽 분석
- AI 문제 추천으로 취약 유형을 한 번 더 학습
- 오답노트로 복습 또 복습해서 틀린 문제 정복하기

3 STEP THREE OFF-LINE

모의고사 맞춤제작 oneUP

'원하는 문제만 골라서 맞춤 교재'를 만들고 싶다면? OneUP

- 원하는 제본 형태로 제작 가능
- 학평, 모평, 수능, 종로 사설 모의고사 맞춤 제작

C O N T E N T S

고 3 ▸ 국어 — 문학

※ 6월, 9월 모평과 수능은 시험지 표기 명칭과 실시 연도가 다릅니다. 예를 들면, 2023학년도 시험은 2022년에 실시되었습니다.

구 성 + 특 징

01

내신 대비 서브 노트

여러 문학 갈래의 개념과 특징을 체계적으로 정리한 학습 자료입니다. 문학 문제를 풀기 위한 배경지식을 쌓는 데 도움이 되며, 중간 · 기말고사를 대비할 수 있습니다. 서브 노트를 활용하여 시험 직전에 빠르게 개념을 익혀 봅시다.

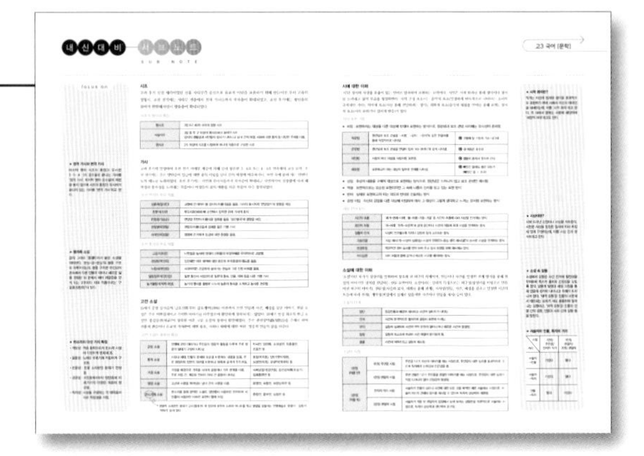

02

24일의 기적! 유형도 실전처럼

최신순으로 엄선한 약 4년간의 기출 문제를 24일 동안 공부할 수 있습니다. 하루 2~3지문 분량으로 압축적이고 효율적인 학습이 가능합니다. 각 지문마다 표시된 난이도와 소요 시간을 참고하여 문제를 풀고, 체크 박스로 간단한 채점까지 완벽하게 마무리할 수 있습니다.

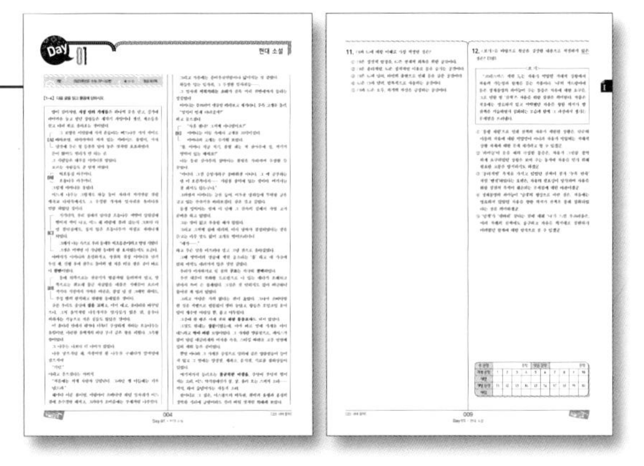

03

출제 트렌드와 1등급 꿀팁

현대 소설, 현대시, 고전 산문, 고전 시가, 갈래 복합 분야의 최신 출제 경향과 문제를 푸는 팁을 제공합니다. 또한 각 갈래별 대표 기출 문제를 통해 출제의 핵심을 파악하고 빈출 문제 유형을 익힐 수 있습니다.

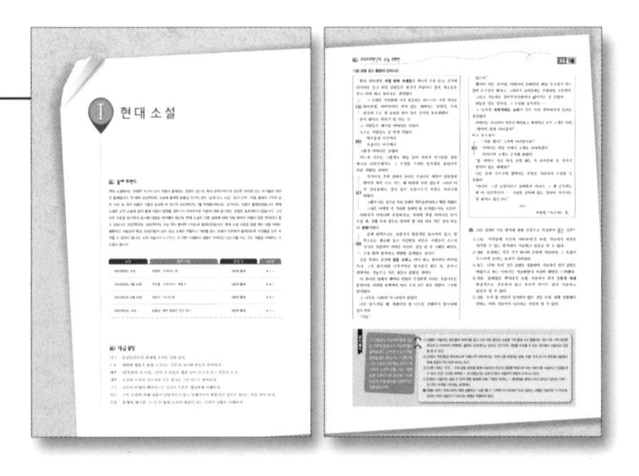

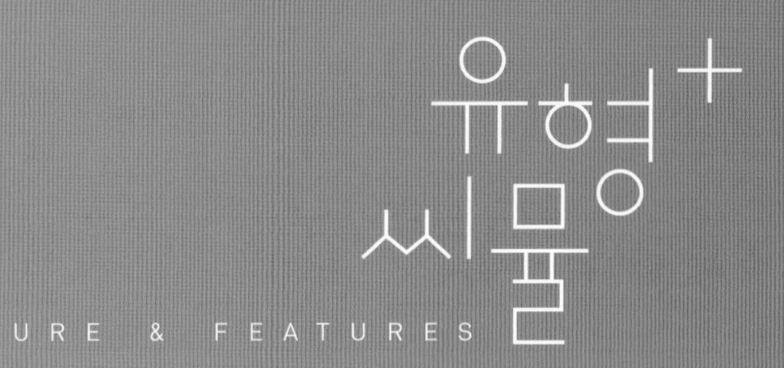

04

미니 Test

마지막 24일은 간단하게 미니 테스트를 할 수 있습니다. 23일간 문학 지문을 마스터한 후 화법과 작문, 문법, 독서(비문학)까지 빈틈없이 학습하여 모의고사에 대한 감을 잃지 않도록 합시다.

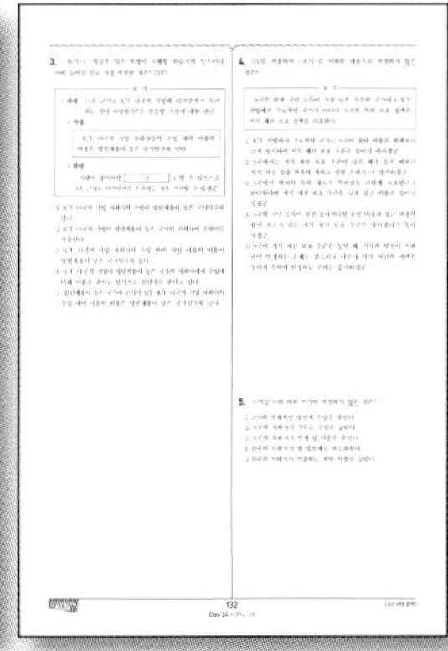

05

알차고 상세한 해설

출제 의도와 문항에 대한 자세한 분석을 통해 문제 해결의 핵심 내용을 정확하게 제시했습니다. 쉬운 문항은 명료하게 풀이하고, 어려운 문항은 '왜 많이 틀렸을까?' 코너를 통해 오답을 고르는 이유와 이를 대비하는 방법에 대해 상세하게 설명했습니다.

06

Big Event 1+3

교재를 구입하신 분들께 고1, 2, 3 한국사 · 사회탐구 · 과학탐구 과목 중에서 학년에 상관없이 원하는 세 과목의 최신 모의고사(과목별 4~12회 구성) PDF 파일을 메일로 보내 드립니다. 교재 표지 안쪽에 있는 'Big Event' 페이지의 설문지를 작성하여 골드교육 홈페이지에 올려 주세요.

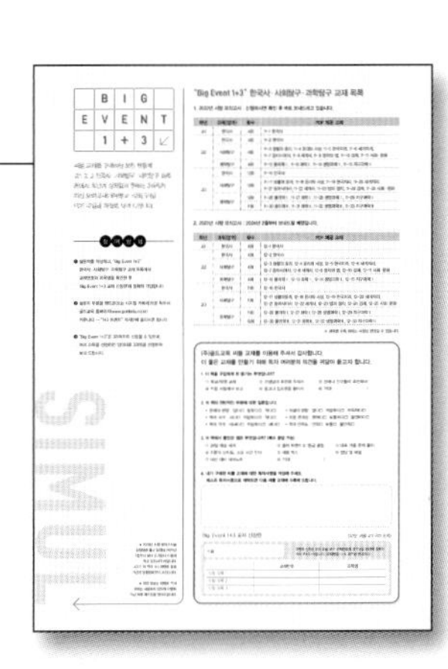

focus on

시조

고려 후기 신진 세력이었던 신흥 사대부를 중심으로 유교적 이념을 표출하기 위해 만들어진 우리 고유의 정형시. 조선 전기에는 사대부 계층에서 점차 기녀들까지 작자층이 확대되었고, 조선 후기에는 평민층의 참여가 활발해지면서 향유층이 확대되었다.

시조의 형식과 특징

평시조	3장 6구 45자 내외의 정형 시조
사설시조	3장 중 두 구 이상이 평시조보다 길어진 시조 당시의 생활상과 서민들의 정서가 나타나고 남녀 간의 애정, 사회에 대한 풍자 등 다양한 주제를 다룸.
연시조	2수 이상의 시조를 나열하여 하나의 작품으로 구성한 시조

★ **정격 가사와 변격 가사**
마지막 행이 시조의 종장과 유사한 3·5·4·3의 음수율로 끝나는 가사를 '정격 가사', 마지막 행이 음수율의 제한을 받지 않으며 시조의 종장과 유사하게 끝나지 않는 가사를 '변격 가사'라고 한다.

가사

고려 후기에 발생하여 조선 전기 사대부 계층에 의해 널리 향유된 3·4조 또는 4·4조 연속체의 교술 문학. 조선 전기에는 주로 양반층이 임금에 대한 충의 이념을 남녀 간의 애정에 비유하거나, 자연 속에 묻혀 사는 안빈낙도의 태도를 노래하였다. 조선 후기에는 서민과 부녀자들까지 작자층이 확대되고 서민의식이 성장함에 따라 해학성과 풍자성을 드러내는 작품이나 여성들의 삶의 애환을 다룬 작품이 다수 창작되었다.

조선 전기의 주요 작품

상춘곡(정극인)	고향에 은거하며 봄 경치의 아름다움을 읊음. 가사의 효시이자 '면앙정가'에 영향을 미침.
만분가(조위)	무오사화(1498) 때 순천에서 창작한 유배 가사의 효시
면앙정가(송순)	면앙정 주변의 아름다운 정취를 읊음. '성산별곡'에 영향을 미침.
관동별곡(정철)	관동의 아름다움과 감회를 읊은 기행 가사
사미인곡(정철)	창평에 은거하며 임금에 대한 충절을 읊음.

★ **몽자류 소설**
글자 그대로 '몽(夢)'자가 붙은 소설을 의미한다. '현실–꿈–현실'의 환몽 구조로 이루어지는데, 환몽 구조란 주인공이 꿈속에서 다른 인물로 태어나 새로운 삶을 경험한 뒤 꿈에서 깨어 깨달음을 얻게 되는 구조이다. 대표 작품으로는 '구운몽(김만중)'이 있다.

조선 후기의 주요 작품

고공가(허전)	나랏일을 농사에 빗대어 신하들의 부정부패를 우의적으로 고발함.
선상탄(박인로)	임진왜란 이후 왜적에 대한 증오와 우국충절의 태도를 읊음.
누항사(박인로)	사대부지만 곤궁하게 살아가는 현실과 그로 인한 비애를 읊음.
일동장유가(김인겸)	일본 통신사 서장관으로 일본의 풍속, 인물, 의복 등을 다룬 기행 가사
농가월령가(작자 미상)	농가의 행사를 월별로 나누어 농촌의 풍속을 소개하고 농사를 권유함.

고전 소설

15세기 중엽 김시습의 '금오신화'부터 갑오개혁(1894) 이전까지 쓰인 인물과 사건, 배경을 갖춘 이야기. 한문 소설은 주로 비현실적이고 기이한 이야기를 다루었으며 활발하게 창작되지는 않았다. 16세기 말경 최초의 한글 소설인 '홍길동전(허균)'이 창작된 이후 국문 소설의 창작이 활발해졌다. 주로 권선징악(勸善懲惡)을 주제로 하며 전통적 관습이나 유교적 가치관에 대한 옹호, 사회나 세태에 대한 비판, 영웅적 인물의 삶을 다룬다.

★ **판소리의 다섯 가지 특징**
- 개방성: 적층 문학으로서 판소리 사설이 다양하게 변화해 옴.
- 율문성: 노래로 부르기에 적합하게 구성됨.
- 전문성: 전문 소리꾼인 광대가 연창함.
- 공유성: 서민층에서부터 양반층에 이르기까지 다양한 계층이 향유함.
- 독자성: 사설을 구성하는 각 대목들이 서로 독립성을 가짐.

고전 소설의 종류와 특징

군담 소설	전쟁에 관한 이야기나 주인공의 영웅적 활동을 다루며 주로 영웅의 일대기 구성이 나타남.	박씨전, 임진록, 소대성전, 유충렬전, 조웅전 등
풍자 소설	사회나 세태, 인물의 문제와 모순을 비판하는 내용을 담음. 주로 위정자와 양반의 위선을 비판하고 해학과 골계가 두드러짐.	호질(박지원), 양반전(박지원), 심생전(이옥), 유광억전(이옥) 등
가정 소설	가정을 배경으로 가족들 사이의 갈등이나 가족 관계를 다룸. 주로 처첩 간, 계모와 전처의 자식 간 갈등이 나타남.	사씨남정기(김만중), 창선감의록(조성기), 장화홍련전 등
염정 소설	고난과 시련을 뛰어넘는 남녀 간의 사랑을 다룸.	운영전, 숙향전, 숙영낭자전 등
판소리계 소설	판소리를 통해 창작된 소설로, 양반층이 사용하던 한자어와 서민층이 사용하던 비속한 표현이 함께 쓰임.	춘향전, 흥부전, 심청전 등

판소리: 전문적 소리꾼인 광대가 고수(鼓手)의 북 장단에 맞추어 소리와 아니리를 엮고 발림을 곁들이는 연행예술로 '춘향가', '심청가', '적벽가' 등이 있다.

시에 대한 이해

'시'란 정서와 사상을 운율이 있는 언어로 압축하여 표현하는 문학이다. 시인은 시적 화자를 통해 생각이나 정서를 드러내고 삶의 모습을 형상화한다. 시의 구성 요소로는 음악적 요소(일정하게 반복적으로 나타나는 소리의 규칙적인 가락), 의미적 요소(시를 통해 전달하려는 생각), 회화적 요소(감각적 체험을 언어를 통해 표현), 정서적 요소(시의 분위기나 심리적 반응)가 있다.

시의 표현 기법

- 비유 : 표현하려는 대상을 다른 대상에 빗대어 표현하는 방식으로, 원관념과 보조 관념 사이에는 유사성이 존재함.

직유법	원관념과 보조 관념을 '–처럼', '–같이', '–듯이'와 같은 연결어를 통해 직접적으로 나타냄.	예 구름에 달 가듯이 가는 나그네
은유법	원관념과 보조 관념을 연결어 없이 'A는 B이다'와 같이 나타냄.	예 내 마음은 호수요
의인법	사람이 아닌 대상을 사람처럼 표현함.	예 샘물이 혼자서 웃으며 간다
제유법	표현하고자 하는 대상의 일부로 전체를 나타냄.	예 빼앗긴 들에도 봄은 오는가 (빼앗긴 들 = 조국)

- 상징 : 추상적 내용을 구체적 대상으로 표현하는 방식으로, 원관념은 드러나지 않고 보조 관념만 제시됨.
- 역설 : 표면적으로는 모순된 표현이지만 그 속에 나름의 진리를 담고 있는 표현 방식
- 반어 : 실제로 표현하고자 하는 의도와 반대로 진술하는 방식
- 감정 이입 : 자신의 감정을 다른 대상에 이입하여 마치 그 대상이 그렇게 생각하고 느끼는 것처럼 표현하는 방식

시상 전개 방식

시간의 흐름	'과거–현재–미래', '봄–여름–가을–겨울' 등 시간의 흐름에 따라 시상을 전개하는 방식
공간의 이동	'위–아래', '왼쪽–오른쪽'과 같이 공간이나 시선의 이동에 따라 시상을 전개하는 방식
점층적 전개	시상이 전개될수록 의지나 감정이 점차 고조되는 방식
기승전결	'시상 제시(기)–시상의 심화(승)–시상의 전환(전)–중심 생각 제시(결)'의 순서로 시상을 전개하는 방식
선경후정	객관적인 외부 묘사를 먼저 보여 주고 정서 표현을 뒤에 제시하는 방식
수미상관	시의 처음과 끝에 같거나 비슷한 시구를 배치하는 방식

소설에 대한 이해

'소설'이란 작가가 상상력을 발휘하여 창조해 낸 허구의 세계이며, 인물이나 사건을 일정한 전개 방식을 통해 현실의 이야기인 것처럼 전달하는 산문 문학이다. 소설이라는 갈래의 특징으로는 허구성(상상력을 바탕으로 만들어진 허구의 이야기), 산문성(서술과 묘사, 대화를 통해 전개), 서사성(인물, 사건, 배경을 갖추고 일정한 시간의 흐름에 따라 전개), 개연성(현실에서 실제로 있음직한 사건이나 인물을 제시) 등이 있다.

소설의 단계

발단	등장인물과 배경이 제시되고 사건의 실마리가 나타남.
전개	사건이 본격적으로 펼쳐지며 갈등이 표면에 드러남.
위기	갈등이 심화되며 사건의 극적 반전이 일어나거나 새로운 사건이 발생함.
절정	갈등이 최고조에 이르며 사건 해결의 분기점이 됨.
결말	사건이 마무리되고 갈등이 해소됨.

소설의 시점

1인칭 (작품 안)	1인칭 주인공 시점	주인공 '나'가 자신의 이야기를 하는 시점으로, 주인공의 내면 심리를 효과적으로 그리며 독자에게 신뢰감과 친근감을 줌.
	1인칭 관찰자 시점	주변 인물인 '나'가 주인공을 관찰한 이야기를 하는 시점으로, 주인공의 내면 심리가 직접 드러나지 않아 긴장감이 형성됨.
3인칭 (작품 밖)	전지적 작가 시점	서술자가 인물의 심리나 사건에 대한 모든 것을 파악한 채로 서술하는 시점으로, 서술자 자신의 견해와 평가를 제시할 수 있으며 독자의 상상력이 제한됨.
	3인칭 관찰자 시점	서술자가 작품 밖 관찰자의 입장에서 눈에 보이는 상황만을 객관적으로 서술하는 시점으로, 독자의 상상력과 판단력이 요구됨.

★ 시적 화자란?

작가는 자신의 정서와 생각을 효과적으로 표현하기 위해 시에서 자신의 대리인을 내세우는데, 이를 '시적 화자'라고 한다. 즉 시에서 말하는 사람에 해당하며 '서정적 자아'라고도 한다.

★ 시상이란?

시에 드러난 감정이나 사상을 의미한다. 시인은 시상을 일정한 질서에 따라 짜임새 있게 구성하는데, 이를 시상 전개 방식이라고 한다.

★ 소설 속 갈등

소설에서 갈등은 사건 전개에 필연성을 부여하며 독자가 흥미와 긴장감을 갖도록 한다. 갈등의 발생과 해결 과정을 통해 인물의 성격이 나타나고 주제가 드러나게 된다. '내적 갈등'은 인물의 내면에서 대조되는 심리가 서로 충돌하여 일어나는 갈등이고, '외적 갈등'은 인물과 인물 간의 갈등, 인물과 사회 간의 갈등 등을 말한다.

★ 서술자와 인물, 독자의 거리

거리 \ 시점	1인칭 주인공/ 전지적 작가	1인칭 관찰자/ 3인칭 관찰자
서술자 –인물	가깝다	멀다
서술자 –독자	가깝다	멀다
인물 –독자	멀다	가깝다

DAY 01

1 ① 2 ⑤ 3 ① 4 ② 5 ⑤
6 ② 7 ① 8 ③ 9 ⑤ 10 ④
11 ③ 12 ③

DAY 02

1 ② 2 ② 3 ⑤ 4 ④ 5 ③
6 ① 7 ③ 8 ⑤ 9 ① 10 ④
11 ③ 12 ③

DAY 03

1 ⑤ 2 ④ 3 ② 4 ④ 5 ④
6 ③ 7 ⑤ 8 ⑤ 9 ③ 10 ③
11 ⑤ 12 ③

DAY 04

1 ② 2 ④ 3 ① 4 ⑤ 5 ①
6 ⑤ 7 ④ 8 ⑤ 9 ① 10 ④
11 ⑤ 12 ④

DAY 05

1 ② 2 ① 3 ① 4 ④ 5 ③
6 ⑤ 7 ② 8 ④ 9 ⑤ 10 ②
11 ③ 12 ④

DAY 06

1 ① 2 ④ 3 ② 4 ③ 5 ②
6 ④ 7 ③ 8 ② 9 ④ 10 ①

DAY 07

1 ① 2 ② 3 ④ 4 ② 5 ④
6 ⑤ 7 ③ 8 ② 9 ③ 10 ③
11 ④

DAY 08

1 ④ 2 ⑤ 3 ② 4 ② 5 ①
6 ② 7 ② 8 ① 9 ③ 10 ②
11 ⑤

DAY 09

1 ⑤ 2 ② 3 ④ 4 ⑤ 5 ②
6 ① 7 ③ 8 ④ 9 ⑤

DAY 10

1 ④ 2 ② 3 ④ 4 ② 5 ③
6 ④ 7 ⑤ 8 ① 9 ④

DAY 11

1 ④ 2 ③ 3 ③ 4 ⑤ 5 ①
6 ④ 7 ⑤ 8 ⑤ 9 ④ 10 ②
11 ③ 12 ④

DAY 12

1 ⑤ 2 ① 3 ④ 4 ① 5 ④
6 ③ 7 ④ 8 ⑤ 9 ③ 10 ①
11 ⑤ 12 ④

DAY 13

1 ⑤ 2 ② 3 ③ 4 ① 5 ②
6 ① 7 ③ 8 ⑤ 9 ④ 10 ④
11 ③ 12 ④

DAY 14

1 ④ 2 ② 3 ⑤ 4 ① 5 ②
6 ① 7 ⑤ 8 ② 9 ③

DAY 15

1 ① 2 ④ 3 ③ 4 ⑤ 5 ①
6 ③ 7 ② 8 ③ 9 ④ 10 ③
11 ③

DAY 16

1 ④ 2 ③ 3 ② 4 ④ 5 ⑤
6 ③ 7 ④ 8 ② 9 ②

DAY 17

1 ③ 2 ② 3 ③ 4 ⑤ 5 ④
6 ② 7 ③ 8 ⑤ 9 ② 10 ⑤
11 ②

DAY 18

1 ① 2 ⑤ 3 ③ 4 ③ 5 ④
6 ① 7 ④ 8 ⑤ 9 ⑤ 10 ④
11 ③

DAY 19

1 ⑤ 2 ② 3 ② 4 ① 5 ①
6 ② 7 ④ 8 ⑤ 9 ④ 10 ④
11 ① 12 ⑤

DAY 20

1 ③ 2 ③ 3 ② 4 ④ 5 ①
6 ④ 7 ④ 8 ④ 9 ③ 10 ④
11 ④

DAY 21

1 ⑤ 2 ③ 3 ④ 4 ① 5 ③
6 ② 7 ⑤ 8 ⑤ 9 ⑤ 10 ③
11 ③

DAY 22

1 ⑤ 2 ⑤ 3 ② 4 ① 5 ④
6 ① 7 ③ 8 ① 9 ⑤ 10 ④

DAY 23

1 ② 2 ③ 3 ⑤ 4 ③ 5 ②
6 ⑤ 7 ① 8 ③ 9 ①

DAY 24

1 ② 2 ⑤ 3 ④ 4 ③ 5 ③
6 ② 7 ④ 8 ④ 9 ⑤ 10 ①
11 ④ 12 ①

현대소설

• 고3 국어 문학 •

현대 소설

출제 트렌드

현대 소설에서는 유명한 작가의 낯선 작품이 출제되는 경향이 있는데, 특히 문학사적으로 중요한 위치에 있는 작가들은 여러 번 출제됩니다. 한 예로 2022학년도 수능에 출제된 윤흥길 작가의 경우, '날개 또는 수갑', '묘지 근처', '아홉 켤레의 구두로 남은 사내' 등 여러 작품이 기출로 등장한 바 있으며 2023학년도 7월 학력평가에서도 '양'이라는 작품이 출제되었습니다. 현대 소설은 고전 소설과 달리 출제 작품의 범위를 정하기가 어려우므로 작품에 대해 암기하는 방법은 효과적이지 않습니다. 그러므로 지문을 읽으면서 동시에 내용을 파악해야 하는데, 현대 소설은 다른 갈래에 비해 작품 해석이 어렵지 않은 편이라고 할 수 있습니다. 2023학년도, 2022학년도 수능 역시 평이한 난이도로 출제되었습니다. 현대 소설 지문을 읽을 때는 내용 이해는 물론이고 서술상의 특징, 등장인물의 심리, 중심 소재의 역할이나 의미를 묻는 문제가 빈번하게 출제되므로 이것들을 모두 파악할 수 있어야 합니다. 또한 서술자가 누구인지, 즉 어떤 시점에서 내용이 전개되고 있는지를 아는 것도 작품을 이해하는 데 도움이 됩니다.

시행	출제 지문	문제 수	난이도
2023학년도 수능	최명희, '쓰러지는 빛'	4문제 출제	★☆☆
2023학년도 9월 모평	최인훈, '크리스마스 캐럴 5'	4문제 출제	★★☆
2023학년도 6월 모평	채만식, '미스터 방'	4문제 출제	★★☆
2022학년도 수능	윤흥길, '매우 잘생긴 우산 하나'	4문제 출제	★☆☆

1등급 꿀팁

하나 _ 등장인물들의 관계에 초점을 맞춰 읽자.
두울 _ 대화와 행동을 통해 드러나는 인물의 심리와 태도를 파악하자.
세엣 _ [앞부분의 줄거리], [중략 줄거리]를 대충 읽어 넘기지 말고 꼼꼼히 보자.
네엣 _ 소설의 시점과 서술자의 서술 방식은 기본적으로 파악하자.
다섯 _ 사건이 출제의 핵심이므로 사건의 흐름을 세심하게 이해하자.
여섯 _ 고전 소설에 비해 내용이 단편적이지 않고 입체적이며 복합적인 성격을 띤다는 점을 알아 두자.
일곱 _ 문제에 제시된 〈보기〉를 통해 소설의 배경이 되는 시대적 상황을 이해하자.

다음 글을 읽고 물음에 답하시오.

밤이 깊어지면, **시장 안의 가게들**은 하나씩 문을 닫고, 길가에 리어카를 놓고 팔던 상인들은 제각기 과일이나 생선, 채소들을 끌고 다리 위로 올라오는 것이었다.

[A] 그 모양을 이만큼에 서서 흔들리는 버드나무 가지 사이로 바라보면, 리어카마다 켜져 있는 카바이드 불빛이, 마치 난간에 무슨 꽃 등불을 달아 놓은 것처럼 요요하였다.

돈이 없어도 염려가 안 되는 곳.

그 사람들은 대부분 어머니를 알았다.

모르는 사람들도 곧 알게 되었다.

[B] 벽오동집 아주머니.
오동나무 아주머니.

그렇게 어머니를 불렀다.

어느새 나무는 그렇게도 하늘 높이 자라서 저기만큼 걸린 매곡교 다릿목에서도 그 무성한 가지와 잎사귀를 올려다볼 만큼 되었던 것이다.

[C] 거기다가, 우리 집에서 날아간 오동나무 씨앗이 앞뒷집에 떨어져 싹이 나고, 어느 해 바람에 불려 갔는지 그보다 더 먼 건넛집에도, 심지 않은 오동나무가 저절로 자라나게 되었다.
그래서 나는 속으로 우리 동네를 벽오동촌이라고 별명 지었다.
그것은 어쩌면 이 가난한 동네의 한 호사였는지도 모른다.

아버지가 어머니와 혼인하시고, 작천의 친정 어머니를 남겨 두신 채, 신행 후에 전주로 돌아와 맨 처음 터를 잡은 곳이 바로 이 **천변**이었다.

[D] 동네 뒤쪽으로는 산줄기가 병풍처럼 둘러쳐져 있고, 앞쪽으로는 흰모래 둥근 자갈밭을 데불은 시냇물이 흐르며 거기다 시장까지 가까운 이곳은, 삼십 년 전 그때만 하여도, 부성 밖의 한적하고 빈한한 동네였을 것이다.

물론 우리도 중간에 **집을 고치**고, 이어 내고, 울타리를 바꾸었으나, 그저 움막처럼 나뭇가지를 얼기설기 얽은 뒤, 풍우나 피하자는 시늉으로 지은 집들도 많았을 것이다.

이 울타리 안에서 해마다 더욱더 무성하게 자라는 오동나무는 유월이면, 아련한 유백색의 비단 무늬 같은 꽃을 피웠다. 그윽한 꽃이었다.

그 나무는 나보다 더 나이가 많았다.

나를 낳으시던 해, 지팡이만 한 나무를 구해다가 앞마당에 심으시며

"기념."

넘드라."

해마다 이른 봄이면, 어린아이 손바닥만 하던 잎사귀가 어느 결에 손수건만 해지고, 그러다가 초여름에는 부채처럼 나부낀다.

그리고 가을에는 종이우산만큼이나 넓어지는 것 같았다.

하늘을 덮는 잎사귀, 그 무성한 잎사귀들…….

그 잎사귀 **서걱거리는 소리**가 골목 어귀 천변에까지 들리는 성싶었다.

어머니는 물끄러미 냇물만 바라보고 계시더니, 문득 고개를 돌려,

"영익이 언제 다녀갔지?"

하고 물으셨다.

[E] "사흘 됐나? 그저께 아니었어요?"
어머니는 어둠 속에서 고개를 끄덕이셨다.
어머니의 고개는 무거워 보였다.

"참, 어머니 지금 저기, 불빛 뵈는 저 산마루에 절, 저기가 영익이 있는 데예요?"

나는 동편 산마루의 깜박이는 불빛을 가리키며 무심한 듯 물었다.

"아니다. 그건 승암사라구 중바위산 아니냐. 그 애 공부하는 덴 이 오른쪽이지…… 기린봉 중턱에 있는 절이야. 여기서는 잘 뵈지도 않는구나."

(생략)

- 최명희, 「쓰러지는 빛」 -

28. [A]~[E]의 서술 방식에 대한 설명으로 적절하지 <u>않은</u> 것은?

① [A]: '이만큼에 서서'와 '바라보면'을 보면, 서술자가 대상을 지각할 수 있는 위치에서 서술하고 있음을 알 수 있다.
② [B]: 호명하는 말을 각각 하나의 문단에 서술하여, 그 호칭이 두드러져 보이는 효과가 나타난다.
③ [C]: '나'와 '우리' 같은 표현을 사용하여, 서술자가 자기 경험을 바탕으로 하는 이야기를 서술하면서 자신의 내면을 드러낸다.
④ [D]: '동네였을 것이다'를 보면, 서술자가 과거 상황에 대해 확정적으로 진술하지 않고 추측의 의미를 담아 서술하고 있음을 알 수 있다.
⑤ [E]: 누가 한 말인지 명시하지 않은 것을 보면, 대화 상황에서 말하는 이와 서술자가 다르다는 사실을 알 수 있다.

문제풀이

2023학년도 수능에서 현대 소설은 지문과 문제 모두 어렵지 않게 출제되었다. 28번은 소설의 서술 방식을 묻는 문제이다. 시 뿐만 아니라 소설의 경우에도 작가가 독자에게 소설의 인물, 사건, 배경 등을 효과적으로 전달하기 위해 다양한 서술 방식을 사용한다는 것을 알아 두자.

① [A]에서 서술자는 상인들이 리어카를 끌고 다리 위로 올라온 모습을 '이만큼에 서서 흔들리는 버드나무 가지 사이로 바라보'고 리어카의 카바이드 불빛이 요요하다고 말하고 있으므로, 대상을 지각할 수 있는 위치에서 서술하고 있음을 알 수 있다.
② [B]에서 '벽오동집 아주머니'와 '오동나무 아주머니'는 '어머니'를 호명하는 말로, 이를 각각 하나의 문단에 서술함으로써 호칭이 두드러져 보이고 있다.
③ [C]에 나타난 '우리', '나'와 같은 표현을 통해 서술자가 자신의 경험을 바탕으로 하는 이야기를 서술하고 있음을 알 수 있다. 또한 '그것은 어쩌면 ~ 호사였는지도 모른다.'에서 서술자의 내면이 드러나고 있다.
④ [D]에서 서술자는 삼십 년 전의 천변 동네에 대해 '그때만 하여도, ~ 동네였을 것이다.'라고 말하고 있는데, 이때 '-ㄹ 것'은 추측을 나타내는 표현이다.
❺ [E]에 나타난 어머니와의 대화 상황에서 "사흘 됐나? 그저께 아니었어요?"라고 말하는 사람은 서술자인 '나'이므로, 말하는 이와 서술자가 다르다는 설명은 적절하지 않다.

7분 | 2023학년도 수능 27~30번 | ★☆☆ | 정답 002쪽

【1~4】 다음 글을 읽고 물음에 답하시오.

밤이 깊어지면, **시장 안의 가게들**은 하나씩 문을 닫고, 길가에 리어카를 놓고 팔던 상인들은 제각기 과일이나 생선, 채소들을 끌고 다리 위로 올라오는 것이었다.

[A] 그 모양을 이만큼에 서서 흔들리는 버드나무 가지 사이로 바라보면, 리어카마다 켜져 있는 카바이드 불빛이, 마치 난간에 무슨 꽃 등불을 달아 놓은 것처럼 요요하였다.

돈이 없어도 염려가 안 되는 곳.

그 사람들은 대부분 어머니를 알았다.

모르는 사람들도 곧 알게 되었다.

[B] 벽오동집 아주머니.
오동나무 아주머니.

그렇게 어머니를 불렀다.

어느새 나무는 그렇게도 하늘 높이 자라서 저기만큼 걸린 매곡교 다릿목에서도 그 무성한 가지와 잎사귀를 올려다볼 만큼 되었던 것이다.

[C] 거기다가, 우리 집에서 날아간 오동나무 씨앗이 앞뒷집에 떨어져 싹이 나고, 어느 해 바람에 불려 갔는지 그보다 더 먼 건넛집에도, 심지 않은 오동나무가 저절로 자라나게 되었다.
그래서 나는 속으로 우리 동네를 벽오동촌이라고 별명 지었다.
그것은 어쩌면 이 가난한 동네의 한 호사였는지도 모른다.

아버지가 어머니와 혼인하시고, 작천의 친정 어머니를 남겨 두신 채, 신행 후에 전주로 돌아와 맨 처음 터를 잡은 곳이 바로 이 **천변**이었다.

[D] 동네 뒤쪽으로는 산줄기가 병풍처럼 둘러쳐져 있고, 앞쪽으로는 흰모래 둥근 자갈밭을 데불은 시냇물이 흐르며 거기다 시장까지 가까운 이곳은, 삼십 년 전 그때만 하여도, 부성 밖의 한적하고 빈한한 동네였을 것이다.

물론 우리도 중간에 **집을 고치**고, 이어 내고, 울타리를 바꾸었으나, 그저 움막처럼 나뭇가지를 얼기설기 얽은 뒤, 풍우나 피하자는 시늉으로 지은 집들도 많았을 것이다.

이 울타리 안에서 해마다 더욱더 무성하게 자라는 오동나무는 유월이면, 아련한 유백색의 비단 무늬 같은 꽃을 피웠다. 그윽한 꽃이었다.

그 나무는 나보다 더 나이가 많았다.

나를 낳으시던 해, 지팡이만 한 나무를 구해다가 앞마당에 심으시며

"기념."

이라고 웃으셨다는 아버지.

"처음에는 저게 자랄까 싶었단다. 그러던 게 이듬해는 키를 넘드라."

해마다 이른 봄이면, 어린아이 손바닥만 하던 잎사귀가 어느 결에 손수건만 해지고, 그러다가 초여름에는 부채처럼 나부낀다. 그리고 가을에는 종이우산만큼이나 넓어지는 것 같았다.

하늘을 덮는 잎사귀, 그 무성한 잎사귀들…….

그 잎사귀 **서걱거리는 소리**가 골목 어귀 천변에까지 들리는 성싶었다.

어머니는 물끄러미 냇물만 바라보고 계시더니, 문득 고개를 돌려,

"영익이 언제 다녀갔지?"

하고 물으셨다.

[E] "사흘 됐나? 그저께 아니었어요?"
어머니는 어둠 속에서 고개를 끄덕이셨다.
어머니의 고개는 무거워 보였다.

"참, 어머니 지금 저기, 불빛 뵈는 저 산마루에 절, 저기가 영익이 있는 데예요?"

나는 동편 산마루의 깜박이는 불빛을 가리키며 무심한 듯 물었다.

"아니다. 그건 승암사라구 중바위산 아니냐. 그 애 공부하는 덴 이 오른쪽이지…… 기린봉 중턱에 있는 절이야. 여기서는 잘 뵈지도 않는구나."

그러면서 어머니는 눈을 들어, 어두운 밤하늘에 뚜렷한 금을 긋고 있는 산줄기를 바라보셨다. 산은 검고 깊었다.

동생 영익이는 벌써 이 년째 그 산속의 절에서 사법 고시 준비를 하고 있었다.

그는 말이 없고 우울한 때가 많았다.

그리고 그저께 집에 내려와, 이사 날짜가 결정되었다는 말을 듣고는 아무 말도 없이 고개를 떨어뜨리더니

"내가……."

하고 무슨 말을 이으려다 말고 그냥 산으로 올라갔었다.

그때 영익이의 말끝에 맺힌 숨소리는 '흡' 하고 내 가슴에 얹혀 아직도 내려가지 않은 것만 같았다.

우리가 이사하기로 된 집의 **구조**는 지극히 **천박**하였다.

우선 대문이 번화한 도로변으로 나 있는 데다가 오래되고 낡아서 녹이 슨 철제였다. 그것은 잘 닫히지도 않아 비긋하니 틀어진 채 열려 있었다.

그리고 마당은 거의 없다는 편이 옳았다. 그나마 손바닥만 한 것을 시멘트로 빈틈없이 발라 놓았고, 방들은 오밀조밀 붙어 있어 개수만 여럿일 뿐, 좁고 어두웠다.

그중에 한 방은 아예 전혀 **채광 통풍조차**도 되지 않았다.

그것도 원래는 **창문**이었는데, 아마 바로 옆에 가게를 이어 내느라고 **막아 버린** 모양이었다. 그 가게란 양품점으로, 레이스가 많이 달린 네글리제와 여자용 속옷, 스타킹 따위를 고무 인형에 입혀 세워 놓은 곳이었다.

뿐만 아니라 그 가게를 중심으로 앞뒤에 같은 양품점들이 늘어서 있고 그 옆에는 양장점, 제과소, 음식점, 식료품 잡화상들이 있었다.

여기저기서 들려오는 **불규칙한 마찰음**, 무엇이 부딪쳐 떨어지는 소리, 어느 악기점에선가 쿵, 쿵, 울려 오는 스피커 소리…… 끼익, 하며 숨넘어가는 자동차 소리.

한마디로 그 집은, 아스팔트의 바둑판, 환락과 유행과 홍정의 경박한 거리에 금방이라도 쓸려 버릴 것처럼 위태해 보였다.

그리고 우리가 이제 이사 올 집이라고, 그 집 문간에 옹숭그리고 서서 철제 대문 사이로 안을 기웃거리며 들여다보는 **우리들**은 어쩐지 **잘못 날아든 참새들 같**기만 하였다.

- 최명희, 「쓰러지는 빛」 -

1. 윗글에 대한 이해로 가장 적절한 것은?

① '영익'은 가족의 상황을 알고서도 제 생각을 분명히 드러내지 않는다.
② '어머니'는 아들이 출가하여 소식이 끊긴 뒤 그의 근황을 궁금해 한다.
③ '나'는 동생의 말을 듣고서 그가 현재 어디에 머무르고 있는지 알게 된다.
④ '시장 안의 가게들'은 밤늦게 물건을 사기 위해 사람들이 모여드는 곳이다.
⑤ '천변'은 아버지와 어머니가 결혼할 때부터 사람들이 북적였던 번화한 동네이다.

2. [A]~[E]의 서술 방식에 대한 설명으로 적절하지 않은 것은?

① [A]: '이만큼에 서서'와 '바라보면'을 보면, 서술자가 대상을 지각할 수 있는 위치에서 서술하고 있음을 알 수 있다.
② [B]: 호명하는 말을 각각 하나의 문단에 서술하여, 그 호칭이 두드러져 보이는 효과가 나타난다.
③ [C]: '나'와 '우리' 같은 표현을 사용하여, 서술자가 자기 경험을 바탕으로 하는 이야기를 서술하면서 자신의 내면을 드러낸다.
④ [D]: '동네였을 것이다'를 보면, 서술자가 과거 상황에 대해 확정적으로 진술하지 않고 추측의 의미를 담아 서술하고 있음을 알 수 있다.
⑤ [E]: 누가 한 말인지 명시하지 않은 것을 보면, 대화 상황에서 말하는 이와 서술자가 다르다는 사실을 알 수 있다.

3. 윗글의 '오동나무'에 대한 이해로 가장 적절한 것은?

① '나'가 계절의 자연스러운 변화와 세월의 흐름을 느끼게 되는 경험적 대상이다.
② 가난한 마을이지만 사람들로 하여금 호사를 누릴 수 있게 하는 경제적 기반이다.
③ '어머니'가 결혼 후에 심고 정성을 다해 키워 내어 무성해진 애착의 결실이다.
④ 동네 사람들이 마을의 특징에 부합한 별명을 자기 마을에 붙일 때 적용한 단서이다.
⑤ '아버지'가 자식을 얻은 기쁨을 이웃과 나눌 생각에 마을 곳곳에 심은 상징적 기념물이다.

4. <보기>를 바탕으로 윗글을 감상한 내용으로 적절하지 않은 것은? [3점]

<보 기>

집에 대한 정서적 반응은 집의 구조, 주변 환경, 거주 기간 등의 요인에 따라 다를 수 있다. 자신이 거주하는 집의 내·외부와 관계를 맺으며 충분한 시간 동안 쌓은 경험들은 현재 살고 있는 집에 대한 정서를 형성하는 데 영향을 주며, 다른 낯선 공간에 대한 정서적 반응에 영향을 주기도 한다. 「쓰러지는 빛」은 이사할 처지에 놓인 한 가족의 이야기를 통해 집에 대한 '나'의 정서적 반응을 보여 준다.

① '나'가 '천변' 집에 살면서 추억을 형성해 온 시간들은, 이사할 처지에 놓인 현재의 상황을 불편하게 여기는 요인이 될 수 있겠군.
② '집을 고치'던 경험을 바탕으로 '구조'가 '천박'한 집의 여건을 살펴보는 것에서, 거주 환경의 변화에 적응하여 낯선 공간에 친숙해지고자 하는 '나'의 생각을 확인할 수 있겠군.
③ '서걱거리는 소리'와 '불규칙한 마찰음'에서 드러나는 집 주변 환경의 차이는, 두 집에 대해 '나'가 느끼는 친밀감의 차이를 유발할 수 있음을 예상할 수 있겠군.
④ '창문'을 '막아 버린' 방은 '채광 통풍조차' 되지 않는 속성으로 인해, 지금 살고 있는 집에 대한 '나'의 정서적 반응과는 다른 정서적 반응을 일으키는 요인이 될 수 있겠군.
⑤ '우리들'의 상황이 '잘못 날아든 참새들 같'다고 한 것은, 변화될 거주 여건을 낯설어하는 심리를 비유적으로 드러낸 것이라 할 수 있겠군.

7분 | 2022학년도 10월 학평 31~34번 | ★★☆ | 정답 002쪽

[5~8] 다음 글을 읽고 물음에 답하시오.

[앞부분의 줄거리] 폐병을 앓고 있는 현일은 길에서 함께 있는 옛 동료 교사 도영과 제자 병수를 만난다. 병수는 폐병을 앓고 있는 도영이 약으로 쓸 구렁이와 지렁이를 잡는 것을 도와주고 있었다. 도영이 잠시 자리를 비운 사이 현일은 병수와 대화를 나눈다.

"하루바삐 하면 뭘 합니까? 학생 생활도 세월 보내는 한 수단일는지도 모르니까 요행 있는 학비니 할 수만 있으면 오래 학창 생활을 해 보렵니다."

"음……"

"학생 생활에만 애착이 있어 그런 것이 아니라 실생활에 나서기가 무서워서 그러죠."

"그것이 요새 젊은이들의 생각인가? 혹시 자네만이 그런가?"

"글쎄올시다."

"그런 것이 소위 불안이라는 유행병인가?"

어느덧 이야기가 또 이렇게 되풀이되는 것이 현일은 불쾌하였다. 병수를 만나면 젊은이의 청신한 기분을 맛보려니 기대하였던 자기가, 자기 말조차 이렇게 삐여지는* 것이 우울하였다.

"물론 시대적 원인도 크겠지만 자네같이 젊고 무엇을 하려면 할 수 있는 처지의 사람은 ㉠<u>'나만은 그런 유행병에 감염이 안 된다'는 의지와 패기를 가져 볼 수는 없을까?</u>"

이러한 현일의 말에

"제가 불안 병자로 자처하는 배도 아니지만…… 그렇다고 선생 말씀같이 쉽게. 죄송한 말씀이지만 ㉡<u>선생께서 말씀하시는 의지나 패기는, 오히려 선생의 신병과 정신적 타격의 반동이 아닐까요?</u>"

하였다.

이렇게 속에 있는 대로 털어놓고 보니 병수는 도리어 쓸쓸하였다. 말이 지나쳤다고 후회되었다.

M학교 시대에 또 각혈을 한 것이라고 볼 수밖에 없는 현일 선생이 그러한 때마다 '개체인 자신이 불행하더라도 그 때문에 결코 인생을 어둡게 보거나 저주할 것은 아니라'고 열성적으로 강조하는 말을 들을 때마다 감격하였고 현일 선생을 더욱 숭배하였던 것을 생각하였다.

그러한 희생과 추억과 지금의 자기 태도를 생각할 때 병수는 더욱 쓸쓸하였다. 이런 것이 문학청년다운 자기의 예민한 관찰을 자랑하려는 경박한 것이 아닐까고도 생각되었다.

㉢<u>현일은 현일이대로 병수의 말에 아픈 타격을 느낄밖에 없었다.</u> 절망적으로 자기 생명의 위험을 느낄 때마다 지금까지의 노력 정진 전진 노력으로 싸우며 살아온 자기의 일생이 이뿐이냐 하는 생각에 한 사회인으로 무엇을 해 보겠다는 희망도 야심도 사라지고 모든 것이 귀찮아지고 세상이 어둡고 인생을 저주하고 싶은 것이었다. 그것은 감정이었다. 그러나 그때만은 그것이 생각할 수 있는 생각의 전부였다. 소크라테스가 아닌 범인의 본능이었다.

그러한 자기의 감정과 본능을 이론적으로 극복하려는 심정으로 수신 시간의 강의는 더욱 열이 있었던 것이 아닐까.

이렇게 생각하는 현일은 병수의 온건치 않은 말이 불쾌하면서도 전연 억측만도 아닌 바에야. 그러나,

"그러나 자네 말대로 내가 절망적이요, 그 반동으로 의지와 패기를 말하는지는 모르지만 사람에게는 의지와 패기가 필요찮을까? ㉣<u>물론 나는 건강으로나 교육자로나 절망적이지만, 자네 같은 사람들이야 왜.</u>"

"결국 용기 문제겠지요."

이렇게 대답하는 병수는 용기 없다기보다는 용기를 일으킬 만한 사상과 신념을 붙들지 못하였다는 것이 솔직한 말이 아닐까고 생각하였다.

(중략)

병수가 무엇이라 대답할 사이도 없이 도영의 입에서 피가 솟구쳐 나오기 시작하였다.

피가 좀 멎자 기신을 못 차리는 그의 입언저리의 피를 씻으려고 병수는 손수건을 들고 다가앉았다. 그것을 본 현일은 병수를 떠밀어 내며 노기를 띤 언성으로 "저리 가라니까" 소리를 지르고 자기 손수건을 내어 도영의 머리를 가슴에 안고 얼굴을 씻으며

"이런 더러운 피에 왜 손을 적시려나…… 정신 차리거든 내가 다리구 갈게 자넨 가게나."

병수는 할 수 없이 돌아서 성문으로 들어갔다.

처음같이 피가 솟구쳐 나지는 않지만 그치지 않고 입언저리로 가늘게 흘러내렸다. 도영의 머리를 자기 가슴에 기대어 놓은 현일이는 피가 멎을까 하여 자기 수건과 도영의 수건을 모두 적시어 보았으나 끝이 없었다.

할 수 없이 돌 위에 웃저고리를 접어 놓은 베개에 도영이를 누이고 정신 차리기를 기다릴밖에 없었다. 성벽 저편으로 해가 기울어서 진한 그림자가 덮이고 바람이 불었다.

[A]

아무리 저녁인들 이 여름에 바람이 싫으니…… 나 역시 이 세상과는 벌써 인연이 멀어진 사람이로구나. 속으로 이렇게 중얼거리며 현일은 앞가슴에 옷자락을 여미고 송장 같은 도영의 옆에 엎디었다.

절망과 패기. 비관과 낙관. 그 두 가지 정반대의 생각을 번갈아 가며 지금까지 살아왔거니.

절망과 비관으로는 살아갈 수가 없었다. 뼈를 깎는 듯한 절망에 부대끼다 못하여 애써 빈약하지만 자기의 **철학의 지식**을 끄집어내어 구원한 인생의 발전을 명상해 볼 때에는 **청징한 공기**를 호흡하듯이 상쾌함을 느끼는 때도 있었다. 그때마다 자기도 한 짐을 맡았으면 하는 패기도 느껴 보는 것이다. 그러나 그러한 인생을 등지고 죽어 가는 자신을 생각할 때 **깊은 바닷속**으로 빠져 들어가는 듯한 절망을 느낄밖에 없었다. 그러나 그것이 오직 자기의 세계라면 참고 사는 때까지 살아가리라 하였다. 그러나 또 견딜 수가 없었고 아직 남은 **마음의 탄력**으로 또 상쾌한 명상으로 떠올라 보는 것이었다.

그러나 지금 내게는 무엇이 남았으랴. 절망인들 남았으랴. 죽어 가는 [폐어]에게 물도 공기도 무슨 소용이랴. 지금 폐어는 **반신(半身) 물에 잠기고 반신 바람에 불리**면서도 **두 가지 호흡의 기능**을 다 잃고 죽어 가는 것이라고 현일은 꿈속같이 생각하며 죽은 듯이 엎뎌 있었다.

얼마 후에 성문 저편에 자동차가 멎고 병수가 돌아왔다.

운전수의 손을 빌려서 도영이를 차에 싣고 떠났다. 죽은 듯한 도영이를 무릎 위에 누이고 현일은 차 한편 모퉁이에 기대었다. 눈도 뜰 수 없이 피곤하였다.

㉤<u>운전대에 앉아서 돌아보는 병수는 '이런 더러운 피에 왜 손을 적시려나' 한 선생의 말을 생각하였다.</u>

－ 최명익, 「폐어인」 －

* 삐여지는 : 빗나가는.

5. 윗글의 내용에 대한 이해로 적절하지 않은 것은?

① 병수는 자신의 속에 있는 말을 현일에게 하고 후회했다.
② 병수는 병이 발작해 쓰러진 도영을 위해 자동차를 타고 돌아왔다.
③ 현일은 병수와의 만남이 자신이 기대했던 것과 달라 우울함을 느꼈다.
④ 병수는 실생활에 나서는 것에 대한 두려움 때문에 학창 생활을 오래 하겠다고 말했다.
⑤ 현일은 자신의 말에 대한 병수의 비판을 근거 없는 추측이라고 여겨 불쾌함을 느꼈다.

6. [A]의 서술상 특징으로 가장 적절한 것은?

① 인물의 외양을 감각적으로 묘사하여 인물의 성격을 제시하고 있다.
② 인물의 내적 독백을 제시하면서 인물의 내면 의식을 진술하고 있다.
③ 공간적 배경을 사실적으로 제시하여 사건 전개의 필연성을 확보하고 있다.
④ 관찰자의 시점에서 인물과 일정한 거리를 유지하면서 인물의 행적을 제시하고 있다.
⑤ 시간의 흐름에 따라 서술자를 달리하여 하나의 사건을 다양한 관점에서 조명하고 있다.

7. <보기>에서 선생님이 제시한 활동을 통해 [폐어]에 대해 이해한 내용으로 가장 적절한 것은?

< 보 기 >

선생님 : 폐어는 물속에서도 뭍에서도 호흡하는 물고기입니다. 폐어와 관련하여 형성될 수 있는 물속과 뭍, 물과 공기의 대조적 의미 관계는 이 작품에서 '현일'을 통해 나타나고 있습니다. 이를 참고하여 폐어에 대해 이해해 봅시다.

① 폐어가 '두 가지 호흡의 기능'을 모두 잃고 죽어 가는 것은 현일이 패기를 잃은 데다가 절망조차 남아 있지 않은 것을 의미하고 있어요.
② 폐어가 '반신 물에 잠기고 반신 바람에 불리'는 것은 현일이 낙관적 생각을 하지 못하고 비관적 생각만 하며 살아온 것을 의미하고 있어요.
③ 폐어가 물위로 떠올라 '청징한 공기'를 호흡하는 것은 현일이 인생을 등지고 더 깊은 절망감에 빠져드는 것을 의미하고 있어요.
④ 폐어가 '마음의 탄력'으로 떠오르는 것은 현일이 현실에 대한 욕망을 내려놓고 심적 안정 상태에 이르렀음을 의미하고 있어요.
⑤ 폐어가 '깊은 바닷속'으로 들어가는 것은 현일이 '철학의 지식'을 끄집어내는 것을 의미하고 있어요.

8. <보기>를 참고하여 ㉠~㉤을 감상한 내용으로 적절하지 않은 것은? [3점]

< 보 기 >

이 작품은 암울했던 일제 말기에 기성세대와 청년 세대가 서로에 대해 지녔던 의식과 태도가 어떠했는지를 보여 주고 있다. 이 작품 속 기성세대는 청년 세대에게 실망감과 안타까움을 느끼는 한편, 그들에 대한 책임 의식과 그들이 더 나은 삶을 살았으면 하는 바람을 지니고 있다. 그리고 청년 세대는 기성세대를 냉소적으로 대하기도 하지만 외면하지 않고 기성세대의 생각을 이해하고자 노력하는 모습을 보여 주고 있다.

① ㉠에서는 현일이 현실을 회피하려는 태도를 보이는 병수의 말에 대해 안타까운 마음을 드러내고 있다고 할 수 있겠군.
② ㉡에서는 병수가 부정적 현실에 맞서는 정신적 태도를 강조하는 현일의 말에 대해 냉소적 인식을 드러내고 있다고 할 수 있겠군.
③ ㉢에서는 현일이 사회인으로서 책임 의식을 강화하기 위한 일을 계획하는 데 현일의 마음을 아프게 한 병수의 말이 영향을 주었음을 드러내고 있다고 할 수 있겠군.
④ ㉣에서는 현일이 자신의 조언에 대한 병수의 반문과 관련해 자신과 병수를 구분하고 병수가 자신보다 더 나은 삶을 살았으면 하는 바람을 드러내고 있다고 할 수 있겠군.
⑤ ㉤에서는 병수가 자신을 염려해 주는 마음에서 현일이 했던 말의 의미를 헤아려 보려는 태도를 드러내고 있다고 할 수 있겠군.

7분 | 2023학년도 9월 모평 28~31번 | ★★☆ | 정답 003쪽

[9~12] 다음 글을 읽고 물음에 답하시오.

그런 일이 있은 지 한 달쯤 지나니 내 겨드랑에 생긴 이변의 전모가 대강 드러났다. **파마늘**은 어김없이 밤 12시부터 새벽 4시 사이에 솟구친다는 것. **방**에 있으면 쑤시고 밖에 나가면 씻은 듯하다는 것. 까닭은 전혀 알 길이 없다는 것 등이었다. **의사**는 나에게 전혀 이상이 없다고 잘라 말했다. 그도 그럴 것이 그 시간에는 내 겨드랑은 멀쩡했기 때문이다. 그때부터 나의 괴로움은 비롯되었다. 파마늘은 전혀 불규칙한 사이를 두고 튀어나왔다. 연이틀을 쑤시는가 하면 한 일주일 소식을 끊고 하는 것이었다. 하루 이틀이지 이렇게 줄곧 밖에서 새운다는 것은 못 할 일이었다. 나는 제집이면서 꼭 **도적놈**처럼 **뜰**의 어느 구석에 숨어서 밤을 지내야 했기 때문이다. 그런 생활이 두 달째에 접어들었을 때 나는 견디다 못해서 담을 넘어서 밖으로 나가 보았다. 그랬더니 참으로 이상한 일도 다 있었다. 뜰에 나와 있어도 가끔 뜨끔거리고 손을 대 보면 미열이 있던 것이 거리를 거닐게 되면서는 아주 깨끗이 편한 상태가 되었다. 이렇게 되면서 독자들은 곧 짐작이 갔겠지만, 문제가 생겼다. 내가 의료적인 이유로 산책을 강요당하게 되는 시간이 행정상의 **통행 제한**의 시간과 우연하게도 겹치는 점이었다. 고민했다. 나는 부르주아의 썩은 미덕을 가지고 있었다. 관청에서 정하는 규칙은 따라야 한다는 것이 그것이다. 12시부터 4시까지는 모든 **시민**은 밖에 나다니지 말기로 되어 있다. 모든 사람이 받아들이는 규칙이니까 **페어플레이**를 지키는 사람이면 이것은 소형(小型)의 도덕률일 수밖에 없다. 그러나 이 도덕률을 지키는 한 내 겨드랑은 요절이 나고 나는 죽을는지도 모른다.

[**중략 부분의 줄거리**] '나'는 겨드랑이에 파마늘 같은 것이 돋으면 밤거리를 몰래 산책하곤 한다. '나'는 밤 산책 중 종종 다른 사람들과 마주친다.

오늘은 경관을 만났다. 나는 얼른 몸을 숨겼다. 그는 부산하게 내 앞을 지나갔다. 그 순간 나는 내가 레닌*인 것을, 안중근인 것을, 김구인 것을, 아무튼 그런 인물임을 실감한 것이다. 그가 지나간 다음에도 나는 ㉠<u>은신처</u>에서 나오지 않았다. 공화국의 시민이 어찌하여 그런 엄청난 변모를 할 수 있었는지 모를 일이다. 나는 정치적으로 백치나 다름없는 감각을 가진 사람이다. 위에서 레닌과 김구를 같은 유(類)에 놓은 것만 가지고도 알 만할 것이다. 그런데 경관이 지나가는 순간에 내가 **혁명가**였다는 것도 분명한 사실이다. 혁명가라고 자꾸 하는 것이 안 좋으면 **간첩**이래도 좋다. 나는 그 순간 분명히 간첩이었던 것이다. 그런데 내가 간첩이 아닌 것은 역시 분명하였다. 도적놈이래도 그렇다. 나는 분명히 도적놈이었으나 분명히 도적놈은 아니었다. 나는 아주 희미하게나마 혁명가, 간첩, 도적놈 그런 사람들의 마음이 알 만해지는 듯싶었다. 이 맛을 못 잊는 것이구나 하고 나는 생각하였다. 나도 물론 처음에는 치료라는 순전히 **공리적인** 이유로 이 산책에 나섰다. 그러나 지금으로서는 반드시 그런 것만은 아니다. 설사 내 겨드랑의 달걀이 영원히 가 버린다 하더라도 이 금지된 산책을 그만둘 수 있을지는 심히 의심스럽다. 나의 산책의 성격은 **변질**되기 시작하였다. **누룩 반죽**처럼.

기적(奇蹟). 기적. 경악. 공포. 웃음. 오늘 세상에도 희한한 일이 내 몸에 일어났다. 한강 근처를 산책하고 있는데 겨드랑이 간질간질해 왔다. 나는 속옷 사이로 더듬어 보았다. 털이 만져졌다. 그런데 닿임새가 심상치 않았다. 털이 괜히 빳빳하고 잘 묶여 있는 느낌이다. 빗자루처럼. 잘 만져 본다. 아무래도 보통이 아니다. 나는 ㉡<u>바위틈</u>에 몸을 숨기고 윗옷을 벗었다. 속옷은 벗지 않고 들치고는 겨드랑을 들여다보았다. 나는 실소하고 말았다. 내 겨드랑에는 새끼 까마귀의 그것만 한 아주 치사하게 쬐끄만 **날개**가 돋아나 있었다. 다른 쪽 겨드랑을 또 들여다보았다. 나는 쿡 웃어 버렸다. 그쪽에도 장난감 몽당빗자루만 한 것이 달려 있는 것이었다. 날개가 보통 새들의 것과 다른 점이 그 깃털이 곱슬곱슬한 고수머리라는 것뿐이었다. 흠. 이놈이 나오려는 아픔이었구나 하고 나는 생각했다. 나는 그 날개를 움직이려고 해 보았다. **귓바퀴**가 말을 안 듣는 것처럼 그놈도 움직이지 않았다. 나는 참말 부끄러워졌다.

- 최인훈, 「크리스마스 캐럴 5」 -

* 레닌 : 러시아의 혁명가.

9. 윗글의 서술상 특징으로 가장 적절한 것은?

① 시간의 순서를 뒤바꾸어 이야기의 인과 관계를 재구성하고 있다.
② 유사한 사건을 반복해서 제시하며 서술의 초점을 분산시키고 있다.
③ 장면에 따라 서술자를 달리하여 사건의 의미를 입체적으로 조명하고 있다.
④ 공간의 이동에 따른 인물의 경험을 다른 인물의 시선을 통해 서술하고 있다.
⑤ 사건에 대한 중심인물의 내적 반응을 중심인물 자신의 목소리를 통해 제시하고 있다.

10. 윗글에 대한 이해로 적절하지 <u>않은</u> 것은?

① '의사'가 '나'의 증상을 진단하지 못한 것은 '나'의 증상이 '의사' 앞에서는 나타나지 않았기 때문이다.
② '나'는 자신의 집에서 '도적놈'과 비슷한 방식으로 행동하곤 했다.
③ '뜰'에서의 '나'의 고통은 '방'에서보다는 덜하지만 완전히 사라지지는 않는다.
④ '나'는 '시민'이 정한 규칙을 준수해야 하는 '페어플레이'를 지키지 못하게 되어 고민한다.
⑤ '혁명가'와 '간첩'은 '나'가 자신의 행동을 이해하기 위해 자신과 비교해 보는 대상이다.

11. ㉠과 ㉡에 대한 이해로 가장 적절한 것은?

① ㉠은 정신적 안정을, ㉡은 신체적 회복을 위한 공간이다.
② ㉠은 윤리적인, ㉡은 정치적인 이유로 몸을 숨기는 공간이다.
③ ㉠은 ㉡과 달리, 타인의 출현으로 인해 몸을 감춘 공간이다.
④ ㉡은 ㉠과 달리, 반복적으로 사용하는 공간이다.
⑤ ㉠과 ㉡은 모두, 과거의 자신을 긍정하는 공간이다.

12. <보기>를 바탕으로 윗글을 감상한 내용으로 적절하지 <u>않은</u> 것은? [3점]

<보 기>

「크리스마스 캐럴 5」는 자유가 억압된 시대적 상황에서 자유의 가능성과 한계를 묻는 작품이다. '나'의 겨드랑이에 돋은 정체불명의 파마늘이 주는 통증은 자유에 대한 요구를, 그로 인한 밤 '산책'은 자유를 위한 실천을 의미한다. 작품은 처음에는 명료하지 않고 미약했던 자유를 향한 의지가 밤 산책을 거듭하면서 심화되는 모습과 함께 그 과정에서 생기는 문제점을 드러낸다.

① '통행 제한'으로 인해 산책의 자유가 제한된 상황은, 단순히 이동의 자유에 대한 억압만이 아니라 자유가 억압되는 시대적 상황 자체에 대한 문제 제기라고 할 수 있겠군.
② '파마늘'이 돋을 때의 극심한 통증은, 자유가 그만큼 절박하게 요구되었던 상황을 보여 주는 동시에 자유를 얻기 위해 필요한 고통을 암시하기도 하겠군.
③ '공리적인' 목적을 가지고 있었던 산책이 점차 '누룩 반죽'처럼 '변질'되었다는 표현은, 자유의 필요성이 망각되어 자유를 위한 실천의 목적이 훼손되는 문제점에 대한 비판이겠군.
④ 정체불명의 파마늘이 '날개'의 형상으로 바뀐 것은, 처음에는 명료하지 않았던 자유를 향한 의지가 산책을 통해 심화되었다는 것을 의미하겠군.
⑤ '날개'가 '귓바퀴' 같다는 점에 대해 '나'가 느낀 부끄러움은, 여러 차례의 산책에도 불구하고 자유를 의지대로 실현하기 어려웠던 한계에 대한 인식으로 볼 수 있겠군.

총 문항			문항	맞은 문항					문항
개별 문항	1	2	3	4	5	6	7	8	9	10
채점										
개별 문항	11	12	13	14	15	16	17	18	19	20
채점										

7분 | 2022학년도 7월 학평 31~34번 | ★★☆ | 정답 004쪽

[1~4] 다음 글을 읽고 물음에 답하시오.

호랑이 사건 이후부터 윤봉이에겐 커다란 변화가 생겼다. 연설 흉내만이 아니라 군가를 부르는 데도 그 특이한 재주를 발휘하여 잠깐 사이에 우리 마을의 명물로 등장했다. 어른 아이 할 것 없이 마을 어디를 가나 윤봉이의 인기가 대단한 것에 가족들인 우리까지 놀라지 않을 수 없었다. 아주 내놓은 바보로 이제까지 거들떠도 안 보던 사람들이 우리 윤봉이를 구경하기 위해 일부러 마을 정자마당에 들르는 것이었고 길을 가다가도 꼭꼭 불러 세우곤 했다. 그러나 솔직히 얘기해서 이처럼 엄청난 인기에 값할 만큼 윤봉이의 재간이 하루아침에 눈부시게 급성장해 버린 건 아니었다. 발음은 여전히 어눌했고, 중간중간을 잘 까먹어 수없이 더듬거렸다. 더구나 노래 도중에 헤프게 흘리는 멀건 웃음과 굼뜬 몸놀림은 그가 여전히 **어쩌지 못할 바보의 상태**로 머물러 있음을 증명하고도 남았다. 그럼에도 불구하고 사람들의 극성이 윤봉이의 꽁무니에 졸졸 매달려 다닌다는 건 대뜸 이해가 안 가는 일이었다. 결국 그 점에 관해선 아버지의 견해가 옳은지도 몰랐다. 윤봉이가 근심될 때마다 아버지는 곰을 이야기했다. 본디 우매한 동물이기 때문에 사람들이 곰에 거는 기대는 늘 최저의 수준에서 시작되었다. 훈련에 의해 그 최저의 수준을 한치라도 넘어선 행동을 보일 때 사람들은 그것을 굉장한 재주로 여기고 곡마단의 곰에게 박수를 보내게 된다. 윤봉이는 [한 마리의 곰]이었다. 곰이 되어가는 윤봉이를 슬퍼하는 사람은 아버지 혼자였다. 아버지는 슬픔을 넘어 분개하고 있었다. 동네 사람들의 극성 뒤에 감추어진 불순한 저의를 개탄하고 있었다. 철부지 어린애를 **방패막이**로 삼아 자기네들이 인민군을 환영하고 공산당에 적극 동조한다는 사실을 은근히 드러내는 데 이용하려 한다는 것이었다. 아버지가 가진 남 모를 괴로움은 어머니에 의해 번번이 무시당하곤 했다. 마침 잘된 일이지 뭐유, 하면서 오히려 어머니는 윤봉이를 대견한 눈으로 바라보는 것이었다. 아버지의 고민을 알 리 없는 윤봉이는 사람들이 보내는 박수를 먹으며 마냥 신명이 났다. 인민학교가 끝나면 나는 항상 윤봉이 손을 잡고 마을 정자마당으로 향했다. 나어린 인민군 병사의 지휘에 맞추어 우리는 여름 한철을 매미처럼 내내 노래만 부르며 보냈다. 그리고 그 소년병이 숙련된 조련사처럼 우리 윤봉이를 맹훈련시키는 걸 곁에서 성의껏 도우면서 나는 보람을 느꼈다.

(중략)

세상이 완전히 뒤바뀌었음을 그애한테 이해시키기란 참말이지 장대로 보름달을 따는 것보다 더 불가능한 일이었다. 녀석은 저를 그토록 귀애해 주던 나어린 인민군 병사가 왜 갑자기 떠나버렸는지를 이해하지 못했다. 그리고 제 노래에 박수와 칭찬을 아끼지 않던 마을 사람들이 약속이라도 한 듯이 하루아침에 마음을 바꾸어 바보 윤봉이로 통하던 당시처럼 다시 거들떠도 안 보게 되었는지 그 까닭을 전연 몰랐다. 하기야 녀석 입장에서 본다면 구태여 그걸 알고 이해할 필요가 없는 노릇이었다. 녀석의 머릿속에서는 여전히 축음기판이 돌아가고 있었다. 마음이 내킬 때마다 그걸 틀기만 하면 되었다. 그걸 틀고만 있으면 빛나던 시절 화려한 기억이 저한테서 떠나지 않고 머무는 줄로 알았다. 딱한 일이긴 해도 시간이 지나면 자연히 고쳐지는 병이려니 생각하고 크게 신경들을 안 썼다. 다만, 인제는 내놓을 만한 게 못 되는 그 버릇이 아무데서나 불쑥 튀어나올까봐 되도록 집 안에서만 놀도록 배려를 했다. 그러나 어림도 없는 일이었다. 시간이 흐를수록 우리의 예상이 자꾸만 빗나감을 느끼고 당황하기 시작했다. 달래도 보고 혼뜨검도 내보았지만 다아 소용없는 짓이었다. 녀석은 누구로부터 칭찬받고 싶은 욕구가 동할 때마다 때와 곳을 가리지 않고 인민군가를 기운차게 부르는 것이었다. 그걸 들을 때마다 온몸에 소름이 돋았다. 그것은 피를 부르는 소리였다. 뺨 한 대 얻어맞은 과거를 찌르면 등쪽까지 꿰뚫리는 죽창으로 앙갚음하는 세상이었다. 비단 인공 치하에서 거의 씨를 말리다시피 된 곰배정씨네뿐만이 아니라 여차하면 당장에라도 쫓아올 성싶은 사람이 마을 안에 여럿 있었다. 그들 앞에서 눈곱만치라도 공산당에 관계된 흔적을 내보이지 않으려고 마을 사람 누구나 혀를 호주머니 속에 넣고 다니듯 하는 판국이었다. 집에 자주 놀러 오던 어머니 연배의 마을 아낙네들도 한두 번 윤봉이의 연설 흉내와 군가를 들은 뒤로는 녀석과 마주치는 걸 꺼리는 눈치가 완연해졌다. 지금이 어떤 세상인데, 하면서 그네들은 어머니한테 넌지시 충고까지 하는 것이었다. 결코 무리가 아니었다. 누가 듣겠다 싶으면 어머니는 윤봉이 입을 손바닥으로 틀어막곤 했다. 하지만 아무리 수단을 다 해 봐도 녀석의 고집을 꺾을 수는 없었다. 말리면 말릴수록 더욱더 기를 써가며 이미 물거품이 돼 버린 지난날의 명성을 놓치지 않으려고 안간힘을 다하는 것이었다. 난생처음 수많은 사람들로부터 관심의 대상이 되던 날의 **찬란한 기억**을 몰아내고 대신 다른 것으로 채워 줄 적당한 선물이 우리에겐 없었다. 끼니때가 되면 밥을 달라는 뜻으로 목청껏 군가를 부름으로써 어머니가 저를 주목해 주기 바랄 정도였다. 결국 어머니 입에서, 이 웬수녀르 것아, 라는 말이 빈번히 쏟아져 나오기 시작했다. 그리고 동네 안에 차츰 소문이 번져 전번과는 전혀 다른 각도에서 윤봉이는 재차 유명해졌다. **위태위태한 명물**이 된 아들에게 아버지는 놀랍게도 아주 관대했다. 철부지 어린애 장난인데 그걸 가지고 시비할 사람이 누가 있겠냐면서, 사실 아버지 주장대로 아직은 윤봉이를 탈 잡아 자전거 체인이나 죽창을 꼬나쥔 채 우리집에 나타난 사람이 아무도 없긴 했다. 그러나 아직 안 나타났다는 것과 언제 나타날지 모른다는 것과는 엄연히 뜻이 통하는 말이었다. 어느 때부터인가 불행이 아버지 신상에 슬금슬금 어떤 위해를 가하는 방식으로 우리집 대문을 넘보기 시작했다. 그리하여 **불행을 불러들인 흉물**로 우리는 마침내 윤봉이를 지목하기에 이르렀다.

– 윤흥길, 「양」 –

1. 윗글의 서술상 특징으로 가장 적절한 것은?

① 외부 이야기 속에 내부 이야기를 삽입하여 사건을 전개하고 있다.
② 작중 인물이 관찰자 입장에서 인물들의 말과 행동을 전달하고 있다.
③ 인물의 행적을 요약적으로 진술하여 사건의 전개를 지연시키고 있다.
④ 동시에 일어나는 두 개의 사건을 병렬하여 긴박한 분위기를 조성하고 있다.
⑤ 인물의 다양한 체험을 삽화 형식으로 나열하여 인물을 입체적으로 그리고 있다.

2. 윗글에 대한 이해로 가장 적절한 것은?

① 어머니는 윤봉이에 대한 마을 아낙네들의 충고를 무시했다.
② 윤봉이는 인민군 병사가 갑자기 떠난 이유를 이해하지 못했다.
③ 가족들은 호랑이 사건 이후 윤봉이의 인기가 대단해질 것임을 예상했다.
④ 인민군이 떠난 후 곰배정씨네는 마을 사람들에게 보복당할 것이라고 짐작했다.
⑤ 윤봉이는 가족들이 자신을 집에서 놀게 한 이유가 자신의 노래 때문이라고 여겼다.

3. <보기>의 ㉠에 들어갈 내용으로 가장 적절한 것은?

<보 기>

선생님 : 소설에서는 인물의 심리나 정서, 처지를 직접적으로 드러내기도 하지만, 우회적으로 표현하여 이를 효과적으로 드러내기도 합니다. '한 마리의 곰'에 드러난 인물의 심리를 파악해 봅시다.

학생 : ㉠

① 윤봉이를 훈련시키는 소년병에 대한 아버지의 안타까움이 드러납니다.
② 윤봉이만 대견스럽게 여기는 어머니에 대한 '나'의 서운함이 드러납니다.
③ 윤봉이의 노래가 최저 수준에 머문 것에 대한 '나'의 아쉬움이 드러납니다.
④ 윤봉이에게 극성스럽게 구는 마을 사람들에 대한 '나'의 원망이 드러납니다.
⑤ 윤봉이를 대하는 마을 사람들의 속내를 알아차린 아버지의 슬픔이 드러납니다.

4. <보기>를 참고하여 윗글을 감상한 내용으로 적절하지 않은 것은? [3점]

<보 기>

희생양은 사람이나 동물이 사회의 구성원들에 의해 제물이 된 것을 말한다. 사람들은 위기에서 벗어나거나 이익을 얻기 위해 소속력이 약한 계층에서 희생양을 찾아 이용하기도 한다. 그리고 공동체 내부의 긴장감과 불안감을 해결하기 위해 희생양에게 위기의 책임을 지우며 자신들의 결속을 다진다.

① 마을 사람들이 윤봉이를 희생양으로 삼을 수 있었던 것은 윤봉이가 '어쩌지 못할 바보의 상태'였기 때문이겠군.
② 마을 사람들이 윤봉이를 '방패막이'로 삼은 것은 인민군에 동조한다는 사실을 드러내기 위해 윤봉이를 이용한 것이겠군.
③ 마을 사람들이 윤봉이를 '위태위태한 명물'로 여겨 피한 것은 윤봉이의 재주가 불러올 위기에 불안감을 느꼈기 때문이겠군.
④ 가족들이 윤봉이에게 '찬란한 기억'을 대신할 것을 채워 주지 못한 것은 가족들이 인민군 치하에서 이익을 얻는 계기로 작용했겠군.
⑤ 가족들이 윤봉이를 '불행을 불러들인 흉물'로 지목한 것은 아버지의 신상에 문제가 생긴 것에 대한 책임이 윤봉이에게 있다고 여겼기 때문이겠군.

7분 | 2023학년도 6월 모평 28~31번 | ★★☆ | 정답 004쪽

[5~8] 다음 글을 읽고 물음에 답하시오.

[앞부분의 줄거리] 해방 직후, 미군 소위의 통역을 맡아 부정 축재를 일삼던 방삼복은 고향에서 온 백 주사를 집으로 초대한다.

"서 주사가 이거 두구 갑디다."

들고 올라온 각봉투 한 장을 남편에게 건네어 준다.

"어디?"

그러면서 받아 봉을 뜯는다. 소절수 한 장이 나온다. 액면 만 원짜리다.

미스터 방은 성을 벌컥 내면서

"겨우 둔 만 원야?"

하고 소절수를 다다미 바닥에다 홱 내던진다.

"내가 알우?"

"우랄질 자식 어디 보자. 그래 전, 걸 십만 원에 불하 맡아다, 백만 원 하나 냉겨 먹을 테문서, 그래 겨우 둔 만 원야? 옘병헐 자식, ㉠내가 엠피*헌테 말 한마디문, 전 어느 지경 갈지 모를 줄 모르구서."

"정종으루 가져와요?"

"내 말 한마디에, 죽을 놈이 살아나구, 살 놈이 죽구 허는 줄은 모르구서. 흥, 이 자식 경 좀 쳐 봐라……. 증종 따근허게 데와. 날두 산산허구 허니."

새로이 안주가 오고, 따끈한 정종으로 술이 몇 잔 더 오락가락하고 나서였다.

백 주사는 마침내, **진작부터 벼르던 이야기**를 꺼내었다.

백 주사의 아들 ㉡백선봉은, 순사 임명장을 받아 쥐면서부터 시작하여 8·15 그 전날까지 칠 년 동안, 세 곳 주재소와 두 곳 경찰서를 전근하여 다니면서, 이백 석 추수의 토지와, 만 원짜리 저금통장과, 만 원어치가 넘는 옷이며 비단과, 역시 만 원어치가 넘는 여편네의 패물과를 장만하였다.

[A] **남들**은 주린 창자를 졸라맬 때 그의 광에는 옥 같은 정백미가 몇 가마니씩 쌓였고, 반년 일 년을 남들은 구경도 못 하는 고기와 생선이 끼니마다 상에 오르지 않는 날이 없었다.

[B] ××경찰서의 경제계 주임으로 있던 마지막 이 년 동안은 더욱더 호화판이었었다. 8·15 그날 밤, **군중**이 그의 집을 습격하였을 때에 쏟아져 나온 물건이 쌀 말고도

광목 여섯 필

고무신 스물세 켤레

지카다비 여덟 켤레

빨랫비누 세 궤짝

양말 오십 타

정종 열세 병

설탕 한 부대

[C] 이렇게 **있었더란다**. 만 원어치 여편네의 패물과, 만 원어치의 옷감이며 비단과, 만 원짜리 저금통장은 고만두고 말이었다.

물건 하나 없이 죄다 빼앗기고, 집과 세간은 조각도 못 쓰게 산산 다 부수고, 백선봉은 팔이 부러지고, 첩은 머리가 절반이나 뽑히고, 겨우겨우 목숨만 살아, 본집으로 도망해 왔다.

[D] 일변 고을에서는, 백 주사가, 자식이 그런 짓을 해서 산 토지를 가지고, **동네 사람**한테 거만히 굴고, 작인들한테 팔 할 가까운 도지를 받고, 고리대금을 하고 하였대서, 백선봉이 도망해 와 숨는 그날 밤, 그의 본집인 백 주사네 집을 습격하였다.

[E] 집과 세간 죄다 부수고, 백선봉이 보낸 통제 배급 물자 숱한 것 죄다 빼앗기고, **가족**들은 죽을 매를 맞고, 백선봉은 처가로, 백 주사는 서울로 각기 피신하여 목숨만 우선 보전하였다.

백 주사는 비싼 여관 밥을 사 먹으면서, 울적히 거리를 오락가락, 어떻게 하면 이 분풀이를 할까, ⓐ어떻게 하면 빼앗긴 돈과 물건을 도로 다 찾을까 하고 궁리를 하는 것이나, 아무런 묘책도 없었다.

그러자 오늘은 우연히 이 미스터 방을 만났다. 종로를 지향 없이 거니는데, 지나가던 자동차가 스르르 멈추면서, 서양 사람과 같이 탔던 신사 양반 하나가 내려서더니, 어쩌다 눈이 마주치자

"아, 백 주사 아니신가요?"

하고 반기는 것이었었다.

자세히 보니, 무어 길바닥에서 신기료장수를 한다던 코삐뚤이 삼복이가 분명하였다.

"자네가, 저, 저, 방, 방……."

"네, 삼복입니다."

"아, 건데, 자네가……."

"허, 살 때가 됐답니다."

그러고는 ⓑ내 집으루 갑시다, 하고 잡아끄는 대로 끌리어 온 것이었었다.

의표하며, 집하며, 식모에 침모에 계집 하인까지 부리면서 사는 것하며, 신수가 훤히 트여 가지고, 말도 제법 의젓하여진 것 같은 것이며, ⓒ진소위 개천에서 용이 났다고 할 것인지.

옛날의 영화가 꿈이 되고, 일조에 몰락하여 가뜩이나 초상집 개처럼 초라한 자기가, ⓓ또 한 번 어깨가 옴츠러듦을 느끼지 아니치 못하였다. 그런 데다 이 녀석이, 언제 적 저라고 무엄스럽게 굴어, 심히 불쾌하였고, 그래서 ⓔ엔간히 자리를 털고 일어설 생각이 몇 번이나 나지 아니한 것도 아니었었다. 그러나 참았다.

보아하니 큰 세도를 부리는 것이 분명하였다. 잘만 하면 그 힘을 빌려, 분풀이와, 빼앗긴 재물을 도로 찾을 여망이 있을 듯싶었다.

– 채만식, 「미스터 방」 –

* 엠피(MP): 미군 헌병.

5. 윗글의 대화를 중심으로 '방삼복'을 이해한 것으로 가장 적절한 것은?

① 자신이 꾸미고 있는 일에 관심 없는 상대에게 자기 업무를 떠넘기는 뻔뻔함을 보이고 있다.
② 질문에 대꾸하지 않음으로써 상대가 같은 질문을 반복하도록 거드름을 피우고 있다.
③ 눈앞에 없는 사람을 비난하고 위협함으로써 함께 있는 상대에게 자신의 위세를 드러내고 있다.
④ 차에서 내려 상대에게 먼저 알은체하며 동승자에게 자신의 인맥을 과시하고 있다.
⑤ 상대가 이름을 제대로 말하기 전에 말을 가로채 상대에 대한 열등감을 감추고 있다.

6. ㉠과 ㉡에 대한 설명으로 가장 적절한 것은?

① ㉠과 ㉡에는 모두 외세에 기대어 사익을 추구하는 인물의 부정적 모습이 드러난다.
② ㉠과 ㉡에는 모두 외세와 이를 돕는 인물 간의 권력 관계가 일시적으로 역전된 모습이 드러난다.
③ ㉠과 ㉡에는 모두 사회적 지위를 이용하여 타인의 권익을 침해하는 인물이 몰락하는 모습이 드러난다.
④ ㉠에는 권력을 향한 인물의 조바심이, ㉡에는 권력에 의한 인물의 좌절감이 드러난다.
⑤ ㉠에는 자신의 권위에 대한 인물의 확신이, ㉡에는 추락한 권위를 회복할 수 있다는 인물의 자신감이 드러난다.

7. ⓐ~ⓔ에 대한 이해로 적절하지 않은 것은?

① ⓐ: 스스로는 문제 해결이 불가능한 상태임을 강조하여 인물의 답답한 처지를 보여 준다.
② ⓑ: 방삼복의 제안에 엉겁결에 따라가는 모습을 통해 인물이 얼떨떨한 상태임을 보여 준다.
③ ⓒ: 신수가 좋고 재력이 대단해 보이는 방삼복의 모습에 고향 사람에 대한 자부심을 갖게 되었음을 보여 준다.
④ ⓓ: 자신의 처지를 방삼복과 비교하면서 주눅이 들었음을 보여 준다.
⑤ ⓔ: 방삼복에게 도움을 받을 수 있다는 기대감과 그에 대한 반감이 뒤섞여 있음을 보여 준다.

8. <보기>를 참고하여 [A]~[E]를 감상한 내용으로 적절하지 않은 것은? [3점]

<보 기>

'진작부터 벼르던 이야기'는 백 주사가 자신과 가족의 억울함을 하소연하는 부분이다. 그런데 서술자는 그 '이야기'를 서술자의 시선뿐 아니라 여러 인물들의 시선으로 초점화하여 서술함으로써 독자와 작중 인물 간의 거리를 조절한다. 또한 세부 항목을 하나씩 나열하여 장면의 분위기를 고조하고 정서를 확장하는 서술 방법으로 독자에게 현장감을 전해 준다. 이때 독자는 백 주사와 그의 가족에게 고통받았던 사람들의 입장에 서서 그들을 비판적으로 보게 된다.

① [A]: 백선봉의 풍요로운 생활을 '남들'의 굶주린 생활과 비교하여 서술함으로써 독자가 그를 비판적으로 보게 하고 있군.
② [B]: 부정하게 모은 많은 물건들을 하나씩 나열하여 습격 당시 현장의 들뜬 분위기를 환기함으로써 '군중'의 놀람과 분노를 독자에게 전하려 하고 있군.
③ [C]: '있었더란다'를 통해 누군가에게 들은 것처럼 전하면서도, 전하는 내용을 '군중'의 시선으로 초점화하여 독자가 '군중'의 입장에 서도록 유도하고 있군.
④ [D]: '동네 사람'의 시선으로 초점화하여 백 주사의 만행을 서술함으로써 백 주사가 습격의 빌미를 제공한 것처럼 독자가 느끼게 하고 있군.
⑤ [E]: 백 주사 '가족'의 몰락을 보여 주는 사건들을 백 주사의 시선으로 일관되게 초점화하여 그들에게 고통받았던 사람들의 편에 선 독자가 통쾌함을 느끼게 하고 있군.

【9~12】 다음 글을 읽고 물음에 답하시오.

[A] 일 층, 이 층, 삼 층, 사 층, 모든 병동은 밤에도 환히 눈을 뜨고 있었다. 간호원들은 병실과 병실 사이를 부산스레 헤매고 있었고, 간혹 의사들은 '비상'을 알리는 주번 하사 같은 기민한 동작으로 층계를 오르내리고 있었다. 나는 그들이 균을 잡아먹는 백혈구와 같다고 생각했다. 그리고 그들의 무표정하고 뻣뻣한 얼굴에서, 균을 거부하는 강력한 항생제의 효능을 느껴야 했다.

그즈음, **나**는 새로운 사실을 발견했다. 입원한 이후 저들의 얼굴에서 웃음을 발견치 못했다는 중대한 사실이었다. 그런 생각은 참으로 불쑥 일어난 느낌이었다.

언젠가 나는 외국 잡지에서 잘 인쇄된 화장품 광고를 본 일이 있었다. 그 광고는 남자들이 면도 후에 바르는 미안수를 선전하고 있었는데, 나는 지금도 그리스 조각처럼 잘생긴 그 남자가 유난히 파르스레 빛나는 턱 위에 지극히 자연스럽고도 세련된 웃음을 띠고 있는 모습을 기억해 낼 수 있다. 그것은 일종의 심리적인 광고여서, 그 잘 깎은 턱과 웃음을 쳐다보고 있노라면 누구라도 그 미안수를 사지 않고는 못 배길 그런 것이었다. 그런데 만일 그 사내가 그 최면술 거는 듯한 매혹적인 웃음을 제거하고 무표정하게 서 있었다면, 나는 그 화보가 미안수 선전 광고라고는 생각지 않았을 것이다.

그 병원 의사들은 미안수 선전 광고에 나올 만한 사내들이 **미소를 결여**하였음으로 하여, 자기 병원 왕래를 권장하는 **무표정한** 히포크라테스의 **모델**로 **아깝게 전락**해 버린 듯 보였다. 그들은 **일 초의 주저함도 없이** 내장을 자르고, 뼈를 긁을 수 있는 **권위를 보여 주는** 모델로서 **만족**하고 있는 것 같았다. 저들은 만약 외무 사원처럼 웃으며 환자의 증세를 물어본다면, 그 환자는 얼마나 심리적인 위안을 받을 것인가.

[B] 이리하여 나는 그들을 웃기기 위해서 고용된 사설 코미디언 같은 무거운 책임 의식을 갖게 되었고, 밤낮으로 그들이 무엇을 원하고 있는가를 알아내려 애를 썼다. 나는 스스로의 청진기를 들고 그들을 진단하기 시작했고, 웃음을 불러일으킬 수 있는 소인(素因)이 그들의 어느 부분에서 강하게 생겨나는가 하는, 임상 실험의 과정에 굉장한 열의를 기울이게 되었다.

(중략)

나는 퇴원하기 하루 전, 휴게실에서 어두워져 가는 병동을 바라보며 그런 생각을 했고 형광등이 환히 빛나는 병동이 흡사 여러 갈래로 유리된 미로와 같다고 생각했다. 그때 내게 떠오른 것은 강의 시간에 미로에 빠진 채, 강렬한 먹이의 유혹을 몸부림치며 반추하던 실험용 쥐의 모습이었다. 교수는 엄숙하게 '이 쥐는 미로에 빠져 버린 것이다.'라고 말을 했지만, 내겐 그렇게 생각되지 않았다. 새로운 방황이 그 쥐에게 열린 것이다. 반복, 반복으로 터득한 ㉠ <u>안이한 먹이로의 길</u>보다는 충분한 포식을 즐길 수 있는 새로운 미로가 쥐 앞에 전개된 것이다. 나는 그 쥐에 대해 열렬한 성원을 보냈다.

나는 이 철근 콘크리트로 격리한 견고한 미로 속에 쥐 대신 그 젊은 인턴을 삽입해 보자고 생각했다. 그리하여 그날 밤, 나는 병동이 잠들기를 기다려 간호원의 눈을 피해 1 병동에 있는 문패와 2 병동에 있는 **문패를 모조리 바꿔** 버렸다. 나는 그 거창한 작업에 거의 온밤을 새워야 했을 정도였다. 가을밤, 환자복만을 입고 층계를 수십 번 오르내린 피로와 추위 끝에 나는 둔한 통증을 느끼며, 그러나 **유쾌한 마음**으로 잠자리에 들었다. 내 병실 앞에 걸려 있는 이름은 **해산일을 앞둔** 여인의 문패였으니까 나는 그날 밤만은 늑막염 환자가 아니라 **만삭의 여인이 된 셈**인 것이다. 자, 이 병동의 의사와 간호원들은 어떤 방황을 시작할 것인가. 나는 나의 인턴이 ㉡ <u>새로운 방황의 길</u>로 떠나주기를 기원했다. 뛰어라, 미로에 빠진 나의 투사여.

다음 날 나는 늦잠을 잤다. 나는 잠을 자면서도 **병동 전체가 달라**질 것임을 의심치 않았다.

오전 여덟 시경. 나는 칫솔을 들고 병실 복도를 어슬렁거리며 무언가 달라진 낌새가 있는가를 관찰하였다. 하지만 섭섭하게도 아무것도 달라진 것이 없었다. 언제나 그러하듯 간호원들은 잰걸음으로 복도를 뛰어다니고 있었고, 의사들은 알루미늄 식기 같은 얼굴을 반짝거리며 이 층 계단을 오르내리고 있었다.

아침을 치우는 작업부들은 엘리베이터로 식기를 부산스럽게 운반하고 있었고, 병동은 그대로 어항처럼 투명한 건물 속에서 끓고 있었다. 나는 어젯밤 내가 기를 쓰며 가까스로 바꾸어 놓았던 병실 **문패**가 제각기 **제자리에 놓**여 있는 것을 보았다. 어느 틈엔가 **고등 동물**인 그들은 제 스스로 미로를 제거할 줄 알게 **사육된** 것이다. 나의 마지막 시도는 그들 앞에서 완전히 좌절되고 만 것이었다.

오전 아홉 시. 의사들은 동물원에서 갓 수입한 열대 동물처럼 떼를 지어 회진을 시작했다. 간밤에 수면을 잘 취했는지 그들은 더욱 정결해 보였다.

"오늘 퇴원이시죠?"

우두머리 의사가 가운에 손을 찌르며 여전히 사탕이라도 꺼내 줄 듯한 몸짓으로 물었다.

"그렇습니다."

나는 정확하게 대답했다.

"몸은 어떻습니까?"

"정상입니다."

"퇴원하실 때 간호원에게 약을 받아 가십시오."

"알겠습니다."

이윽고 젊은 인턴이 나를 쳐다보았다.

"어젯밤 뭐 잃으신 물건은 없는지요?"

"글쎄요. 없는 것 같은데요. 뭐 도둑이라도 들었나요?"

"아, 예. 다행이군요. 어젯밤에 굉장히 장난꾸러기 소질을 지닌 도둑놈이 들었습니다."

"핫하하."

나는 유쾌하게 웃었다.

"병원에 피해라도 있습니까?"

"글쎄요. 아직까진 발견 못 하고 있습니다만 오전 중으로는 판명이 되겠지요. 저, 그럼 항상 건강하시길 빕니다."

그들이 제각기 무어라고 주의말을 주면서 사라져 버리자, 젊은 의사는 내게 악수를 청했다. 나는 그의 손을 마주 잡았다.

– 최인호, 「견습 환자」 –

9. [A], [B]에 대한 설명으로 가장 적절한 것은?

① [A]는 인물의 행동 묘사를 통해 장면의 분위기를 드러내고 있다.
② [B]는 현재형 진술을 활용하여 상황에 대한 다양한 인물의 시각을 드러내고 있다.
③ [A]는 이야기 외부의 서술자가, [B]는 이야기 내부의 서술자가 인물의 심리를 제시하고 있다.
④ [A]는 공간의 이동을 통해, [B]는 시간의 역전을 통해 인물의 갈등이 해소되는 과정을 보여 주고 있다.
⑤ [A]는 전해 들은 이야기를 전달하는 방식으로, [B]는 직접 경험한 일을 서술하는 방식으로 사건을 제시하고 있다.

10. 윗글의 내용에 대한 이해로 적절하지 않은 것은?

① '나'는 '언젠가' 사람들의 마음을 사로잡는 웃음을 화장품 광고에서 목격한 적이 있다.
② '나'는 '그날 밤'에 몸이 지치도록 밤새 병동을 오가며 자신만의 작업에 몰두하였다.
③ 간호원들은 '다음 날'에 평소와 마찬가지로 분주하게 병원 내부를 돌아다니고 있었다.
④ 우두머리 의사는 '오전 아홉 시'경에 '나'의 상태를 확인하며 퇴원을 제안하였다.
⑤ 젊은 인턴은 병원에서 발생한 '어젯밤'의 사건과 관련하여 '나'의 피해 여부에 대해 물어 보았다.

11. '나'의 관점을 중심으로 ㉠, ㉡에 대해 이해한 것으로 가장 적절한 것은?

① 쥐가 반복적으로 ㉠에서 방황하는 것은 충분한 포식을 즐기는 중요한 방법이다.
② 젊은 인턴 스스로 투사가 되기를 다짐한 것은 ㉡의 가치를 깨달았기 때문이다.
③ 젊은 인턴이 미로에 빠졌다는 것은 ㉡을 통해 새로운 기회를 가질 수 있다는 것이다.
④ 쥐에게 ㉠은 선호하는 목표가 부재한 미로이지만, 젊은 인턴에게 ㉡은 선호하는 목표가 뚜렷한 미로이다.
⑤ 쥐는 익숙한 먹이를 위해 아직 학습되지 않은 ㉠을, 젊은 인턴은 낯선 세계를 경험하기 위해 장차 도달해야 할 ㉡을 선택했다.

12. <보기>를 바탕으로 윗글을 감상한 내용으로 적절하지 않은 것은? [3점]

〈보 기〉

이 작품에서 '병원'은 엄격하게 통제되는 공동체를 상징하며, 이러한 공동체의 시스템에 길들여진 인물들은 기계적 일상에 매몰되어 감정이 제거된 모습으로 표현되고 있다. 이 작품은 치료의 대상이 치료의 주체가 되는 인물 간의 역할 전도의 방식을 통해 시스템을 교란하려는 시도와 실패의 과정을 보여 주며 통제된 공동체에 길들여진 인간에 대한 연민을 드러내고 있다.

① '나'가 '문패를 모조리 바꿔'서 '병동 전체가 달라'지게 하려 한 것에서 공동체의 시스템을 교란하고자 하였음을 엿볼 수 있군.
② '나'가 '미소를 결여'한 의사들이 '무표정한' '모델'로 '아깝게 전락'했다고 인식하는 것에서 감정이 제거된 인간에 대한 연민을 엿볼 수 있군.
③ '나'가 '유쾌한 마음'으로 잠들며 자신이 '해산일을 앞둔' '만삭의 여인이 된 셈'이라고 여기는 것에서 인물의 역할이 치료의 대상으로 전도되고 있음을 엿볼 수 있군.
④ '나'가 떠올린 '일 초의 주저함도 없이' 수술할 수 있는 '권위를 보여 주는' 것에 '만족'하는 듯한 의사들에게서 기계적인 일상에 매몰되어 버린 인간의 모습을 엿볼 수 있군.
⑤ '나'가 '사육된' '고등 동물'에 의해 '문패'가 '제자리에 놓'이게 되었다고 생각하는 것에서 통제된 공동체에 길들여진 인간에 의해 자신의 시도가 실패했다고 여기고 있음을 엿볼 수 있군.

총 문항			문항	맞은 문항					문항
개별 문항	1	2	3	4	5	6	7	8	9	10
채점										
개별 문항	11	12	13	14	15	16	17	18	19	20
채점										

7분	2022학년도 3월 학평 31~34번	★★☆	정답 006쪽

[1~4] 다음 글을 읽고 물음에 답하시오.

[앞부분의 줄거리] '나'는 우연히 남의 서류 봉투를 들고 온다. 그 안에는 대학원생 이만집이 쓴 '내 젊은 날의 비망록'이란 제목의 일기장이 들어 있었고 '나'는 그 일기를 읽는다.

아버지의 눈에 눈물이 어려 있는 것을 보고 나는 단숨에 염색 공장을 찾아온 사연을 쏟아 놓기 시작했다.

"경집이 형이 차 사고를 냈어요. 피해자 쪽에서 5주 진단을 끊어 와서 을러대고 있어요. 타협 볼라고 하는데 미적거리다가 구속으로 떨어질까 봐 걱정들 하고 있어요. 셋째 형이 판사로 있는 동창생을 만나 손을 써보겠다는데 어째 불안해요. 아버지에게는 그냥 제가 알리러 왔어요. 너무 걱정은 마세요. 잘될 거예요."

아버지는 내 말을 채 다 듣기도 전에 천천히 발길을 돌렸다. 쪽문을 들어서는 아버지의 발길이 도살장을 향하는 소처럼 뭉그적거렸고, 돌처럼 각이 진 당신의 등은 뭍에 올라와 뭇사람들의 시선 속에서 죽음을 앞둔 거북의 딱딱한 등딱지를 닮아 있었다. 아버지는 큰아버지처럼 농사나 지어야 할 사람이다. 공연히 상업 학교까지 나와서 평생을 그르쳤다. 아버지의 경우에 학력이란 전연 무용지물이었다. 오히려 교육을 안 받았던 것만 못했다. 반풍수 집안 망친다는 속담이 있지만, 그럼에도 불구하고 나는 교육을 받아야 하고 많이 배울수록 좋다고 주장하는 사람이다. ㉠ <u>각자의 양심이 한 시대의 질주와 얼마나 발 빠르게 보조를 맞추느냐는 것은 우리의 날라리 학력에서 곧장 드러난다.</u> 곧 많이 배운 사람일수록 그들의 양심을 찾기가 힘들어진 것만 봐도 그렇다. 살이 너무 쪄서 양심이 보이지 않는 것일지도. 살이란 결국 적당주의의 탈을 쓰고 병든, 그것도 중증인 이 사회에 부화뇌동하는 능력 그 자체일 테지만.

그러나 일의 선후책을 딱딱 부러지게 따지고 나서 횡하니 엉덩이를 털고 일어서던 셋째 형보다는 아버지의 난감한 뒷모습이 내게는 훨씬 인간적으로 돋보였다. 한참이나 외등 불빛을 받으며 서 있다가 나는 단호히 발걸음을 돌렸다. 밤색 바지와 머리통이 작은 박 씨는 어느 쥐구멍으로 사라졌는지 이미 보이지 않았다. 아버지와 나는 서로를 **측은하게 생각**하며 헤어진 셈이다.

이제 아버지는 **어떤 일에도 속수무책**이다. 그러나 나는 당신의 마음을 안다. 아들의 장래에 대해 안타까워하는 내색도 자제하는 당신의 마음속에서 일고 있을 낭패감, 그리고 당신의 무능력에 대한 막심한 자괴감을. 외부에서 무작정 들이닥치는 어떤 물리적인 힘에도 속수무책으로, ㉡ <u>풍뎅이처럼 죽은 시늉을 하며 살아가고 있는 양반</u>. **어떤 신고나 불행도, 심지어 굶주림까지도 말없이 수용**해 버리는 늙은이를 나는 오늘 새삼 목격, 확인한 셈이다. 아버지도 무능하지만 나는 얼마나 더 무력한가!

아버지에 대한 사무치는 애증으로 나는 오늘 참담해지지 않을 수 없었다. 뜻밖에도 부정(父情)과 그것에의 적의는 백지장 한 장 차이라는 것, 아니 손바닥과 손등 관계라는 것을 확인한 하루였는데, ㉢ <u>그게 내게는 적잖은 수확이었다.</u>

이만집의 어머니는 일찍 타계하신 것 같다. 그의 [비망록] **어느 구석에도 어머니에 대한 언급**이 없다. 어머니를 모르는 사람은 대체로 푸석한 빵 껍질같이 정서가 꽤나 삭막한 법인데 이만집은 제법 다혈질이랄까, 아직도 **눈물이 메마르지 않은 듯하다.**

이만집의 아버지는 상당히 흥미를 유발하는 인물임에 틀림없다. 남다른 결벽증으로 인해 어떤 부정 사건에 연루되어 혼자 죄를 덮어쓰고 공무원 직에서 파면당한 양반인 것 같다. **늘 피해 의식에 시달**리나 속마음은 멀쩡하고, 내가 보기에는 이만집의 맏형, 그 고서를 뒤적인다는 곰팡이 냄새 나는 인물과 동류항으로 보인다. 그들은 분명히 한 시대의, 또 한 사회 환경의 어정쩡한 부산물일 텐데, 이상하게도 그들에게서는 가해자인 '시대'의 냄새를 맡을 수 없다. 한 시대에 너무 밀착되었다가, 또는 그것과 꾸준히 호흡을 같이했다가 어느 날 배신을 당하면 그것과 매정하게 등을 지고도 이럭저럭 살아 내지기는 하는 모양이다. 그들은 애써 이 '시대'와 무관하다는 표정만 짓는다. 아무튼 무능하기 짝이 없으나 법 없이도 살 피해자들이고, 워낙 무기력하기 때문에 **해를 끼칠 사람들**은 아니다. 어쩌면 **생래부터 착한 심성으로 고생을 낙 삼고 살 양반**으로 점지된 것 같다. 그러나 주위의 사회적 환경이, 곧 세파가 그들을 인간으로서가 아니라 가장으로서의 자격 상실자로 만들어 버렸다. 그렇긴 해도 그들이 속물은 아니고, 우리 주변에서 가끔씩 만날 수 있으며, 이런 답답한 위인들이야말로 사회를 사회답게 굴러가도록 만드는 길라잡이이다.

(중략)

큰형 집을 모두 함께 나오려 했을 때 셋째 형수라는 게 제 딴에는 애교를 부리며 한다는 소리가 또 내 부아를 긁어 놓았다. 선물까지 받아 우쭐대고도 싶어 공연히 점잖게 있는 사람의 심사를 건드려 양양이를 부리려는 속셈이었을 터이다.

"도련님은 언제 취직할 거예요? ㉣ <u>그렇게 열심히 공부해서 어디다 쓸 거예요?</u> 아직 연애를 못 해 봐서 돈 벌기도 싫나 봐요, 그렇죠?"

나는 하는 수 없이 말 같잖은 말에 응했다.

"연애하고 취직하면 돈이 중한 줄 알게 될 거라는 소리로 들리는데요. ㉤ <u>그런데 돌대가리인 제가 보기에는 돈이란 돈을 좋아하는 사람만이 그걸 쫓을 권리가 있는 것 같아요.</u> 저는 아직 도무지 좋고 나쁜 걸 분별할 수 있는 능력이 없어요. 그러니 공부나 슬슬 더해 볼까 어쩔까 싶어요."

알았다, 너희 내외나 **돈 많이 좋아**해서 호의호식하며, 너희들을 닮은 새대가리 후세나 잘 키우며 평생토록 짓까불어라.

내가 보기에는 이만집의 **셋째 형**처럼 영리한 형제가 집안에 하나쯤은 있어 가문을 덩실하게 살려 주면 좋겠는데 이 셋째 형이라는 위인은 처가 덕에 그리운 것이 없이, 자기 눈앞에 펼쳐진 세상을 야금야금 핥아 대는 이른바 출세 지향 주의자인 것 같다. 아무튼 흥미 있는 위인이고, 재미있는 세상살이인데 사람들마다의 사고를 획일화할 수 없듯이 사람들마다의 **재주와 처세술**도 이렇게 다양해야 된다고 나는 생각한다. 불공평이라는 이 세상만사의 영구불변하는 '형평의 질서'가 없으면 누가 고시에 합격하려고 엉덩이에 못이 앉도록 책상 앞에 앉아 있겠는가.

– 김원우, 「무기질 청년」 –

1. 윗글에 대한 이해로 가장 적절한 것은?

① 이만집은 아버지의 학력이 아버지의 삶에 기여했다고 생각했다.
② 아버지는 이만집에게 경집이 형의 장래에 대한 걱정을 토로했다.
③ 아버지는 부정 사건에 연루되었음에도 공무원 직을 계속해서 수행하고 있다.
④ 이만집은 집안의 문제를 해결하는 데 아버지보다 자신이 더 유능하다고 여겼다.
⑤ 이만집은 경집이 형의 차 사고와 관련된 내용을 알리기 위해 아버지를 찾아갔다.

2. ㉠ ~ ㉤에 대한 설명으로 적절하지 <u>않은</u> 것은?

① ㉠ : 사람들의 속물적 태도에 대한 비판 의식에서 비롯된 표현이다.
② ㉡ : 인물의 무력한 삶의 태도를 비유한 표현이다.
③ ㉢ : 상대방에 대한 인식 변화를 나타낸 표현이다.
④ ㉣ : 상대방의 태도 변화를 예상하며 현실적 대안을 제시한 발화이다.
⑤ ㉤ : 상대방에 대한 냉소적 심리에서 비롯된 발화이다.

3. 윗글을 바탕으로 [비망록]에 대해 설명한 내용으로 가장 적절한 것은?

① 인물 간의 심화되는 갈등을 해결할 수 있는 실마리를 제공하고 있다.
② 특정 인물의 기록을 통해 사회 현실의 문제점을 살펴보게 하고 있다.
③ 계절의 변화에 따라 사건이 다층적으로 변화하는 양상을 보여 주고 있다.
④ 동시적 사건들을 병치하여 특정 사건에 대한 상반된 관점을 파악하게 하고 있다.
⑤ 여러 감각을 사용한 배경 묘사를 통해 특정 인물에게 도래할 비극적 사건을 구체적으로 제시하고 있다.

4. 윗글을 바탕으로 <보기>의 ⓐ, ⓑ를 이해한 내용으로 적절하지 <u>않은</u> 것은? [3점]

< 보 기 >

「무기질 청년」은 일종의 액자 소설로 '내부 이야기'와 '외부 이야기'가 번갈아 가며 서술되는 방식을 취하고 있다. 내부 이야기는 외부 이야기의 '나'가 제시한 이만집의 일기로, 외부 이야기는 주로 내부 이야기의 인물들과 사건에 대해 외부 이야기의 '나'가 제시한 소감과 비평으로 이루어져 있다. 이러한 중층 구조에서 서로 다른 ⓐ <u>내부 이야기의 '나'</u>와 ⓑ <u>외부 이야기의 '나'</u>는 유사한 시각을 드러내기도 하고 상이한 시각을 드러내기도 한다. 아울러 외부 이야기의 서술자인 '나'가 내부 이야기에 제시된 내용을 바탕으로 추론하고 해석한 내용을 덧붙여 작품 이해의 폭을 넓히고 있다.

① ⓐ가 '아버지'를 이해하고 '측은하게 생각'한 것과 관련하여, ⓑ는 ⓐ에 대해 '눈물이 메마르지 않은 듯하다'고 판단하고 있군.
② ⓐ가 '셋째 형'을 '돈 많이 좋아'한다고 한 것과 관련하여, ⓑ는 '셋째 형'에 대해 그 자신의 '재주와 처세술'로 산다고 판단하고 있군.
③ ⓐ가 '아버지'를 '어떤 일에도 속수무책'인 사람으로 평가한 것과 관련하여, ⓑ는 '아버지'에 대해 '해를 끼칠 사람들'에 해당되지 않을 것이라는 견해를 나타내고 있군.
④ ⓐ가 자신의 일기 '어느 구석에도 어머니에 대한 언급'을 하지 않은 것과 관련하여, ⓑ는 ⓐ에 대해 '늘 피해 의식에 시달'린다고 판단하고 있군.
⑤ ⓐ가 '아버지'를 '어떤 신고나 불행도, 심지어 굶주림까지도 말없이 수용'한다고 말한 것과 관련하여, ⓑ는 '아버지'에 대해 '생래부터 착한 심성으로 고생을 낙 삼고 살 양반'이라는 견해를 나타내고 있군.

7분	2022학년도 수능 24~27번	★☆☆	정답 007쪽

[5~8] 다음 글을 읽고 물음에 답하시오.

[A] 김달채 씨는 퇴근하기 무섭게 뽀르르 집으로 달려가던 묵은 습관을 버리고 밤늦도록 하릴없이 길거리를 배회하면서 시간을 보내는 새로운 습관을 몸에 붙였다. 지하철이나 버스 혹은 공중변소나 포장마차 안에서, 백화점에서 사지도 않을 물건을 흥정하거나 정류장에서 토큰 아니면 올림픽복권을 사면서, 그리고 행인에게 담뱃불을 빌거나 더욱 과감하게는 파출소에 들어가 경찰관에게 길을 묻는 시늉을 하는 사이에 마주치는 각계각층의 사람들을 상대로 달채 씨는 실수를 가장하기도 하고 때로는 또렷한 목적의식을 드러내기도 해 가며 우산의 존재를 알리기 위해 갖가지 수단과 방법을 다 동원했다. 그런 다음 상대방의 눈에 과연 우산이 어떻게 비치는지, 그리하여 상대방이 우산 임자인 자기를 어떻게 대우하는지 반응을 떠보는 작업을 일삼아 계속해 나갔다. 참으로 긴장과 전율이 넘치는 뻐근한 나날들이었다. 구청 호적계장의 직위에 오르기까지 여태껏 전혀 몰랐던 세계가 구청과 자기 집구석 바깥에 따로 있음을 그는 우산을 통해서 비로소 실질적으로 체험할 수가 있었다.

그는 사람들의 반응을 종합해서 몇 가지 결론을 얻어내는 데 성공했다.

첫째는, 진짜 무전기에 익숙한 일부 극소수의 사람들을 제외한 거개의 서민들은 의외로 쉽사리 우산에 속아 넘어간다는 사실이었다.

둘째는, 상대방이 무전기를 지니고 있다고 알아차리는 그 순간부터 사람들의 태도가 확 달라진다는 사실이었다. 일껏 하던 이야기를 뚝 그치거나 얼렁뚱땅 말머리를 돌리는 등으로 지은 죄도 없이 공연히 겁부터 집어먹고는 꾀죄죄한 몰골의 자기한테 갑자기 저자세로 구는 것이었다. 밤늦도록 수고가 많다면서 한사코 술값을 받지 않으려 하던 어떤 포장마찻집 주인의 경우가 단적인 예였다.

셋째는, 노골적으로 손에 쥐고 보여 줄 때보다 그냥 뒤꽁무니에 꿰 찬 채 부주의한 몸가짐인 척하면서 옷옷 자락을 슬쩍 들어 ㉠ 케이스의 끝부분만 감질나게 보여 주는 편이 오히려 사람들을 놀라게 하는 데 훨씬 더 효과적이고 반응도 민감하다는 사실이었다.

김달채 씨는 그러잖아도 짧은 머리를 더욱 짧게 깎았다. 옷차림도 낡은 양복에서 스포티한 잠바 스타일로 개비했는가 하면 구청 밖에서는 항상 선글라스를 끼고 다녀 버릇했다. 달채 씨는 그처럼 달라진 모습으로 짬만 생기면 하릴없이 길거리를 나다니며 청명한 가을날에 우산을 이용해서 사람들을 떠보는 색다른 취미에 점점 깊숙이 빠져 들어가기 시작했다.

(중략)

그리 멀지 않은 곳에서 뭔가 벌어지고 있는 중이라고 생각하자 까닭 모를 흥분과 기대감이 그를 사로잡아 버렸다. 한 건 올리는 정도가 아니라 뭔가 이제껏 맛보지 못한 엄청난 보람을 느끼게 될 일대 사건을 만날 듯싶은 예감 때문이었다. 그는 다른 행인들이 종종걸음으로 달아나는 방향과는 정반대 편을 향해 정신없이 달려가기 시작했다.

예상했던 그대로의 살벌한 풍경이었다. 깨진 보도블록 조각이나 돌멩이들이 인도와 차도 가릴 것 없이 사방에 흩어져 나뒹굴고 있었다. 시커먼 그을음 연기를 피워 올리며 불타는 자동차와 창유리가 박살 난 건물도 보였다. 김달채 씨는 주체 못할 지경으로 쏟아지는 눈물 콧물도 돌볼 겨를 없이 여전히 선글라스를 착용한 채 최루 가스에 심하게 오염된 지역을 향해 가까이 접근했다. 중무장한 전경대에 의해 도로가 완전 차단되어 더 이상 접근이 불가능해지자 달채 씨는 구경꾼들 뒷전에서 작은 키를 한껏 발돋움하고는 시위 현장의 분위기를 살폈다. 어디선가 보이지 않는 저쪽 건물 모퉁이에서 어기찬 함성이 아직도 기세를 올리는 중이었다. 사복 경찰관들한테 붙잡혀 끌려오는 학생의 모습이 구경꾼들 어깨 너머로 내다보였다. 달채 씨는 저도 모르는 사이에 앞사람들 틈바귀를 비집고 전면으로 썩 나섰다.

"이봐요, 거기!"

김달채 씨는 창문마다 철망이 쳐진 버스 안으로 학생들을 마구 밀어 넣는 사복들을 향해 느닷없이 목청을 높였다.

"아직도 어린애야! 다치지 않게 살살 좀 다뤄!"

어디서 그런 용기가 솟아나는지 김달채 씨 자신도 깜짝 놀랄 지경이었다.

"당신 뭐야?"

옷깃에 비표를 단 사복 차림의 청년 하나가 달려와서 김달채 씨의 가슴을 떼밀었다.

"나 이런 사람이오."

김달채 씨는 엉겁결에 잠바 자락 한끝을 슬쩍 들어 뒷주머니에 꿰 찬 우산 케이스를 내보였다. 하지만 상대방 청년은 그런 물건 따위는 애당초 거들떠볼 생심조차 하지 않았다.

"당신도 저 차에 같이 타고 싶어? 여러 소리 말고 빨리 집에나 들어가 봐요!"

이른바 닭장차에 어린 학생들과 함께 실리고 싶은 생각은 물론 털끝만큼도 없었다. 옷깃에 비표를 단 청년이 우산을 ㉡ 우산 이상의 것으로 보아 주지 않는다면 그건 어쩔 도리 없는 노릇이었다. 김달채 씨는 남의 채마밭에서 무 뽑아 먹다 들킨 아이처럼 무르춤한 꼬락서니가 되어 맥없이 돌아설 수밖에 없었다.

\- 윤흥길, 「매우 잘생긴 우산 하나」 -

5. [A]의 서술상 특징으로 가장 적절한 것은?

① 중심인물이 알지 못하는 사건을 제시해 긴장감을 조성하고 있다.

② 공간 이동에 따른 인물의 내면 변화를 회상을 통해 제시하고 있다.

③ 동시적 사건들의 병치로 사건에 대한 서로 다른 관점을 드러내고 있다.

④ 한 가지의 목적으로 수렴되는 인물의 의도적인 행위들을 나열하고 있다.

⑤ 상대를 달리하여 벌이는 인물의 행동을 서술하여 점진적으로 심화되는 갈등을 묘사하고 있다.

6. 윗글의 내용에 대한 이해로 가장 적절한 것은?

① 거리를 배회하며 새로운 습관을 익히려는 김달채는 생활의 활기를 찾기 위해 비 오는 날을 기다린다.
② 꾀죄죄한 몰골의 김달채는 사람들이 자신을 무시하는 태도를 변화시키기 위해 무전기를 보여 준다.
③ 흥미를 느낄 만한 일이 벌어지고 있음을 짐작한 김달채는 달아나는 행인들과 달리 시위 현장으로 향한다.
④ 시위 진압의 영향으로 고통 받던 김달채는 전경대의 위세에 압도되어 구경꾼들 뒤로 물러선다.
⑤ 닭장차에 끌려가게 된 김달채는 건물 모퉁이에서 들려오는 함성에 안도감을 느낀다.

7. ㉠, ㉡에 대한 이해로 적절하지 않은 것은?

① 김달채는 ㉠을 그 생김새로 인해 ㉡으로 인식하는 사람들이 있다는 사실을 발견한다.
② 김달채는 사람들로부터 기대하는 반응을 효과적으로 이끌어 낼 수 있는 ㉠의 사용법을 알게 된다.
③ '일부 극소수의 사람들'에게는 ㉡을 가진 사람으로 보이려는 김달채의 의도가 실현되지 않는다.
④ 김달채는 ㉡에 익숙하지 않은 '거개의 서민들'이 ㉠을 ㉡으로 오인한다고 판단한다.
⑤ '사복 차림의 청년'은 ㉡에 익숙하여 ㉠을 이용하려는 김달채의 의도를 알아챈다.

8. <보기>를 바탕으로 윗글을 감상한 내용으로 적절하지 않은 것은? [3점]

<보 기>

소시민은 자신의 기득권을 지키기 위해 권력관계에 민감하게 반응한다. 권력관계가 형성되기 위해서는 타인의 승인이 요구되며, 이로 인해 힘의 우열 관계가 발생한다. 이 작품은 허구적 권력 표지를 통해 타인의 승인을 얻음으로써 자신감을 갖게 된 인물이, 승인을 거부하는 타인 앞에서는 소시민적 면모를 드러내는 상황을 그려낸다. 이를 통해 상황 논리를 따르는 소시민의 타산적 태도를 비판하고 있다.

① 김달채가 각계각층 사람들의 반응을 떠보는 것은, 권력이 타인들에게 미치는 영향을 살핀다는 점에서 김달채가 권력관계를 의식하는 인물임을 드러내는군.
② 김달채가 준 술값을 포장마찻집 주인이 받지 않으려는 것은, 권력에 대한 사람들의 태도를 나타낸다는 점에서 권력이 인물 간의 우열 관계를 형성하는 요인임을 보여 주는군.
③ 김달채가 외양에 변화를 준 것은, 타인의 승인을 용이하게 받으려 한다는 점에서 허구적 권력 표지를 이용하는 데 더 적극적으로 나서려는 김달채의 의도를 나타내는군.
④ 김달채가 사복들에게 목청을 높이며 항의하는 것은, 자신도 모르게 용기를 드러냈다는 점에서 승인받은 경험들을 통해 얻게 된 김달채의 자신감을 보여 주는군.
⑤ 김달채가 비표를 단 청년 앞에서 돌아서는 것은, 학생들과 맺은 유대 관계를 단절하여 기득권을 지키려 한다는 점에서 상황 논리를 따르는 김달채의 타산적 태도를 드러내는군.

7분 | 2021학년도 7월 학평 25~28번 | ★☆☆ | 정답 007쪽

[9~12] 다음 글을 읽고 물음에 답하시오.

편집국 안에 들어섰을 때, 그가 두려워하고 있던 예측이 이젠 어쩔 수 없게 된 것을 최초로 그에게 느끼게 해준 것은 국내(局內)에서 심부름하는 계집애의 표정에서였다. 여느 때 그 계집애는 만화가를 만화 속의 인물과 똑같이 생각하고 있는 탓인지 그를 보기만 하면 웃음을 참지 못하고 고개를 돌리며 횡가버리곤 하는 것이었는데, 그날은 제법 나붓이 '안녕하세요'를 하고 나서 미소를 띄운 채 그의 얼굴을 똑바로 올려다보는 것이었다.

그것이 극히 잠깐 동안이었지만 신경을 곤두세우고 있던 그에게 모든 걸 알 수 있게 해주었다. 계집애가 자기를 올려다보던 맑은 눈 속을 살짝 스치고 가던 게 어쩌면 연민이 아니었을까 하고 생각하자 분노보다도 오히려 전신에서 맥이 빠져나가는 것을 그는 느끼면서 굳어진 얼굴로 문화부를 향하여 갔다.

자기들의 데스크 앞에 앉아 있던 몇 명의 기자들이 여느 때와 달리 유별나게 반갑게 인사할 때는 그는 이미 알고 있다는 듯이 자기도 덩달아서 지금 작별을 하듯이 정중하게 인사를 하고 있었다. 그리고 나서 잠시 동안 그는 자기가 어떻게 처신해야 될지 알 수 없었다. 흐르던 시간이 갑자기 끊어지면서 공백이 생기는구나 하는 생각이 알 수 없는 부끄러움과 함께 그를 엄습했다. 그러고 있는 그를 문화부장이 구해줬다.

㉠"오늘치 만화 좀……"

하면서 문화부장은 손을 내밀었던 것이었다. 그는 당황해졌다. 그가 짐작하고 있던 사태 속에서는 문화부장의 지금 얘기는 불필요한 게 아닌가. 그는 옆구리에 끼고 있던 서류봉투를 살그머니 좀더 힘을 주어 끼면서 땀이 송글송글 맺히고 빨개진 얼굴을 손바닥으로 닦으며 말했다.

㉡"그려오지 않았는데요."

말하고 나서 그는 금방 후회했다. 어쩌면 자기의 짐작이란 게 얼토당토않은 게 아닐까…… 자기의 신경과민으로 자기는 지금 큰 실수를 저지르고 있는 건 아닌지…… 그러나 문화부장의 다음 말은 그의 그러한 희망에 찬 기대를 산산이 부숴버렸다.

㉢"그럼 알고 계셨군요."

문화부장은 자리에서 일어서면서 그에게 말했다.

"차나 한잔 하러 가실까요?"

할 얘기가 있다는 암시를 그에게 주면서 문화부장은 그의 앞장을 서서 걸어가기 시작했다.

"아주 섭섭하게 됐습니다. 퍽 오랫동안 함께 일해왔었는데……"

다방에 들어가서 자리에 앉자 문화부장은 그에게 말했다.

"저는 이형(李兄)을 두둔했습니다만…… 국장님도 이형의 만화에는 항상 칭찬을 하셨댔는데…… 그…… 독자들이 자꾸 투서를……"

"아니 사실 재미가 없었지요. 제 자신이 잘 알고 있었습니다만."

그는 문화부장이 우물쭈물하고 있는 게 미안해서 얼른 말을 받았다.

"아니지요. 독자들이 이형의 유머를 이해할 수 없었던 것뿐이지요."

[중략 줄거리] 신문사에서 해고당한 그는 다른 신문사의 문화부장을 찾아가 차 한잔 마시자고 권하며 만화 연재를 부탁한다. 그러나 문화부장은 신문사에 돈을 쓰지 않는 사장을 핑계로 부탁을 거절하고 찻값을

먼저 계산한다. 그는 만화가인 김선생을 만나 술을 마시며 자신에게 해고를 통보한 문화부장에 대해 이야기한다.

"ⓐ문화부장이 차나 한잔 하자고 하더군요."

그는 속으로는, 자기가 만화 연재를 부탁하러 갔던 ⓑ문화부장을 생각하면서 말하고 있었다.

[A]
"다방에 가서 그 양반이 그러더군요. 사람 웃기는 방법의 몇 가지 패턴을 안다고 곧 만화가가 되는 것이 아니다. 바로 그 양반이 그랬어요. 두꺼비 같은 눈알을 부라리면서 말입니다."

찻값을 앞질러 내버리던 그 키가 작달막한 문화부장. 날 무척 무안하게 해줬었지.

"그러면서 말입니다. 너는 미역국이다, 이거죠."

자기네 사장이 얼른 뒈져달라는 기도를 하라던 그 사람. 난 참 면목이 없어서 혼났지.

"차나 한잔. 그것은 일종의 추파다. 아시겠습니까, 김선생님?" 그는 혀가 잘 돌아가지 않았다. "그것은 내가 그 속에서 성실을 다했던 하나의 우연이 끝나고……"

그는 술을 한모금 꿀꺽 마셨다.

"새로운 우연이 다가온다는 징조다. 헤헤, 이건 낙관적이죠, 김선생님?" 그는 김선생이 방금 비워낸 술잔에 취해서 떨리는 손으로 술을 따랐다. "차나 한잔. 그것은 이 회색빛 도시의 따뜻한 비극이다. 아시겠습니까? 김선생님, 해고시키면서 차라도 한잔 나누는 이 인정. 동양적인 특히 한국적인 미담…… 말입니다."

㉣"그, 어린이 신문에 그리고 있는 거라도 열심히 하고 있게. 기다리면 또 뭐가 생길 테지."

김선생이 술잔을 들면서 말했다.

"자, 드세."

그는 자기의 술잔을 잡으려고 했다. 잘못해서 술잔이 넘어져 버렸다. 그는 손가락 끝에 엎질러진 술을 찍어서 술상 위에 '아톰X군'의 얼굴을 그리기 시작했다.

"㉤자, '아톰X군', 차나 한잔 하실까? 군과도 이별이다. 참 어디서 헤어지게 됐더라." 그는 그림을 그리고 있지 않는 다른 손으로 자기의 이마를 한번 찰싹 때렸다. 골치가 쑤셨기 때문이다. "오, 화성인들의 계략에 빠져서 군이 포로가 되어…… 바야흐로 생명이 위험해져 있는 데서 '다음 호에 계속'이었군…… 미안하다. '아톰X군'…… 사람들은 항상 그런 걸 요구하거든. 아슬아슬한 데서 '다음 호에 계속'."

그는 다 그려진 '아톰X군'의 얼굴을 다시 손가락 끝에 술을 찍어서, 지우기 시작했다. "미안하다, '아톰X군'. 어떻게 군의 힘으로 적진을 뚫고 나오기 부탁한다. 이제 난…… 힘이 없단 말야. 나와 헤어지더라도…… 여보게, 우주의 광대하고." 그러면서 그는 양쪽 팔을 넓게 벌렸다. "어두운 공간 속에서 영원한 소년으로 살아 있게."

- 김승옥, 「차나 한잔」 -

9. [A]에 대한 설명으로 가장 적절한 것은?

① 빈번하게 장면을 전환하여 긴박한 분위기를 조성하고 있다.
② 과거의 장면을 삽입하여 갈등 해소의 실마리를 제시하고 있다.
③ 인물의 말과 내적 독백을 교차하여 인물의 심리를 드러내고 있다.
④ 대화를 통해 상황에 대한 인물 간의 시각 차이를 드러내고 있다.
⑤ 동시에 일어난 두 사건을 병치하여 인물 간의 갈등을 부각하고 있다.

10. ㉠~㉤에 대한 설명으로 적절하지 않은 것은?

① ㉠: '그'의 만화를 형식적으로 요구하고 있다.
② ㉡: 자신의 해고를 짐작하며 '문화부장'에게 말하고 있다.
③ ㉢: '그'가 만화를 그려 오지 않을 것을 이미 알고 있었음을 드러내고 있다.
④ ㉣: 기다리면 새로운 일거리가 생길 것이라며 해고당한 '그'를 위로하고 있다.
⑤ ㉤: '아톰X군'을 더 이상 그리지 않으려는 마음을 드러내고 있다.

11. ⓐ와 ⓑ에 대한 이해로 가장 적절한 것은?

① ⓐ는 해고 상황을 국장의 탓으로 돌려 책임을 회피한다.
② ⓑ는 만화가의 자질에 대해 말하며 '그'의 행동 변화를 유도한다.
③ ⓑ는 ⓐ와 달리 '그'에게 먼저 차를 마시자고 권한다.
④ ⓐ와 ⓑ는 모두 '그'의 능력을 인정하지만 '그'의 제안은 거절한다.
⑤ ⓐ와의 만남과 ⓑ와의 만남은 모두 '그'에게 부정적 감정을 유발한다.

12. <보기>를 참고하여 윗글을 감상한 내용으로 적절하지 않은 것은? [3점]

<보 기>

이 작품은 만화가가 겪는 하루의 사건을 통해 1960년대를 살아가는 소시민의 생계에 대한 불안과 비애를 드러낸다. 작품에서 만화가는 만화를 충실히 연재함에도 불구하고 결국 해고를 당하고 새로운 일자리를 구하려 하지만 실패한다. 작가는 이 과정에서 인물의 상황과 심리를 우회적으로 드러내기 위해 비유적 표현, 모순 형용 등을 활용한다. 또한 자신이 그리는 만화 속 가상의 인물에게 말을 하는 상황을 통해 인물의 심리를 드러내기도 한다.

① '그'가 '계집애'의 표정을 보며 '두려워하고 있던 예측이 이젠 어쩔 수 없게' 되었다고 느끼는 모습을 통해 해고로 인해 생계를 걱정하는 '그'의 불안을 드러낸다고 볼 수 있겠군.
② '그'가 자신의 해고를 '미역국'이라고 말하는 것은 해고당하는 상황을 비유적 표현을 통해 우회적으로 드러낸 것으로 볼 수 있겠군.
③ '그'가 자신의 해고를 '새로운 우연이 다가온다는 징조'라고 말하는 것은 자신을 해고한 신문사로부터 다시 만화 연재를 의뢰받게 되리라는 기대를 드러낸 것으로 볼 수 있겠군.
④ '그'가 '차나 한잔'의 의미를 '이 회색빛 도시의 따뜻한 비극'이라고 말하는 것은 해고를 당한 '그'의 비참한 심리를 모순 형용을 통해 표현한 것으로 볼 수 있겠군.
⑤ '그'가 '아톰X군'의 얼굴을 술상 위에 그렸다 지우며 '힘이 없'다고 말하는 것을 통해 '그'가 처한 상황에 대해 느끼는 무력감을 드러낸 것으로 볼 수 있겠군.

총 문항				문항	맞은 문항					문항
개별 문항	1	2	3	4	5	6	7	8	9	10
채점										
개별 문항	11	12	13	14	15	16	17	18	19	20
채점										

7분	2022학년도 6월 모평 18~21번	★☆☆	정답 009쪽

[1~4] 다음 글을 읽고 물음에 답하시오.

[앞부분의 줄거리] 나는 기범이 죽기 전에 무슨 일이 있었는지 알기 위해, 그가 살았던 구천동을 찾아간다. 기범의 행적을 잘 알고 있는 '임 씨'를 만나 사연을 듣기 전에, 일규의 장례식 후에 있었던 기범과의 과거 일을 회상한다.

"네가 일규를 어떻게 아냐? 네깐 게 뭘 안다구 감히 일규를 입에 올리냐?"

기범은 순간 잔을 던지고 미친 듯이 웃기 시작했다. 너무나 돌연한 웃음이어서 나는 그때 꽤나 놀랐다. 기범이 그처럼 미친 듯이 웃는 것을 나는 그날 처음 보았다.

"그래, 네 말이 맞다. 나는 그놈을 **입에 올릴 자격이 없다**. 허지만 누가 그놈을 진심으로 사랑한 줄 아냐? 너희냐? 너희가 그놈을 사랑한 줄 아냐?"

㉠나는 긴장했다. 그의 눈에서 번쩍이는 눈물을 보았기 때문이다.

"너는 그놈이 아깝다구 했지만 나는 그놈이 죽어 세상 살맛이 없어졌다. 나는 살기가 **울적할 때마다** 허공에서 그놈의 쌍판을 찾았다. 나는 그놈을 통해서만 살아가는 **재미와 기쁨**을 느꼈다. 그러나 그놈 역시 사정은 나하구 똑같았다. 나를 **발길로 걷어찼지만** 그놈은 나를 잊은 적이 없다. 우리는 **서로 사랑했지만** 사랑하는 방법이 달랐을 뿐이다."

(중략)

"원래 그 사람은 도회지에서 살던 사람인데 왜 그때 도시를 버리구 **깊은 산골**을 찾았는지 모르겠군."

"처음엔 **저**두 많이 궁금하게 생각했습니다. 뭔가 세상에 죄를 짓구 숨어 사는 분이 아닌가 했습니다. ㉡더구나 이리루 들어오시자 머리를 깎구 수염까지 기르셨거든요. 그러나 오래 뵈시구 살다 보니 저대루 차츰 납득이 갔습니다. 한마디로 말하기는 어렵지만 세상에 뭔가 실망을 느끼신 게 아닌가 싶습니다."

"본인이 그런 말을 한 적이 있소?"

"과거 얘기는 좀체 안 하시는 편이었는데 언젠가는 내게 그 비슷한 말씀을 하시더군요. 듣기에 따라서는 궤변 같지만 그분은 남하구 다른 ⓐ표한 철학을 지니구 계셨습니다."

"그걸 한번 들려줄 수 없소?"

"그분은 세상이 어지럽구 더러울 때는 그것을 구하는 방법이 한 가지밖에 없다구 하셨습니다. 세상을 좀 더 썩게 해서 더 이상 그 세상에 썩을 것이 없도록 만들어야 한다는 것입니다. 그걸 썩지 않게 고치려구 했다가는 공연히 사람만 상하구 힘만 배루 든다는 것입니다. ㉢'모두 썩어라, 철저히 썩어라'가 그분이 세상을 보는 이상한 눈입니다. 제 나름의 어설픈 추측입니다만 그분은 **사람만이 지닌 이상한 초능력**을 믿으시는 것 같았습니다. 사람은 온갖 악행에도 불구하고 자기 스스로를 송두리째 포기하지는 않는다는 것입니다. 세상이 철저히 썩어서 더 썩을 것이 없게 되면 사람은 살아남기 위해 언젠가는 스스로 자구책을 쓴다는 것입니다. 당신은 바로 그걸 믿으셨고, 이러한 자기 생각을 부정(不正)의 미학이라는 표한 말루 부르시기두 했습니다."

나는 순간 가슴 한구석에 뭔가가 미미하게 부딪쳐 오는 진동을 느꼈다. 진동의 진상은 확실치 않지만, 나는 그것이 기범을 이해하는 어떤 열쇠가 아닌가 생각했다. 그의 온갖 기행과 궤변들이 어지러운 혼란 속에서 그제야 언뜻 한 가닥의 질서 위에 어렴풋이 늘어서는 것이었다.

"헌데 세상에 대해 그런 생각을 지닌 사람이 갑자기 왜 세상을 등지구 이런 산속에 박혀 사는 거요?"

"당신께서 아끼시던 친구 한 분이 갑자기 세상을 버리셨다구 하시더군요. 그때 아마 **충격을 받으시구** 이리루 들어오신 게 아닌가 싶습니다."

"누구랍니까, 그 친구가?"

"이름은 말씀 안 하시구 그분을 언제나 '미련한 놈'이라구만 부르셨습니다."

오일규다. 나는 그제야 오일규의 장례식 후에 기범이 격렬하게 지껄인 저 시끄럽던 요설들이 생각났다. 어쩌면 기범은 그때 이미 세상을 등질 결심을 했는지도 알 수 없다. ㉣아니 그는 그 얼마 후에 내 앞에서 정말로 깨끗하게 사라져 버린 것이다.

"그래 그 친구가 죽은 후로 왜 세상을 등졌답디까?"

"**세상 살 재미가 없어졌다구** 하시더군요. 아마 친구분을 꽤나 좋아하셨던 모양입니다. 그 미련한 놈이 죽어 버렸으니 자기도 앞으로는 미련하게 살밖에 없노라구 하셨습니다. ㉤당신이 미련하다고 말씀하는 건 우습게 들리시겠지만 착한 일을 뜻하시는 것이었습니다."

"그래서 이곳에 온 후 사람이 갑자기 달라진 거요?"

"전 그분의 과거를 몰라서 어떻게 달라졌는지는 잘 모릅니다. 허지만 이곳에 오신 후로는 그분은 거의 남을 위해서만 사셨습니다. 제가 생명을 구한 것두 순전히 그분의 덕입니다."

[A] 나는 다시 기범이 지껄였던 과거의 ⓑ요설들이 생각난다. 세상을 항상 역(逆)으로만 바라보던 그의 난해성이 또 한 번 나를 혼란 속에 빠뜨린다. 그는 어쩌면 이 세상을 역순(逆順)과 역행(逆行)에 의해 누구보다 열심으로 가장 솔직하게 살다 간 것 같다. 그에게 악과 선은 등과 배가 서로 맞붙은 동위(同位) 동질(同質)의 것이었는지도 알 수 없다. 그는 악과 선 중 아무것도 믿지 않았고 오직 믿은 것이라고는 세상에는 아무것도 믿을 것이 없다는 사실뿐이었다. 그와 오일규가 맞부딪쳤을 때 오일규가 해체되는 것은 너무나 당연하다. 그것은 가장 비열한 삶이 가장 올바른 삶을 해체시키는 역설적인 예인 것이다.

- 홍성원, 「무사와 악사」 -

1. [A]의 서술상 특징으로 가장 적절한 것은?

① 이야기 내부의 서술자가 인물의 행동을 객관적으로 서술하고 있다.
② 이야기 내부의 서술자가 인물에 대한 평가를 관념적으로 서술하고 있다.
③ 이야기 외부의 서술자가 인물의 체험을 바탕으로 사건의 배경을 실감나게 서술하고 있다.
④ 이야기 외부의 서술자가 인물의 회상을 중심으로 사건의 전개를 지연시키며 서술하고 있다.
⑤ 이야기 외부의 서술자가 인물의 내면을 묘사하여 인물 간의 갈등이 지속되고 있음을 서술하고 있다.

2. 서사의 흐름을 고려하여 ㉠~㉤에 대해 이해한 내용으로 적절하지 않은 것은?

① ㉠: 돌연한 웃음을 보이다가 눈물을 보이는 식으로 갑작스러운 감정 변화를 보인 데 대한 반응이다.
② ㉡: 신원이 미심쩍다고 의심하는 상황에서 그 외모가 의심을 가중했다는 생각이 담긴 말이다.
③ ㉢: 세상에 대한 관점이 상식적이지 않아 일반적으로는 수긍하기 어렵다는 생각을 드러낸 판단이다.
④ ㉣: 약속을 곧바로 실행에 옮긴 행위에 대한 놀라움을 드러낸 표현이다.
⑤ ㉤: 말의 표면적인 뜻과 달리 그 속에 숨은 뜻을 파악한 우호적인 해석이다.

3. ⓐ, ⓑ에 대한 설명으로 가장 적절한 것은?

① ⓐ에 대한 '나'의 이해는 기범에 대한 '나'의 인식이 전환되는 데에 기여한다.
② ⓐ에 대한 얘기를 '나'가 꺼낸 것은 기범에 대한 '저'의 오해를 풀 목적에서이다.
③ '저'는 '나'가 기범에 대해 품은 의문이 ⓑ를 바탕으로 하고 있음을 알게 된다.
④ '저'가 ⓐ로 인해 기범을 오해한다면, '나'는 ⓑ에 의해 기범을 이해한다.
⑤ '저'는 기범이 선행을 베풀며 보인 변화가 ⓑ에서 ⓐ로 변화된 과정과 일치함을 알고 있다.

4. <보기>의 관점에서 윗글을 감상한 내용으로 적절하지 않은 것은? [3점]

<보 기>

사람들은 존경하거나 사랑하는 사람을 닮아 가며 그와 자신을 동일시하려는 경향이 있다. 이를 통해 심리적 위안이나 성취감을 느끼기도 하지만 그 상대로부터 외면받거나 그가 부재한 상황에서는 마음에 상처를 입는다. 이때 동일시의 상대를 부정하거나, 외면당하지 않았다고 자신의 처지를 합리화한다. 또는 관심을 다른 데로 돌려 그 상황에서 아예 벗어나고자 한다. 「무사와 악사」에서 '기범'이 보이는 기행과 궤변은 '일규'를 동일시하려는 상대로 의식한 데서 비롯한 것으로도 볼 수 있다.

① 일규의 죽음에 '충격을 받'고 '세상 살 재미가 없어졌다'는 기범의 말이 사실이라면, 동일시하려던 상대의 부재가 가져오는 심리적 영향이 컸다는 것이겠군.
② 기범이 자신을 '발길로 걷어찼'던 일규로부터 외면받았다고 본다면, 일규와 '서로 사랑했'다고 믿는 기범의 진술은 외면당한 자신의 처지를 합리화하려는 의도에서 나온 것이겠군.
③ '울적할 때마다' 일규를 떠올리며 삶의 '재미와 기쁨'을 얻었다는 기범의 고백을 동일시의 결과로 이해한다면, 일규를 통해 기범이 심리적 위안을 얻었음을 추측할 수 있겠군.
④ 일규의 죽음이 기범이 도시를 떠나 '깊은 산골'에 정착한 계기였다고 본다면, 이는 동일시하려던 상대가 사라진 상황에서 관심을 다른 데로 돌려 그 상황을 벗어나기 위해서였겠군.
⑤ 기범이 일규를 '입에 올릴 자격이 없다'는 것이 동일시의 대상에 대한 존경심의 표현이라면, '사람만이 지닌 이상한 초능력'에 대한 기범의 믿음은 동일시를 통한 성취감에 해당되겠군.

7분 | 2021학년도 4월 학평 26~29번 | ★★☆ | 정답 009쪽

【5~8】 다음 글을 읽고 물음에 답하시오.

책임량을 완수하지 못하면 일당을 제하고 말겠다며 반장을 제쳐 놓고 관리과 직원들이 작업 감독을 했다. 찍소리 한마디 못하고 일손들을 재게 놀리면서도 가슴마다에는 ㉠ 먹구름이 끼고 비가 내렸다.

그들 셋은 약속이나 한 듯이 다리를 내뻗고 등을 벽에 기대 몸을 부린 채 말이 없었다. 피곤에 지쳐 풀려 버린 눈에는 물기에 젖은 절망의 빛이 서려 있었다.

ⓐ 분옥이는 가슴을 와득와득 쥐어뜯고 싶었다. 오만 오천 원. 삼 년에 걸쳐 모은 그 돈이 어떻게 된다는 것인가. 떼어먹혀? 그게, 그게 어떻게 번 돈인데, 차라리 식칼을 물고 엎어져 죽는 한이 있어도 그것만은 안 된다. 만 오천 원만 더 모으면 그 가슴 조이던 꿈을 이룰 수 있는 것이 아닌가. 칠만 원으로 육 개월간 미용 학원엘 다닌다. 그리고 어엿한 미용사가 된다. '시다'가 아닌 흰 가운을 입고 빨간 매니큐어 칠한 미용사가 된다. 가지가지 모양의 머리를 만들어 내는 기술자가 되고 단골을 잡고 고정적인 월급에 후한 팁을 받아 차곡차곡 모아 독립을 한다. 그때는 미장원 주인, 아니 미장원 마담. 여기에 이르면 분옥이는 그만 가슴이 펄떡이고 전신이 짜릿짜릿해지는 것이다. ⓑ 정신은 아물아물해지며 몸이 붕붕 뜨는 것이 타 보지 못한 비행기 타는 맛이 이러랴 싶었다. 그런데 그 돈을…….

봉자의 마음은 이 년 전 새벽에 집을 도망쳐 나오던 꼭 그런 허망한 기분이었다. 순심이의 편지만 믿고 서울 돈벌이를 작정한 나머지 겨울 새벽길을 더듬어 걸으며 왜 마음은 그리도 텅 빈 들녘처럼 허망했을까. 생전 처음 부모 곁을 떠나 말만 들은 서울로 가기 때문이거니 했지만 기차를 타고서도 그 허망한 기분은 가시어지질 않았다. 그때 되돌아서 집으로 돌아가야 했다. 그 허망했던 기분은 서울역에 내려서 두 눈을 뒤집고 찾아도 보이지 않던 순심이를 원망하면서 절망으로 변했다. 그 절망은 견딜 수 없는 향수였다. 그러나 그 짙은 향수는 돈벌이를 강요했다. 돈을 벌지 않고서는 얼굴을 들고 돌아갈 수 없는 집이었다. 집을 뛰쳐나온 변명의 구실이 없었다. 그동안 삼만 원을 모았다. 그걸 남들처럼 회사에 넣어 이자를 받고 있었다. 그런데 그 돈이 그렇고 그렇게 되었다는 것이다. ⓒ 8월 초순, 여름인데도 마음은 꼭 겨울 새벽의 텅 빈 들녘처럼 허허할 뿐인 것이다. 누구누구처럼 별 계획도 없었다. 오만 원만 모아지면 그걸 가지고 고향에 돌아가리라 했다.

길순이는 자꾸 울음이 터질 것만 같았다. 홀로인 어머니 얼굴이 어른거렸다. 열일곱에 떠나온 고향. 스물한 살이니까 어느덧 사 년째가 되었다. 봉자나 분옥이보다 오래되었으면서도 그네들과 같이 지옥탕(염색한 천을 헹궈 내는 첫 번째 탕을 그렇게들 불렀다.)에 발을 담그고 있는 것도 다 돈 때문이었다. 세월을 따라, 회사 규정대로 했다면 지금쯤은 신선놀이(건조된 직물을 손질하는 부서)를 하고 있을 터였다. 그러나 그럴 수는 없었다. 진종일 지옥탕에 무릎까지 담그고 서서 염색 물감의 독에 살갗이 썩거나 습진으로 발가락 사이가 짓물러도 우선 돈이 필요했다. 신선놀이를 하는 축들이나 분옥이, 봉자보다 삼분의 일이 더 많은 수입을 떼쳐 낼 수는 없었다. 그래서 분옥이나 봉자보다도 장딴지 살갗이 험하게 부르트고 습진도 고질이 되어 버린 것은 어쩌지 못할 일이었다. 그러니 지옥탕에서 견디는 것도 금년뿐, 내년부터는 별수 없이 신선놀이를 하게 되어 있었다. 금년 초에 벌써 회사 측에서는 신선놀이를 명령했었다. 인건비 낭비를 막기 위함이었을 것이다. 관리계장에게 사정사정해서 금년까지만이라는 허락을 겨우 받을 수 있었다. 어머니는 늙고 두 동생은 어리고……. 한 달에 만 사천 원 월급에서 자취비, 사글셋방 값, 이십사 개월 오만 원짜리 곗돈 등을 제하고 나면 회사에 맡긴 칠만 원에서 나오는 삼 부 오 리의 이자를 합해도 집에 사천 원을 송금하기에는 숨이 가빴다. 이자도 못 받고 원금도 묶이고……. 길순이는 또 목젖이 아프도록 침을 삼켰다. 곧 울음이 터질 것만 같은 것이다. 당장 다음 달부터 어머니와 두 동생은……. ⓓ 자꾸 눈시울이 매워져서 한사코 눈길을 천장으로 올렸다.

[중략 부분 줄거리] 여공들은 자신들이 회사에 맡긴 돈과 관련된 사채 동결에 대한 정부 정책 기사를 보게 된다. 이 기사를 읽은 후 경리과로 가서 경리과장의 말을 듣는다.

"……그러니까 간단히 말해서 여러분들 각자가 회사에 맡긴 액수는 적고 사람 수는 백칠십여 명에 달하여, 개인당 서류를 꾸며 사장님께 결재를 맡게 되면 일이 번거롭고 금전적으로나 시간적으로나 손해가 지대할 뿐만 아니라 그렇게 되면 여러분들의 돈을 받아줄 수가 없게 됐어요. 그래서, 항시 여러분의 편에서 여러분을 돕고 여러분이 하루속히 자활할 수 있는 방법을 강구하시기에 여념이 없으신 우리 총무부장님께서 이 일의 해결을 위해 고심하시던 중 묘안을 내셨습니다. 그 묘안이란 뭐냐. 다름 아니라 여러분 모두의 돈을 총무부장님 한 분 이름으로 결재를 맡는 방법이었습니다. 그리고 경리과에서는 여러분들의 개인 카드를 비치하고 매달 원금에 맞는 이자를 분배해 왔습니다. 에에, 그런데 문제는 그다음입니다. 여러분이 맡긴 일인당 원금을 평균 오만 원으로 잡고 백칠십 명이면 오 칠에 삼십에 오요, 오 일은 오니까 도합 팔백오십여만 원이 됐지요. 그 돈의 명의가 법적으로 총무부장님 이름으로 되어 있으니 이번 조처로 말미암아 오백만 원 이상이면 삼 년 거치 오 년 상환에 걸리게 되었어요. 그러니 법은 엄중하고 인정이 없는지라 법에 따를 수밖에 없지 않습니까. 그러니까 여러분은 앞으로 삼 년을 기다리며 사채 법정 이자를 받고 사 년째 되는 해부터 원금을 찾게 됩니다. 나 개인으로서는 무척 가슴 아프게 생각하나 법 앞에서 어쩔 수 없는 일이고, 여러분들의 넓은 이해를 바라는 바이올씁니다."

경리과장의 그런 [유식한 연설]을 듣고 나서도 여공들은 아무 동요가 없었다. ⓔ 처음 사채 동결의 소식을 들은 때와 마찬가지였다. 결국 작업 총반장 허씨의 보충 설명을 들은 다음에 와르르와르르 무너지는 가슴을 힘겹게 붙안아야 했다.

다음날부터 공장 안에서 우중충한 ㉡ 먹구름이 끼기 시작했다. 어느 때 없이 염색 물감 냄새가 역하게 속을 뒤집었다. 여기저기서 심심찮게 흘러나오던 유행가 대신 긴 한숨이 꼬리를 물었다. 물속에 담긴 종아리가 못 견디게 아리고 발가락 사이가 미치게 가려워 오는 것이다.

며칠이 지나자 사람 환장하게 만드는 말이 퍼졌다. 그전에 사장이 내놓은 이자는 사 부 오 리라는 것이었다. 그런데 총무부장과 경리과장이 짜고 오 리씩 해 먹었다는 소식이었다. 이런 사실을 사장은 뒤늦게 알았지만 다행히 모든 돈이 총무부장 이름으로 되어 있어서 당장 돌려주지 않고 장기간 이익을 볼 수 있게 되자 두 사람을 용서했다는 것이다.

— 조정래, 「동맥」 —

5. ㉠과 ㉡에 대한 설명으로 가장 적절한 것은?

① ㉠과 ㉡은 비유적 표현을 통해, ㉠은 인물들의 내면을 드러내고 ㉡은 상황의 분위기를 암시하고 있다.
② ㉠과 ㉡은 반어적 기법을 활용해, ㉠은 인물들의 행위를 강조하고 ㉡은 인물들의 정서를 부각하고 있다.
③ ㉠과 ㉡은 현재형 어미를 활용해, ㉠은 인물들의 심리 변화를 암시하고 ㉡은 사건의 긴장감을 극대화하고 있다.
④ ㉠과 ㉡은 감각적 묘사를 통해, ㉠은 인물들이 처한 상황을 생생하게 전달하고 ㉡은 사건 해결의 단서를 제공하고 있다.
⑤ ㉠과 ㉡은 과장된 서술을 통해, ㉠은 인물들의 외적 갈등을 심화시키고 ㉡은 인물들의 내적 갈등이 해소되었음을 제시하고 있다.

6. ⓐ ~ ⓔ에 대한 이해로 적절하지 않은 것은?

① ⓐ: 모은 돈이 떼어먹힌다는 생각에 분옥이가 느끼는 답답함을 엿볼 수 있다.
② ⓑ: 미장원 마담이 되는 상상에 분옥이가 느끼는 설렘을 엿볼 수 있다.
③ ⓒ: 회사에 넣어둔 돈에 문제가 생겼다는 소식에 봉자가 느끼는 허무함을 엿볼 수 있다.
④ ⓓ: 어머니와 두 동생에 대한 걱정으로 인해 길순이가 느끼는 슬픔을 엿볼 수 있다.
⑤ ⓔ: 경리과장의 말이 끝나자마자 확실하게 알게 된 자신들의 처지로 인해 여공들이 느끼는 절망감을 엿볼 수 있다.

7. 유식한 연설에 대한 이해로 가장 적절한 것은?

① 경리과에서는 여공들의 개인 카드를 마련하지 않았다.
② 여공들 각각이 회사에 맡긴 금액의 평균은 팔백만 원이었다.
③ 사채 동결로 인해 여공들은 이자를 전혀 받지 못하게 되었다.
④ 여공들이 회사에 맡긴 돈의 명의는 총무부장 이름으로 되어 있었다.
⑤ 사채 동결 이전 여공들은 원금과 상관없이 모두 동일한 금액의 이자를 경리과에서 받았다.

8. <보기>를 바탕으로 윗글을 감상한 내용으로 적절하지 않은 것은? [3점]

〈 보 기 〉

이 작품은 1970년대에 도시로 이주한 노동자들의 모습을 사실적으로 제시하고 있다. 열악한 노동 현실 속에서도 노동자들은 꿈의 실현, 고향에 대한 그리움, 고향 식구들에 대한 부양 등의 이유로 돈을 벌려고 노력하며 긍정적인 미래가 도래하기를 바란다. 하지만 정부 정책의 영향이 노동자들에게 미치는 가운데 그들의 피해를 외면하는 세력에 의해 노동자들의 삶은 더욱 힘겨워진다.

① 분옥이가 칠만 원을 모아 미용 학원에 다니려는 것에서 돈을 벌려는 이유를 짐작할 수 있겠군.
② 봉자가 오만 원만 모으면 고향에 돌아가겠다고 다짐하는 것에서 도시로 이주한 봉자가 고향을 그리워하는 모습을 짐작할 수 있겠군.
③ 사장이 총무부장과 경리과장의 횡령 사실을 알고도 그들을 용서했다는 것에서 노동자들의 피해를 외면하는 세력임을 짐작할 수 있겠군.
④ 여공들이 회사에 맡긴 원금을 사 년째 되는 해부터 찾게 될 수밖에 없게 된 것에서 정부 정책의 영향을 받는 노동자들의 삶을 짐작할 수 있겠군.
⑤ 길순이가 내년부터 지옥탕이 아니라 신선놀이를 하게 됐다는 것에서 열악한 노동 현실 속에서 길순이가 바랐던 긍정적인 미래의 도래를 짐작할 수 있겠군.

7분 2021학년도 3월 학평 26~29번 ★★☆ 정답 010쪽

【9~12】 다음 글을 읽고 물음에 답하시오.

한동안은 누가 나를 쳐다보고 수군거리기만 해도 엄마 이야기라고 지레짐작했으며 남에게 그것을 눈치채이기 싫어서 짐짓 고개를 숙여 버리곤 했다. 그러나 바로 그렇게 남에게 관찰당하는 것을 싫어했기 때문에 나는 **누구보다 일찍 나를 숨기는 방법**을 터득했다.

누가 나를 쳐다보면 나는 먼저 나를 두 개의 나로 분리시킨다. 하나의 나는 내 안에 그대로 있고 진짜 나에게서 갈라져 나간 다른 나로 하여금 내 몸 밖으로 나가 내 역할을 하게 한다.

내 몸 밖을 나간 다른 나는 남들 앞에 노출되어 마치 나인 듯 행동하고 있지만 진짜 나는 몸속에 남아서 몸 밖으로 나간 나를 바라보고 있다. 하나의 나로 하여금 그들이 보고자 하는 나로 행동하게 하고 나머지 하나의 나는 그것을 바라보는 것이다. 그때 나는 남에게 '보여지는 나'와 나 자신이 '바라보는 나'로 분리된다.

물론 그중에서 진짜 나는 '보여지는 나'가 아니라 '바라보는 나'이다. **남의 시선으로부터 강요를 당하고 수모를 받는** 것은 '보여지는 나'이므로 '바라보는' 진짜 나는 상처를 덜 받는다. 이렇게 나를 두 개로 분리시킴으로써 나는 사람들의 눈에 노출되지 않고 나 자신으로 그대로 지켜지는 것이다.

진짜의 나 아닌 다른 나를 만들어 보인다는 점에서 그것이 위선이나 가식일지도 모른다는 생각을 한 적은 있다. 꾸며 보이고 거짓으로 행동하기 때문에 나를 두 개로 분리시키는 일은 나쁜 일일지도 모른다고 생각했던 것이다. 그러나 내가 '작위'라는 말을 알게 된 뒤부터 그런 의혹은 사라졌다. 나의 분리법은 ⓐ 위선이 아니라 ⓑ 작위였으며 작위는 위선보다 훨씬 복잡한 감정이지만 엄밀한 의미에서 부도덕한 일은 아니었다.

그러므로 이제 내가 아는 **어른들의 비밀**을 털어놓는 데에 나는 아무런 거리낌도, **빚진 마음**도 갖고 있지 않다.

[중략 부분 줄거리] 이모는 군인인 이형렬과 펜팔을 하게 되고 할머니의 눈을 피해 편지 전하는 일을 '나'에게 시킨다.

그러나 일단 그 관문만 지나면 어려운 단어나 비유법 없이 평이한 문장이 죽죽 나열되므로 아주 읽기가 편하다는 것이, 짧다는 사실과 함께 그의 편지의 장점이었다.

내용을 간추려 본다면 대강 이런 이야기였다.

[A] 나, 이형렬은 서울에서 사업을 하는 이 아무개 씨의 2남 1녀 중 막내로 태어났다. 나이는 22세. 대학에서의 전공은 토목과. 누나는 시집을 갔고 형은 가업을 물려받기 위해 아버지의 회사에서 사회 경험을 쌓는 중이다. 장래 소망은 전공을 살려 토목 회사에 취직을 하거나 공부를 계속하여 교수가 되는 것이다. 하지만 고리타분하게 살고 싶은 마음은 조금도 없으며 결혼을 빨리 해서 가정을 이룬 다음부터는 아내와 함께 테니스도 치고 여행도 다니며 즐겁게 살 계획이다. 다룰 줄 아는 악기는 하모니카이고 취미는 오토바이 타기인데 애인을 뒷자리에 태우고 숲길을 씽 달려 보는 게 오랜 꿈이었지만 아직 애인이 없어서 그렇게 해 보진 못했다. 그동안은 공부밖에 몰랐고 아직 그럴 때가 아닌 것 같아서 여자를 사귀지 않았기 때문이다. 영옥 씨의 사진을 받아 보고 특히 눈이 아름답다고 느꼈다. 그리고 그동안 영옥 씨의 편지를 받아 볼 때마다 어쩌면 이렇게 순수한 마음을 가졌을까 깜짝 놀라고 말았다. 아름답고 순수한 영옥 씨를 알게 된 것은 신의 은총이다……

이모가 편지를 쓰는 시간은 대개 할머니가 잠든 밤이었다. 할머니는 저녁 설거지를 마치고 들어오면 연속극을 듣기 위해 라디오 앞에 앉곤 했다. 하지만 초저녁잠이 많아서 그 좋아하는 연속극을 언제나 끝까지 듣지 못하고 코를 고는 것이었다. 할머니는 귀로 듣기만 하면 되는 라디오인데도 연속극 시간에는 다른 일을 모두 폐하고 꼭 그 앞에 바짝 앉아 굳이 라디오를 쳐다보면서 연속극을 듣곤 했다. 그렇게 보고 있지 않으면 그 사이에 이야기가 그냥 지나쳐 버리기라도 한다는 듯이 라디오에서 눈길을 떼지 못했다.

그러면서도 정작 중요한 대목에서 할머니 쪽을 쳐다보면 대개는 곤하게 잠이 들어 있기 일쑤였다. 내가 할머니를 흔들면서 "할머니, 할머니! 들어 보세요. 지금 드디어 그 딸이 엄마하고 만났어요. 지금요!"라고 연속극의 진행 상황을 설명해 주면 그토록 중요한 순간에 잠이 들어 버렸다는 데 무안해진 할머니는 전혀 졸지 않았던 사람처럼 목소리를 높게 내며 "나도 안다, 알어" 하고 눈꺼풀에 힘을 주지만 조금 있다 보면 어느새 또 푸푸, 하는 일정한 리듬의 숨소리를 내며 도로 잠들어 있었다.

할머니의 초저녁잠이 그렇게 깊었기 때문에 이모는 마음껏 금지된 편지를 썼고 나는 그동안 이모가 우리 미장원에서 빌려온 『선데이 서울』을 뒤적이고 있다가 이모가 맞춤법이나 표현에 대해서 물어 오면 자문관 역할을 해 줄 수 있었다.

이모가 이형렬에게 보내는 편지는 대충 이런 식으로 이형렬이 이모에게 보내는 편지와 사이좋은 대구를 이루었다.

[B] 나, 전영옥은 경찰 고위직에 있었던 전 아무개 씨의 1남 1녀 중 막내이다. 오빠는 현재 법대 3학년이고 어머니가 농업과 건축업(가겟집 세놓은 일을 표현할 고상한 말을 찾던 이모는 집과 관계된 직업 중에 이 말이 가장 무난하다고 생각했다)에 종사한다. 아버지가 6·25 때 순직하여서 국가 유공자 집안이다. 나이는 21세. 서울에 있는 대학에 합격했지만(이 사실은 나도 처음 듣는 일이었지만 이모가 원서를 낸 것까지는 사실이라고 얼굴을 붉혀 가며 주장했기 때문에 더 이상 진위를 가리지 않기로 했다) 어머니 곁을 떠날 수 없어 학업을 포기하고 고향에서 영어를 가르치고 있다. 성격이 조용하여 취미는 독서와 음악 감상이고 장래 소망은 현모양처. 남자 친구는 전혀 없으며 기회는 많았지만 집안이 엄격하여 교제를 해 보지 못했다. 좋아하는 계절은 가을, 좋아하는 꽃은 '나를 잊지 마세요'라는 꽃말을 지닌 물망초. 그리고 이상적인 남성형은 변함없이 나를 아껴 주는 진실한 남성.

그러나 이모의 편지가 언제까지나 이런 입문 단계에 머물렀던 것은 아니었다. 시간이 지날수록 이모의 편지는 점점 센티멘털하게 변해 갔다. 그러더니 그리움이라는 단어가 이따금 눈에 띄고 애틋한 구절이 많아진다 싶을 무렵부터 더 이상 편지를 보여 주지 않았다. 그때부터는 표현에 대한 자문도 구하지 않았고 그런 **형식적인 포장을 극복**할 만큼은 **이형렬과의 관계**가 발전한 것인지 맞춤법을 물어 오는 일도 거의 없어졌다. 이제 그에게서 온 편지도 보여 주지 않았다.

그래도 편지를 전해 주는 일은 여전히 내 소관이었으므로 나는 여전히 **이모의 비밀을 혓바닥 밑에 감추고 있는 셈**이었다.

– 은희경, 「새의 선물」 –

9. [A]와 [B]의 서술상 특징에 대한 설명으로 가장 적절한 것은?

① [A]와 달리 [B]는 간추린 편지의 내용에 서술자가 알고 있는 관련 내용을 덧붙이는 방식으로 서술하고 있다.
② [B]와 달리 [A]는 서술자가 편지의 내용에 대해 의문을 제기하는 방식으로 서술하고 있다.
③ [A]와 [B]는 모두 서술자가 편지의 내용에 논평을 곁들이는 방식으로 서술하고 있다.
④ [A]와 [B]는 모두 편지 속에 숨겨진 비밀을 서술자가 하나씩 밝혀 가는 방식으로 서술하고 있다.
⑤ [A]는 서술자가 과거에 본 편지 내용을 회상하는 방식으로, [B]는 서술자가 현재에 편지를 읽어 가는 방식으로 서술하고 있다.

10. 윗글에 대한 이해로 적절하지 <u>않은</u> 것은?

① '나'는 남들이 엄마 이야기를 하는 것에 대해 자신이 신경 쓰고 있는 모습을 들키고 싶어 하지 않았다.
② '나'는 이형렬의 편지가 짧으면서도 어려운 단어가 없어서 읽기에 편하다고 느꼈다.
③ 할머니의 초저녁잠은 이모가 할머니의 눈을 피해 마음껏 편지를 쓰는 데 도움이 되었다.
④ 이모는 이형렬의 사진을 보고 그의 외모가 자신의 이상형에 가깝다는 것을 편지에 솔직하게 표현하였다.
⑤ 이모는 편지에 애틋한 표현이 많아진다 싶을 무렵부터 편지의 표현에 대해 '나'에게 자문을 거의 구하지 않았다.

11. <보기>를 바탕으로 윗글을 감상한 내용으로 적절하지 <u>않은</u> 것은? [3점]

< 보 기 >

「새의 선물」의 주인공은 열두 살밖에 안 된 소녀이지만 아이답지 않은 시선으로 어른의 세계를 관찰한다. 이 과정에서 자신의 내면을 감춘 채 어른들의 가식적인 세계를 드러내는 것이 부도덕하다고 생각하지 않는다. 이것은 성장 과정에서 자신에게 호의적이지 않은 주변 세계로부터 자신을 방어하는 수단과 관련이 있다.

① '누구보다 일찍 나를 숨기는 방법'을 터득했다고 한 것은, '나'가 자신의 내면을 어른들에게 보여 주지 않기 위해 일찍부터 노력해 온 결과로 볼 수 있겠군.
② '남의 시선으로부터 강요를 당하고 수모를 받는'다고 느끼는 것은, '나'가 자신을 둘러싼 세계에 대해 결코 호의적이지 않다고 인식하는 것과 관련이 있겠군.
③ '어른들의 비밀'을 털어놓는 데 '빚진 마음'이 없다고 한 것은, '나'가 자신이 한 행위를 부도덕한 것이 아니라고 여겼기 때문이겠군.
④ 이모의 편지에 대해 '형식적인 포장을 극복'했다고 평가하며 '이형렬과의 관계'가 깊어졌으리라고 짐작한 것은, '나'가 아이답지 않은 시선으로 어른의 세계를 관찰했음을 보여 주는 것이겠군.
⑤ '이모의 비밀을 혓바닥 밑에 감추고 있는 셈'이라고 한 것은, '나'가 어른과 서로의 비밀을 공유하는 것이 자기를 방어하는 수단이 될 수 있다고 생각했기 때문이겠군.

12. ⓐ와 ⓑ를 통해 '나'를 이해한 내용으로 가장 적절한 것은?

① '나'는 '보여지는 나'가 받았던 상처가 ⓐ를 통해 치유될 수 있다고 생각한다.
② '나'는 ⓐ로 인해 발생한 의혹을 '바라보는 나'와 '보여지는 나'로 '나'를 분리함으로써 해소하고자 한다.
③ '나'는 ⓑ로 인해 '바라보는 나'와 '보여지는 나' 사이의 내적 갈등이 심화될 수 있다고 생각한다.
④ '나'는 '나 아닌 다른 나'를 만든 것을 ⓐ가 아닌 ⓑ로 규정함으로써 심리적 부담감에서 벗어나게 된다.
⑤ '나'는 ⓐ보다 복잡한 감정인 ⓑ가 '나 아닌 다른 나'에 대한 주변의 비난을 더 많이 받게 할 수 있다고 생각한다.

총 문항				문항	맞은 문항					문항
개별 문항	1	2	3	4	5	6	7	8	9	10
채점										
개별 문항	11	12	13	14	15	16	17	18	19	20
채점										

7분 | 2021학년도 수능 22~25번 | ★☆☆ | 정답 011쪽

【1~4】 다음 글을 읽고 물음에 답하시오.

나는 집에 도착한 그 첫 순간에 베일에 가린 듯이 ⓐ모든 사물, 모든 사람들로부터 차단된 나 자신을 느꼈다. 집에서 맞는 첫날 아침을 나는 이상한 비현실감 속에서 맞았다. "이런 전선에서 두부 장수 종소리, TV에서 흘러나오는 노랫소리, 수돗물이 넘치는 소리가 웬일일까?"라고 중얼거리며 주위를 둘러보았던 것이다. '이런 전선에서'란 느낌은 어떤 긴박한 위기에 대처한 생생한 의지였다. 그것은 아직도 내 몸에 밴 전쟁 냄새였다. 그런데 두부 장수 종소리, 유행가 소리 따위를 의식했을 때 나는 뭔가 맥이 탁 풀리는 것 같았다. 나의 안에 있는 긴박감에 비해서 밖은 너무도 무의미하고 태평스럽고 어쩌면 패덕스럽기까지 했다. 나미도, 학교 공부도, 또 나로부터 그토록 수많은 밤을 앗아 갔던 아틀리에도 예외일 수는 없었다. 나는 그것들과의 관계를 다시 시작할 하등의 흥미도 관심도 없었다. 나날이 권태스럽고 짜증스럽기만 했다. 이따금 나는 내 안의 긴장에 대해서, 적어도 숨김없는 그 진실에 대해서 누군가에게 말하려 애써 보았다. 그러나 이해하는 사람은 아무도 없었다.

그렇다. 이제 생각이 난다. 며칠 전 다방에서의 일이. 실내엔 담배 연기가 꽉 차 있었고 선정적인 허스키로 어떤 여자가 느린 곡조로 노래를 들려주고 있었다. 어쩌다가 내가 나미에게 그 얘기를 들려주려고 했는지 알 수가 없다. 나는 다음과 같이 그 얘기를 시작했다.

나는 D고지에서 전투 중인 ○○연대 근처까지 물을 실어다 주라는 명령을 받았어. 음료수가 떨어져서 전 연대원이 전투는 고사하고 타는 듯한 갈증과 싸우고 있다는 소식이었어. T에서 거기까진 팔십 킬로 거리였지. 나와 한병장은 밤중에 급수차를 몰아 T를 떠났어. 한 치 앞도 가릴 수 없는 어둠과 정적. 목쉰 듯한 엔진 소리는 어둠과 정적의 벽에 부딪혀 바로 우리의 귓가에서 부서지고, 부챗살 모양으로 어둠이 지워진 헤드라이트의 반경 속에선 사물이 극도로 정밀해져 마치 입체 영화에서처럼 눈 속으로 뛰어들었지. 그 정밀함이란 길바닥에 뒹구는 돌에 묻은 티, 풀포기에 매달려 잠자는 벌레 따위의 미세한 것들까지도 죄다 눈에 잡히는 듯했어. 나는 온갖 사물들이 바로 내 심장에 맞닿아 있는 듯한 그런 느낌을 이전엔 한 번도 가져 보지 못했어. 이따금씩 여우나 늑대 따위들이 길을 횡단하여 쏜살같이 사라지곤 했어. 어둠 속에서 한가로이 떠돌던 나방이 떼들은 갑작스런 불빛에 방향 감각을 잃고 윈도에 머리를 부딪혀 빗방울처럼 떨어져 죽었고. 나는 운전하고 있는 한병장의 팔을 건드리며 유리창을 가리켰지. 그는 겁에 질린 해쓱한 표정으로 나를 힐끔 곁눈질했을 뿐이야. 그렇지, 혈관 속을 움직이는 피의 선회마저 느낄 듯한 이 비상한 감각, 그리고 심연에서 샘처럼 솟아오르는 넘칠 듯한 생동감이 없이는, 저 유리창에 부딪혀 죽는 나방이 따위야 아무것도 신기할 것이 없지, 라고 생각하며 나는 혼자서 빙긋 웃었어.

[A] 한병장이 다시 얼굴을 힐끔 돌리며 잡아 늘이는 듯한 목소리로 말했어. "차일병은 무섭지 않나?" "아뇨, 전연." "대단하군. 여기선 적이 언제 어디서라도 나타날 수 있지." "저는 적보다 진정으로 무서운 건 무감각이라고 깨달았습니다." "나는 제대하면 곧장 결혼할 거야." "언젠니까, 제대가?" "석 달 남았지." "저는 지금까지 마치 꿈을 꾸다가 깨어난 것 같아요. 이곳에 온 뒤론 바로 생명의 한가운데를 관통하는 느낌입니다." 그런데 중간에서 엔진이 고장났지. 몇 시간 지체하고 나니 벌써 동이 트더군. 이제부터 정말 위험이 시작된 것이라 싶더군. 왜냐하면 적의 정찰 비행에 발견되면 공중 사격을 받을 우려가 있는 데다 불볕 같은 폭염이 사정없이 쏟아져 그도 또한 견디기 어려운 문제였지.

(중략)

아까부터 나는 창 옆에서 노인이 나타나기를 기다리고 있었다. 오늘도 그가 그토록 진지한 얼굴로 잃어버린 물건을 계속 찾을 것인지. 대체로 그렇지 못할 것이라고 나는 믿고 있다. 그러나 만에 하나라도 노인이 어제와 같은 모습으로 내 앞에 나타난다면 무료한 가운데서도 어떤 안정성을 획득하고 있던 나의 생활은 송두리째 무너질지도 모른다. 그가 창밖에서 뭔가 열심히 찾고 있는 한 나는 계속 도전을 받는 셈이기에. 때문에 사실을 좀 더 명확하게 파악할 필요가 있다. 노인이 찾고 있는 ⓑ물건의 정체가 무엇인지, 그런저런 것을 알아보노라면 노인의 그와 같은 숙연한 태도와 잃어버린 물건 사이의 상관관계도 알게 될 것이다. 아무튼 이제 나는 그와 한마디 얘기라도 나눠 보지 않으면 못 견딜 것 같은 심정이다.

[B] 드디어 자전거에 짐을 싣고 공터 안으로 들어오는 노인의 모습이 눈에 잡힌다. 그 곁엔 개가 종종걸음으로 따르고 있다. 어제와 거의 같은 장소에서 노인은 자전거를 멈추고 짐을 내린다. 비치파라솔·궤짝·연탄불 따위들이 착착 있을 곳에 놓여진다. 그런데 얼마 후에 나를 놀라게 하는 일이 벌어진다. 준비를 끝낸 노인은 이내 포장 안에서 빠져나와 개를 데리고 물웅덩이 쪽으로 가는 게 아닌가. 개는 하루 사이 아주 눈에 띄게 쇠약한 모습이고, 노인도 피곤하고 지친 모습이긴 하나 끈질긴 어떤 힘이 그의 전신에서 면면히 솟아 나오고 있는 듯하다. 나는 완전히 안정을 잃고 방 안을 오락가락했다. 믿어지지 않는다. 거짓말이다. 무엇이 노인에게 저토록 소중하게 여겨진단 말인가. 아니, 노인은 무슨 실없는 망상을 하고 있는 걸까. 나는 방에서 뛰쳐나왔다.

- 서영은, 「사막을 건너는 법」 -

1. [A]와 [B]의 서술상 특징에 대한 설명으로 가장 적절한 것은?

① [A]는 회상 장면을 삽입하여, [B]는 시간의 흐름에 따라 사건을 서술하여 인물들이 처한 상황을 객관적으로 전달하고 있다.
② [A]는 구어체를 활용하여 경험한 사실을, [B]는 현재형 시제를 활용하여 관찰하고 있는 사실을 생생하게 나타내고 있다.
③ [A]는 공간 이동에 따라 일어나는 사건을 통해, [B]는 공간에 대한 묘사를 통해 인물들의 외적 갈등을 심화하고 있다.
④ [A]는 인물 간의 대화를 삽입하여, [B]는 인물들의 반복되는 행동을 제시하여 갈등 해소 과정을 보여 주고 있다.
⑤ [A]는 중심인물의 말을 제시하여, [B]는 주변 인물의 말을 제시하여 사건들의 인과 관계를 드러내고 있다.

2. 윗글에 대한 이해로 가장 적절한 것은?

① '나'는 일상을 권태롭고 짜증스럽게 느끼는 상황에서 '나미'를 만나 전쟁의 경험담을 전한다.
② '나'는 D고지로 향하는 도중 음료수가 떨어져 곤란함이 가중된 상황에 처한다.
③ '나'와 '한병장'은 어둠을 밝히는 헤드라이트로 인해 적의 정찰 비행에 발견되어 공격을 받는다.
④ '나'는 임무 수행 중에 결혼할 계획을 밝히며 귀환 후의 꿈 같은 생활에 대한 기대를 갖는다.
⑤ '나'는 전장에서 귀환한 후 자신의 긴장감을 이해해 주는 사람들을 만난다는 사실에 생동감을 느낀다.

3. ⓐ, ⓑ에 대한 이해로 적절하지 않은 것은?

① '나'는 '노인'의 변화된 모습을 통해 ⓑ를 찾는 '노인'의 행위가 중단될 것임을 예감한다.
② '나'는 ⓑ의 정체와 '노인'이 ⓑ를 찾는 태도 사이의 상관관계를 알고 싶어한다.
③ '나'는 '노인'이 ⓑ를 가치 있는 대상으로 여기고 있다고 판단한다.
④ '나'는 자신과 ⓐ의 관계에 대해 타인들은 이해하지 못한다고 생각한다.
⑤ '나'는 ⓐ로부터 소외된 상태에, '노인'은 ⓑ를 상실한 상태에 있다.

4. <보기>를 참고하여 윗글을 감상한 내용으로 적절하지 않은 것은? [3점]

<보 기>

이 작품은 신체의 감각을 활용해 '나'의 체험을 다양하게 형상화한다. 청각을 통해 현실에 대한 타인과의 인식 차이를 나타내거나, 과거 경험을 후각화하여 상징적으로 표현한다. 시각을 통해서는 긴장 상태에서 극대화된 감각 체험을 보여 주는 한편 전쟁의 실상을 체험하면서 갖게 된, 현실에 대한 체념을 드러낸다. 또한 체념 상태를 흔드는 사건을 주시하면서 생기는 번민을, 행동을 통해 제시한다. 이는 '나'가 사막 같은 현실에 발을 내딛는 계기로 작용한다.

① '집에서 맞는 첫날 아침'의 느낌을 '나'가 '전선에서' 느끼는 '전쟁 냄새'라고 지각하는 데에서, 과거의 경험이 상징적 감각으로 표현되고 있군.
② '두부 장수 종소리, 유행가 소리'를 듣고 '밖'은 '무의미하고 태평스럽'다고 생각하는 데에서, '나'의 현실 인식이 타인과 다르다는 것을 의식하고 있음이 드러나고 있군.
③ '돌', '벌레' 같은 것들을 '입체 영화'처럼 보며 '심장에 맞닿아 있는 듯' 체감하는 데에서, 전장의 긴장 속에서 '나'의 감각이 극대화되고 있음이 나타나고 있군.
④ '방향 감각'을 잃은 '나방이 떼들'이 차창에 '부딪혀' 죽는 것을 목격하는 데에서, '나'가 전쟁의 실상을 깨달음으로써 체념적 현실 인식을 갖게 된다는 것이 나타나고 있군.
⑤ '믿어지지' 않는 '노인'의 행위를 지켜보고 '방 안을 오락가락' 하는 데에서, 현실 인식에 대한 '나'의 번민이 행동을 통해 제시되고 있군.

7분	2020학년도 10월 학평 34~37번	★☆☆	정답 012쪽

[5~8] 다음 글을 읽고 물음에 답하시오.

아들은

그러나, 돌아와, 채 어머니가 뭐라고 말할 수 있기 전에, 입때 안 주무셨어요, 어서 주무세요, 그리고 자리옷으로 갈아입고는 책상 앞에 앉아, 원고지를 펴 놓는다.

[A] 그런 때 옆에서 무슨 말이든 하면, 아들은 언제든 불쾌한 표정을 지었다. 그것은 어머니의 마음을 아프게 한다. 그래, 어머니는 가까스로, 늦었으니 어서 자거라, 그걸랑 낼 쓰구…… 한마디를 하고서 아들의 방을 나온다.

"얘기는 낼 아침에래두 허지."

그러나 열한 점이나 오정에야 일어나는 아들은, 그대로 소리 없이 밥을 떠먹고는 나가 버렸다.

때로, 글을 팔아 몇 푼의 돈을 구할 수 있을 때, 그 어느 한 경우에, 아들은 어머니를 보고, 뭐 잡수시구 싶으신 거 없에요, 그렇게 묻는 일이 있었다.

어머니는 직업을 가지지 못한 아들이, 그래도 어떻게 몇 푼의 돈을 만들어, 자기에게 그런 말을 할 수 있는 것을 신기하게 기뻐하였다.

"어서 내 생각 말구, 네 양말이나 사 신어라."

그러면, 아들은 으레, 제 고집을 세웠다. 아들의 고집 센 것을, 물론 어머니는 좋게 생각 안 했다. ㉠ <u>그러나 이러한 경우라면, 아들이 고집을 세우면 세울수록 어머니는 만족하였다.</u> 어머니의 사랑은 보수를 원하지 않지만, 그래도 자식이 자기에게 대한 사랑을 보여 줄 때, 그것은 어머니를 기쁘게 해 준다.

대체 무얼 사 줄 테냐, 무어든 어머니 마음대로. 먹는 게 아니래도 좋으냐. 네. 그래 어머니는 에누리 없이 욕망을 말해 본다.

"너, 나, 치마 하나 해 주려무나."

아들이 흔연히 응낙하는 걸 보고,

"네 아주멈은 뭐 안 해 주니?"

아들은 치마 두 감의 가격을 묻고, 그리고 갑자기 엄숙한 얼굴을 한다. 혹은 **밤을 새우**기까지 해 아들이 번 돈은, 결코 **대단한 액수의 것이 아니**었다. 그래, 어머니는 말한다.

"그럼 네 아주멈이나 해 주렴."

아들은, ㉡ <u>아니에요, 넉넉해요. 갖다 끊으세요.</u> 그리고 돈을 내놓았다.

㉢ <u>어머니는, 얼마를 주저한다.</u> 그러나, 마침내, 그는 가장 자랑스러이 돈을 집어 들고, 애애 옷감 바꾸러 나가자, 아재비가 치마 허라고 돈을 주었다. 네 아재비가…… 그렇게 건넌방에서 재봉틀을 놀리고 있던 맏며느리를 신기하게 놀래어 준다.

치마가 되면, 어머니는 그것을 입고, 나들이를 하였다.

일갓집 대청에 가 주인 아낙네와 마주 앉아, 갓난애같이 어머니는 치마 자랑할 기회를 엿본다. 주인마누라가, 선불리, 참, 치마 좋은 거 해 입으셨구먼, 이라고나 한다면, 어머니는 서슴지 않고,

"이거 내 둘째 아이가 해 준 거죠. 제 아주멈 해하구, 이거 하구……"

이렇게 묻지도 않은 말을 하였다. 어머니는 그것이 아들의 훌륭한 자랑거리라 생각하였다.

자식을 자랑할 때, 어머니는 얼마든지 뻔뻔스러울 수 있다.

그러나 그런 일은 늘 있을 수 없다. 어머니는 역시 글을 쓰는 것보다는 월급쟁이가 몇 곱절 낫다고 생각하고, 그리고 그렇게 재주 있는 내 아들은 무엇을 하든 잘하리라고 혼자 작정해 버린다. 아들은 지금 세상에서 월급자리 얻기가 얼마나 힘든 것인가를 말한다. 하지만, 보통학교만 졸업하고도, 고등학교만 나오고도, 회사에서 관청에서 일들만 잘하고 있는 것을 알고 있는 어머니는, 고등학교를 졸업하고도, 또 ㉣ <u>동경엘 건너가 공불 하고 온 내 아들이, 구해도 일자리가 없다는 것이 도무지 믿어지지가 않았다.</u>

구보는

[B] 집을 나와 천변 길을 광교로 향해 걸어가며, 어머니에게 단 한마디 "네—" 하고 대답 못했던 것을 뉘우쳐 본다. 하기야 중문을 여닫으며 구보는 "네—" 소리를 목구멍까지 내어 보았던 것이나 중문과 안방과의 거리는 제법 큰 소리를 요구하였고, 그리고 공교롭게 활짝 열린 대문 앞을, 때마침 세 명의 여학생이 웃고 떠들며 지나갔다.

그렇더라도 대답은 역시 해야만 하였었다고, 구보는 어머니의 외로워할 때의 표정을 눈앞에 그려 본다. 처녀들은 어느 틈엔가 그의 시야에서 사라졌다.

구보는 마침내 다리 모퉁이에까지 이르렀다. ㉤ <u>그의 일 있는 듯싶게 꾸미는 걸음걸이는 그곳에서 멈추어진다.</u> 그는 어딜 갈까, 생각해 본다. 모두가 그의 갈 곳이었다. 한 군데라 그가 갈 곳은 없었다.

(중략)

한길 위에 사람들은 바쁘게 또 일 있게 오고 갔다. 구보는 포도 위에 서서, 문득, 자기도 **창작을 위해** 어디, 예(例)하면 **서소문정 방면**이라도 답사할까 생각한다. '**모데로노로지오***'를 게을리하기 이미 오래다.

그러나, 그러한 생각과 함께 구보는 **격렬한 두통**을 느끼며, 이제 한 걸음도 더 옮길 수 없을 것 같은 **피로**를 전신에 깨닫는다. 구보는 **얼마 동안을 망연히** 그곳, 한길 위에 서 있었다……

얼마 있다,

구보는 다시 걷기로 한다. 여름 한낮의 뙤약볕이 맨머릿바람의 그에게 현기증을 주었다. 그는 그곳에 더 그렇게 서 있을 수 없다. 신경 쇠약. 그러나 물론, 쇠약한 것은 그의 신경뿐이 아니다. **이 머리**를 가져, **이 몸**을 가져, **대체 얼마만 한 일을 나는 하겠단 말인고—.** 때마침 옆을 지나는 장년의, 그 정력가형 육체와 탄력 있는 걸음걸이에 구보는, 일종 위압조차 느끼며, 문득, 아홉 살 때에 집안 어른의 눈을 기어 「춘향전」을 읽었던 것을 뉘우친다. 어머니를 따라 일갓집에 갔다 와서, 구보는 저도 얘기책이 보고 싶다 생각하였다. 그러나 집안에서는 그것을 금했다. 구보는 남몰래 안잠자기에게 문의하였다. 안잠자기는 세책집에는 어떤 책이든 있다는 것과, 일 전이면 능히 한 권을 세내 올 수 있음을 말하고, 그러나 꾸중 들우. 그리고 다음에, 재밌긴 「춘향전」이 제일이지, 그렇게 그는 혼잣말을 하였었다. 한 분(分)의 동전과 한 개의 주발 뚜껑, 그것들이, 십칠 년 전의 그것들이, 뒤에 온, 그리고 또 올, 온갖 것의 근원이었을지도 모른다. 자기 전에 읽던 얘기책들. **밤을 새워 읽던 소설책들.** 구보의 건강은 그의 **소년 시대에 결정적으로 손상되었**던 것임에 틀림없다…….

– 박태원, 「소설가 구보 씨의 일일」 –

* 모데로노로지오 : 고현학(考現學). 현대의 경향, 풍속, 세태, 유행을 탐구하는 학문이나 그 태도를 말함.

5. 윗글에 대한 이해로 가장 적절한 것은?

① 구보는 어머니에게 말할 기회를 빼앗은 세 여학생에게 항의했다.
② 어머니는 일갓집 주인 아낙네에게 아들의 직업을 조심스럽게 자랑하였다.
③ 안잠자기는 어린 시절의 구보에게 얘기책을 구할 수 있는 방법을 알려 주었다.
④ 구보는 어머니에게 마음만 먹으면 언제든지 월급쟁이가 될 수 있다고 말하였다.
⑤ 맏며느리는 구보의 돈으로 자신의 치마를 해 주겠다는 어머니의 제안을 정중히 거절하였다.

6. [A]와 [B]에 대한 설명으로 가장 적절한 것은?

① [A]는 어머니가 서술자가 되어 자신의 행동과 심리를 제시하고 있다.
② [B]는 구보가 관찰자의 입장에서 사건을 전달함으로써 객관성을 높이고 있다.
③ [A]와 달리 [B]는 이야기 외부의 서술자가 전지적 시점을 통해 갈등 상황을 부각하고 있다.
④ [B]와 달리 [A]는 서술자의 시각을 통해 상황의 변화에 대한 서술자의 인식을 전달하고 있다.
⑤ [A]는 어머니의 입장에서, [B]는 구보의 입장에서 바라본 사건을 이야기 외부의 서술자가 전달하고 있다.

7. ㉠ ~ ㉤에 대해 이해한 내용으로 적절하지 않은 것은?

① ㉠에는 자신을 위하는 구보의 마음 씀씀이에 뿌듯해하는 어머니의 심정이 드러나 있다.
② ㉡에는 앞으로 가족들에게 가장 노릇을 할 수 있게 된 구보의 만족감이 드러나 있다.
③ ㉢에는 구보가 힘들게 벌어 온 돈을 받는 것에 대한 어머니의 부담감이 나타나 있다.
④ ㉣에는 구보가 처한 상황을 납득하기 어려워하는 어머니의 마음이 나타나 있다.
⑤ ㉤에는 마땅히 갈 곳을 정하지 못해 망설이는 구보의 태도가 드러나 있다.

8. <보기>를 바탕으로 윗글을 감상한 내용으로 적절하지 않은 것은? [3점]

< 보 기 >

이 작품에서 구보는 작가의 자의식이 투영된 인물이다. 구보는 일제 강점기 상황에서 경제적으로 안정되지 못한 채 살아가는 소설가로서의 자기 정체성을 성찰한다. 구보는 자신의 쇠약하고 병든 몸을 언급하는데, 이는 문학에 경도되어 건강과 자신감을 잃은 지식인의 무기력한 자의식을 표출한 것이다.

① '밤을 새우'면서 글을 써서 번 돈이 '대단한 액수의 것이 아니'라는 것에서, 소설가로서의 구보의 삶이 경제적으로 안정되지 못함을 짐작할 수 있겠군.
② '창작을 위해' '서소문정 방면'이라도 답사를 해 볼까 생각하며 '모데로노로지오'를 게을리했다고 하는 것에서, 구보가 소설가로서의 정체성을 성찰하고 있음을 엿볼 수 있겠군.
③ '이 머리'와 '이 몸'으로 '대체 얼마만 한 일을 나는 하겠단 말인고'라고 하는 것에서, 지식인으로서 무기력한 구보의 모습을 알 수 있겠군.
④ '격렬한 두통'과 전신의 '피로'를 느끼며 '얼마 동안을 망연히' 서 있는 것에서, 창작을 억압하는 일제 강점기 상황에 대한 구보의 비판 의식을 확인할 수 있겠군.
⑤ '밤을 새워 읽던 소설책들'로 인해 건강이 '소년 시대에 결정적으로 손상되었'다고 한 것에서, 구보가 어린 시절부터 문학에 경도되어 살아왔음을 알 수 있겠군.

7분	2021학년도 9월 모평 16~19번	★☆☆	정답 013쪽

[9~12] 다음 글을 읽고 물음에 답하시오.

[A] 안승학은 원래 이 고을 읍내에서 살았다. 지금부터 이십 년 전만 해도 그는 다 찌그러진 오막살이에서 **콩나물죽으로 연명하**던 처지였다. 그러던 사람이 오늘은 수백 석 추수를 하고 서울 사는 민판서 집 **사음*까지** 얻어서 이 동리로 옮겨 앉은 것이다.

그것은 안승학의 **근본**을 아는 사람은 누구나 놀랄 만한 일이었다. 그는 **지체도 없**고 형세도 없이 타관에서 떠들어온 사람이었다. 그러므로 이 고을에는 그의 일가친척이라고는 면 서기를 다니는 아우 하나밖에 아무도 없다. 그의 부친은 경기도 죽산이라던가 어디서 호방 노릇을 하던 아전이었다는데 승학이가 성년 되기 전에 별세하고 그의 모친도 부친이 돌아간 지 삼 년 만에 마저 세상을 떠났다 한다. 그래서 거기서는 살 수가 없어서 아내와 어린 동생 하나를 데리고 이 고장으로 들어왔다. 이 고을 읍내에는 그의 처가가 사는 터이므로.

처가도 역시 가난하였으나 그래도 처가 끝으로 옹대가리나마 다시 장만해 놓고 살림이라고 떠벌였다.

그런데 그 **무렵**이 마침 **경부선이 개통**한 직후이다. 이 근처 사람들은 생전 처음 보는 기차와 정거장과 전봇대를 보고 경이의 눈을 크게 떴다.

안승학은 지금도 그때 **목판차를 맨 처음으로** 먼저 타고 서울을 가 보았다는 것을 자랑삼아 말하였다. 그때 그는 어떤 **친구의 심부름으로** 혼수 흥정을 하러 따라간 것이었다.

[B] 그의 **자만**(自慢)은 그것뿐만 아니었다. 그는 경기도 출생이라고 이 지방에서는 제일 똑똑한 체를 하였다.

우편소가 새로 생긴 것을 보고 이웃 사람들은 그게 무엇인지 몰라서 겁을 잔뜩 집어먹고 있었다. 장승같이 늘어선 전봇대에는 노상 잉-하는 소리가 들렸다. 그것은 전신줄을 감은 사기 안에다 귀신을 잡아넣어서 그런 소리가 무시로 난다는 것이다. 그리고 우편소 안에는 무슨 이상한 기계를 해 앉히고 거기서는 무시로 괴상한 소리가 들렸다. 그래서 이웃 사람들은 그것도 무슨 귀신을 잡아넣어서 그런 소리가 들리는 것이라고 하였다.

그럴 때에 안승학은 마술사처럼 이 귀신을 부리는 재주를 그들 앞에서 시험해 보였다.

그는 엽서 한 장을 사서 자기 집 통호수와 자기 이름을 쓰고 편지 사연을 써서 우편통 안으로 집어넣었다. 그리고 그들에게 장담하기를 이것이 오늘 해전 안에 우리 집으로 들어갈 터이니 가 보자는 것이었다. 과연 그날 저녁때였다. 지옥사자 같은 누렁 옷을 입은 사람은 안승학의 집에 엽서 한 장을 던지고 갔다. 그것은 아까 써 넣던 그 엽서였다.

"참, 조홧속이다!"

하고 그들은 일시에 소리를 질렀다.

(중략)

안승학이는 사랑방에서 혼자 앉아서 금테 안경을 콧잔등에 걸고는 문서질을 하다가 인동이를 앞세우고 김선달 조첨지 수동이아버지 희준이 이렇게 다섯 사람이 일시에 달려드는 것을 보고 적이 마음에 불안을 느꼈다.

그래 그는 붓을 놓고서 마당을 내려다보며

"무슨 일들인가? 식전 댓바람에 내 집에를 이렇게 찾아오거든 문간에서 주인을 찾고 들어와야지."

매우 **위엄스럽게** 하는 말이었다.

"아무도 없는데 누구보고 말하랍니까? 대문 기둥에다 대고 말씀하랍시오."

김선달이 받는 말이다.

저런 괘씸한 놈 말하는 것 좀 봐라…… 그런데 행랑 놈은 어디를 갔기에 문간에 아무도 없었더람! 안승학은 속으로 분해했다.

그러나 **호령할 용기**는 생기지 않는다. 희준이와 인동이와 김선달은 신발을 벗고 마루에 올라가 앉았다.

조첨지와 수동 아버지는 뜰아래서 올라갈까 말까 하는 눈치다.

"하여간 무슨 일들인가?"

안승학은 얼른 이야기나 들어보고 돌려보내자는 계획이다.

"저희들이 이렇게 댁을 찾아왔을 때는 무슨 별다른 소관사가 있겠습니까…… 지난번에도 왔다가 코만 떼우고 갔습니다만 대관절 어떻게 저희들의 [요구 조건]을 들어주시겠습니까?"

희준이가 정식으로 말을 꺼냈다.

"그따위 이야기를 할 작정으로 이렇게들 식전 아침에 왔어? 못 들어주겠어! 발써 여러 번째 요구 조건은 들을 수 없다고 말했는데, 자꾸 조르기만 하면 될 줄 아는가? 어림없지…… 괜히 그러지들 말고 일찍이 **나락을 베는 것**이 당신들에게 유익할 것이야……."

안승학이는 긴 장죽에 담배를 한 대 담아 가지고 불을 붙이기 위해서 성냥을 세 개비나 허비했건만 잘 붙지 아니하므로 그래 네 번째 불을 댕겨서는 쉴 새 없이 빠끔빠끔 빨다가 그만 입귀로 붉은 침을 주르르 흘리고서는 제 풀에 화가 나서 담뱃대를 탁 밀어 내던진다.

"괜스리 시간만 낭비하고 **피차의 물질상 손해**만 더 나게 하지 말고 어서 돌아가서 잘들 의논해서 오늘부터라도 일을 시작하란 말이야! 나도 아침부터 바쁜 일이 있으니 어서들 가소."

"그래 정녕코 요구 조건을 못 들어주시겠다는 말씀이지요."

"암!"

- 이기영, 「고향」 -

* 사음: 마름. 지주를 대리하여 소작권을 관리하는 사람.

9. [A]의 서술상 특징에 대한 설명으로 가장 적절한 것은?

① 서술 대상에 대한 독백적 서술을 통해 서술 대상에 대한 정서적 반응이 제시되고 있다.
② 서술 대상에 대한 회고적 서술을 통해 서술 대상에 대한 성찰적 태도가 드러나고 있다.
③ 서술 대상에 대한 병렬적 서술을 통해 서술 대상에 관한 정보가 반복적으로 제시되고 있다.
④ 서술 대상에 대한 묘사적 서술을 통해 서술 대상에 관한 정보가 단계적으로 제시되고 있다.
⑤ 서술 대상에 대한 요약적 서술을 통해 서술 대상에 관한 정보가 개괄적으로 제시되고 있다.

10. [B]에 대한 이해로 적절하지 <u>않은</u> 것은?

① 새로운 문물의 도입이 사람들의 의식을 혼란스럽게 하는 상황이 나타나고 있다.
② 새로운 문물이 실생활에 쓰이는 현장을 소개함으로써 사람들의 생활 방식이 변해야 함을 알려 주고 있다.
③ 새로운 문물의 이용 방법을 알고 있는 인물과 그렇지 못한 사람들 간에 문물에 대한 이해의 차이가 있음이 드러나고 있다.
④ 새로운 문물을 접한 사람들의 반응이 직접적으로 드러남으로써 새로운 세상의 도래에 대한 정서적 충격을 표현하고 있다.
⑤ 새로운 문물에서 신이한 현상을 연상하는 사람들의 반응을 통해 낯선 문물이 도입될 당시의 문화적인 환경을 보여 주고 있다.

11. [요구 조건]을 중심으로 윗글을 이해한 내용으로 적절하지 <u>않은</u> 것은?

① '요구 조건'을 관철시키러 온 '김선달'의 '안승학'에 대한 비아냥거리는 태도가 표출되고 있다.
② '요구 조건'의 이행을 요청하는 '희준'에 대해 '안승학'의 거부 의사가 직접적으로 표출되고 있다.
③ '요구 조건'의 불이행 때문에 벌어질 일을 경고하는 '희준'에 대해 '안승학'이 염려하고 있음이 암시되어 있다.
④ '요구 조건'의 수락 여부를 둘러싸고 빚어진 '안승학'과 '다섯 사람' 간의 갈등 양상이 긴장된 분위기를 자아내고 있다.
⑤ '요구 조건'에 대한 확답을 받기 원하는 '다섯 사람'의 갑작스러운 방문에 대한 '안승학'의 심리적인 동요가 제시되고 있다.

12. <보기>를 참고하여 윗글을 감상한 내용으로 적절하지 <u>않은</u> 것은? [3점]

<보 기>

1930년대 리얼리즘 장편 소설에는 변화하는 사회적 환경 속에서 사회적 지위가 상승한 인물형이 등장한다. 이 유형의 인물들은 근대 문물에 발 빠르게 적응하면서도 소작제와 같은 전근대적 토지 제도에 편승하는 모습을 보인다. 이들은 근대 문물을 체험해 보지 못한 사람들에게 자신을 과시하지만 자신만의 이익을 추구하기 때문에 그 지위를 인정받지 못한다. 이러한 인물들을 통해 1930년대 농촌 사회에 등장한 속물적 인물형의 면모를 확인할 수 있다.

① '지체도 없'이 '콩나물죽으로 연명하'다가 '사음까지' 된 인물의 모습은, 소작제를 이용하여 지위가 변한 인물형을 보여 주는군.
② '경부선이 개통'할 '무렵'의 시대 변화에 적응하여 '근본'에서 벗어날 기회를 얻었던 인물의 모습은, 근대 문물이 유입되는 사회적 환경 속에서 변모해 갈 수 있었던 인물형을 보여 주는군.
③ '친구의 심부름으로' '목판차를 맨 처음으로' 타 보고서 '자만'하는 인물의 행동은, 근대 문물을 경험했다는 점을 앞세워 자신을 과시하는 인물의 모습을 보여 주는군.
④ '위엄스럽게' 하대하면서도 '호령할 용기'를 내지 못하는 인물의 심리는, 자신의 사회적 지위를 인정하지 않는 이들에게 반감을 드러내는 인물의 모습을 보여 주는군.
⑤ '피차의 물질상 손해'를 강조하면서도 일방적으로 사람들에게 '나락을 베는 것'을 종용하는 인물의 모습은, 다른 사람의 이익보다 사적인 이익을 우선시하는 인물형을 보여 주는군.

총 문항			문항	맞은 문항					문항
개별 문항	1	2	3	4	5	6	7	8	9	10
채점										
개별 문항	11	12	13	14	15	16	17	18	19	20
채점										

현대시

• 고3 국어 문학 •

현 대 시

출제 트렌드

현대시에서는 유명한 작가의 작품이 자주 출제되므로 개별 작가와 작품의 경향을 알아 두면 도움이 됩니다. 특히 작가가 작품 활동을 했을 당시의 시대상이 시에 반영되는 경우가 많습니다. 시 문학에서는 화자의 정서와 태도가 가장 중요한데, 시대상을 알면 이를 파악하는 데에도 도움이 됩니다. 또한 문제에 주어지는 〈보기〉를 통해 작품 해석의 실마리를 얻을 수도 있습니다. 또 한 가지 중요한 것은 바로 시의 표현 방법들을 알아 두는 것입니다. 비유, 상징, 역설, 반어, 대구, 열거, 점층 등 표현 방법에 관한 용어의 의미를 정확하게 알고 있어야만 시 영역의 문제를 풀 수 있습니다. 2023학년도 수능에서는 나희덕 시인의 '음지의 꽃'이 EBS 교재에서 연계되어 출제되었고, 유치환 시인의 '채전'은 작품 해석이 어렵지 않았기 때문에 수험생들의 체감 난도는 낮은 편이었습니다. 문학 영역에서는 대체로 고전 문학 문제를 푸는 시간이 더 오래 걸리므로 현대 문학에서 시간을 단축하는 것이 좋습니다. 특히 소설보다도 시는 작품의 길이가 짧아 시간적 부담이 적은 만큼 실수 없이 빠르게 푸는 연습을 하도록 합시다.

시행	출제 지문	문제 수	난이도
2023학년도 수능	유치환, '채전' / 나희덕, '음지의 꽃'	4문제 출제	★☆☆
2023학년도 6월 모평	신동엽, '향아' / 기형도, '전문가'	3문제 출제	★★☆
2022학년도 9월 모평	오장환, '종가' / 최두석, '노래와 이야기'	4문제 출제	★☆☆
2022학년도 6월 모평	김기림, '연륜' / 김광규, '대장간의 유혹'	3문제 출제	★★☆

1등급 꿀팁

하나 _ 시의 화자 또는 대상이 처한 상황을 상상하며 읽자.

두울 _ 시어의 의미는 반드시 문맥 속에서 찾자.

세엣 _ 〈보기〉가 주어질 경우 작품 해석에 대한 힌트로 사용하자.

네엣 _ 비유법, 도치법, 설의법 등 대표적인 표현 방법들을 예시와 함께 외워 두자.

다섯 _ 자주 출제되는 작가의 주요 작품, 작품의 특징과 경향 등을 미리 알아 두자.

여섯 _ 서술어나 어미를 보고 시의 전체적인 분위기를 파악하자.

일곱 _ 두 편의 시가 묶여 출제되는 것이 일반적이므로 작품 간의 공통점과 차이점을 생각하며 읽자.

다음 글을 읽고 물음에 답하시오.

(가)

한여름 채전으로 ㉠가 보아라
수염을 드리운 몇 그루 옥수수에 가지, 고추, 오이, 토란, 그리고 **울타리**엔 덤불을 이룬 **넌출** 사이로 반질반질 윤기 도는 크고 작은 박이며 호박들!
이 ㉡지극히 범속한 것들은 제각기 타고난 바탕과 생김새로 주어서 아낌없고 받아서 아쉼 없는 황금의 햇빛 속에 일심으로 자라고 영글기에 숨소리도 들릴세라 적적히 여념 없나니
㉢과분하지 말라 의혹하지 말라 주어진 대로를 정성껏 충만시킴으로써 스스로를 족할 줄을 알라 오직 여기에 목숨의 유열과 천지와의 화합에 있거니

한여름 채전으로 가 보아라
나비가 심방 오고 풍뎅이가 찾아오고 잠자리가 왔다 가고 바람결에 스쳐 가고 **그늘**이 지나가고 **비**가 내리고 햇볕이 다시 나고 …… 이같이 ㉣많은 손님들의 극진한 축복과 은혜 속에
이 지극히 범속한 것들의 지극히 충족한 ㉤빛나는 생명의 양상을 한여름 채전으로 와서 보아라

- 유치환, 「채전(菜田)」 -

(나)

우리는 썩어 가는 참나무 떼,
벌목의 슬픔으로 서 있는 이 땅 [A]
패역의 **골짜기**에서
서로에게 기댄 채 **겨울**을 난다
함께 썩어 갈수록
바람은 더 높은 곳에서 우리를 흔들고 [B]
이윽고 잠자던 **홀씨**들 일어나
우리 몸에 뚫렸던 상처마다 버섯이 피어난다 [C]
황홀한 **음지**의 꽃이여
우리는 서서히 썩어 가지만
너는 **소나기**처럼 후드득 피어나
그 고통을 순간에 멈추게 하는구나 [D]
오, 버섯이여
산비탈에 구르는 낙엽으로도
골짜기를 떠도는 바람으로도 [E]
덮을 길 없는 우리의 몸을
뿌리 없는 너의 독기로 채우는구나 [F]

- 나희덕, 「음지의 꽃」 -

34. <보기>를 바탕으로 (가)와 (나)를 감상한 내용으로 적절하지 않은 것은? [3점]

<보 기>

생명 현상을 제재로 삼은 시는 대체로, 생명체들의 풍요로움을 감각적으로 형상화하거나, 생명 파괴의 현실을 극복하는 모습을 형상화한다. (가)는 만물의 조화로운 성장과 충만한 생명력에 자족하는 태도를, (나)는 인간의 욕망에 의한 상처와 고통으로 황폐화된 현실을 강인한 생명력이 피어나는 공간으로 변화시키는 모습을 드러낸다. 이러한 두 양상은 표면적으로 드러난 생명의 모습에서는 차이를 보이지만, 생명체들이 어우러져 살아가는 모습을 보여 준다는 점에서는 동일한 지향성을 지닌다고 할 수 있다.

① (가)의 '한여름'은 생명체들의 풍요로움을 감각적으로 드러내는, (나)의 '겨울'은 생명 파괴의 현실을 이겨 내는 시간적 배경으로 설정되어 있군.
② (가)의 '울타리'는 만물이 함께 살아가는 공간을 드러내는 경계로, (나)의 '골짜기'는 인간의 욕망이 투영된 장소로 제시되어 있군.
③ (가)의 '넌출'은 어우러진 생명체들이 현실의 삶에 자족하게 되는, (나)의 '홀씨'는 공존하던 생명체들이 흩어지게 되는 계기를 드러내고 있군.
④ (가)의 '그늘'은 만물이 성장을 이루어 가는 배경으로서의, (나)의 '음지'는 현실의 고통을 극복하는 장소로서의 의미를 함축하고 있군.
⑤ (가)의 '비'는 생명의 충만함과 조화로움을 갖게 하는, (나)의 '소나기'는 황폐화된 현실에 생명력을 환기하는 대상으로 표상되어 있군.

문제풀이

34번은 외적 준거를 바탕으로 작품을 감상하는 문제로, 문학 영역의 대표적인 문제 유형이다. 작품을 읽기 전 문제에 주어진 〈보기〉를 먼저 읽었다면 (가)와 (나)가 생명력을 주제로 한 시라는 것과 두 작품의 공통점과 차이점을 알게 되어 작품 해석에 큰 도움을 얻을 수 있었을 것이다.

② (가)의 '울타리'는 갖가지 채소들이 자라고 나비, 풍뎅이, 잠자리 등이 찾아오는 채전의 경계이므로 만물이 함께 살아가는 공간을 드러내는 경계라고 할 수 있다. (나)의 '골짜기'는 참나무 떼가 벌목으로 인해 썩어 가며 서 있는 땅이므로 '벌목'이라는 인간의 욕망이 투영된 장소라고 할 수 있다.
❸ (가)에서 '울타리엔 덤불을 이룬 넌출 사이로 ~ 박이며 호박들'은 채전의 울타리에서 어우러져 자라는 박과 호박들의 모습을 묘사한 구절로, 이때 '길게 뻗어 나가 늘어진 식물의 줄기'인 '넌출'이 생명체들이 현실의 삶에 자족하게 되는 계기를 드러내고 있지는 않다. 또한 (나)의 '홀씨'는 참나무의 상처마다 버섯이 피어나게 만든 것이므로 공존하던 생명체들이 흩어지게 되는 계기라고 볼 수 없다.
④ (가)에서 '그늘'은 채전을 지나가며 그곳의 '지극히 범속한 것들'에게 '축복과 은혜'를 주는 존재로서, 만물이 성장을 이루어 가는 배경으로서의 의미를 함축하고 있다. (나)에서 '음지'는 버섯이 피어난 곳으로, 버섯의 강인한 생명력을 통해 현실의 고통을 극복하는 장소로서의 의미를 함축한다고 볼 수 있다.

6분 | 2023학년도 수능 31~34번 | ★☆☆ | 정답 014쪽

[1~4] 다음 글을 읽고 물음에 답하시오.

(가)

한여름 채전으로 ㉠가 보아라

수염을 드리운 몇 그루 옥수수에 가지, 고추, 오이, 토란, 그리고 **울타리**엔 덤불을 이룬 **넌출** 사이로 반질반질 윤기 도는 크고 작은 박이며 호박들!

이 ㉡지극히 범속한 것들은 제각기 타고난 바탕과 생김새로 주어서 아낌없고 받아서 아쉼 없는 황금의 햇빛 속에 일심으로 자라고 영글기에 숨소리도 들릴세라 적적히 여념 없나니

㉢과분하지 말라 의혹하지 말라 주어진 대로를 정성껏 충만시킴으로써 스스로를 족할 줄을 알라 오직 여기에 목숨의 유열과 천지와의 화합에 있거니

한여름 채전으로 가 보아라

나비가 심방 오고 풍뎅이가 찾아오고 잠자리가 왔다 가고 바람결에 스쳐 가고 **그늘**이 지나가고 **비**가 내리고 햇볕이 다시 나고 …… 이같이 ㉣많은 손님들의 극진한 축복과 은혜 속에

이 지극히 범속한 것들의 지극히 충족한 ㉤빛나는 생명의 양상을 한여름 채전으로 와서 보아라

- 유치환, 「채전(菜田)」 -

(나)

우리는 썩어 가는 참나무 떼, ┐
벌목의 슬픔으로 서 있는 이 땅 ┘[A]
패역의 **골짜기**에서
서로에게 기댄 채 **겨울**을 난다
함께 썩어 갈수록 ┐
바람은 더 높은 곳에서 우리를 흔들고 ┘[B]
이윽고 잠자던 **홀씨**들 일어나 ┐
우리 몸에 뚫렸던 상처마다 버섯이 피어난다 ┘[C]
황홀한 **음지**의 꽃이여
우리는 서서히 썩어 가지만 ┐
너는 **소나기**처럼 후드득 피어나 │[D]
그 고통을 순간에 멈추게 하는구나 ┘
오, 버섯이여
산비탈에 구르는 낙엽으로도 ┐
골짜기를 떠도는 바람으로도 ┘[E]
덮을 길 없는 우리의 몸을 ┐
뿌리 없는 너의 독기로 채우는구나 ┘[F]

- 나희덕, 「음지의 꽃」 -

1. (가)와 (나)의 공통점으로 가장 적절한 것은?

① 사물의 모습에 대한 긍정적 인식을 바탕으로 중심 제재에 대한 예찬적 태도를 드러내고 있다.
② 주어진 현실에 순응하는 모습을 통해 중심 제재를 바라보는 비관적 태도를 암시하고 있다.
③ 풍경을 관조적으로 응시하는 시선으로 중심 제재의 외적 아름다움을 표현하고 있다.
④ 인간의 행위에 대한 우호적 관점을 토대로 중심 제재의 심미적 속성을 강조하고 있다.
⑤ 장소에 대한 부정적 인식을 심화하여 중심 제재와의 정서적 거리를 부각하고 있다.

2. ㉠~㉤의 시적 기능에 대한 설명으로 적절하지 <u>않은</u> 것은?

① ㉠을 반복하고 변주하여 '채전'에서 겪을 수 있는 경험의 소중함을 느끼게 하려는 화자의 의도를 드러내고 있다.
② ㉡을 수식어로 반복하여 '범속한 것들'로부터 '충족한' 느낌을 받는 화자의 정서를 강조하고 있다.
③ ㉢에서 부정 명령형을 사용하여 '주어진 대로' '족할 줄을 알'아야 한다는 화자의 인식을 제시하고 있다.
④ ㉣에서 사물을 인격화하여 '극진한 축복과 은혜'와 대비되는 화자의 시선을 반영하고 있다.
⑤ ㉤에서 관념을 시각화하여 '목숨의 유열과 천지와의 화합'이 이루어진 대상에 대한 화자의 생각을 표현하고 있다.

3. [A]~[F]에 대한 이해로 가장 적절한 것은?

① [A]에서 참나무가 벌목으로 썩어 가는 모습은, [B]에서 바람에 흔들리는 나무의 모습과 순환적 관계를 형성한다.
② [B]에서 참나무의 상태에 변화를 가져온 움직임은, [C]에서 버섯이 피어나는 상황과 순차적 관계를 형성한다.
③ [C]에서 참나무의 상처에 생명이 생성되는 순간은, [D]에서 나무의 고통이 멈추는 과정과 대립적 관계를 형성한다.
④ [D]에서 참나무의 모습에 일어난 변화는, [E]에서 낙엽이나 바람이 처한 상황과 인과적 관계를 형성한다.
⑤ [E]에서 참나무의 주변에 존재하는 사물들은, [F]에서 나무를 채워 주는 존재로 제시된 대상과 동질적 관계를 형성한다.

4. <보기>를 바탕으로 (가)와 (나)를 감상한 내용으로 적절하지 않은 것은? [3점]

<보 기>

생명 현상을 제재로 삼은 시는 대체로, 생명체들의 풍요로움을 감각적으로 형상화하거나, 생명 파괴의 현실을 극복하는 모습을 형상화한다. (가)는 만물의 조화로운 성장과 충만한 생명력에 자족하는 태도를, (나)는 인간의 욕망에 의한 상처와 고통으로 황폐화된 현실을 강인한 생명력이 피어나는 공간으로 변화시키는 모습을 드러낸다. 이러한 두 양상은 표면적으로 드러난 생명의 모습에서는 차이를 보이지만, 생명체들이 어우러져 살아가는 모습을 보여 준다는 점에서는 동일한 지향성을 지닌다고 할 수 있다.

① (가)의 '한여름'은 생명체들의 풍요로움을 감각적으로 드러내는, (나)의 '겨울'은 생명 파괴의 현실을 이겨 내는 시간적 배경으로 설정되어 있군.
② (가)의 '울타리'는 만물이 함께 살아가는 공간을 드러내는 경계로, (나)의 '골짜기'는 인간의 욕망이 투영된 장소로 제시되어 있군.
③ (가)의 '넌출'은 어우러진 생명체들이 현실의 삶에 자족하게 되는, (나)의 '홀씨'는 공존하던 생명체들이 흩어지게 되는 계기를 드러내고 있군.
④ (가)의 '그늘'은 만물이 성장을 이루어 가는 배경으로서의, (나)의 '음지'는 현실의 고통을 극복하는 장소로서의 의미를 함축하고 있군.
⑤ (가)의 '비'는 생명의 충만함과 조화로움을 갖게 하는, (나)의 '소나기'는 황폐화된 현실에 생명력을 환기하는 대상으로 표상되어 있군.

[5~7] 다음 글을 읽고 물음에 답하시오.

(가)

하얀 박꽃이 오들막*을 덮고
당콩* 너울은 하늘로 하늘로 기어올라도
고향아
여름이 안타깝다 무너진 돌담 [A]

돌 우에 앉았다 섰다
성가스런 하로해가 먼 영에 숨고
소리 없이 생각을 드디는 어둠의 발자취
나는 은혜롭지 못한 밤을 또 부른다

도망하고 싶던 너의 아들
가슴 한구석이 늘 차그웠길래
고향아
돼지굴 같은 방 등잔불은
밤마다 밤새도록 꺼지고 싶지 않었지 [B]

드디어 나는 떠나고야 말았다
곧 얼음 녹아내려도 잔디풀 푸르기 전
마음의 불꽃을 거느리고
멀리로 낯선 곳으로 갔더니라

그러나 너는 보드러운 손을
가슴에 얹은 대로 떼지 않었다
내 곳곳을 헤매어 살길 어두울 때
빗돌처럼 우두커니 거리에 섰을 때
고향아
너의 부름이 귀에 담기어짐을
막을 길이 없었다

"돌아오라 나의 아들아
까치 둥주리 있는
아까시야가 그립지 않느냐
배암장어 구워 먹던 물방앗간이
새잡이 하던 버들방천이
너는 그립지 않나
아롱진 꽃그늘로
나의 아들아 돌아오라" [C]

나는 그리워서 모두 그리워
먼 길을 돌아왔다만
버들방천에도 가고 싶지 않고
물방앗간도 보고 싶지 않고
고향아
가슴에 가로누운 가시덤불
돌아온 마음에 싸늘한 바람이 분다 [D]

이 며칠을 미칠 듯이 살아온 내게
다시 너의 품을 떠날려는 내 귀에
한마디 아까운 말도 속삭이지 말어다오
내겐 한 걸음 앞이 보이지 않는
슬픔이 물결친다 [E]

하얀 것도 붉은 것도
너의 아들 가슴엔 피지 못했다
고향아
꽃은 피지 못했다

– 이용악, 「고향아 꽃은 피지 못했다」 –

* 오들막 : 오두막의 함경도 방언.
* 당콩 : 강낭콩.

(나)

어려서 나는 램프불 밑에서 자랐다,
밤중에 눈을 뜨고 내가 보는 것은
재봉틀을 돌리는 젊은 어머니와
실을 감는 주름진 할머니뿐이었다.
나는 그것이 세상의 전부라고 믿었다.
조금 자라서는 칸델라*불 밑에서 놀았다,
밖은 칠흑 같은 어둠
지익지익 소리로 **새파란 불꽃을 뿜는 불**은
주정하는 험상궂은 금점꾼들과
셈이 늦는다고 몰려와 생떼를 쓰는 그
아내들의 모습만 돋움새겼다.
소년 시절은 전등불 밑에서 보냈다,
가설극장의 화려한 간판과
가겟방의 휘황한 불빛을 보면서
나는 세상이 넓다고 알았다, 그리고

나는 대처로 나왔다.
이곳 저곳 떠도는 즐거움도 알았다,
바다를 건너 먼 세상으로 날아도 갔다,
많은 것을 보고 많은 것을 들었다.
하지만 멀리 다닐수록, 많이 보고 들을수록
이상하게도 **내 시야는 차츰 좁아져**
내 망막에는 마침내
재봉틀을 돌리는 젊은 **어머니**와
실을 감는 주름진 **할머니**의
실루엣만 남았다.

내게는 다시 이것이
세상의 전부가 되었다.

– 신경림, 「어머니와 할머니의 실루엣」 –

* 칸델라 : 가지고 다닐 수 있는, 석유로 불을 켜서 밝히는 등.

5. [A] ~ [E]에 대한 설명으로 적절하지 않은 것은?

① [A] : 계절감을 주는 이미지와 시적 공간의 황량한 분위기를 결부하여 화자의 정서를 부각하고 있다.
② [B] : 화자의 심정을 과거 고향의 사물에 투영하여 고향에 친밀감을 느끼고자 했던 화자의 내면을 드러내고 있다.
③ [C] : 고향이 화자에게 건넨 말을 인용하는 방식을 사용하여 그리움을 환기하는 시적 공간의 모습을 제시하고 있다.
④ [D] : 화자의 내면을 자연물에 비유하여 시적 공간에 대한 기대감이 사라진 화자의 마음을 드러내고 있다.
⑤ [E] : 화자가 고향에 말을 건네는 방식을 활용하여 시적 공간에 미련을 두지 않으려는 화자의 태도를 드러내고 있다.

6. (나)에 대한 이해로 가장 적절한 것은?

① '칠흑 같은 어둠'과 '휘황한 불빛'의 대비를 통해 화자의 내면과 외부 세계 사이에 조성되는 긴장감을 드러내고 있다.
② '험상궂은 금점꾼들'에서 '생떼를 쓰는' '아내들'로 묘사의 초점을 이동하여 정겨운 공동체의 모습을 나타내고 있다.
③ '멀리 다닐수록'을 '많이 보고 들을수록'과 연결하여 이동 범위의 확대가 인식의 성장을 가로막았음을 드러내고 있다.
④ '램프불 밑에서 자랐다', '칸델라불 밑에서 놀았다', '전등불 밑에서 보냈다'의 변화를 통해 화자가 경험한 세계가 점점 확장되어 왔음을 나타내고 있다.
⑤ '나는 그것이 세상의 전부라고 믿었다'를 '내게는 다시 이것이' '세상의 전부가 되었다'로 변형하여 화자가 기억하는 어릴 적 공간의 이미지가 달라졌음을 나타내고 있다.

7. <보기>를 참고하여 (가), (나)를 감상한 내용으로 적절하지 않은 것은? [3점]

< 보 기 >

자신이 태어나 주로 살던 곳에서 다른 곳으로 떠나갔다가 구심점이 되는 그곳으로 되돌아가고자 하는 귀소 의식은 우리 시에서 여러 가지 양상으로 그려진다. (가)에서는 고향을 떠나 힘겨운 삶을 살던 화자가 자신을 부르는 힘에 이끌려 귀향을 하게 되지만, 고향이 자신이 생각했던 고향과 거리가 있음을 깨닫고 다시 그곳을 떠날 수밖에 없는 비극적인 상황을 보여 준다. 그리고 (나)에서는 바깥세상이 주는 재미에 빠져 유랑하던 화자가 자신을 낳아 주고 길러 준 모성적 세계로 회귀하고자 하는 의식을 보여 준다.

① (가)에서 화자가 '고향아' '꽃은 피지 못했다'라고 한 것은, 되돌아온 고향이 화자가 생각했던 고향과 거리가 있는 세계였음을 나타내는 것이겠군.
② (나)에서 화자가 '내 망막'에는 '어머니'와 '할머니'의 '실루엣만 남았다'라고 한 것은, 화자가 자신의 근원인 모성적 세계를 그리워하게 되었음을 보여 주는 것이겠군.
③ (가)의 '마음의 불꽃'은 화자가 고향을 떠나면서 아픔을 느꼈음을, (나)의 '새파란 불꽃을 뿜는 불'은 화자가 고향을 떠나고자 하는 열망을 품었음을 나타내는 것이겠군.
④ (가)의 '내 곳곳을 헤매어 살길 어두울 때'는 고향을 벗어난 곳에서 화자가 느꼈던 삶의 힘겨움을, (나)의 '이곳 저곳 떠도는 즐거움'은 화자가 바깥세상을 떠돌며 빠져 있었던 재미를 드러내는 것이겠군.
⑤ (가)의 '너의 부름이 귀에 담기어짐'은 고향을 떠난 화자가 고향의 부름에 이끌렸음을, (나)의 '내 시야는 차츰 좁아져'는 유랑하던 화자가 구심점의 세계로 회귀하려는 의식을 갖게 되었음을 보여 주는 것이겠군.

5분	2023학년도 6월 모평 32~34번	★★☆	정답 016쪽

[8~10] 다음 글을 읽고 물음에 답하시오.

(가)

향아 너의 고운 얼굴 조석으로 우물가에 비최이던 오래지 않은 옛날로 가자

수수럭거리는 수수밭 사이 걸찍스런 웃음들 들려 나오며 호미와 바구니를 든 환한 얼굴 그림처럼 나타나던 석양……

구슬처럼 흘러가는 냇물가 맨발을 담그고 늘어앉아 빨래들을 두드리던 전설같은 풍속으로 돌아가자

눈동자를 보아라 향아 회올리는 무지갯빛 허울의 눈부심에 넋 빼앗기지 말고

철따라 푸짐히 두레를 먹던 ㉠ 정자나무 마을로 돌아가자 미끈덩한 **기생충의 생리**와 허식에 인이 배기기 전으로 눈빛 아침처럼 빛나던 우리들의 고향 병들지 않은 젊음으로 찾아 가자꾸나

향아 허물어질까 두렵노라 얼굴 생김새 맞지 않는 **발돋움의 흉낼**랑 그만 내자

들국화처럼 소박한 목숨을 가꾸기 위하여 맨발을 벗고 콩바심하던 **차라리 그 미개지에로 가자** 달이 뜨는 명절밤 비단치마를 나부끼며 **떼지어 춤추던** 전설같은 풍속으로 돌아가자 냇물 굽이치는 싱싱한 마음밭으로 돌아가자.

- 신동엽, 「향아」 -

(나)

이사온 그는 이상한 사람이었다
그의 집 담장들은 모두 빛나는 유리들로 세워졌다

골목에서 놀고 있는 부주의한 아이들이
잠깐의 실수 때문에
풍성한 햇빛을 복사해내는
그 유리 담장을 박살내곤 했다

그러나 얘들아, 상관없다
유리는 또 갈아 끼우면 되지
마음껏 이 골목에서 놀렴

유리를 깬 아이는 얼굴이 새빨개졌지만
이상한 표정을 짓던 다른 아이들은
아이들답게 **곧 즐거워했다**
견고한 송판으로 담을 쌓으면 어떨까
주장하는 아이는, 그 아름다운
골목에서 즉시 추방되었다

유리 담장은 매일같이 깨어졌다
필요한 시일이 지난 후, 동네의 모든 아이들이
충실한 그의 부하가 되었다

어느 날 그가 **유리 담장**을 떼어냈을 때, ㉡ 그 골목은
가장 햇빛이 안 드는 곳임이
판명되었다, **일렬로** 선 아이들은
묵묵히 벽돌을 날랐다

- 기형도, 「전문가」 -

8. (가), (나)에 대한 설명으로 가장 적절한 것은?

① (가)는 과거를 회상하며 현실을 관망하는 태도를 드러내고 있다.
② (나)는 상징성을 띤 사건의 전개를 통해 주제를 암시하고 있다.
③ (가)와 (나)는 모두 음성 상징어를 활용하여 상상 세계의 경이로움을 나타내고 있다.
④ (가)와 (나)는 모두 동일한 시구의 반복과 변주를 통해 시적 분위기를 고조하고 있다.
⑤ (가)는 위로하는 어조로, (나)는 충고하는 어조로 시적 청자에게 말을 건네고 있다.

9. ㉠과 ㉡을 비교한 내용으로 가장 적절한 것은?

① ㉠은 '향'에게 귀환이 금지된 공간이고, ㉡은 '아이들'에게 이탈이 금지된 공간이다.
② ㉠은 '향'이 자기반성을 수행하는 공간이고, ㉡은 '아이들'이 '그'의 요청을 수행하는 공간이다.
③ ㉠은 '향'이 본성을 찾아가는 낯선 공간이고, ㉡은 '아이들'이 개성을 박탈당한 상실의 공간이다.
④ ㉠은 '향'의 노동과 놀이가 공존하던 공간이고, ㉡은 '아이들'의 놀이가 사라지고 노동만 남은 공간이다.
⑤ ㉠은 '향'과 화자의 우호적 관계가 드러나는 공간이고, ㉡은 '아이들'과 '그'의 상생 관계가 드러나는 공간이다.

10. <보기>를 참고하여 (가), (나)를 감상한 내용으로 적절하지 않은 것은? [3점]

<보 기>

(가)와 (나)는 모두 부정적 현실을 비판한 작품이다. (가)는 물질문명의 허위와 병폐에 물들어 가는 공동체가 농경 문화의 전통에 바탕을 두고 건강한 생명력과 순수성을 회복하기를 소망하는 작가 의식을 담고 있다. (나)는 환영(幻影)을 통해 대중의 이성을 마비시키고 대중을 획일적으로 길들이는 권력의 기만적 통치술에 대한 비판 의식을 담고 있다.

① (가)에서 '차라리 그 미개지에로 가자'라는 화자의 권유는 공동체의 터전을 확장하여 순수성을 지켜 나가려는 의식을 보여 주는군.
② (나)에서 골목이 '가장 햇빛이 안 드는 곳'으로 판명되었다는 것은 '유리 담장'이 대중을 기만하는 환영의 장치였음을 보여 주는군.
③ (가)에서 '기생충의 생리'는 자족적인 농경 문화 전통에 반하는 문명의 병폐를, (나)에서 '주장하는 아이'의 추방은 획일적으로 통제된 사회의 모습을 보여 주는군.
④ (가)에서 '발돋움의 흉내'를 낸다는 것은 물질문명에 물들어 가는 상황을, (나)에서 '곧 즐거워했다'는 것은 권력의 술수에 대중이 길들여지고 있는 상황을 보여 주는군.
⑤ (가)에서 '떼지어 춤추던' 모습은 농경 문화 공동체의 건강한 생명력을, (나)에서 '일렬로', '묵묵히' 벽돌을 나르는 모습은 권력에 종속된 대중의 형상을 보여 주는군.

총 문항				문항	맞은 문항					문항
개별 문항	1	2	3	4	5	6	7	8	9	10
채점										
개별 문항	11	12	13	14	15	16	17	18	19	20
채점										

5분	2022학년도 3월 학평 28~30번	★★☆	정답 017쪽

[1~3] 다음 글을 읽고 물음에 답하시오.

(가)
어느 사이에 나는 아내도 없고, 또,
아내와 같이 살던 집도 없어지고,
그리고 살뜰한 부모며 동생들과도 멀리 떨어져서,
그 어느 바람 세인 쓸쓸한 거리 끝에 헤매이었다.
바로 날도 저물어서,
바람은 더욱 세게 불고, 추위는 점점 더해 오는데,
나는 어느 목수네 집 헌 삿을 깐,
한 방에 들어서 쥔을 붙이었다*.
이리하여 나는 이 습내 나는 춥고, 누긋한 방에서,
낮이나 밤이나 나는 나 혼자도 너무 많은 것같이 생각하며,
딜옹배기*에 북덕불*이라도 담겨 오면,
이것을 안고 손을 쬐며 재 우에 뜻 없이 글자를 쓰기도 하며,
또 문밖에 나가지도 않고 자리에 누워서,
머리에 손깍지 베개를 하고 굴기도 하면서,
나는 내 슬픔이며 어리석음이며를 소처럼 연하여 쌔김질하는 것이었다.
내 가슴이 **꽉** 메어 올 적이며,
내 눈에 뜨거운 것이 **핑** 괴일 적이며,
또 내 스스로 화끈 낯이 붉도록 부끄러울 적이며,
나는 내 슬픔과 어리석음에 눌리어 죽을 수밖에 없는 것을 느끼는 것이었다.
그러나 잠시 뒤에 나는 고개를 들어,
허연 문창을 바라보든가 또 눈을 떠서 높은 천정을 쳐다보는 것인데,
이때 나는 내 뜻이며 힘으로, 나를 이끌어 가는 것이 힘든 일인 것을 생각하고,
이것들보다 더 크고, 높은 것이 있어서, 나를 마음대로 굴려 가는 것을 생각하는 것인데,
이렇게 하여 여러 날이 지나는 동안에,
내 어지러운 마음에는 슬픔이며, 한탄이며, 가라앉을 것은 차츰 **앙금**이 되어 **가라앉**고,
외로운 생각만이 드는 때쯤 해서는,
더러 나줏손*에 **쌀랑쌀랑** 싸락눈이 와서 문창을 치기도 하는 때도 있는데,
나는 이런 저녁에는 화로를 더욱 다가 끼며, 무릎을 꿇어 보며,
어니 먼 산 뒷옆에 바위 섶*에 따로 외로이 서서,
어두워 오는데 하이야니 눈을 맞을, 그 마른 잎새에는,
쌀랑쌀랑 소리도 나며 눈을 맞을,
그 드물다는 굳고 정한 갈매나무라는 나무를 생각하는 것이었다.

– 백석, 「남신의주 유동 박시봉방」 –

* 쥔을 붙이었다 : 세를 얻어 생활하였다.
* 딜옹배기 : 아가리가 넓게 벌어진 둥글넓적한 질그릇.
* 북덕불 : 짚이나 풀 따위의 엉클어진 뭉텅이에 피운 불.
* 나줏손 : '저녁때'의 방언.
* 섶 : '옆'의 방언.

(나)
혁명은 안 되고 나는 방만 바꾸어 버렸다
그 방의 벽에는 **싸우라** 싸우라 싸우라는 말이
헛소리처럼 아직도 어둠을 지키고 있을 것이다

나는 모든 노래를 그 방에 함께 남기고 왔을 게다
그렇듯 이제 나의 가슴은 이유 없이 메말랐다
그 방의 벽은 나의 가슴이고 나의 사지일까
일하라 일하라 일하라는 말이
헛소리처럼 아직도 나의 가슴을 울리고 있지만
나는 그 노래도 그 전의 노래도 함께 다 잊어버리고 말았다

혁명은 안 되고 나는 방만 바꾸어 버렸다
나는 인제 녹슬은 펜과 뼈와 광기—
실망의 가벼움을 재산으로 삼을 줄 안다
이 가벼움 혹시나 역사일지도 모르는
이 가벼움을 나는 나의 재산으로 삼았다

혁명은 안 되고 나는 방만 바꾸었지만
나의 입속에는 **달콤한** 의지의 잔재 대신에
다시 **쓰디쓴** 담뱃진 냄새만 되살아났지만

방을 잃고 낙서를 잃고 기대를 잃고
노래를 잃고 가벼움마저 잃어도

이제 나는 무엇인지 모르게 기쁘고
나의 가슴은 이유 없이 풍성하다

– 김수영, 「그 방을 생각하며」 –

1. (가)와 (나)의 공통점에 대한 설명으로 가장 적절한 것은?

① 유사한 문장 형태를 반복하여 시적 의미를 강조하고 있다.
② 추측을 나타내는 표현을 활용하여 대상의 양면성을 부각하고 있다.
③ 반어적인 표현을 사용하여 대상이 지닌 부정적 가치를 드러내고 있다.
④ 계절감이 드러난 시어를 활용하여 화자가 처한 상황을 강조하고 있다.
⑤ 표면에 드러난 청자에게 말을 건네는 방식으로 화자의 정서를 드러내고 있다.

2. (가), (나)에 대한 설명으로 적절하지 않은 것은?

① (가)에서 '꽉'과 '펑'은 화자가 자신에 대해 느끼는 심정을 부각한다.
② (가)에서 '앙금'이 되어 '가라앉'는 것으로 제시한 것은 화자의 내적 갈등이 심화되는 양상을 드러낸다.
③ (가)에서 '쌀랑쌀랑'을 반복적으로 사용한 것은 화자의 감각 체험이 연상 작용으로 이어지고 있음을 드러낸다.
④ (나)에서 '싸우라'와 '일하라'를 각각 '헛소리'와 연결한 것은 혁명의 외침을 공허하게 느끼게 된 화자의 인식을 드러낸다.
⑤ (나)에서 '쓰디쓴'을 '달콤한'과 대비한 것은 자신이 지향해 온 것과 괴리된 현실에 대한 화자의 정서를 부각한다.

3. <보기>를 참고하여 (가), (나)를 이해한 내용으로 적절하지 않은 것은? [3점]

< 보 기 >

시적 공간의 하나인 '방'은 화자가 처한 상황과 화자의 내면 의식을 드러내는 경우가 많다. (가)에서 방은 화자가 자기 자신에 대한 생각을 되새기는 공간이면서 내적 의지를 떠올려 앞으로 살아가야 할 삶의 자세를 생각하는 공간이다. 한편 (나)에서 방은 화자의 의식을 상징하는 공간으로, 방을 바꾸는 화자의 행위 속에는 혁명의 실패에 따른 좌절감과 그 무게감에서 벗어나려고 하는 화자의 의식이 투영되어 있다.

① (가)는 '헌을 붙'인 방을 '습내 나는 춥고, 누긋한 방'으로 묘사함으로써 화자가 처한 현실 상황의 초라함을 드러내는군.
② (가)는 '문밖에 나가지도' 않고 '내 슬픔이며 어리석음이며'를 '쌔김질'하는 화자의 모습을 제시함으로써 방이 자기 자신에 대한 생각을 되새기는 공간임을 드러내는군.
③ (나)는 '모든 노래를 그 방에 함께 남기고 왔을 게다'라고 함으로써 혁명이 좌절된 화자의 상황을 드러내는군.
④ (가)는 화자 자신을 '문창' 너머의 '더 크고, 높은 것'과 동일시하고, (나)는 '벽'을 '나의 가슴', '나의 사지'와 동일시함으로써 방이 화자의 내면 의식에 미친 영향을 드러내는군.
⑤ (가)는 화자가 방에서 '굳고 정한 갈매나무'를 생각했다고 함으로써, (나)는 화자가 방을 바꾼 후 '실망의 가벼움을 재산으로 삼을 줄 안다'라고 함으로써 화자가 지니게 된 삶의 태도를 드러내는군.

6분 | 2022학년도 9월 모평 28~31번 | ★☆☆ | 정답 017쪽

[4~7] 다음 글을 읽고 물음에 답하시오.

(가)

돌담으로 튼튼히 가려 놓은 집 안엔 검은 기와집 종가가 살고 있었다. 충충한 울 속에서 **거미 알 터지듯 흩어져 나가는 이 집의 지손(支孫)***들. 모두 다 싸우고 찢고 헤어져 나가도 **오래인 동안 이 집의 광영(光榮)을 지키어 주는 신주(神主)***들은 대머리에 곰팡이가 나도록 알리어지지는 않아도 종가에서는 무기처럼 아끼며 **제삿날이면 갑자기 높아 제상(祭床) 위에 날름히 올라앉는다**. 큰집에는 큰아들의 식구만 살고 있어도 제삿날이면 제사를 지내러 오는 사람들 오조 할머니와 아들 며느리 손자 손주며느리 칠촌도 팔촌도 한데 얼리어 닝닝거린다. 시집갔다 쫓겨 온 작은딸 과부가 되어 온 큰고모 손꾸락을 빨며 구경하는 이종 언니 이종 오빠. 한참 쩡쩡 울리던 옛날에는 오조 할머니 집에서 동원 뒷밥*을 먹어왔다고 오조 할머니 시아버니도 남편도 **동네 백성들을 곧-잘 잡아들여다 모말굴림*도 시키고 주릿대를 앵기었다**고. 지금도 종가 뒤란에는 중복사 나무 밑에서 대구리가 빤들빤들한 달걀귀신이 융융거린다는 마을의 풍설. **종가에 사는 사람들은 아무 일을 안 해도 지내 왔었고 대대 손손이 아-무런 재주도 물리어받지는 못**하여 **종갓집 영감님**은 **근시 안경을 쓰고 눈을 찝찝거리**며 먹을 궁리를 한다고 **작인(作人)들에게 고리대금을 하여 살아 나간다**.

- 오장환, 「종가」 -

* 지손 : 맏이가 아닌 자손에서 갈라져 나간 파의 자손.
* 신주 : 죽은 사람의 위패.
* 뒷밥 : 고사나 제사를 지낸 후 객귀를 위해 차리는 상.
* 모말굴림 : 곡식을 담는 그릇 위에 무릎을 꿇리는 형벌.

(나)

노래는 심장에, 이야기는 뇌수에 박힌다
처용이 밤늦게 돌아와, 노래로써
아내를 범한 귀신을 꿇어 엎드리게 했다지만
막상 목청을 떼어 내고 남은 가사는
베개에 떨어뜨린 머리카락 하나 건드리지 못한다 [A]
하지만 처용의 이야기는 살아남아
새로운 노래와 풍속을 짓고 유전해 가리라
정간보가 오선지로 바뀌고
이제 아무도 시집에 악보를 그리지 않는다
노래하고 싶은 시인은 말 속에
은밀히 심장의 박동을 골라 넣는다 [B]
그러나 내 격정의 상처는 노래에 쉬이 덧나
다스리는 처방은 이야기일 뿐
이야기로 하필 시를 쓰며
뇌수와 심장이 가장 긴밀히 결합되길 바란다.

- 최두석, 「노래와 이야기」 -

4. (가)에 대한 이해로 가장 적절한 것은?

① '이 집의 지손들'이 '거미 알 터지듯 흩어져 나'간다는 데서, 종가의 번성에 대한 자부심을 드러낸다.
② '오래인 동안 이 집의 광영을 지키어 주는 신주들'이 '제삿날이면 갑자기 높아 제상 위에 날름히 올라앉는다'는 데서, 종가에 대한 풍자적 태도를 드러낸다.
③ '동네 백성들을 곧-잘 잡아들여다 모말굴림도 시키고 주릿대를 앵기었다'는 데서, 종가의 위세에 대한 시기심을 드러낸다.
④ '종가에 사는 사람들은 아무 일을 안 해도 지내 왔었고 대대손손이 아-무런 재주도 물리어받지는 못'했다는 데서, 종가의 내력을 존중하는 태도를 드러낸다.
⑤ '근시 안경을 쓰고 눈을 찝찝거리'는 '종갓집 영감님'이 '작인들에게 고리대금을 하여 살아 나간다'는 데서, 종가에 대한 선망을 드러낸다.

5. [A], [B]에 대한 이해로 가장 적절한 것은?

① [A]는 '노래'와 '가사'의 융합이 가져온 결과를 보여 준 것이다.
② [A]는 '노래'와 '이야기'가 결합되었을 때 나타나는 단점을 설명한 것이다.
③ [B]는 시인의 '말'에 '이야기'가 직접 연결된 상황을 표현한 것이다.
④ [B]는 '노래'의 성격이 약화된 '말'에 '노래'가 주는 감동을 불어넣는 상황을 보여 준 것이다.
⑤ [A]는 '이야기'의 도입이 지닌 한계를, [B]는 '노래'의 회복이 지닌 의의를 설명한 것이다.

6. (가), (나)에 대한 설명으로 적절하지 <u>않은</u> 것은?

① (가)는 '쩡쩡 울리던 옛날'과 '달걀귀신이 웅웅거린다는 마을의 풍설'을 통해 '종가'에 대한 인상을 감각적으로 나타내고 있다.
② (가)는 '돌담으로 튼튼히 가려 놓은 집'과 '검은 기와집'을 통해 '종가'의 분위기를 드러내고 있다.
③ (나)는 '그러나'라는 시상 전환 표지를 활용하여 '노래'만으로는 화자가 바라는 '시' 창작이 어렵다는 점을 부각하고 있다.
④ (나)는 '처용'이 부른 '노래'와 '처용'에 대한 '이야기'의 성격을 비교하여 주제를 구체화하고 있다.
⑤ (가)는 '지금도'를 통해 '종가'의 불변성을, (나)는 '이제'를 통해 '시'의 영속성을 강조하고 있다.

7. <보기>를 바탕으로 (가), (나)를 감상한 내용으로 적절하지 <u>않은</u> 것은? [3점]

<보 기>

(가)에서 화자는 '종가'의 상황을 구체적으로 서술함으로써 종가와 연관된 사람들의 상처를 드러내고, 이러한 종가의 이야기가 현재의 상황과 연결되도록 현재 시제를 주로 사용하여 생동감 있게 표현했다. (나)에서 화자는 '시'가 '노래'의 성격을 되찾아야 할 뿐만 아니라, 감정의 과잉으로 상처가 오히려 깊어지기도 하는 노래의 한계를 극복하기 위해 '이야기'가 요구된다는 점을 강조했다. (가)는 종가에 대한 화자의 경험을 이야기한 산문 형식의 시이고, (나)는 「종가」와 같은, 이야기가 두드러진 시를 짓는 까닭을 제시한 시론 성격의 시이다.

① (가)는 종가 구성원들의 행동을 현재 시제로 생동감 있게 표현함으로써 종가의 이야기와 현실이 연관되도록 서술하고 있군.
② (가)는 '동네 백성들'이 받은 상처를 보여 줌으로써 종가의 부정적 측면을 드러내려는 화자의 의도를 부각하고 있군.
③ (나)는 상처가 노래에 쉽게 덧난다고 말함으로써 시에서 노래의 성격이 분리된 결과를 보여 주고 있군.
④ (나)는 '뇌수'와 '심장'의 결합을 희망한다고 말함으로써 시에 이야기도 필요하다는 생각을 담아내고 있군.
⑤ (가)는 종가에 얽힌 경험과 상처에 대한 이야기를, (나)는 시 창작에서 이야기의 활용이 지니는 의미를 제시하고 있군.

6분 | 2021학년도 7월 학평 1~4번 | ★★☆ | 정답 018쪽

[8~11] 다음 글을 읽고 물음에 답하시오.

(가)

[A]
내 골방의 커-튼을 걷고
정성된 맘으로 황혼을 맞아들이노니
바다의 흰갈매기들같이도
인간은 얼마나 **외로운** 것이냐

[B]
황혼아 네 부드러운 **손**을 힘껏 내밀라
내 뜨거운 **입술**을 맘대로 **맞추어** 보련다
그리고 네 품안에 안긴 **모-든 것**에
나의 **입술**을 **보내**게 해다오

[C]
저-십이성좌의 반짝이는 **별들**에게도
종소리 저문 삼림 속 그윽한 **수녀들**에게도
시멘트 장판 위 그 많은 **수인(囚人)들**에게도
의지할 가지 없는 그들의 심장이 얼마나 **떨고 있**을까

[D]
고비사막을 끊어가는 낙타 탄 **행상대**에게나
아프리카 녹음 속 활 쏘는 **인디언**에게라도
황혼아 네 부드러운 품안에 안기는 동안이라도
지구의 반쪽만을 나의 **타는 입술**에 맡겨다오

[E]
내 **오월의 골방**이 **아늑**도 하오니
황혼아 **내일도** 또 저-푸른 **커-튼을 걷**게 하겠지
암암(暗暗)히 사라지긴 시냇물 소리 같아서
한번 식어지면 다시는 돌아올 줄 모르나 보다

– 이육사, 「황혼」 –

(나)

차운 물보라가
이마를 적실 때마다
나는 소년처럼 울음을 참았다.

길길이 **부서지는 파도** 사이로
걷잡을 수 없이 나의 **해로(海路)가 일렁**일지라도

나는 **홀로**이니라.
나는 바다와 더불어 홀로이니라.

일었다간 스러지는 감상(感傷)의 **물거품**으로
자폭(自暴)의 잔(盞)을 채우던 **옛날**은
이제 **아득히** 띄워보내고,

왼몸을 내어맡긴 천인(千仞)의 깊이 위에
나는 꽃처럼 황홀한 순간을 마련했으니

슬픔이 설사 또한 **바다만 하**기로
나는 **뉘우치지 않을**
나의 하늘을 꿈꾸노라.

– 김종길, 「바다에서」 –

8. (가)와 (나)의 공통점으로 가장 적절한 것은?
① 수미상관 기법으로 구조적 안정감을 부여하고 있다.
② 촉각적 심상을 활용하여 대상의 속성을 구체화하고 있다.
③ 묻고 답하는 형식을 사용하여 주제 의식을 부각하고 있다.
④ 색채어를 사용하여 시적 공간에 대한 인식을 드러내고 있다.
⑤ 반어적 표현을 통해 현실에 대한 비판 의식을 드러내고 있다.

9. [A]~[E]에 대한 이해로 적절하지 않은 것은?
① [A] : '바다의 흰갈매기'에 빗대어 '인간'이 '외로운' 존재임을 부각하고 있다.
② [B] : '황혼'의 '손'에 '입술'을 '맞추어 보'려는 것에서 '모-든 것'에 '입술'을 '보내'려는 것으로 인식이 확장되고 있다.
③ [C] : '의지할 가지 없'이 '떨고 있'는 존재들이 '별들', '수녀들', '수인들'에게 위로 받기를 바라는 마음을 보여 주고 있다.
④ [D] : '지구의 반쪽'을 '타는 입술'에 맡겨달라고 하며, '행상대'나 '인디언'을 향한 관심을 드러내고 있다.
⑤ [E] : '오월의 골방'에서 '아늑'함을 느끼면서 '내일도' '커-튼을 걷'어 '황혼'을 맞이하고 싶은 마음을 드러내고 있다.

10. (나)를 '과거-현재-미래'의 시간 구조를 바탕으로 감상한 내용으로 적절하지 않은 것은?
① 화자는 '차운 물보라'와 같은 시련을 겪었던 과거의 경험을 떠올리고 있군.
② 화자는 '부서지는 파도' 속에 '해로가 일렁'이는 상황에도 현재 '홀로'임을 느끼고 있군.
③ 화자는 '물거품'같이 '일었다간 스러'졌던 과거의 자신에 대한 미련으로 인해 '왼몸을 내어맡'기며 현재의 바다와 맞서고 있군.
④ 화자는 '자폭의 잔'을 채우던, '옛날'이라는 부정적 과거가 '아득히' 사라져 현재의 자신과 단절되기를 바라고 있군.
⑤ 화자는 자신이 느끼는 '슬픔'이 '바다만 하'더라도 '뉘우치지 않을' 수 있는 미래의 삶을 지향하고 있군.

11. <보기>를 참고하여 (가)와 (나)를 감상한 내용으로 적절하지 않은 것은? [3점]

<보 기>

시에서는 대립적 구조를 이용해 시적 의미를 효과적으로 드러내기도 한다. (가)에는 화자가 머무르고 있는 골방 안과, 만물을 포용할 수 있는 황혼이 존재하는 골방 밖 세계의 대립이 나타난다. 커튼이 쳐진 골방 안의 고립성과 골방 밖 세계의 개방성이 대립 구조를 이루며 화자의 인식이 부각되고 있는 것이다. 또한 (나)에서 바다와 하늘은 상하 공간 구조의 대립을 이루고 있다. 부정적 속성을 지니고 있는 바다와 긍정적 대상인 하늘을 대비하여 나타냄으로써 화자의 내면 상황을 선명하게 드러내고 있는 것이다.

① (가)에서 화자는 '커-튼을 걷'는 행위를 통해 골방 안과 골방 밖 세계라는 대립적 구조를 이루는 두 공간이 연결될 수 있음을 인식하고 있군.
② (가)에서 골방 안에 있는 화자는 골방 밖 세계에 존재하는 대상들 중에서 소외된 상황에 놓인 존재들을 떠올리며 그들에게 황혼의 포용성이 전해지기를 바라고 있군.
③ (가)에서 화자는 골방 밖 세계에 있는 황혼에게 자신의 바람을 전달함으로써 골방 안이라는 고립된 공간의 한계를 넘어서고자 하는 모습을 보이고 있군.
④ (나)에서 화자는 '천인의 깊이'의 바다를, 이와 대비를 이루는 '꿈꾸'어야 할 하늘로 여기는 인식의 전환을 통해 내면의 슬픔을 극복하려 하고 있군.
⑤ (나)에서 화자는 '이마를 적'시는 바다에 '울음을 참'으며 대응하던 소극적 자세에서 '꽃처럼 황홀한 순간'을 마련하여 하늘을 향해 나아가려는 능동적 자세로 변화하는 모습을 보이고 있군.

총 문항				문항	맞은 문항					문항
개별 문항	1	2	3	4	5	6	7	8	9	10
채점										
개별 문항	11	12	13	14	15	16	17	18	19	20
채점										

5분 | 2022학년도 6월 모평 32~34번 | ★★☆ | 정답 019쪽

【1~3】 다음 글을 읽고 물음에 답하시오.

(가)

무너지는 꽃 이파리처럼
휘날려 발 아래 깔리는
서른 나문 해야

구름같이 피려던 뜻은 **날로** 굳어
한 금 두 금 곱다랗게 감기는 연륜(年輪)

갈매기처럼 꼬리 떨며
산호 핀 바다 바다에 나려앉은 섬으로 가자

비취빛 하늘 아래 피는 꽃은 맑기도 하리라
무너질 적에는 눈빛 파도에 적시우리

초라한 경력을 육지에 막은 다음
주름 잡히는 연륜마저 끊어버리고
나도 **또한** 불꽃처럼 **열렬히** 살리라

- 김기림, 「연륜」 -

(나)

제 손으로 만들지 않고
한꺼번에 싸게 사서
마구 쓰다가
망가지면 내다 버리는
플라스틱 물건처럼 느껴질 때
나는 **당장** 버스에서 뛰어내리고 싶다
현대 아파트가 들어서며
홍은동 사거리에서 사라진
털보네 대장간을 찾아가고 싶다
풀무질로 이글거리는 불 속에
시우쇠처럼 나를 달구고
모루 위에서 벼리고
숫돌에 갈아
시퍼런 무쇠 낫으로 바꾸고 싶다
땀 흘리며 두들겨 **하나씩** 만들어 낸
꼬부랑 호미가 되어
소나무 자루에서 송진을 흘리면서
대장간 벽에 걸리고 싶다
지금까지 살아온 인생이
온통 부끄러워지고
직지사 해우소
아득한 나락으로 떨어져 내리는
똥덩이처럼 느껴질 때
나는 가던 길을 멈추고 문득
어딘가 걸려 있고 싶다

- 김광규, 「대장간의 유혹」 -

1. (가)와 (나)에 대한 설명으로 가장 적절한 것은?

① (가)는 (나)와 달리 과정을 나타내는 시어들을 나열하여 시간의 급박한 흐름을 드러내고 있다.
② (나)는 (가)와 달리 자연물에 빗대어 화자의 움직임을 드러내고 있다.
③ (나)는 (가)와 달리 색채어를 활용하여 공간적 배경이 만들어 내는 분위기를 드러내고 있다.
④ (가)와 (나)는 모두 하강의 이미지가 담긴 시어를 활용하여 화자의 인식을 드러내고 있다.
⑤ (가)와 (나)는 모두 표면에 드러난 청자에게 말을 건네는 방식으로 화자의 정서를 드러내고 있다.

2. (가), (나)의 시어에 대한 이해로 적절하지 않은 것은?

① (가)에서 '열렬히'는 화자가 추구하는 삶에 대한 적극적인 태도를 표방한다.
② (나)에서 '한꺼번에'와 '하나씩'의 대조는 개별적인 존재의 고유성을 부각한다.
③ (나)에서 '온통'은 화자의 성찰적 시선이 자신의 삶 전반에 걸쳐 있음을 부각한다.
④ (가)에서 '날로'는 부정적 상황의 지속적인 심화를, (나)에서 '당장'은 당면한 상황에서 벗어나려는 절박감을 강조한다.
⑤ (가)에서 '또한'은 긍정적인 존재와 화자의 동질성을, (나)에서 '마구'는 부정적으로 취급되는 대상과 화자 간의 차별성을 부각한다.

3. <보기>를 참고하여 (가), (나)를 감상한 내용으로 적절하지 않은 것은? [3점]

<보 기>

시인은 결핍을 느끼는 상황에서 새로운 가치를 발견하고 이를 통해 삶을 성찰하는 경우가 많다. 예컨대 「연륜」은 축적된 인생 경험에서, 「대장간의 유혹」은 현대인이 추구하는 편리함에서 결핍을 발견한 화자를 통해 일상에서 경험하는 것들이 재해석된다. 두 작품은 결핍된 상황에서 벗어나려는 의지를 구심점으로 삼아 시상을 전개한다.

① (가)에서 '서른 나문 해'를 '초라한 경력'으로 표현한 것은, 화자가 자신이 살아온 인생을 변변치 않은 경험으로 재해석한 것이겠군.

② (가)에서 '불꽃'을 긍정적인 이미지로 표현한 것은, '주름 잡히는 연륜'에 결핍되어 있는 속성을 끊을 수 있는 수단이라는 의미로 재해석한 것이겠군.

③ (나)에서 지금은 사라진 '털보네 대장간'을 '찾아가고 싶다'고 표현한 것은, 일상에서 결핍된 가치를 찾고자 하는 화자의 열망을 공간에 투영한 것이겠군.

④ (나)에서 '가던 길을 멈추고' '걸려 있고 싶다'고 표현한 것은, 화자가 추구하는 가치를 표상하는 사물의 상태가 되고 싶다고 진술함으로써 결핍에서 벗어나고자 하는 의지를 드러낸 것이겠군.

⑤ (가)에서 '육지'를 지나간 시간을 막아 둘 공간으로, (나)에서 '버스'를 벗어나고 싶은 공간으로 표현한 것은, '육지'와 '버스'를 화자가 결핍을 느끼는 공간으로 재해석한 것이겠군.

6분 | 2021학년도 4월 학평 1~4번 | ★★☆ | 정답 020쪽

【4~7】 다음 글을 읽고 물음에 답하시오.

(가)

저물도록 학교에서 **아이 돌아오지 않**아
그를 기다려 **저녁 한길**로 **나가**보니
보오얀 초생달은 **거리 끝**에 꿈같이 비껴 있고
느릅나무 그늘 새로 화안히 불밝힌 우리 집 영머리엔
북두성좌의 그 찬란한 보국(譜局)이 신비론 ㉠ 푯대처럼 지켜 있나니
때로는 하나이 병으로 눕고
또는 구차함에 항상 마음 조일지라도
도련도련 이뤄지는 너무나 의고(擬古)*한 단란을
먼 천상(天上)에선 ㉡ 밤마다 이렇게 지켜 있고
인간의 수유(須臾)*한 영위(營爲)*에
우주의 무궁함이 이렇듯 맑게 **인연 되어 있**었나니
아이야 어서 돌아와 손목 잡고
북두성좌가 지켜 있는 우리 집으로 가자

– 유치환, 「경이(驚異)는 이렇게 나의 신변에 있었도다」 –

* 의고: 옛것을 본뜸.
* 수유: 짧은 시간.
* 영위: 일을 꾸려 나감.

(나)

냉장고 문을 열면 달걀 한 줄이
온순히 꽂혀 있지,
차고 희고 순결한 것들
㉢ 아무리 배가 고파도
난 그것들을 쉽게 먹을 순 없을 것 같애

교외선을 타고 갈곳없이 방황하던 무렵,
어느 시골 국민학교 앞에서
초라한 행상아줌마가 팔고 있던
수십 마리의 그 노란 **병아리들**,
마분지곽 속에서 바글바글 끓다가
마분지곽 위로 ㉣ 보글보글 기어오르던
그런 노란 것들이
(생명의 중심은 그렇게 따스한 것)
살아서 즐겁다고 꼬물거리던 모습이
살아서 불행하다고 늘상 암송하고 있던
나의 눈에 문득 눈물처럼 다가와 고이고

그렇다면 **나**는 여태 **부화를 기다리**고 있던
중이었을까,
아아, 얼마나 슬픈가,
차가운 냉장칸 맨 윗줄에서
달걀껍질 속의 흰자위와 노른자위는
무슨 꿈들을 꾸고 있을까,
중풍으로 쓰러진 아버지의 병실에서
입원비 걱정을 하고 있는 **우리 가난**한 **형제들**처럼
흰자위와 노른자위도
무슨 그런 절망의 의논들을 하고 있을 것인가
사계절 전천후 냉장고
하얀 문을 조용히 열면

추운 **달걀들의 속삭임소리**가 들리는 것 같다,
엄마 엄마 안아줘요 따스한 품속에
어미닭에 안기지 못하고 만 **달걀들**처럼
희망소비자 가격보다 더 ㉤ 싸게 팔려온
너희들처럼
나도 역시 여권이 분실된 사람
희망의 온도가 차츰 내려갈 때
오히려 절망은 조용하고 초연해지는 것 같지,

– 김승희, 「달걀 속의 생(生) 2」 –

4. (가)와 (나)의 공통점으로 가장 적절한 것은?

① 청유형 어미를 활용하여 주제 의식을 강조하고 있다.
② 특정한 시어를 반복하여 시어의 의미를 부각하고 있다.
③ 명사로 시상을 마무리하여 시적 여운을 드러내고 있다.
④ 수미상관의 방식을 사용하여 구조적 안정감을 얻고 있다.
⑤ 촉각적 심상의 대비를 제시하여 시적 분위기를 조성하고 있다.

5. ㉠ ~ ㉤을 중심으로 (가)와 (나)를 이해한 내용으로 적절하지 않은 것은?

① ㉠을 보면 '북두성좌'는 화자 가족의 불행을 초래하는 주체로 형상화되어 있음을 알 수 있다.
② ㉡을 보면 '천상'은 가족을 보호하는 주체가 밤에 항상 존재하는 공간으로 형상화되어 있음을 알 수 있다.
③ ㉢을 보면 '그것들'은 화자가 허기를 느끼더라도 쉽게 먹을 수 없는 존재로 형상화되어 있음을 알 수 있다.
④ ㉣을 보면 '노란 것들'은 생명력이 느껴지는 행동을 하는 주체로 형상화되어 있음을 알 수 있다.
⑤ ㉤을 보면 '너희들'은 금전적으로 평가 절하된 존재로 형상화되어 있음을 알 수 있다.

6. 다음은 (가)와 (나)를 읽은 학생의 반응이다. A와 B에 들어갈 말로 가장 적절한 것은?

> (가)의 '우리 집'은 화자가 (A)으로 활용된 소재이고, (나)의 '냉장고'는 화자가 (B)로 활용된 소재이겠군.

① A: 현실에서 외면하고자 하는 공간
B: 이상 실현의 어려움을 인식하는 근거
② A: 가족과 함께 회귀하고자 하는 공간
B: 자신의 처지를 확인하게 되는 기회
③ A: 타인의 능력을 발견하게 되는 공간
B: 자신의 미래를 계획하게 되는 계기
④ A: 세대교체를 통한 변화를 추구하는 공간
B: 현실에 만족감을 표시한 이유
⑤ A: 과거의 전통적 질서를 유지하려는 공간
B: 현재의 행복한 삶을 지속하려는 동기

7. <보기>를 바탕으로 (가)와 (나)를 감상한 내용으로 적절하지 않은 것은? [3점]

〈 보 기 〉

> 시적 화자는 일반적으로 일인칭에 해당하며, 시적 대상 혹은 시적 상황에 대한 주관적 인식을 화자 자신의 목소리로 표현한다. 시적 대상은 보통 시적 화자가 아닌 존재인데, 청자로 설정되어 나타나기도 하고 시적 화자와 동일시되기도 한다. 그리고 시적 상황은 시적 화자나 시적 대상과 같은 존재들에 의해 형성되는 맥락을 의미한다.

① (가)에서는 '아이야'를 통해 시적 대상인 '아이'가, (나)에서는 '너희들'을 통해 시적 대상인 '달걀들'이 청자로 설정되어 나타나고 있음을 확인할 수 있군.
② (가)에서는 '저녁 한길'로 '나가' 본 화자를 통해 시적 대상인 '거리 끝'과 시적 화자가, (나)에서는 '부화를 기다리'는 '나'를 통해 시적 대상인 '달걀들'과 시적 화자가 동일시되어 있음을 확인할 수 있군.
③ (가)에서는 화자가 '보오얀 초생달'을 통해 시적 대상인 '초생달'을 시각적으로, (나)에서는 화자가 '달걀들의 속삭임소리'를 통해 시적 대상인 '달걀들'을 청각적으로 나타내어 시적 화자의 주관적 인식을 표현하고 있음을 확인할 수 있군.
④ (가)에서는 화자와 '저물도록' '돌아오지 않'는 '아이'를 통해 '학교' 간 아이를 시적 화자가 기다리는 시적 상황을, (나)에서는 '중풍으로 쓰러진 아버지'와 '입원비 걱정을 하'는 '우리'를 통해 '형제들'이 '가난'하다는 시적 상황을 확인할 수 있군.
⑤ (가)에서는 '인간'의 '수유한 영위에' '인연 되어 있'는 '우주의 무궁함'을 통해 대비되는 존재들에 의해 형성되는 맥락을, (나)에서는 '살아서 즐'거워 보이는 '병아리들'과 '살아서 불행'한 '나'를 통해 삶의 태도가 대비되는 존재들에 의해 형성되는 맥락을 확인할 수 있군.

6분	2021학년도 3월 학평 1~4번	★★☆	정답 021쪽

【8~11】 다음 글을 읽고 물음에 답하시오.

(가)

나의 마음 속
누구도 모르는 산등성에
한 그루 설목을 가꾸어 왔습니다

나뭇잎 지고
시냇물마저 여위는 가을을
최후의 계절이라 믿었던 어느 그 날,
사랑하노라 사랑하노라던 사람
떠나고 없음이여
미워하면서 **나를 미워하면서**
내 옆에 남아줌이 더욱 백 배는
고맙고 복되었을 것을

물방울 소리 하나 들리지 않는
두터운 철문 같은 고요 속에
나뭇가지 사철 고드름 달고
소스라쳐 **위로 설악(雪岳)에 뻗는**
백엽보다도 희고 손 시린 이 나무는
역력히 이 나무를 닮고
역력히 이 마음을 닮은
내 사랑의 표지입니다
붉은 낙인과 같은 회상입니다

당신이여
불씨 한 줌 머금고 죽어도 좋을
이 외로운 겨울밤 겨울밤

– 김남조, 「설목(雪木)」 –

(나)

마당에서 봄과 여름에 정든 얼굴들이
하나하나 사라져 갔다.
그렇게 명성이 높던 오동잎도 다 떨어지고
저무는 가을 하늘에 인가(人家)의 정서를 품던
굴뚝 보얀 연기도
찬바람에 그만 무색해졌다.

그런 ㉠ 늦가을에 김장 걱정을 하면서 집을 팔게 되어
다가오는 겨울이 더 외롭고 무서웠다.
이삿짐을 따라 비탈길을 총총히 걸어
㉡ 두만강 건너는 이사꾼처럼 회색 하늘 속으로
들어가 식솔들이 저녁상에 둘러 앉으니
어머님 한 분만 오시잖아서 ㉢ 별안간 앞니가
무너진 듯 허전해서 눈 둘 곳이 없었다.
낯선 사람들이 축대에 검정 포장을 치고
초롱을 달고 가던 이튿날 목 없는 아침이
달겨들어 영원한 이별인데
말 한마디 못하고 갈라진 어머니시다!

가신 뒤에 보니 세월 속에 묻혀 있는 형제들 공동의 부엌까지
무너져 ㉣ 낙엽들이 모일 데가 없어졌다.
사람이 사는 것이 남의 피부를 안고 지내는 것이니
찬바람이 항상 인간과 더불어 있어서
사람이 과일 하나만큼 익기도 어려워
겨울 바람에 휘몰리는 낙엽들이 더 많아진다.

고난의 잔에 얼음을 녹이며 찾는 것은
그 슬픔이 아니요 겨울 하늘에 푸른 빛을 띤 봄이다.
그 봄을 바라고 겨울 안에서 뱅뱅 돌며
자리를 끌고 한 치 한 치 태양의 둘레를
지구와 같이 굴러가면서
눈과 얼음에 덮인 대지(大地)의 하루를 넘어서는 해 질 무렵
천장에서 왕거미가 내리고
구석에서 귀뚜리가 어정어정 기어 나온다.
어느 날 목 없는 아침이 또 왈칵 달려들면
이런 친구들에게 눈짓 한번 못하고
㉤ 친구들의 손 한번 바로 잡지도 못하고 가리라.

– 김광섭, 「겨울날」 –

8. (가)와 (나)에 대한 이해로 가장 적절한 것은?

① (가)와 달리 (나)는 의태어를 사용하여 시적 상황을 드러내고 있다.
② (나)와 달리 (가)는 스스로에게 묻는 질문을 활용하여 주제 의식을 강조하고 있다.
③ (가)는 독백의 방식을 통해, (나)는 대화의 방식을 통해 시상을 전개하고 있다.
④ (가)와 (나)는 모두 점층적 표현을 사용하여 대상의 역동성을 부각하고 있다.
⑤ (가)와 (나)는 모두 시적 대상의 변화 과정을 통해 시간의 흐름에 따른 세태 변화를 드러내고 있다.

9. (가), (나)를 계절적 배경에 주목하여 감상한 내용으로 적절하지 <u>않은</u> 것은?

① 가을에서 겨울로 넘어갈 때 만물이 쇠락한다는 것에 주목한다면, (가)의 '시냇물마저 여위는' 것은 화자의 쓸쓸한 처지와 조응한다고 볼 수 있겠군.
② 겨울이 세상이 얼어붙는 고요한 계절임에 주목한다면, (가)의 '물방울 소리 하나 들리지 않는' 것은 적막한 분위기를 드러낸 것으로 볼 수 있겠군.
③ 겨울이 생명력이 위축되는 계절임에 주목한다면, (나)의 '말 한마디 못하고 갈라진'다는 것은, 화자가 성찰을 통해 내적 성숙을 이루고 있음을 드러낸 것으로 볼 수 있겠군.
④ 겨울 뒤에 봄이 오는 계절의 순환에 주목한다면, (나)의 '얼음을 녹이며' '봄'을 '찾는 것'은 시련 속에서도 희망을 잃지 않으려는 화자의 태도를 드러낸 것으로 볼 수 있겠군.
⑤ 겨울이 가장 추운 계절임에 주목한다면, (나)의 '눈과 얼음에 덮인 대지의 하루를 넘어서는' 것은 괴로운 현실을 견뎌 내는 화자의 모습을 의미한다고 볼 수 있겠군.

10. <보기>를 바탕으로 (가)를 감상한 내용으로 적절하지 않은 것은? [3점]

< 보 기 >

(가)에서는 이별한 뒤에 혼자 남게 된 화자가 내면의 슬픔과 자신의 사랑에 대한 인식을 드러내고 있다. '설목'은 상대방에 대한 절대적 사랑을 표상하는 것으로, 이 작품은 화자의 영원하고 순결한 사랑에 대한 정신적 지향을 형상화하고 있다.

① '나의 마음 속'에 '한 그루 설목을 가꾸어 왔'다는 것은, 상대방에 대한 사랑을 간직하고 키워 가는 화자의 태도를 드러내는 것이겠군.
② '나를 미워하면서'라도 '내 옆에 남아줌'을 간절히 바라는 것은, 이별의 슬픔을 정신적으로 승화하려는 화자의 자세를 드러내는 것이겠군.
③ '나뭇가지'가 '사철 고드름 달고' '위로 설악에 뻗는' 것은, 어떤 시련에서도 지키고 싶은 사랑에 대한 화자의 지향을 형상화한 것이겠군.
④ '백엽보다도 희고 손 시린' 나무의 모습을 '내 사랑의 표지'라고 한 것은, 상대방을 향한 화자의 순수한 사랑을 표상하는 것이겠군.
⑤ '당신'을 부르며 '불씨 한 줌 머금고 죽어도 좋'겠다고 하는 것은, 화자가 상대방에 대한 절대적인 사랑을 드러내는 것이겠군.

11. (나)의 ㉠ ~ ㉤에 대한 이해로 적절하지 않은 것은?

① ㉠을 통해 화자가 실생활에서 느끼는 삶의 무게를 드러내고 있다.
② ㉡을 통해 삶의 터전이 흔들리는 화자의 상황을 드러내고 있다.
③ ㉢을 통해 어머니의 부재를 실감하게 된 화자의 상실감을 드러내고 있다.
④ ㉣을 통해 형제들이 함께 모일 수 있는 구심점이 사라졌음을 드러내고 있다.
⑤ ㉤을 통해 화자를 대하는 주변 사람들의 비정함을 드러내고 있다.

총 문항				문항	맞은 문항					문항
개별 문항	1	2	3	4	5	6	7	8	9	10
채점										
개별 문항	11	12	13	14	15	16	17	18	19	20
채점										

5분 | 2021학년도 수능 43~45번 | ★☆☆ | 정답 022쪽

【1~3】 다음 글을 읽고 물음에 답하시오.

(가)

눈이 오는가 북쪽엔
함박눈 쏟아져 내리는가

험한 벼랑을 굽이굽이 돌아간
백무선 철길 위에
느릿느릿 밤새어 달리는
화물차의 검은 지붕에

연달린 산과 산 사이
너를 남기고 온
작은 마을에도 복된 눈 내리는가

잉크병 얼어드는 이러한 밤에
어쩌자고 잠을 깨어
그리운 곳 차마 그리운 곳

눈이 오는가 북쪽엔
함박눈 쏟아져 내리는가

- 이용악, 「그리움」 -

(나)

왜 그곳이 자꾸 안 잊히는지 몰라
가름젱이 사래 긴 우리 밭 그 건너의 논실 이센 밭
가장자리에 키 작은 탱자 울타리가 쳐진.
훗날 나 중학생이 되어
아침마다 콩밭 이슬을 무릎으로 적시며
그곳을 지나다녔지
수수알이 ㉠ 꽝꽝 여무는 가을이었을까
깨꽃이 하얗게 부서지는 햇빛 밝은 여름날이었을까
아랫냇가 굽이치던 물길이 옆구리를 들이받아
벌건 황토가 드러난 그곳
허리 굵은 논실댁과 그의 딸 영자 영숙이 순임이가
밭 사이로 일어섰다 앉았다 하며 커다란 웃음들을 웃고
나 그 아래 냇가에 소고삐를 풀어놓고
어항을 놓고 있었던가 가재를 쫓고 있었던가
나를 부르는 소리 같기도 하고
㉡ 솨르르 솨르르 무엇이 물살을 헤짓는 소리 같기도 하여
고개를 들면 아, ㉢ 청청히 푸르던 하늘
갑자기 무섬증이 들어 언덕 위로 달려 오르면
들꽃 싸아한 향기 속에 두런두런 논실댁의 목소리와
㉣ 까르르 까르르 밭 가장자리로 울려 퍼지던
영자 영숙이 순임이의 청랑한 웃음소리
나 그곳에 오래 앉아
푸른 하늘 아래 가을 들이 ㉤ 또랑또랑 익는 냄새며
잔돌에 호미 달그락거리는 소리 들었다
왜 그곳이 자꾸 안 잊히는지 몰라
소를 몰고 돌아오다가
혹은 객지로 나가다가 들어오다가
무엇이 나를 부르는 것 같아
나 오래 그곳에 서 있곤 했다

- 이시영, 「마음의 고향 2 - 그 언덕」 -

1. (가)에 대한 이해로 가장 적절한 것은?

① '오는가'를 '쏟아져 내리는가'로 변주하여 대상에 대한 화자의 거부감을 드러내고 있다.
② '돌아간'과 '달리는'의 대응을 활용하여 두 대상 간에 조성되는 긴장감을 묘사하고 있다.
③ '철길'에서 '화물차의 검은 지붕'으로 묘사의 초점을 이동하여 정적인 이미지를 강화하고 있다.
④ '잉크병'이라는 사물이 '얼어드는' 현상을 활용하여 화자가 처한 현실의 변화 가능성을 암시하고 있다.
⑤ '잠을' 깬 자신에게 '어쩌자고'라는 의문을 던져 현재의 상황에서 느끼는 화자의 애달픈 심정을 드러내고 있다.

2. ㉠~㉤의 의미를 고려하여 (나)를 감상한 내용으로 적절하지 않은 것은?

① ㉠을 활용하여 유년의 화자가 경험한 가을이 단단한 결실을 맺는 시간임을 부각하고 있군.
② ㉡을 활용하여 냇가에서 놀던 유년의 화자가 누군가 자신을 부르는 소리를 물소리로 느낀 경험을 부각하고 있군.
③ ㉢을 활용하여 유년의 화자에게 순간적 감동을 느끼게 한 맑고 푸른 하늘의 색채를 부각하고 있군.
④ ㉣을 활용하여 무섬증에 언덕을 달려 오른 유년의 화자에게 또렷하게 인식된 이웃들의 밝은 웃음을 부각하고 있군.
⑤ ㉤을 활용하여 유년의 화자가 곡식이 익어 가는 들녘의 인상을 선명하게 지각한 경험을 부각하고 있군.

3. <보기>를 참고하여 (가)와 (나)를 이해한 내용으로 적절하지 않은 것은? [3점]

<보 기>

이용악과 이시영의 시 세계에서 고향은 창작의 원천이 되는 공간이다. 이용악의 시에서 고향은 척박한 국경 지역이지만 언젠가 돌아가야 할 근원적 공간으로 그려지는데, (가)에서는 가족이 기다리는 궁벽한 산촌으로 구체화된다. 이시영의 시에서 고향은 지금은 상실했지만 기억 속에서 계속 되살아나는 공간으로 그려지는데, (나)에서는 이웃들과 함께했던 삶의 터전이자 생명이 살아 숨 쉬는 평화로운 농촌으로 구체화된다.

① (가)는 '함박눈'으로 연상되는 겨울의 이미지를 통해 '북쪽' 국경 지역의 고향을, (나)는 '햇빛'을 받은 '깨꽃'에서 그려지는 여름의 이미지를 통해 생명력 넘치는 고향을 보여 준다.
② (가)는 '험한 벼랑' 너머 '산 사이'라는 위치를 통해 산촌 마을인 고향의 궁벽함을, (나)는 '소고삐'를 풀어놓고 '가재를 쫓'는 모습을 통해 농촌 마을인 고향의 평화로움을 보여 준다.
③ (가)는 '남기고' 온 '너'를 떠올림으로써 고향에서 기다리는 사람에 대한, (나)는 '밭 사이'에서 웃던 이웃들의 이름을 떠올림으로써 고향에서 함께 살아가던 이웃에 대한 기억을 보여 준다.
④ (가)는 '눈'을 '복된' 것으로 인식함으로써 고향에 돌아갈 날에 대한, (나)는 '무엇'이 '부르는 것 같'았던 언덕을 회상함으로써 고향으로의 귀환에 대한 기대를 드러낸다.
⑤ (가)는 '차마 그리운 곳'이라는 표현을 통해 근원적 공간인 고향에 대한 애틋함을, (나)는 '자꾸 안 잊히는지'라는 표현을 통해 내면에 존재하는 고향에 대한 변함없는 애정을 드러낸다.

5분 | 2021학년도 9월 모평 43~45번 | ★★☆ | 정답 023쪽

[4~6] 다음 글을 읽고 물음에 답하시오.

(가)

…… **활자**(活字)는 반짝거리면서 **하늘 아래**에서
간간이
자유를 말하는데
나의 영(靈)은 죽어 있는 것이 아니냐

벗이여
그대의 말을 고개 숙이고 듣는 것이
그대는 마음에 들지 않겠지
마음에 들지 않아라

모두 다 **마음에 들지 않**아라
이 황혼도 저 돌벽 아래 잡초도
담장의 푸른 페인트빛도
저 고요함도 이 **고요함**도

그대의 정의도 우리들의 섬세도
행동이 죽음에서 나오는
이 욕된 교외에서는
어제도 오늘도 내일도 마음에 들지 않아라

그대는 반짝거리면서 하늘 아래에서
간간이
자유를 말하는데
우스워라 나의 영(靈)은 죽어 있는 것이 아니냐

- 김수영, 「사령(死靈)」 -

(나)

한강물 얼고, 눈이 내린 날
㉠강물에 붙들린 배들을 구경하러 나갔다.
㉡훈련받나봐, 아니야 발등까지 딱딱하게 얼었대.
우리는 강물 위에 서서 일렬로 늘어선 배들을
㉢비웃느라 시시덕거렸다.

㉣한강물 흐르지 못해 눈이 덮은 날
강물 위로 빙그르르, 빙그르르.
웃음을 참지 못해 나뒹굴며, 우리는
보았다. 얼어붙은 하늘 사이로 붙박힌 말들을.

언 강물과 언 하늘이 **맞붙은 사이**로
저어가지 못하는 **배**들이 나란히
날아가지 못하는 **말**들이 나란히
숨죽이고 있는 것을 비웃으며, **우리**는
빙그르르. ㉤올 겨울 몹시 춥고 얼음이 쾅쾅쾅 얼고.

- 김혜순, 「한강물 얼고, 눈이 내린 날」 -

4. (가)에 대한 이해로 가장 적절한 것은?

① 시간적 표현을 열거하여, 시대에 대한 화자의 인식 변화를 드러낸다.
② 대상에 대한 호칭을 전환하여, 시적 대상에 대한 화자의 경외감을 표현한다.
③ 원근을 나타내는 지시어를 사용하여, 화자의 시선에 포착된 대상의 움직임을 표현한다.
④ 물음의 형식으로 종결하여, 시적 대상에 대한 화자의 깨달음이 부정되고 있음을 나타낸다.
⑤ 동일한 구절을 반복하여, 시적 상황에 대한 화자의 부정적 정서가 심화되는 과정을 드러낸다.

5. ㉠~㉤에 대한 이해로 적절하지 않은 것은?

① ㉠의 '붙들린 배'는 강이 얼었을 때 볼 수 있는 구경거리를 관심의 대상으로 표현한 것으로, 이를 통해 시상 전개의 계기가 형성된다.
② ㉡의 '아니야'는 배가 훈련을 받고 있다는 추측을 부정하는 표현으로, 배가 움직일 수 없는 상황이 배의 내부적 원인에서 기인하고 있음이 이를 통해 드러난다.
③ ㉢의 '시시덕거렸다'는 서로 모여 실없이 떠드는 모습을 표현한 것으로, 배가 질서정연하게 정렬된 모습에 대한 '우리'의 냉소가 이를 통해 드러난다.
④ ㉣의 '흐르지 못해'는 강이 언 상황이 강물의 흐름을 막고 있다고 여기는 것으로, 강물의 자연스러운 흐름을 방해하는 외부의 힘이 이를 통해 강조된다.
⑤ ㉤의 '쾅쾅쾅'은 강추위가 지속되는 현재의 상황을 감각적으로 표현한 것으로, 모든 것을 얼어붙게 하는 현실의 상황이 견고하다는 점이 이를 통해 강조된다.

6. <보기>를 참고하여 (가), (나)를 감상한 내용으로 적절하지 않은 것은? [3점]

<보 기>

자유로운 의사소통이 제한되는 사회에서 개인은 자신의 의사를 온전히 표현할 수 없어서 자유가 억압되고, 그 사회 또한 경직된다. 이런 맥락에서 (가)와 (나)를 해석할 수 있다.
(가)는 활발한 의사소통의 수단이어야 할 언어가 '활자'의 상태로만 존재한다고 표현함으로써 언어가 제 기능을 제대로 하지 못하는 상황에 주목한다. 이러한 상황에서 화자는 위축된 의사소통의 장에 적극적으로 참여하지 못하여, 경직된 사회에 대응하지 못하는 자신을 성찰한다. (나)는 자유롭게 쓰여야 할 언어를 '붙박힌 말'로 표현함으로써 개인의 언어 사용이 제한된 상황을 비판한다. 이러한 상황에서 말을 대체할 수 있는 웃음이나 몸짓과 같은 또 다른 의사소통의 방법을 보여 준다.

① (가)에서 '나의 영'에 대해 '우스워라'라고 자조한 것은 의사소통의 여지가 축소된 상황에서 자신의 참여만으로는 의사소통의 장을 활성화할 수 없다는 성찰을 드러낸다고 볼 수 있군.
② (나)에서 '우리'가 '언 강물' 위에서 비웃는 모습이나 '빙그르르' 뒹구는 장면은 언어 사용이 제한된 상황에서 또 다른 의사소통의 방법을 모색함을 드러낸다고 볼 수 있군.
③ (가)의 '하늘 아래'는 '고요함'이 있는 공간이라는 점에서, (나)의 '맞붙은 사이'는 '배'와 '말'이 '숨죽이고 있는' 공간이라는 점에서, 의사소통이 자유롭지 못한 경직된 사회를 엿볼 수 있군.
④ (가)에서 '자유를 말하'는 것이 '활자'로 한정된 것은 의사소통의 장이 위축된 상황을 나타내고, (나)에서 '말'이 '날아가지 못'한다는 것은 자유로워야 하는 언어 사용이 제한되어 있는 상황을 나타낸다고 볼 수 있군.
⑤ (가)에서 주변 세계를 '마음에 들지 않'아 하는 것은 의사소통이 활발하지 못한 상황에 대한 생각을 드러낸 것이고, (나)에서 강물이 얼어 '배'를 '저어가지 못'하는 상황은 의사소통을 방해하는 환경을 표현한 것이라고 볼 수 있군.

5분 | 2021학년도 6월 모평 22~24번 | ★★☆ | 정답 024쪽

[7~9] 다음 글을 읽고 물음에 답하시오.

(가)

높으디높은 산마루
낡은 고목(古木)에 **못 박힌 듯** 기대어
내 홀로 **긴 밤**을
무엇을 **간구**하며 울어 왔는가. [A]

아아 **이 아침**
시들은 핏줄의 구비구비로
사늘한 가슴의 한복판까지
은은히 울려오는 종소리.

이제 눈감아도 오히려
꽃다운 하늘이거니
내 영혼의 촛불로
어둠 속에 **나래 떨던 샛별**아 숨으라.

환히 트이는 이마 우
떠오르는 햇살은
시월상달의 꿈과 같고나.

메마른 입술에 피가 돌아
오래 잊었던 피리의
가락을 더듬노니

새들 즐거이 구름 끝에 노래 부르고
사슴과 토끼는
한 포기 **향기로운 싸릿순**을 사양하라.

여기 높으디높은 산마루
맑은 바람 속에 **옷자락을 날리며**
내 홀로 서서
무엇을 기다리며 **노래**하는가. [B]

- 조지훈, 「산상(山上)의 노래」 -

(나)

꽃이 피었다,
도시가 나무에게
반어법을 가르친 것이다
이 도시의 이주민이 된 뒤부터
속마음을 곧이곧대로 드러낸다는 것이
얼마나 어리석은가를 나도 곧 깨닫게 되었지만
살아 있자, 악착같이 **들뜬 뿌리**라도 내리자
속마음을 감추는 대신
비트는 법을 익히게 된 서른 몇 이후부터
나무는 나의 스승
그가 견딜 수 없는 건
꽃향기 따라 나비와 벌이
붕붕거린다는 것,
내성이 생긴 이파리를
벌레들이 변함없이 아삭아삭
뜯어 먹는다는 것
도로변 **시끄러운 가로등 곁**에서 허구한 날
신경증과 불면증에 시달리며 피어나는 꽃
참을 수 없다 나무는, 알고 보면
치욕으로 푸르다

- 손택수, 「나무의 수사학 1」 -

7. (가)와 (나)에 대한 설명으로 가장 적절한 것은?

① (가)는 계절의 변화에 따라 달라지는 주변 풍경을, (나)는 공간의 이동에 따른 풍경 변화를 묘사하고 있다.
② (가)는 시각적 이미지를 통해 자연의 위대함을, (나)는 청각적 이미지를 통해 자연에 대한 두려움을 표현하고 있다.
③ (가)는 명령형 어조를 활용하여 대상의 행동을 유도하고, (나)는 단정적 진술을 활용하여 주제 의식을 드러내고 있다.
④ (가)와 (나)는 인격화된 사물을 청자로 하여 화자의 소망을 전달하고 있다.
⑤ (가)와 (나)는 도치된 표현을 활용하여 화자가 처한 부정적 현실에 대한 극복 의지를 강조하고 있다.

8. [A]와 [B]를 이해한 내용으로 적절하지 <u>않은</u> 것은?

① [A]의 '높으디높은 산마루'에서 화자를 울게 한 문제는 [B]의 '여기 높으디높은 산마루'에서의 기다림의 대상이 아니다.
② [A]의 '못 박힌 듯' 기댄 자세는 과거의 고통을, [B]의 '옷자락을 날리며' 서 있는 자세는 미래에 대한 기대를 드러내고 있다.
③ [A]의 '긴 밤'에 담긴 부정적 상황은 '이 아침' 이후 [B]의 '맑은 바람'을 동반하는 새로운 상황으로 변화하고 있다.
④ [A]의 '무엇'이 [B]의 '무엇'으로 이행하는 과정에서 '나래 떨던 샛별'과 '향기로운 싸릿순'은 화자의 지향점으로 기능하고 있다.
⑤ [A]의 '간구'는 '사늘한 가슴'의 생명력 회복을 바라는 기원을, [B]의 '노래'는 '메마른 입술'에 생명력이 회복된 이후의 소망을 표출하고 있다.

9. <보기>를 바탕으로 (나)를 감상한 내용으로 적절하지 <u>않은</u> 것은? [3점]

<보 기>

「나무의 수사학 1」의 화자는 도심 속 가로수를 관찰하며 도시를 비판적으로 조망한다. 도시의 가로수는 나무의 푸름이나 아름다운 꽃조차도 도구적 가치에 의해서 평가된다. 화자는 삭막한 도시 환경에도 불구하고 고통을 참아 내며 꽃을 피우는 모습을 나무의 반어법으로 인식한다. 도시에 제대로 뿌리박지 못하면서도 도시 환경에 적응하여 꽃을 피우는 나무에서 치욕을 읽어 낸 것이다. 그것은 도시의 이주민인 화자가 나무에 대해 동질감을 느끼는 이유이기도 하다.

① '들뜬 뿌리'는 나무가 처한 상황에 대한 화자의 동질감을 반영하고 있군.
② '내성이 생긴 이파리'는 나무가 도시에 적응하면서 지니게 된 성질을 보여 주는군.
③ '시끄러운 가로등 곁'은 꽃을 피우며 참아 내야 할 삭막한 도시 환경을 드러내고 있군.
④ '신경증과 불면증'은 나무가 도시에 적응하기 위해 견뎌 내야 할 고통을 보여 주고 있군.
⑤ '치욕으로 푸르다'는 도구적 가치로 평가받아 그 환경에 적응하지 못하는 나무에 대한 비판적 표현이군.

총 문항				문항	맞은 문항					문항
개별 문항	1	2	3	4	5	6	7	8	9	10
채점										
개별 문항	11	12	13	14	15	16	17	18	19	20
채점										

5분	2020학년도 수능 43~45번	★★☆	정답 025쪽

【1~3】 다음 글을 읽고 물음에 답하시오.

(가)

바람이 어디로부터 불어와
어디로 불려 가는 것일까,

㉠ 바람이 부는데
내 괴로움에는 이유가 없다.

내 괴로움에는 이유가 없을까,

단 한 여자를 사랑한 일도 없다.
시대를 슬퍼한 일도 없다.

㉡ 바람이 자꾸 부는데
내 발이 반석 위에 섰다.

강물이 자꾸 흐르는데
내 발이 언덕 위에 섰다.

- 윤동주, 「바람이 불어」 -

(나)

새는 새장 밖으로 나가지 못한다.
매번 머리를 부딪치고 날개를 상하고 나야 보이는,
창살 사이의 간격보다 큰, 몸뚱어리.
하늘과 산이 보이고 ㉢ 울음 실은 공기가 자유로이 드나드는
그러나 살랑거리며 날개를 굳게 다리에 매달아 놓는,
그 적당한 간격은 슬프다.
그 창살의 간격보다 넓은 몸은 슬프다.
넓게, 힘차게 뻗을 날개가 있고
㉣ 날개를 힘껏 떠받쳐 줄 공기가 있지만
새는 다만 네 발 달린 짐승처럼 걷는다.
부지런히 걸어 다리가 굵어지고 튼튼해져서
닭처럼 날개가 귀찮아질 때까지 걷는다.
새장 문을 활짝 열어 놓아도 날지 않고
닭처럼 모이를 향해 달려갈 수 있을 때까지 걷는다.
㉤ 걸으면서, 가끔, 창살 사이를 채우고 있는 바람을
부리로 쪼아 본다, 아직도 벽이 아니고
공기라는 걸 증명하려는 듯.
유리보다도 더 환하고 선명하게 전망이 보이고
울음 소리 숨내음 자유롭게 움직이도록 고안된 공기,
그 최첨단 신소재의 부드러운 질감을 음미하려는 듯.

- 김기택, 「새」 -

1. (가)에 대한 이해로 가장 적절한 것은?

① '불려 가는'이라는 피동 표현을 통해 자신이 처한 현실에 순응하려는 화자의 태도를 강조하고 있다.
② '이유가 없을까'라는 물음의 형식으로 화자의 정신적 고통에 타당한 이유가 없음을 단정하고 있다.
③ '사랑한 일'과 '슬퍼한 일'을 병치하여 화자의 개인적 불행이 시대에 대한 무관심의 원인임을 암시하고 있다.
④ '없다'의 반복을 활용하여 자신의 삶과 내면을 응시하는 화자의 반성적 자세를 드러내고 있다.
⑤ '흐르는데'와 '섰다'의 대비를 통해 변함없는 자연에서 깨달음을 얻으려는 화자의 의지를 드러내고 있다.

2. 다음에 제시된 선생님의 안내에 따라, ㉠~㉤을 탐구한 내용으로 적절하지 <u>않은</u> 것은?

> 공기와 바람은 눈에 보이지 않지만 사물의 움직임을 통해 지각되고, 계속 움직이며 대상에 영향을 주는 힘으로 인식되기도 합니다. 이런 속성이 시에 어떻게 활용되는지 알아봅시다.

① ㉠에서는 움직임이라는 '바람'의 속성을 '괴로움'이라는 내면의 흔들림을 지각하는 계기로 활용하고 있다.
② ㉡에서는 끊임없이 움직이는 '바람'의 속성을 활용해 '내 발'을 '반석 위'로 이끄는 힘을 보여 주고 있다.
③ ㉢에서는 자유롭게 창살 사이를 이동하는 '공기'의 속성을 '새'가 처한 상황을 부각하는 데 활용하고 있다.
④ ㉣에서는 '날개'를 '힘껏' 떠받치는 '공기'의 속성을 활용해 '새'의 '날개'가 '공기'의 힘을 이용할 수 있음을 암시하고 있다.
⑤ ㉤에서는 보이지 않지만 존재하는 '바람'의 속성을 활용해 '창살 사이'의 빈 공간을 쪼는 '새'의 동작에 의미를 부여하고 있다.

3. <보기>를 바탕으로 (나)를 감상한 내용으로 적절하지 않은 것은? [3점]

<보 기>

「새」에서 '새장에 갇힌 새'는 일상의 안온함에 길들어 자유를 억압하는 일상을 벗어나지 못하는 현대인의 알레고리이다. '새'의 행동에 대한 묘사는 일상에 충실할수록 잠재된 힘과 본질을 잃어 가는 아이러니와, 일상에 만족하며 자유로운 삶의 가능성을 외면하는 현대인의 모습을 보여 준다.

① 몸이 창살에 부딪치고 나서야 창살의 간격이 보이는 새는, 일상에 갇힌 자신을 의식하는 현대인의 모습을 보여 주는군.
② 바깥 풍경이 보일 정도로 적당한 간격의 창살로 된 새장은, 안온함과 억압성이라는 양가성을 지닌 일상을 보여 주는군.
③ 닭처럼 날개가 귀찮아질 때까지 부지런히 걷는 새는, 성실한 생활이 잠재력의 상실로 이어지는 아이러니를 보여 주는군.
④ 새장 문이 열려도 날지 않고 모이를 향해 달려갈 수 있을 때까지 걷는 새는, 자신의 본질에 충실하다 보니 오히려 자유를 상실하게 되는 상황을 보여 주는군.
⑤ 하늘을 자유롭게 날도록 날개를 밀어 올리는 공기를 음미할 대상으로만 여기는 듯한 새는, 자유로운 삶의 가능성을 외면하고 일상에 안주하려는 현대인의 모습을 보여 주는군.

5분 | 2020학년도 9월 모평 35~37번 | ★☆☆ | 정답 026쪽

【4~6】 다음 글을 읽고 물음에 답하시오.

(가)

호르 호르르 호르르르 가을 아침
취어진* 청명을 마시며 거닐면
㉠ 수풀이 호르르 벌레가 호르르르
청명은 내 머릿속 가슴속을 젖어 들어
발끝 손끝으로 새어 나가나니

온 살결 터럭 끝은 모두 눈이요 입이라
나는 수풀의 정을 알 수 있고
벌레의 예지를 알 수 있다
그리하여 나도 이 아침 청명의
가장 고웁지 못한 노래꾼이 된다

수풀과 벌레는 자고 깨인 어린애라
밤새워 빨고도 이슬은 남았다
남았거든 나를 주라
나는 이 청명에도 주리나니
방에 문을 달고 벽을 향해 숨 쉬지 않았느뇨

㉡ 햇발이 처음 쏟아오아
청명은 갑자기 으리으리한 관을 쓴다
그때에 토록 하고 동백 한 알은 빠지나니
오! 그 빛남 그 고요함
간밤에 하늘을 쫓긴 별살의 흐름이 저러했다

온 소리의 앞 소리요
온 빛깔의 비롯이라
㉢ 이 청명에 포근 취어진 내 마음
감각의 낯익은 고향을 찾았노라
평생 못 떠날 내 집을 들었노라

- 김영랑, 「청명」 -

* 취어진 : 계절의 정취에 젖어 든.

(나)

뒷동산 청솔잎을 빗질해주던 바람이
무어라 무어라 하는 솔나무의 속삭임을 듣고
㉣ 푸른 햇살 요동치는 강변으로 달려갔다 하자.
달려가선, 거기 미루나무에게 전하니
알았다 알았다는 듯 나무는 잎새를 흔들어
강물 위에 짤랑짤랑 구슬알을 쏟아냈다 하자.
그 의중 알아챈 바람이 이젠 그 누구보단
앞들 보리밭에서 물결치듯 김을 매다
이마의 구슬땀 씻어올리는 여인에게 전하니,
여인이야 이윽고 아픈 허리를 곧게 펴곤
눈앞 가득 일어서는 마을의 정자나무를 향해
고개를 끄덕끄덕, 무언가 일별을 보냈다 하자.

ⓜ아무려면 어떤가, 산과 강과 들과 마을이
한 초록으로 짙어가는 오월도 청청한 날에,
소쩍새는 또 바람결에 제 한 목청 다 싣는 날에.

- 고재종, 「초록 바람의 전언」 -

4. (가)와 (나)에 대한 설명으로 가장 적절한 것은?

① (가)와 (나)는 가정의 진술을 활용하여 현실과 이상의 거리감을 드러내고 있다.
② (가)와 (나)는 각각 동일한 종결 어미의 반복을 활용하여 리듬감을 형성하고 있다.
③ (가)와 (나)는 화자의 시선이 화자 내면에서 외부 세계로 이동하는 방식으로 시상을 전개하고 있다.
④ (가)는 여정에 따른 공간의 이동을 통해, (나)는 계절의 흐름에 따른 대상의 변화를 통해 풍경을 묘사하고 있다.
⑤ (가)는 종교적 관념에 대한 사색을 바탕으로, (나)는 일상생활에서 깨달은 바를 바탕으로 주제를 구체화하고 있다.

5. ㉠~㉤에 대한 이해로 적절하지 않은 것은?

① ㉠은 청각적 심상을 활용하여 산뜻한 가을 아침에 대한 화자의 인상을 표현하고 있다.
② ㉡은 청명한 날이 으리으리한 관을 쓴다는 비유를 활용하여 햇빛이 쏟아지는 순간의 아름다운 모습을 표현하고 있다.
③ ㉢은 청명한 가을날에 느끼는 마음을 고향의 낯익음에 비유하여 지나가는 가을에 대한 아쉬움을 드러내고 있다.
④ ㉣은 역동적인 이미지를 활용하여 바람이 부는 강변의 풍경을 감각적으로 표현하고 있다.
⑤ ㉤은 청청한 날의 정경에 대한 화자의 반응을 제시하여 시적 상황에 대한 정서를 집약적으로 드러내고 있다.

6. <보기>를 참고하여 (가)와 (나)를 감상한 내용으로 적절하지 않은 것은? [3점]

<보 기>

자연은 시인에게 상상력의 주요한 원천이 되어 왔다. 그중 생태학적 상상력은 생태계 구성원 간의 관계에 주목한다. 생태학적 상상력은 모든 생태계 구성원을 평등한 존재로 보는 데에서 출발하여, 서로 교감·소통하며 유대감을 느끼는 관계로, 나아가 영향을 주고받는 순환의 관계로 인식한다. 생태학적 상상력을 통해 시인은 자연의 근원적 가치와, 인간과 자연의 조화로운 관계를 드러내며 궁극적으로는 이들을 하나의 생태 공동체로 형상화한다.

① (가)에서 화자가 '온 살결 터럭 끝'을 '눈'과 '입'으로 삼아 자연을 대하는 것은 인간과 자연 간의 교감을, (나)에서 '바람'이 '뒷동산 청솔잎을 빗질'하는 것은 자연과 자연 간의 교감을 드러내는군.
② (가)에서 화자가 '수풀의 정'과 '벌레의 예지'를 '알 수 있다'고 하는 것과 (나)에서 '솔나무'가 '무어라' 하고 '미루나무'가 '알았다'고 하는 것은 구성원들이 서로 소통하는 조화로운 생태계의 모습을 보여 주는군.
③ (가)에서 화자가 '수풀'과 '벌레'의 소리를 듣고 '나도' 청명함의 '노래꾼이 된다'고 하는 것과 (나)에서 '솔나무의 속삭임'을 '바람'이 '미루나무'에게 전하고, 이를 '여인'도 '정자나무'에게 전하는 것은 자연과 인간 간의 유대감을 드러내는군.
④ (가)에서 화자가 '동백 한 알'이 떨어지는 모습에서 '하늘'의 '별살'을 떠올린 것과 (나)에서 화자가 '잎새'의 흔들림에서 반짝이는 '구슬알'을 떠올린 것은 생명의 탄생을 계기로 순환하는 생태계의 질서를 보여 주는군.
⑤ (가)에서 자연을 '온 소리의 앞 소리'와 '온 빛깔의 비롯'이라고 표현한 것은 근원적 존재로서의 자연의 가치를, (나)에서 '오월'에 '산'과 '마을'이 '한 초록으로 짙어' 간다고 표현한 것은 인간과 자연이 하나가 되어 가는 생태 공동체를 형상화하는군.

5분 | 2020학년도 6월 모평 43~45번 | ★★☆ | 정답 027쪽

【7~9】 다음 글을 읽고 물음에 답하시오.

(가)

낙엽은 폴-란드 망명정부의 지폐
포화(砲火)에 이즈러진
도룬 시(市)의 가을 하늘을 생각케 한다
길은 한 줄기 구겨진 넥타이처럼 풀어져
일광(日光)의 폭포 속으로 사라지고
조그만 담배 연기를 내어 뿜으며
새로 두 시의 급행차가 들을 달린다
포플라 나무의 근골(筋骨) 사이로
공장의 지붕은 흰 이빨을 드러내인 채
한 가닥 구부러진 철책이 바람에 나부끼고
그 위에 세로팡지(紙)로 만든 구름이 하나
자욱-한 풀벌레 소리 발길로 차며
호올로 황량한 생각 버릴 곳 없어
허공에 띄우는 돌팔매 하나
기울어진 풍경의 장막 저쪽에
고독한 반원을 긋고 잠기어 간다

- 김광균, 「추일서정」 -

(나)

담쟁이덩굴이 가벼운 공기에 **업혀** 허공에서
허공으로 이동하고 있다

새가 푸른 하늘에 **눌려** 납작하게 날고 있다

들찔레가 길 밖에서 하얀 꽃을 **버리며**
빈자리를 만들고

사방이 몸을 비워놓은 마른 길에
하늘이 내려와 누런 돌멩이 위에 **얹힌다**

길 한켠 모래가 바위를 **들어올려**
자기 몸 위에 놓아두고 있다

- 오규원, 「하늘과 돌멩이」 -

7. (가)에 대한 설명으로 가장 적절한 것은?

① 수미상관의 기법을 활용하여 구조적 안정감을 얻고 있다.
② 유사한 문장 형태를 변주하여 시간의 흐름을 드러내고 있다.
③ 의도적으로 변형한 시어를 통해 현실 극복 의지를 드러내고 있다.
④ 추측을 나타내는 표현을 통해 대상에 대한 회의감을 드러내고 있다.
⑤ 자연물을 인공물에 빗대어 풍경에 대한 화자의 인상을 드러내고 있다.

8. 다음은 (나)에 대한 <학습 활동> 과제이다. 이를 수행한 결과로 적절하지 않은 것은? [3점]

〈학습 활동〉

「하늘과 돌멩이」는 사물에 대한 우리의 고정관념을 버리고 새로운 시각으로 사물들을 바라보려고 시도한다. 각 연의 서술어에 주목하여, 이 시에 나타난 새로운 관점을 사물에 대한 고정관념과 비교하여 탐구해 보자.

	사물	사물에 대한 고정관념	서술어	새로운 관점
1연	담쟁이덩굴	담쟁이덩굴은 벽에 붙어 자란다.	업혀	㉠
2연	새	새는 자유롭게 하늘을 난다.	눌려	㉡
3연	들찔레	들찔레의 꽃이 떨어진다.	버리며	㉢
4연	하늘	하늘은 땅에서 멀리 떨어져 있다.	얹힌다	㉣
5연	모래	모래가 바위 밑에 깔려 있다.	들어올려	㉤

① ㉠: '업혀'에 주목하면, 담쟁이덩굴은 벽에 붙어 자라는 것이 아니라 공기를 누르며 수직 상승하는 강인한 존재로 볼 수 있다.
② ㉡: '눌려'에 주목하면, 새가 아무 제약 없이 하늘을 나는 것이 아니라 하늘의 무게를 견디며 나는 것으로 볼 수 있다.
③ ㉢: '버리며'에 주목하면, 꽃이 저절로 떨어지는 것이 아니라 들찔레가 스스로 꽃을 떨어뜨리는 것으로 볼 수 있다.
④ ㉣: '얹힌다'에 주목하면, 하늘은 땅과 멀리 떨어져 있지 않고 길에 가깝게 내려와 돌멩이 위에 닿는 존재로 볼 수 있다.
⑤ ㉤: '들어올려'에 주목하면, 모래는 바위 밑에 깔려 있지 않고 자신의 힘으로 거대한 바위를 지탱할 수 있는 존재로 볼 수 있다.

9. 이미지의 활용을 중심으로 (가)와 (나)를 감상한 내용으로 적절하지 않은 것은?

① (가)는 '낙엽'을 '망명정부의 지폐'에 연결하여 낙엽의 이미지에서 연상되는 무상감을 드러내고 있군.
② (가)는 '돌팔매'가 땅으로 떨어지는 이미지를 '고독한 반원'으로 표현하여 외로움의 정서를 부각하고 있군.
③ (나)는 '빈자리'를 '들찔레'가 의도적으로 만들어 낸 대상인 것처럼 표현하여 비어 있는 공간의 이미지를 떠올릴 수 있도록 의미를 부여하고 있군.
④ (가)는 '길'을 '구겨진 넥타이'의 이미지와 연결하여 도시에서 느껴지는 소외감을 표현하고, (나)는 '길 밖'과 '길 한켠'처럼 중심에서 벗어난 공간의 이미지를 활용하여 대상들 간의 거리감을 드러내고 있군.
⑤ (가)는 '허공'을 '황량한 생각'이 드러나는 공허한 이미지로 활용하고, (나)는 '담쟁이덩굴'의 움직임을 활용하여 '허공'을 감각적으로 경험할 수 있는 대상으로 묘사하고 있군.

총 문항				문항	맞은 문항					문항
개별 문항	1	2	3	4	5	6	7	8	9	10
채점										
개별 문항	11	12	13	14	15	16	17	18	19	20
채점										

고전 산문

• 고3 국어 문학 •

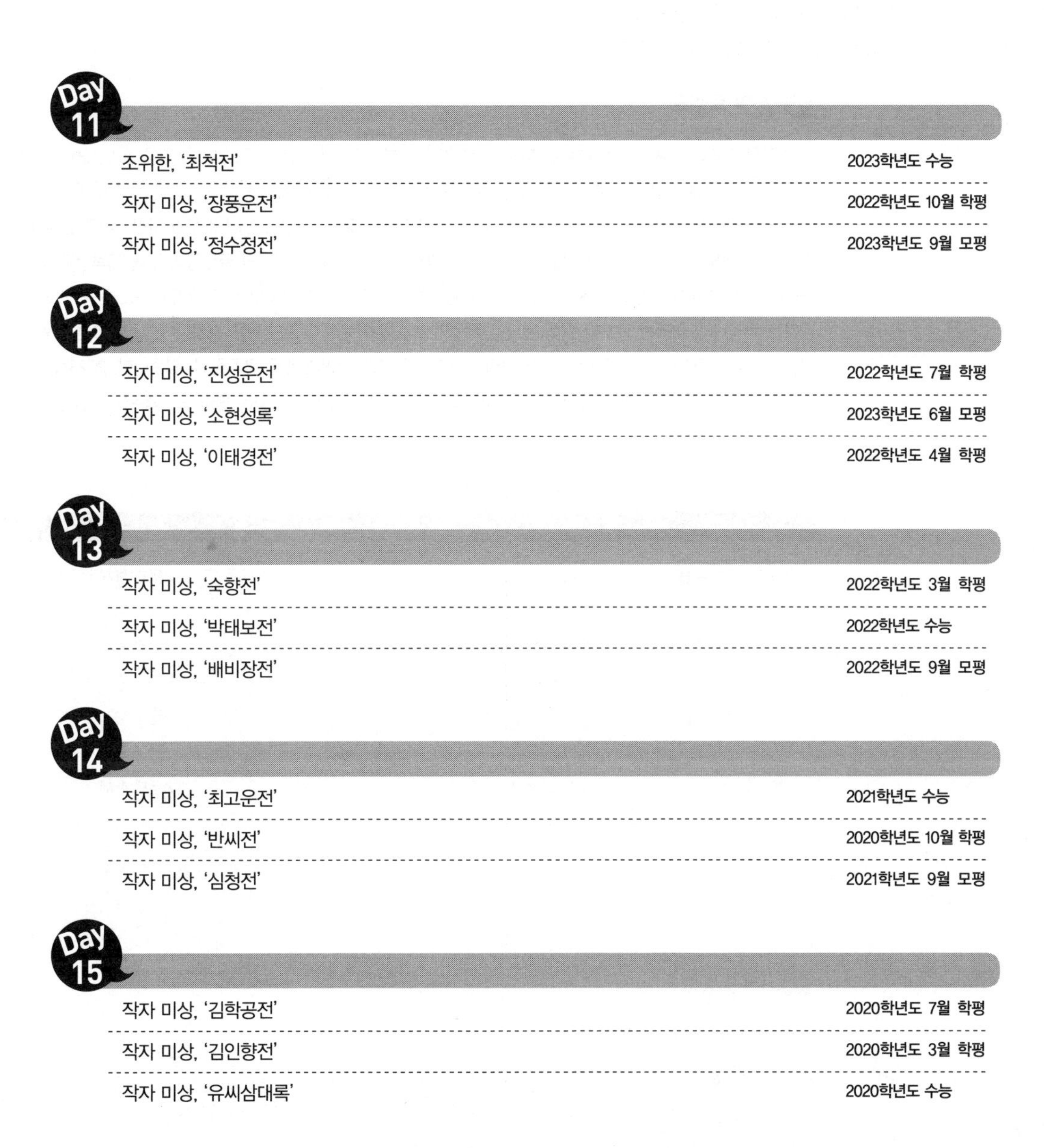

고전 산문

출제 트렌드

고전 산문은 이미 만들어진 작품들이 출제되므로 범위가 한정적이라고 볼 수 있습니다. 영웅 소설, 군담 소설, 가정 소설, 판소리계 소설, 우화 소설 등이 출제되며 한 번 출제된 작품이 다시 출제되기도 합니다. 그러므로 자주 출제되었던 작품들을 주제에 따라 정리해 두고 각각의 대략적인 줄거리를 알아 두면 도움이 됩니다. 현대 소설과 마찬가지로 인물 간의 관계와 갈등과 사건이 출제의 핵심인데, 등장인물은 주로 주인공에게 도움을 주는 조력자와 주인공의 반대 세력으로 구분되는 경우가 많습니다. 현대 소설과 다른 고전 산문만의 두드러지는 특징으로는 영웅의 일대기 구조, 적강 구조, 환몽 구조 등의 구성이 나타난다는 점입니다. 이러한 구조를 알아 둔다면 작품의 흐름을 이해하기 훨씬 쉬울 것입니다. 낯선 고전 어휘들이 작품 이해를 어렵게 하기도 하지만, 산문 문학인 만큼 앞뒤 내용과 맥락으로 단어의 뜻을 유추할 수 있습니다. 2023학년도 수능에 출제된 '최척전'은 EBS 연계 교재에 수록된 부분과 일부 일치했으며 지문의 길이도 짧은 편이었기 때문에 수험생들이 큰 어려움 없이 풀 수 있었을 것입니다.

시행	출제 지문	문제 수	난이도
2023학년도 수능	조위한, '최척전'	4문제 출제	★☆☆
2023학년도 9월 모평	작자 미상, '정수정전'	4문제 출제	★★☆
2023학년도 6월 모평	작자 미상, '소현성록'	4문제 출제	★☆☆
2022학년도 수능	작자 미상, '박태보전'	4문제 출제	★★☆

1등급 꿀팁

하나 _ 낯선 어휘와 긴 문장에 익숙해지는 연습을 하자.
두울 _ 등장인물들의 갈등과 대립 양상에 중점을 두고 읽자.
세엣 _ 갈등이 해소되는 과정에서 작품의 주제가 드러난다는 것을 명심하자.
네엣 _ 공간적 배경(장소)의 변화와 이동에 주목하여 내용을 파악하자.
다섯 _ 기출 작품들을 주제별로 분류하여 학습하자.
여섯 _ 빈출 작품은 출제된 부분 외에 다른 장면을 찾아보고 전체 줄거리를 알아 두자.
일곱 _ 작품 속에서 의미 있는 역할을 하는 소재는 반드시 출제되므로 놓치지 말고 기억해 두자.

다음 글을 읽고 물음에 답하시오.

혼례를 마친 후 최척이 아내와 함께 장모를 모시고 집으로 돌아오매 하인들이 기뻐했다. 대청에 오르자 **친척들**이 축하하여 온 집안에 기쁨이 넘쳤고, 이들을 기리는 소리가 사방의 이웃으로 퍼졌다. 시집에 온 옥영은 소매를 걷고 머리를 빗어 올린 채 손수 물을 긷고 절구질을 했으며, 시아버지를 봉양하고 남편을 대할 때 효와 정성을 다하고, 윗사람을 받들고 아랫사람을 대할 때는 성의와 예의를 두루 갖췄다. **이웃 사람들**이 이를 듣고는 모두 양홍의 처나 포선의 아내도 이보다 낫지 않을 것이라고 칭찬했다.

최척은 결혼한 후 구하는 것이 뜻대로 되어 재산이 점차 넉넉히 불었으나, 다만 일찍이 자식이 없는 것이 걱정이었다. 최척 부부는 후사를 염려하여 ㉠매월 초하루가 되면 몸과 마음을 깨끗이 하고 함께 만복사에 올라 부처께 기도를 올렸다. 다음 해 갑오년 ㉡정월 초하루에도 만복사에 올라 기도를 했는데, 이날 밤 장육금불이 옥영의 꿈에 나타나 말했다.

"나는 **만복사의 부처**로다. 너희 정성이 가상해 기이한 **사내아이**를 점지해 주니, 태어나면 반드시 특이한 징표가 있을 것이다."

옥영은 ㉢그달에 바로 잉태해 열 달 뒤 과연 아들을 낳았는데, 등에 어린아이 손바닥만 한 **붉은 점**이 있었다. 그래서 최척은 아들 이름을 몽석(夢釋)이라고 지었다.

최척은 피리를 잘 불었으며, ㉣매양 꽃 피는 아침과 달 뜬 밤이 되면 아내 곁에서 피리를 불곤 했다. 일찍이 날씨가 맑은 ㉤어느 봄날 밤이었는데, 어둠이 깊어 갈 무렵 미풍이 잠깐 일며 밝은 달이 환하게 비췄으며, 바람에 날리던 꽃잎이 옷에 떨어져 그윽한 향기가 코끝에 스며들었다. 이에 최척은 옥영과 술을 따라 마신 후, 침상에 기대 피리를 부니 그 여음이 하늘거리며 퍼져 나갔다. 옥영이 한동안 침묵하다 말했다.

"저는 평소 여인이 시 읊는 것을 좋게 여기지 않습니다. 그런데 이처럼 맑은 정경을 대하니 도저히 참을 수가 없군요."

옥영은 마침내 절구 한 수를 읊었다.

왕자진이 피리를 부니 달도 내려와 들으려는데,
바다처럼 푸른 하늘엔 이슬이 서늘하네.
때마침 날아가는 푸른 난새를 함께 타고서도,
안개와 노을이 가득해 봉도 가는 길 찾을 수 없네.

최척은 애초에 자기 아내가 이리 시를 잘 읊는 줄 모르고 있던 터라 놀라 감탄하였다.

[중략 줄거리] 전란으로 가족과 이별한 최척은 명나라 배를 타고 안남에 이르러 처량한 마음에 피리를 불었다.

최척은 동방이 밝아 오자, 강둑을 내려가 **일본인 배에 이르러 조선말로 물**었다.

"어젯밤 시를 읊던 사람은 조선 사람 아닙니까? 나도 조선 사람이어서 한번 만나 보았으면 합니다. 멀리 **다른 나라를 떠도는 사람**이 비슷하게 생긴 **고국 사람을 만나**는 것이 어찌 그저 기쁘기만 한 일이겠습니까?"

옥영도 생각하기를 어젯밤 들은 **피리 소리**가 조선의 곡조인 데다, 평소 익히 들었던 것과 너무나 흡사했다. 그래서 남편 생각에 감회가 일어 절로 시를 읊게 되었던 것이다. 옥영은 자기를 찾는 사람의 목소리를 듣고는 황망히 뛰쳐나와 최척을 보았다. 둘은 서로 마주하고 놀라 **소리를 지르며 끌어안**고 백사장을 뒹굴었다. 목이 메고 기가 막혀 마음을 안정할 수 없었으며, 말도 할 수 없었다. 눈에서는 **눈물이 다하자 피가 흘러내**려 서로를 볼 수도 없을 지경이었다. 양국의 **뱃사람들**이 저잣거리처럼 모여들어 구경했는데, 처음에는 친척이나 잘 아는 친구인 줄로만 알았다. 뒤에 그들이 부부 사이라는 것을 알고 서로 돌아보며 소리쳐 말했다.

"이상하고 기이한 일이로다! 이것은 하늘의 뜻이요, 사람이 이룰 수 있는 일이 아니로다. 이런 일은 옛날에도 들어 보지 못하였다."

(생략)

- 조위한, 「최척전」 -

19. 윗글의 인물에 대한 이해로 적절하지 않은 것은?

① '뱃사람들'은 최척과 옥영의 관계가 자신들이 생각하던 것과 달라 놀라워했다.
② '최척'은 강둑을 내려가 자신을 '다른 나라를 떠도는 사람'이라 말하며 자신의 처지와 심정을 드러냈다.
③ '최척'은 옥영의 시에 대한 재능을 결혼 전에 알고 있었지만, 옥영이 시를 읊기 전까지 이를 모른 척했다.
④ '옥영'은 가정의 구성원들을 정성스러운 마음으로 대했고, 옥영이 시집온 후 최척의 집안은 점차 부유해졌다.
⑤ '친척들'은 최척의 결혼을 경사로 받아들였고, '이웃 사람들'은 옥영의 행실을 칭찬했다.

문제풀이

현대 소설과 고전 소설 모두 '인물'에 대해 파악하는 것이 중심이 된다. 인물의 심리나 태도는 '기뻐했다', '감탄하였다'와 같이 직접적으로 드러나기도 하지만, 그렇지 않은 경우에는 인물의 대사와 행동, 앞뒤 장면과 맥락 등을 통해 유추할 수 있어야 한다.

① 뱃사람들은 처음에는 최척과 옥영이 친척이나 잘 아는 친구인 줄로만 생각했다가 그들이 부부 사이라는 것을 알고는 놀라워했다.
② 최척은 강둑을 내려가 일본인 배로 가서는 자신이 조선 사람으로 멀리 다른 나라를 떠도는 처지라고 밝히고, '고국 사람을 만나는 것이 어찌 그저 기쁘기만 한 일이겠'냐는 심정을 드러냈다.
❸ '어느 봄날 밤' 옥영이 최척의 피리 연주를 듣고 절구를 한 수 읊자, 최척은 '애초에 자기 아내가 이리 시를 잘 읊는 줄 모르고 있던 터라 놀라 감탄'했다. 따라서 최척이 옥영의 시에 대한 재능을 결혼 전에 알고 있었는데 모른 척하고 있었다고는 볼 수 없다.
④ 시집에 온 옥영은 '시아버지를 봉양하고 ~ 성의와 예의를 두루 갖'췄으며, 최척은 '결혼 후 구하는 것이 뜻대로 되어 재산이 점차 넉넉히 불었'다고 하였다.
⑤ 혼례를 마친 후 최척이 집으로 돌아오자 '친척들이 축하하여 온 집안에 기쁨이 넘쳤'다고 하였다. 또한 이웃 사람들은 '양홍의 처나 포선의 아내도 이보다 낫지 않을 것'이라고 옥영의 행실을 칭찬했다.

7분 | 2023학년도 수능 18~21번 | ★☆☆ | 정답 028쪽

[1~4] 다음 글을 읽고 물음에 답하시오.

혼례를 마친 후 최척이 아내와 함께 장모를 모시고 집으로 돌아오매 하인들이 기뻐했다. 대청에 오르자 **친척들**이 축하하여 온 집안에 기쁨이 넘쳤고, 이들을 기리는 소리가 사방의 이웃으로 퍼졌다. 시집에 온 옥영은 소매를 걷고 머리를 빗어 올린 채 손수 물을 긷고 절구질을 했으며, 시아버지를 봉양하고 남편을 대할 때 효와 정성을 다하고, 윗사람을 받들고 아랫사람을 대할 때는 성의와 예의를 두루 갖췄다. **이웃 사람들**이 이를 듣고는 모두 양홍의 처나 포선의 아내도 이보다 낫지 않을 것이라고 칭찬했다.

최척은 결혼한 후 구하는 것이 뜻대로 되어 재산이 점차 넉넉히 불었으나, 다만 일찍이 자식이 없는 것이 걱정이었다. 최척 부부는 후사를 염려하여 ㉠ 매월 초하루가 되면 몸과 마음을 깨끗이 하고 함께 만복사에 올라 부처께 기도를 올렸다. 다음 해 갑오년 ㉡ 정월 초하루에도 만복사에 올라 기도를 했는데, 이날 밤 장육금불이 옥영의 꿈에 나타나 말했다.

"나는 **만복사의 부처**로다. 너희 정성이 가상해 기이한 **사내아이**를 점지해 주니, 태어나면 반드시 특이한 징표가 있을 것이다."

옥영은 ㉢ 그달에 바로 잉태해 열 달 뒤 과연 아들을 낳았는데, 등에 어린아이 손바닥만 한 **붉은 점**이 있었다. 그래서 최척은 아들 이름을 몽석(夢釋)이라고 지었다.

최척은 피리를 잘 불었으며, ㉣ 매양 꽃 피는 아침과 달 뜬 밤이 되면 아내 곁에서 피리를 불곤 했다. 일찍이 날씨가 맑은 ㉤ 어느 봄날 밤이었는데, 어둠이 깊어 갈 무렵 미풍이 잠깐 일며 밝은 달이 환하게 비쳤으며, 바람에 날리던 꽃잎이 옷에 떨어져 그윽한 향기가 코끝에 스며들었다. 이에 최척은 옥영과 술을 따라 마신 후, 침상에 기대 피리를 부니 그 여음이 하늘거리며 퍼져 나갔다. 옥영이 한동안 침묵하다 말했다.

"저는 평소 여인이 시 읊는 것을 좋게 여기지 않습니다. 그런데 이처럼 맑은 정경을 대하니 도저히 참을 수가 없군요."

옥영은 마침내 절구 한 수를 읊었다.

왕자진이 피리를 부니 달도 내려와 들으려는데,
바다처럼 푸른 하늘엔 이슬이 서늘하네.
때마침 날아가는 푸른 난새를 함께 타고서도,
안개와 노을이 가득해 봉도 가는 길 찾을 수 없네.

최척은 애초에 자기 아내가 이리 시를 잘 읊는 줄 모르고 있던 터라 놀라 감탄하였다.

[중략 줄거리] 전란으로 가족과 이별한 최척은 명나라 배를 타고 안남에 이르러 처량한 마음에 피리를 불었다.

최척은 동방이 밝아 오자, 강둑을 내려가 **일본인 배에 이르러 조선말로 물**었다.

"어젯밤 시를 읊던 사람은 조선 사람 아닙니까? 나도 조선 사람이어서 한번 만나 보았으면 합니다. 멀리 **다른 나라를 떠도는 사람**이 비슷하게 생긴 **고국 사람을 만나**는 것이 어찌 그저 기쁘기만 한 일이겠습니까?"

옥영도 생각하기를 어젯밤 들은 **피리 소리**가 조선의 곡조인 데다, 평소 익히 들었던 것과 너무나 흡사했다. 그래서 남편 생각에 감회가 일어 절로 시를 읊게 되었던 것이다. 옥영은 자기를 찾는 사람의 목소리를 듣고는 황망히 뛰쳐나와 최척을 보았다. 둘은 서로 마주하고 놀라 **소리를 지르며 끌어안**고 백사장을 뒹굴었다. 목이 메고 기가 막혀 마음을 안정할 수 없었으며, 말도 할 수 없었다. 눈에서는 **눈물이 다하자 피가 흘러내**려 서로를 볼 수도 없을 지경이었다. 양국의 **뱃사람들**이 저잣거리처럼 모여들어 구경했는데, 처음에는 친척이나 잘 아는 친구인 줄로만 알았다. 뒤에 그들이 부부 사이라는 것을 알고 서로 돌아보며 소리쳐 말했다.

"이상하고 기이한 일이로다! 이것은 하늘의 뜻이요, 사람이 이룰 수 있는 일이 아니로다. 이런 일은 옛날에도 들어 보지 못하였다."

최척은 옥영에게 그간의 소식을 물었다.

"산속에서 붙들려 강가로 끌려갔다는데, 그때 아버지와 장모님은 어찌 되었소?"

옥영이 말했다.

"날이 어두워진 뒤 배에 오른 데다 정신이 없어 서로 잃어버렸으니, 제가 두 분의 안위를 어떻게 알겠습니까?"

두 사람이 손을 붙들고 통곡하자, 옆에서 지켜보던 사람들도 슬퍼하며 눈물을 닦지 않는 이가 없었다.

- 조위한, 「최척전」 -

1. 윗글에 대한 설명으로 가장 적절한 것은?

① 시를 삽입하여 인물 간의 갈등 양상이 구체화되는 상황을 드러내고 있다.
② 인물의 행위가 연속적으로 나열된 장면을 통해 신분의 변화 과정을 드러내고 있다.
③ 주변 인물이 알고 있는 사례를 근거로 주요 인물에 대해 상반된 평가를 내리게 하고 있다.
④ 감각적인 배경 묘사를 통해 인물의 행동이 전개되는 상황의 낭만적 분위기를 부각하고 있다.
⑤ 인물 간 대화가 오가는 장면을 보여 주어 이전 사건에 따른 다른 인물들의 현재 행선지를 드러내고 있다.

2. 윗글의 인물에 대한 이해로 적절하지 않은 것은?

① '뱃사람들'은 최척과 옥영의 관계가 자신들이 생각하던 것과 달라 놀라워했다.
② '최척'은 강둑을 내려가 자신을 '다른 나라를 떠도는 사람'이라 말하며 자신의 처지와 심정을 드러냈다.
③ '최척'은 옥영의 시에 대한 재능을 결혼 전에 알고 있었지만, 옥영이 시를 읊기 전까지 이를 모른 척했다.
④ '옥영'은 가정의 구성원들을 정성스러운 마음으로 대했고, 옥영이 시집온 후 최척의 집안은 점차 부유해졌다.
⑤ '친척들'은 최척의 결혼을 경사로 받아들였고, '이웃 사람들'은 옥영의 행실을 칭찬했다.

3. ㉠~㉤에 대한 이해로 가장 적절한 것은?

① ㉠은 인물의 심리적 갈등이 발생하는, ㉢은 ㉠에서 발생한 갈등이 심화되는 시간의 표지이다.
② ㉢과 ㉤은 모두 과거의 행위를 통해 인물의 성격이 변화됨을 드러내는 시간의 표지이다.
③ ㉣은 인물의 행위가 반복적으로 일어나는, ㉤은 ㉣ 중 한 시점을 특정하는 시간의 표지이다.
④ ㉡은 ㉠에서부터 이어진 행위를 알려 주는, ㉤은 그 행위가 완결된 순간을 지시하는 시간의 표지이다.
⑤ ㉡과 ㉢은 인물의 소망이 실현되어 가는 과정에 포함되는, ㉤은 인물의 소망이 좌절된 시간의 표지이다.

4. <보기>를 바탕으로 윗글을 감상한 내용으로 적절하지 않은 것은? [3점]

<보 기>

「최척전」에는 하나의 문제 상황이 해결되면 또 다른 문제가 확인되는 서사 구조가 나타나고 있다. 이 과정에서 도움을 주는 신이한 존재를 나타나게 하거나, 예언의 실현을 보여 주는 특이한 증거를 활용하거나, 문제 해결의 계기가 되는 소재를 제시하거나, 공간적 배경을 확장하여 다양한 국적의 사람들을 등장시키는 등의 서사적 장치들이 확인된다. 이러한 서사 구조와 다양한 서사적 장치는 독자가 이야기에 흥미를 가지고 그것을 자연스럽게 수용하는 데 기여한다.

① 옥영의 꿈에 나타난 '만복사의 부처'는, 옥영이 겪고 있는 현실적인 문제를 해결하는 데 도움을 주는 신이한 존재로서 역할을 한다고 볼 수 있겠군.
② 몽석의 몸에 나타난 '붉은 점'은, '사내아이'의 출생과 관련한 예언이 실제로 이루어졌음을 확인할 수 있는 특이한 증거로 활용된다고 볼 수 있겠군.
③ 최척이 '일본인 배에 이르러 조선말로 물'어보는 것과 '고국 사람을 만나'려 하는 것은, 서사 전개 과정에서 공간적 배경을 조선뿐 아니라 다른 나라로도 확장한 것과 관련이 있겠군.
④ 옥영이 들은 '피리 소리'는, 옥영이 최척을 떠올리게 하여 이별의 상황을 해결하는 계기가 되는 소재로 작용하고 있다고 볼 수 있겠군.
⑤ 최척과 옥영이 '소리를 지르며 끌어안'는 것은 문제의 해결에 따른 기쁨과, '눈물이 다하자 피가 흘러내'리는 것은 또 다른 문제 확인에 따른 인물의 불안감과 관련이 있겠군.

Ⅲ

7분 | 2022학년도 10월 학평 27~30번 | ★★☆ | 정답 028쪽

【5~8】 다음 글을 읽고 물음에 답하시오.

[앞부분의 줄거리] 원수는 서번과 서달을 물리치고 황성으로 돌아가던 중 단원사에서 모친과 경패 낭자를 상봉한다.

서로 그리워하던 이야기를 하나하나 이야기하고 모친을 모시고 중당에 좌정하여 서로 즐거움을 나누었다. 이때 부인 양 씨가 장도를 만지면서 말하였다.

[A] "내가 부친과 너를 생각하여 슬퍼하고 있을 때 어떤 두 여인이 절에 의탁하고자 하였는데, 그 모습과 사정이 나와 비슷하였기에 머리를 깎고 나와 스승과 제자가 되었느니라. 그런데 후원에서 애절하고 원망하는 듯한 울음소리가 나기에 위로하러 갔더니, 옷을 만지면서 슬퍼하고 있더구나. 괴이하게 여겨 물었더니, 낭군의 신표라 하기에 더욱 보자고 하여 받아 보았더니 나의 솜씨였고 너의 옷이었다. 마음에 너무 기쁘고 즐거웠으나 다른 사람들이 보기에도 진정으로 믿을 만한 표적이 있는가 생각해 보았단다. 그러다 네 부친이 절강의 장 도사에게 관상을 보이고 나서 생년월일시를 적어 비단 주머니에 넣어 옷깃 속에 넣어 두었던 것이 기억이 났단다. 이것을 믿을 만한 표식으로 여겨 사오 년을 서로 아껴 주고 위로해 주며 지냈느니라."

이것을 듣고 원수가 모친께 아뢰었다.

[B] "소자도 그때 도적이 데리고 가다가 중도에서 버렸기에 의탁할 곳이 없었는데, 마침 낭자의 부친이 데려다가 사랑하고 아껴 주시고 낭자와 백 년의 가연을 정해 주었습니다. 또 통판이 계시하신 대로 호 씨의 구박을 견디다가 결국 낭자와 이별하고 동서로 걸식하며 다녔습니다. 그러다 천행으로 서주의 왕 상서 댁에 의탁하여 왕 상서의 사환으로 지냈습니다. 그러고 나서 상서의 명으로 황성에 갔다가 천행으로 과거를 보아 장원 급제하여 한림학사를 지냈던 것입니다."

이어 서주에 내려가 왕 상서의 여식과 혼인한 이야기와 황성에 올라가 원천의 딸을 후궁으로 삼은 이야기를 부인과 낭자에게 말씀 드리니 ⓐ부인과 낭자가 이 말을 듣고 더욱 즐거워하였다.

원수가 다시 아뢰었다.

[C] "천자께서 명하시어 소자를 불러 이르시기를, '서번과 서달이 삼십육도 군장과 도모하여 대국을 침범하였노라. 너를 대사마 대원수로 삼으니, 이 사인검을 가지고 정병 팔십 만을 조발하여 번국을 소멸하여라.' 하셨습니다. 이에 소자가 한 번 전장에 나아가 서번과 서달, 삼십육도 군장을 모두 소멸하여 천은을 만분의 일이나마 갚고 돌아오다 서천관에 이르러 유숙하고 있을 때, 금산사 화주승이라 하는 노승이 꿈에 나타나 여남으로 가라고 하였습니다. 이에 여남에 이르렀는데 또 그 도사가 꿈에 나타나 단원사를 찾아가면 절로 부모와 낭자를 만날 것이라 하기에 이리로 온 것입니다."

이렇게 그간의 사연을 말씀드리니, ⓑ부인과 낭자가 이 말을 듣고 더욱 황제의 은혜에 감사드리고 도사의 신기함에 감복하였다.

(중략)

원수는 행군의 여정이 피곤하여 잠깐 졸았는데, 전날 밤중 꿈속에 나타났던 도사가 또 와서 이렇게 말하였다.

"원수는 부친을 눈앞에 두고 어찌 잠만 깊이 자십니까?"

그러고는 문득 사람이 보이지 않거늘, 깨어 보니 남가일몽이었다. ⓒ마음이 뒤숭숭하였으나 도사의 영감과 신기함은 탄복할 만하였기에, '도사의 은혜를 생각하면 갚을 길이 없구나.' 하면서 혹시라도 부친을 찾을까 하여 큰 잔치를 배설하여 각 도와 각 읍의 자사와 수령을 모두 청하였다.

자리를 정하고 즐기며 차례로 술잔을 권했는데, 부남은 남방의 대관이었기에 부남 태수가 오른쪽의 가장 높은 자리에 앉게 되었다. 잔이 두세 번 돌아간 뒤에 부남 태수가 눈을 들어 원수의 거동을 자세히 살펴보니, 선풍도골이어서 천상의 선관이 하강한 듯하였다. 그런데 조금도 즐거워하는 빛이 없었고 차고 있던 ㉠장도를 만지면서 슬퍼하는 듯하였다. 이를 보고 ⓓ부남 태수가 문득 풍운이 생각나 흐느끼며 생각하기를 '풍운도 살아 있다면 내가 주었던 장도를 만지면서 저렇듯이 슬퍼하지 않겠는가.' 하며 자세히 보니 원수의 장도가 풍운에게 채워 주었던 장도와 똑같았다. 이에 마음속으로 너무 놀라 자리에서 잠시 일어나 공경을 표하고 원수에게 물었다.

"원수가 차신 장도는 반드시 보검일 듯합니다. 황송하오나 한번 구경하고자 하옵니다."

원수가 이 말을 듣고 속으로 오히려 반기면서 장도를 끌러 주었다. ⓔ부남 태수가 자세히 보더니, '이것은 정녕 자식 풍운의 칼이로다.' 하고 눈물을 흘리며 슬퍼하였다. 원수가 이에 더욱 이상하게 여겨 물어 말하였다.

"태수는 이 칼을 보시고 어찌 슬퍼하며 흐느끼십니까?"

태수가 아뢰어 말하였다.

[D] "황공하오나 하관이 앞뒤의 내력을 이야기해 드리겠습니다. 저는 양 참군의 딸에게 장가를 들었습니다. 장인이신 양 참군의 부친 양 상서께서 대국으로 사신을 갔다가 연왕이 정표로 이 장도를 주었습니다. 그런 연고로 양 상서가 이 장도를 가지고 오셔서 대대로 전하는 물건으로 삼았습니다. 양 상서가 이 장도를 양 참군에게 전하였는데, 양 참군은 후사가 없고 따로 전할 데도 없어서 하관에게 주었습니다. 이 장도 이름은 연평검이니 하관이 매우 아끼던 것입니다. 제가 늦게야 한 아들을 낳았는데 용모가 비범하였기에 행여 단명할까 염려가 되어 절강의 도사에게 가 관상을 보았습니다. 그랬더니 열 살 이전에 부모와 이별할 것이라고 하기에 혹 이별하더라도 서로 잊지 않기 위해 장도를 자식에게 채우고 생년월일시를 써 비단 주머니에 넣어 두었습니다. 그 뒤에 난리가 났는데, 하관은 황명을 받아 가달을 치러 경사로 올라갔고, 처 양 씨가 아들을 데리고 집에 있었습니다. 하관이 가달을 평정하고 돌아오니 천자께서 하관에게 부남 태수를 제수하셨습니다. 이에 부남으로 내려올 때 고향에 들렀더니 집은 비었고 처는 간 데가 없었습니다. 어쩔 줄 모르고 사방으로 찾았으나 종적을 알 수 없어 홀로 부남에 도임하였습니다. 오늘날 원수가 차신 장도를 보니, 문득 자식이 생각나 슬픈 마음이 듭니다. 이 칼을 어디서 얻으셨습니까?"

원수가 이 말을 듣고 정신이 아득해졌다. 바로 그 주머니에서 ㉡생년월일시를 써 둔 유서를 내어 태수에게 드리고 땅에 엎드려 통곡하며 말하였다.

"소자가 불초자 풍운이로소이다."

그러고는 지극히 애통해하니, 태수가 정신을 차리고 그 유서를 받아 보니 과연 자신의 친필이 분명하였다.

– 작자 미상, 「장풍운전」 –

5. 윗글을 읽고 이해한 내용으로 적절한 것은?

① 부남 태수는 자신의 부인과 아들의 종적을 알지 못한 채로 부남에 부임했다.
② 양 씨는 낭자가 자신의 며느리임을 알고 나서 스승과 제자의 연을 맺었다.
③ 원수가 도적에게 잡혀 있을 때 낭자의 부친이 원수를 도적으로부터 구해 주었다.
④ 원수는 과거 시험을 보기 위한 목적으로 서주의 왕 상서 댁에 자신을 의탁했다.
⑤ 부남 태수는 원수의 기질과 풍채를 보고 원수가 자신과 닮은 점이 많다고 판단했다.

6. <보기>를 참고하여 [A]~[D]에 대해 이해한 내용으로 적절하지 않은 것은? [3점]

< 보 기 >

「장풍운전」은 가족이 헤어졌다가, 주인공이 입신양명하고 큰 공적을 세우는 데에 힘입어 가족이 다시 만남으로써 가문의 번영을 이루는 방향으로 서사가 전개되고 있다. 이 과정에서 인물들이 만나 나누는 대화를 통해 서사가 압축적으로 제시되고 있는데, 독자는 이를 통해 인물들이 헤어져 각자 겪은 일들, 인물들이 새롭게 맺은 관계 등에 대해 이해할 수 있다. 또한 독자는 인물들이 겪은 일들을 서로 연계하여 사건의 성격이나 전후 사정 등에 대해서도 파악할 수 있다.

① [A]에서 모친이 자신이 지은 원수의 옷을 낭군의 신표로 간직하고 있는 여인을 만났다고 했는데, [B]를 통해 원수가 그 여인과 연을 맺은 전후의 사정을 알 수 있어.
② [A]에서 원수의 부친이 절강의 장 도사에게 원수의 관상을 보였다고 했는데, [D]를 통해 부친이 원수의 관상을 보인 이유를 알 수 있어.
③ [B]에서 원수가 한림학사를 지냈다고 했는데, [C]를 통해 한림학사에서 대사마 대원수가 되어 가문의 번영을 가능하게 하는 큰 공적을 세웠음을 알 수 있어.
④ [B], [D]를 통해 원수와 부친의 이별이 두 사람에게 시련을 초래했지만 두 사람에게 조력자들을 만나 출세의 발판을 마련하는 기회를 제공해 주었음을 알 수 있어.
⑤ [C], [D]를 통해 전쟁이 원수가 가족과 헤어지는 계기가 되기도 했지만 원수가 가족과 재회하게 되는 노정에 오르는 데에도 영향을 미쳤음을 알 수 있어.

7. ㉠, ㉡에 대한 설명으로 가장 적절한 것은?

① ㉠은 인물들이 연민의 정서를 주고받는 수단이 되고 있다.
② ㉡은 인물 간의 갈등을 해소하려는 의지를 나타내고 있다.
③ ㉠과 달리 ㉡은 인물들에게 일어난 사건들의 비현실적 성격을 강화하고 있다.
④ ㉡과 달리 ㉠은 미래에 인물에게 일어날 일을 예고하고 있다.
⑤ ㉠, ㉡은 모두 인물들 간의 관계를 확인하는 증표가 되고 있다.

8. ⓐ~ⓔ를 통해 인물들의 심리와 태도를 추리했을 때 적절하지 않은 것은?

① ⓐ: 원수가 한림학사를 제수받은 이후의 행적을 모친과 낭자가 긍정적으로 여겼다.
② ⓑ: 원수의 모친과 낭자가 황제와 도사에게 고마운 마음을 느꼈다.
③ ⓒ: 원수가 자신의 꿈속에 나타난 도사를 신뢰했다.
④ ⓓ: 부남 태수가 자신의 아들에 대한 그리움을 느꼈다.
⑤ ⓔ: 부남 태수가 원수를 자신의 아들로 확신했다.

7분 | 2023학년도 9월 모평 18~21번 | ★★☆ | 정답 029쪽

[9~12] 다음 글을 읽고 물음에 답하시오.

이때 예부 상서 진량을 황제 가장 총애하시니 진량이 의기양양하고 교만 방자한지라, 정 상서 일찍 진량이 소인인 줄 알고 황제께 간하되 황제 종시 그렇지 않다 하심에, 진량이 이 일을 알고 정 상서를 해하려 하더라. 차시 황제의 탄생일이 되었는지라, ㉠ 마침 정 상서 병이 있어 상소하고 참석지 못하였더니 황제 만조백관더러 묻기를,

"정 상서의 병이 어떠하더뇨?"

하시고 사관을 보내려 하시니 진량이 나아가 왈,

"정 상서는 간악한 사람이라 그 병세를 신이 자세히 아옵니다. 상서가 요사이 황제께 조회하는 것이 다르옵고 신이 상서의 집에 가오니 상서의 말이 수상하옵더니 오늘 조회에 불참하오니 반드시 무슨 생각 있는 줄 아나이다."

황제 대경하여 처벌하려 하시거늘 중관이 아뢰길,

"정 상서의 죄 명백함이 없으니 어찌 벌로 다스리오리까?"

황제 듣지 않고 절강에 귀양을 정하시니 중관이 명을 듣고 정 상서의 집에 나아가 황명을 전하니, 상서 크게 울며,

"내 일찍 국은을 갚을까 하였더니 소인의 참언을 입어 이제 귀양을 가니 어찌 애달프지 않으리오."

하고 칼을 빼어 서안을 치며 말하기를,

"소인을 없애지 못하고 도리어 해를 입으니 누구를 원망하리오."

하며 눈물을 흘리니 부인은 애원 통도하고 친척 노복이 다 서러워하더라.

사관이 재촉 왈,

"㉡ 황명이 급하오니 수이 행장 차리소서."

정 상서가 일변 행장을 준비하여 부인더러 이르기를,

"나는 천만 의외에 귀양 가거니와 부인은 여아를 데리고 조상 제사를 받들어 길이 무탈하소서."

하고 즉시 발행할새, 모녀 가슴이 막혀 아무 말도 못하더라. 정 상서 여러 날 만에 귀양지에 이르니 절강 만호가 관사를 깨끗이 하고 정 상서를 머물게 하더라.

차설. 정 상서 적거한 후로 슬픔을 머금고 세월을 보내더니 석 달 만에 홀연 득병하여 마침내 세상을 영결하니 절강 만호 슬퍼 놀라 황제께 ⓐ 장계로 보고하고 부인께 기별하니라. 이때 부인과 정수정이 정 상서를 이별하고 눈물로 세월을 보내더니 일일 문득 시비 고하되,

"절강에서 사람이 왔나이다."

하거늘 부인이 급히 불러 물으니 답하기를,

"㉢ 정 상서께서 지난달 보름께 별세하셨나이다."

하는지라. 부인과 정수정 이 말을 듣고 한마디 소리를 내며 혼절하니 시비 등이 창황망조하여 약물로 급히 구함에 오랜 후에야 숨을 내쉬며 눈물이 비 오듯 하더라.

[중략 부분의 줄거리] 남장을 한 정수정은 장원 급제한 뒤 북적을 물리친다. 이후 황제에게 자신이 여성임을 밝히고 정혼자인 장연과 혼인한다. 호왕이 침공하자 정수정은 대원수, 장연은 중군장으로 출전한다.

㉣ 대원수 호왕에 승리하여 황성으로 향할새 강서 지경에 이르러 한복더러 묻기를,

"**진량의 귀양지가 여기서 얼마나 되는**가?"

"수십 리는 되나이다."

대원수 분부하되 철기를 거느려 결박하여 오라 하니 한복 등이 듣고 나는 듯이 가 바로 내실로 들어갈새 진량이 대경하여 연고를 묻거늘 한복이 칼을 들어 시종을 베고 군사를 호령하여 진량을 결박하여 본진으로 돌아와 대원수께 고하되, 대원수 이에 진량을 잡아들여 장하에 꿇리고 노기 대발하여 부친 모해하던 죄상을 문초하니 진량이 다만 살려 달라 빌거늘, 대원수 무사를 호령하여 빨리 베라 하니 이윽고 무사 진량의 머리를 드리거늘, 대원수 **제상을 차려 부친께 제사 지내**더라.

황제께 ⓑ 첩서를 올려 승전을 알리고, 중군장 장연을 기주로 보내고 대군을 지휘하여 경사로 향하여 여러 날 만에 궐하에 이르니, 황제 백관을 거느려 대원수를 맞아 치하하시고 좌각로 평북후를 봉하시니 대원수 사은하고 청주로 가니라.

차설. 장연이 기주에 이르러 모친 태부인 뵈옵고 전후사연을 고하되 태부인이 듣고 통분 왈,

"너를 길러 벼슬이 공후에 이르니 기쁨이 측량없던 차에 **전쟁터에서 부인에게 욕을 보고 돌아**올 줄 어찌 알았으리오."

장연의 다른 부인들인 원 부인과 공주가 아뢰기를,

"정수정 벼슬이 높으니 능히 제어치 못할 것이요, 저 사람 또한 대의를 알아 삼가 화목할 것이니 이제는 노하지 마소서."

태부인이 그렇게 여겨 이에 시녀를 정하여 서찰을 주어 청주로 보내니라. 이때 정수정은 전쟁에서 **장연 징계한 일로 심사 답답**하더니 시비 문득 아뢰되 기주 시녀 왔다 하거늘 불러들여 ㉤ 서찰을 본즉 태부인의 서찰이라. 기뻐 즉시 회답하여 보내고 익일에 행장 차려 갈새, 홍군 취삼으로 봉관 적의에 명월패 차고 수십 시녀를 거느려 성 밖에 나오니, 한복이 정수정을 **호위**하여 기주에 이르러 **태부인께 예**하고 두 부인으로 더불어 예필 좌정함에, 태부인이 지난 일에 조금도 거리낌이 없으니, 정수정 또한 태부인을 지성으로 섬기더라.

- 작자 미상, 「정수정전」 -

9. 윗글의 인물에 대한 이해로 적절하지 않은 것은?

① '황제'는 자신이 총애하는 사람의 말을 듣고 정 상서를 처벌하기로 결심한다.
② '증관'은 정 상서를 처벌하기에는 그 죄가 분명하지 않음을 황제에게 주장한다.
③ '정 상서'는 자신이 소인의 참언 때문에 뜻하지 않게 귀양을 가게 되었다고 생각한다.
④ '한복'은 대원수의 명령에 따라 진량의 귀양지로 가서 그의 죄를 묻고 처벌을 내린다.
⑤ '원 부인'과 '공주'는 정수정이 도리를 지켜 원만하게 지낼 것임을 내세워 태부인을 진정시킨다.

10. ㉠~㉤에 대한 이해로 적절하지 않은 것은?

① ㉠으로 진량에게는 정 상서를 모함할 기회가 생긴다.
② ㉡으로 정 상서는 비보가 전해질 것을 짐작하게 된다.
③ ㉢으로 부인과 정수정은 충격을 받고 정신을 잃게 된다.
④ ㉣로 정수정은 황제로부터 노고에 대한 보답을 받게 된다.
⑤ ㉤으로 정수정은 걱정을 덜며 떠날 채비를 하게 된다.

11. ⓐ, ⓑ에 대한 이해로 가장 적절한 것은?

① ⓐ는 자신의 귀양살이를 보고할 목적으로 작성되었다.
② ⓐ는 황제와의 갈등을 해결하기 위한 목적으로 작성되었다.
③ ⓑ는 호왕과 벌인 전쟁의 결과를 보고할 목적으로 작성되었다.
④ ⓑ는 황제를 직접 만나 보고하는 것을 피할 목적으로 작성되었다.
⑤ ⓐ와 ⓑ에 담긴 소식은 황제 외의 사람들에게는 알려지지 않았다.

12. <보기>를 참고하여 윗글을 감상한 내용으로 적절하지 않은 것은? [3점]

<보 기>

정수정은 국가적 위기를 해결하는 영웅이자, 부친의 원수를 갚는 효녀이고, 부녀자로서의 덕목을 지녀야 하는 장씨 가문의 여성이다. 정수정은 주어진 상황과 조건에 따라 세 역할 사이에서 갈등하기도 하지만, 결과적으로는 모든 역할에 충실하며 다양한 능력과 덕목을 갖춘 인물로 형상화된다.

① '진량의 귀양지가 여기서 얼마나 되는'지 묻는 '대원수'의 발언에서, '진량'을 찾아 부친의 한을 풀어 주려는 '정수정'의 효녀로서의 면모가 드러남을 알 수 있군.
② '제상을 차려 부친께 제사 지내'는 '대원수'의 모습에서, '정수정'은 부친의 원수를 갚는 효녀로서의 소임을 수행하여 죽은 부친의 넋을 위로하고 있음을 알 수 있군.
③ '장연'이 '전쟁터에서 부인에게 욕을 보고 돌아'왔다며 통분하는 '태부인'의 모습에서, '태부인'은 '정수정'이 아내의 역할보다 대원수의 역할을 중시한 것에 대해 못마땅해함을 알 수 있군.
④ '장연 징계한 일로 심사 답답'한 '정수정'의 모습에서, '정수정'은 군대를 통솔했던 국가적 영웅으로 돌아가고 싶어 함을 알 수 있군.
⑤ '한복'의 '호위'를 받으며 기주로 가서 '태부인께 예'하는 '정수정'의 모습에서, 국가적 영웅의 면모를 유지하는 '정수정'이 며느리로서의 역할도 수행함을 알 수 있군.

총 문항	문항				맞은 문항	문항			
개별 문항	1	2	3	4	5	6	7	8	9	10
채점										
개별 문항	11	12	13	14	15	16	17	18	19	20
채점										

7분 | 2022학년도 7월 학평 18~21번 | ★★☆ | 정답 030쪽

[1~4] 다음 글을 읽고 물음에 답하시오.

성운은 학녹을 데리고 광주로 향하여 가다가 윤승지 댁이 야간도주(夜間逃走)하였다는 말을 듣고 놀라 탄식하면서 말하기를,

"분명히 태후 유경만의 해를 입었구나!"

하였다.

계속해서 중원을 향하여 가다가 계량 월낙점이라 하는 주점에 들어가 쉬고 있는데, 그 주점 사람이 모두 탄식하며 말하기를,

"세상 천하에 불쌍한 사람도 많도다!"

하거늘 성운이 이상히 여겨 묻기를,

"어떤 사람이 그렇게도 불쌍한가?"

하니, 그 주점 사람이 말하기를,

[A] "황도에 진상서라 하는 사람이 강남으로 귀양 갔는데, 진상서는 귀양지에서 죽고 그 아들이 성묘 갔다가 붙들리어 황도로 올라갔다."

라고 하였다.

성운이 그 말을 듣고 대경질색(大驚窒塞)하여 물었다.

"언제쯤 이곳으로 지나갔느냐?"

그 사람이 말하기를,

"어제 날 저물 때에 이곳으로 지나갔습니다."

라고 답하였다.

성운이 어떻게 하더라도 그들을 따라가야겠다 싶어 학녹을 데리고 급히 좇아갔다. 일주일을 좇아 옹주 경수 물가에 이르렀다.

이때에 강남골 하인이 성운에게, 하인들이 진상서의 아들을 결박하여 가지고 방금 물을 건너갔다고 알려 주었다. 성운이 급히 좇아가 붙들고 보니, 결박된 사람이 누이인 성희의 모습과 비슷하였다. 정말로 성희인 줄은 알지 못하고 우선 마음이 편치 않아 급히 달려들어 결박한 것을 풀어 주었다.

그 하인이 호령하며,

"어떤 놈이기에 나라 죄인을 임의대로 풀어놓느냐?"

하면서 성운을 치려고 하자, 성운이 분개하여 칼을 빼 들고 그 하인의 머리를 베어 버렸다.

성운이 진소저 앞에 나아가니, 진소저와 연향은 정신이 아득하여 어떤 일이 일어났는지도 모르다가 정신을 겨우 차렸다. 진소저가 앞에 있는 사람을 보니 어릴 적 성운의 얼굴이 자라서도 명백하였다. 소저가 놀라 성운의 손을 잡고 대성통곡하면서 말하기를,

"네가 성운이냐, 아니냐? 내가 네 누이라! 네 어이 나를 찾아오며 네 어이 나를 모르느냐?"

하였다.

성운 또한 그 말을 듣고 연달아 방성통곡하며 말하기를,

"누님아, 누님아! 어쩐 일인가? 꿈인가! 생시인가? 또 멀고 먼 강남 길에 어찌 살아 오셨는가?"

실과 같은 목숨이 하늘에 도달하여 둘이 무수히 통곡하는데, 연향이 또한 반가운 마음을 이기지 못하여 성운의 소매를 잡고 슬피 통곡하니, 산천과 초목이 함께 슬퍼하는 듯하였다.

[중략 부분의 줄거리] 연나라가 침입하자, 황제에게 군사를 받은 유경만은 제대로 싸우지도 않고 항복한다. 진성운은 학녹과 전쟁에 참가하고, 순경과 호원도 함께 연나라에 맞서 싸운다.

그날 밤 백구십 리를 달려 상산 땅에 다다르니, 밤이 지나 새벽이 밝아 왔다. 성운과 순경이 백마산에 올라가 형세를 살펴보니, 연나라 군사가 평원광야에 빈 데 없이 가득하였다. 성운이 순경에게 말하기를,

"그대가 서편으로 쳐들어가면 나는 동편으로 쳐들어가리라."

하고는 말을 달려 적진 중에 들어가 적진 장졸을 헤치고 삼만여 겹 포위망 속으로 들어갔다.

이때 호원은 창을 들고 오는 창검을 막고 섰는데, 동편으로 뇌성벽력(雷聲霹靂) 같은 소리가 나더니 기치(旗幟)와 창검이 일시에 쓰러지고 제장과 군졸이 사면으로 분주하여 서로 밟혀 죽으며, 군마(軍馬)의 시끄러운 소리가 천지를 진동하였다.

문득 일원대장이 장창을 비껴들고 나타났다. 호원이 황망 중에 살펴보니 수기(手旗)에 글이 쓰였으되 '대장군 대원수 진성운'이라 하였다. 호원이 깜짝 놀라며 반겨 외쳤다.

"호원을 살려 주소서."

하니, 성운이 즉시 호원을 데리고 나가려 할 때, 문득 서편으로 풍진이 일어나더니 기치창검(旗幟槍劍)이 또 일시에 쓰러지며 일원대장이 들어왔다. 호원이 또 살펴보니 이는 순경이었다. 더욱 반가워하며,

"어찌 그리 더디 오는가?"

하였다. 성운과 순경이 장수 삼만여 겹을 헤치고 나와 백마산 위에 호원을 두고 다시 내려왔다. 성운과 순경이 말을 재촉하여 적진 중에 다시 들어 동서로 마구 치니, 순식간에 사백만 군졸을 거의 모두 죽였다. 월성덕이 장대(將臺)에서 보다가 망천탄식(望天歎息)해 말하기를,

"삼백만 군졸을 하루아침에 함몰(陷沒)시키고 무슨 면목으로 고국에 돌아가겠는가? 차라리 죽는 것이 낫겠다."

하고 칼을 들어 자결했다.

이에 공손걸과 유경만이 갈 바를 모르고 앉아 탄식하는데, 이때 성운과 순경이 장대에 올라 공손걸의 머리를 베어서는 깃대에 달고 군중을 호령하니, 남은 장수들이 흩어져 있는 군사를 거두어 와서 항복하였다. 성운이 다 죽이지 아니하고 예로 대접하니, 모든 적장과 군졸이 다 즐거워하는 소리가 천지를 진동하는 것 같았다.

성운이 또한 유경만을 잡아다가 앞에 꿇리고 죄를 낱낱이 말하면서,

"너는 어떻게 생긴 놈으로 간사하게 천자께 참소(譖訴)하여 내 부친을 무슨 탓으로 강남에 귀양 보내어 죽게 하였는가? 원수를 만분지일이라도 갚아야겠다."

라고 하였다.

– 작자 미상, 「진성운전」 –

1. 윗글의 서술상 특징으로 가장 적절한 것은?

① 시간의 역전을 통해 사건의 진상을 밝히고 있다.
② 외양 묘사를 통해 인물의 성격 변화를 보여 주고 있다.
③ 꿈과 현실의 교차를 통해 앞으로 일어날 일을 암시하고 있다.
④ 서술 시점의 변화를 통해 인물이 지닌 초월적 능력을 강조하고 있다.
⑤ 서술자의 개입을 통해 상황에 대한 주관적인 평가를 드러내고 있다.

2. 윗글을 이해한 내용으로 가장 적절한 것은?

① 진성운은 윤승지 댁의 불행이 유경만 때문이라고 확신하였다.
② 주점 사람은 중원으로 향하던 진성운의 목적을 알아차렸다.
③ 강남골 하인은 진성운을 보고 진상서의 아들임을 알아보았다.
④ 호원은 순경이 적진에 늦게 도착한 것에 대한 책임을 물었다.
⑤ 월성덕은 연나라 군대가 패배했다는 사실을 인정하지 않았다.

3. <보기>를 참고하여 윗글을 감상한 내용으로 적절하지 않은 것은? [3점]

<보 기>

「진성운전」은 진성운의 영웅적 일대기를 다룬 작품이다. 진성운은 어린 시절 가족과의 이산, 기아 등의 고난을 겪지만, 능력을 길러 위기에 처한 나라를 구한다. 또한 전쟁에서 승리하는 과정에서 아버지의 원수이자 나라를 배신한 적대자를 징계하기도 한다. 그리고 이 작품에는 주인공 외에 여러 영웅이 등장한다. 이들은 외적의 침입을 물리치기 위해 싸우는데, 위험에 처하면 서로 도우며 국난을 함께 극복해 나간다.

① 진성운과 순경이 연나라 군사를 함몰시키는 것을 보니, 전쟁을 승리로 이끄는 영웅들의 활약상을 확인할 수 있군.
② 진성운과 성희가 서로를 확인하며 통곡하는 것을 보니, 진성운이 어릴 때 가족 이산의 고통을 겪었음을 알 수 있군.
③ 진성운이 적들의 항복을 받고 유경만을 잡아 죄를 묻은 것을 보니, 국난을 극복하면서 개인적인 원한도 갚게 되었다고 할 수 있군.
④ 유경만이 연나라의 패배를 탄식하는 것을 보니, 진성운의 적대자인 유경만은 진상서를 참소한 것을 후회하고 있음을 알 수 있군.
⑤ 적진에 둘러싸인 호원이 진성운에게 살려 달라고 말하는 것을 보니, 위기에서 벗어나기 위해 다른 영웅에게 도움을 청하는 모습을 확인할 수 있군.

4. [A]에 대한 설명으로 가장 적절한 것은?

① 진성운이 위험에 처한 누이를 구하게 되는 계기가 된다.
② 연향이 숨겨둔 흔적을 진성운이 찾게 되는 이유가 된다.
③ 학녹이 진성운에게 자신의 능력을 드러내는 동기가 된다.
④ 떠돌던 진성운이 세상사에 관심을 가지게 된 원인이 된다.
⑤ 누이가 강남에서 겪은 일을 진성운이 재확인한 단서가 된다.

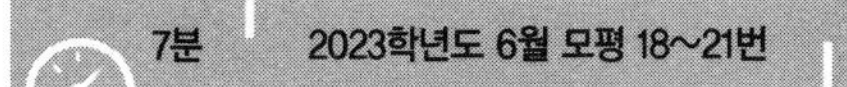
7분 | 2023학년도 6월 모평 18~21번 | ★☆☆ | 정답 031쪽

[5~8] 다음 글을 읽고 물음에 답하시오.

상서의 셋째 부인 여씨는 둘째 부인 석씨의 행실과 마음 씀이 매사 뛰어남을 보고 마음속에 불평하여 생각하되, '이 사람이 있으면 내게 상서의 총애가 오지 않으리라.' 하여 좋은 마음이 없더라. 날이 늦어져 모임이 흩어진 후 상서의 서모(庶母) 석파가 청운당에 오니 여씨가 말하길,

"석 부인은 실로 적강선녀라. 상공의 총애가 가볍지 않으리로다."

석파가 취해 실언함을 깨닫지 못하고 왈,

"석 부인은 비단 얼굴뿐 아니라 덕행을 겸비하여 시모이신 양 부인이 더욱 사랑하시나이다."

이때 석씨가 석파를 청하자 석파가 벽운당에 이르러 웃고 왈,

"나를 불러 무엇 하려 하느뇨? 내 석 부인이 받는 총애를 여 부인에게 자랑하였나이다."

석씨가 내키지 않아 하며 당부하되,

"㉠ 후일은 그런 말을 마소서."

하니, 석파 웃더라.

여씨의 거동이 점점 아름답지 않으나 양 부인과 상서는 내색하지 않더라. 일일은 상서가 문안 후 청운당에 가니 여씨 없고, 녹운당에 이르니 희미한 달빛 아래 여씨가 난간에 엎드려 화씨의 방을 엿듣는지라, 도로 청운당에 와 시녀로 하여금 청하니 여씨가 급히 돌아오니 상서가 정색하고 문 왈,

"부인은 깊은 밤에 어디 갔더뇨?"

여씨 답 왈,

"㉡ 문안 후 소 부인의 운취각에 갔더이다."

상서는 본래 사람을 지극한 도로 가르치는지라 책망하며 왈,

"부인이 여자의 행실을 전혀 모르는지라. 무릇 여자의 행세 하나하나 몹시 어려운지라. 어찌 깊은 밤에 분주히 다니리오? 더욱이 다른 부인의 방을 엿들음은 **금수의 행동**이라 전일 말한 사람이 있어도 전혀 믿지 않았더니 내 눈에 세 번 뵈니 비로소 그 말이 사실임을 알지라. 부인은 다시 이 행동을 말고 과실을 고쳐 나와 함께 늙어갈 일을 생각할지어다."

하며 기세가 엄숙하니, 여씨가 크게 부끄러워하더라.

이후 여씨 밤낮으로 생각하더니, 문득 옛날 강충이란 자가 저주로써 한 무제와 여 태자를 **이간**했던 일을 떠올리고, 저주의 말을 꾸며 취성전을 범하니 일이 치밀한지라 뉘 능히 알리오?

일일은 취성전에서 양 부인이 일찍 일어나 앉았으나 석씨가 마침 병이 나서 문안에 불참하매 시녀 계성에게 청소시키니, 계성이 짐짓 침상 아래를 쓸다가 갑자기 **봉한 것**을 얻어 내며,

"알지 못하겠도다. 누가 잃은 것인고? 필연 동료 중 잃은 것이니 임자를 찾아 주리라."

하고 스스로 혼잣말 하거늘 부인이 수상히 여겨 가져오라 하여 풀어 보니, **그 글**에 품은 한이 흉악하여 차마 보지 못할 바이러라. 필적이 산뜻하니 완연히 석씨의 것이라 크게 괴히 여겨 다시 보니 그 언사의 흉함이 차마 바로 보지 못할지라. 양 부인이 불을 가져다가 사르고 시녀들을 당부하여 왈,

"너희들이 이 일을 누설한즉 죽을죄를 당하리라."

좌우 시녀 듣고 송구하여 입을 봉하되, 홀로 계성은 누설치 못함을 조급해하고 양 부인은 이후 석씨와 자녀를 보나 내색하지

않더라.

[**중략 부분의 줄거리**] 석씨가 쫓겨난 후, 첫째 부인 화씨를 모함하려고 여씨가 여의개용단을 먹고 화씨로 둔갑해 나타나자, 상서는 친누나 소씨, 의남매 윤씨, 석파를 불러 모아 함께 실상을 밝히려 여씨의 심복을 찾는다.

시녀가 여씨 심복 미양을 가리켜 아뢰니, 상서가 미양을 잡아 내어 엄하게 조사하더라. 미양이 혼비백산하여 사실대로 고하고 두 가지 약을 내어 드리니, 소씨 등이 다투어 보고 웃되, 상서는 홀로 눈을 들어 보지 않으니 사악한 빛을 보지 않으려 함이라. 석파가 그중 **회면단**을 물에 풀어 두 화씨에게 나누어 주니 진짜 화씨 노기 가득하여 먹고 왈,

"약을 먹더라도 부모님 남긴 몸이 달리 되랴? 네 굳이 내 얼굴이 되고자 하니, 이 무슨 괴이한 생각으로 패악을 떨려 하느뇨?"

상서 왈,

"어지럽게 굴지 말라."

진짜 화씨는 회면단을 마시되 용모 변치 않더라. 상서가 또 여씨에게 권하니, 여씨 먹지 않거늘 윤씨 웃고 왈,

"아니 먹는 죄 의심되도다."

소씨 나아가 우김질로 들이붓더라. 여씨가 마지못하여 먹으니 화씨 변하여 여씨 되는지라. 좌우 사람들이 박장대소하더라. 상서 바야흐로 단정히 고쳐 앉으며 왈,

"군자 있는 곳에는 요사스러운 일이 없거늘 이 아우가 어질지 못하여 집안에 이런 변이 있으니 대장부 되어 아녀자를 거느리지 못하여 이런 행동거지 있으니 어찌 부끄럽지 않으리오. 석씨를 모함함도 여씨의 일이니 누님은 따져 물으소서."

석파가 먼저 나서며 미양을 붙들고 물으니 미양이 당초부터 여씨가 계교를 꾸몄던 일들을 낱낱이 말하더라. 소씨, 윤씨 두 사람이 웃으며 왈,

"이제 보건대, 당초 우리 의심이 그르지 않았도다."

석파가 몹시 좋아해 뛰면서 기쁨을 이기지 못하고, 여씨는 부끄러움을 이기지 못하여 움직이지 못하고, 화씨는 꾸짖기를 마지않더라. 날이 새어 취성전에 들어가 **어젯밤 일**을 일일이 아뢰더라. 양 부인이 놀라고 여씨를 불러 마루 아래에 꿇리고 벌주니 가장 엄숙하여 언어 명백하며 들음에 모골이 송연하더라. 이에 여씨를 내치고 계성과 미양 등을 엄히 다스리고 집안을 평정하더라.

- 작자 미상, 「소현성록」 -

5. 윗글에 대한 설명으로 가장 적절한 것은?

① 배경 묘사를 통해 인물의 성격 변화를 암시하고 있다.
② 독백을 반복하여 내적 갈등의 해결 과정을 드러내고 있다.
③ 과거와 현재를 교차하여 사건을 입체적으로 전개하고 있다.
④ 한 인물과 다른 인물들 간의 다면적 갈등 관계를 제시하고 있다.
⑤ 두 공간에서 동시에 일어나는 사건을 병렬적으로 배치하고 있다.

6. 윗글의 내용에 대한 이해로 적절하지 않은 것은?

① 석파는 집안사람들과 교류하며 집안일에 관여한다.
② 상서는 남의 말의 진위를 직접 확인하여 판단한다.
③ 여씨는 상서의 책망에도 부끄러워하지 않는다.
④ 양 부인은 권위를 지니고 가족과 시녀들을 통솔한다.
⑤ 소씨는 여씨를 압박하여 의혹을 해소하려 한다.

7. 맥락을 고려하여 ㉠과 ㉡을 이해한 내용으로 가장 적절한 것은?

① ㉠은 석파의 독선을 질책하는 말이고, ㉡은 상서의 오해를 증폭시키는 말이다.
② ㉠은 석파의 안전을 도모하기 위한 말이고, ㉡은 상서를 위험에 빠뜨리기 위한 말이다.
③ ㉠은 석파에 대한 호의를 표현하는 말이고, ㉡은 상서에 대한 불신을 표현하는 말이다.
④ ㉠은 석파의 경솔함을 염려하는 말이고, ㉡은 상서의 의심을 피하기 위해 한 말이다.
⑤ ㉠은 석파에게 얻은 정보를 불신하는 말이고, ㉡은 상서가 가진 정보를 몰라서 하는 말이다.

8. <보기>를 참고하여 윗글을 감상한 내용으로 적절하지 않은 것은? [3점]

<보 기>

음모 모티프는 인물이 욕망을 실현하기 위해 음모를 실행하는 이야기 단위이다. 음모의 진행 과정에 환상적 요소가 사용되기도 하고 조력자가 등장해 음모자를 돕기도 한다. 음모가 실행되면서 서사적 긴장이 고조되는데, 음모자의 욕망 실현이 지연되면 서사적 긴장은 일시적으로 이완된다. 이때 음모자가 또 다른 음모를 꾸미나 결국 음모의 실체가 드러나며 죄상에 따라 처벌된다.

① 여씨가 자신을 석씨와 견주고 양 부인과 석씨를 '이간'하려는 데서, 석씨와의 경쟁 관계를 의식한 여씨의 욕망에서 음모가 비롯됨을 알 수 있군.
② 여씨가 꾸민 '봉한 것'이 계성을 통해 양 부인에게 건네진 데서, 상하 관계에 있는 음모자와 조력자에 의해 서사적 긴장이 고조됨을 알 수 있군.
③ '그 글'이 불살라지고 시녀들의 누설이 금지된 데서, 양 부인에 의해 음모의 실행이 저지되어 서사적 긴장이 일시적으로 이완됨을 알 수 있군.
④ '회면단'을 먹고 여씨가 본래 모습으로 돌아오는 데서, 음모자가 욕망의 실현을 위해 준비한 환상적 요소가 음모의 실체를 드러내는 도구로 작용함을 알 수 있군.
⑤ 상서는 '금수의 행동'을 한 여씨를 교화하려 했지만 양 부인은 '어젯밤 일'로 여씨를 내친 데서, 처벌 방법을 두고 대립이 있음을 알 수 있군.

7분	2022학년도 4월 학평 31~34번	★★☆	정답 032쪽

[9~12] 다음 글을 읽고 물음에 답하시오.

진사는 **어떻게 해서든 살기 위해**서 경성 남산 밑과 연접한 곳에 한 채의 작은 초가에 거처하였다. 낮이면 남산에 밭 갈기 하고 밤이면 고인의 글을 상고하고 한가할 때는 한강에 고기를 낚아 노모에게 지극히 봉양하고, 심씨는 한결같이 품팔이로 시어머니에게 지극히 봉양하더니, 금년 같이 특별한 해에 궁춘(窮春)하여 월초에 팔십 노모 우연히 병을 얻어 진사가 천 가지 만 가지로 치료하고 하나님께 빌면서 노모 환후 쾌히 회복하시기를 발원하고, 부인은 좋은 약을 구해 시중을 들면서 회춘(回春)하시기를 하늘에 빌어 본들 하늘에 매겨진 수명을 어찌 인력으로 하겠는가.

불과 오륙칠 일 만에 세상을 떠나자, 진사는 머리맡에 앉아 통곡하고 심씨는 발치에서 통곡하니 곡성이 진동하였다. 어느 노비가 있어서 죽반을 권하며 어느 일가친척이 있어서 초종례(初終禮)를 염려해 주겠는가.

불과 삼일에 이르러 힘이 다하여 곡성도 내지 못하고 힘이 다하여 부부 엎어졌는데, 비몽사몽간에 부친이 이르되,

"너희들이 이러하다가 노모의 초상을 잘 치르지 못하면 불효를 면치 못하리라. 그리 말고 집안을 뒤져 보면 두 홉 양식이 있을 것이니, 죽이나 끓여 먹고 자학동 오홍 대감 댁을 찾아가면 자연히 구할 사람이 있을 것이라."

하시거늘,

진사 놀라 깨어 부인을 깨워 몽사(夢事)를 이야기하니, 부부의 꿈이 똑 같았다.

일어나 부엌에 가서 뒤져 보니 과연 두 홉이 있거늘, 갱죽을 끓여 먹고 진사가 부인에게 하는 말씀이,

"부인은 어머님 신체를 모시고 몸을 보전하소서. 몽사가 비록 허사이기는 하나, 이 죄인은 자학동으로 가 보리다. 만일 일가친척을 만나면 다행이겠지만, 그렇지 아니하면 죄인의 일신을 팔아서라도 **초종례**는 마쳐야 아니 하겠소."

심씨 대답하기를,

"첩도 함께 가겠습니다."

진사 크게 놀라서 말하기를,

"부인은 그렇게 해서는 안 됩니다. 구대 심 상서의 옛 따님이요 현재의 **전라 감사의 귀한 여식**으로서, 어찌 남의 집 **방비(房婢)**가 되려 하십니까. 죄인이 혼자 가겠습니다."

심씨가 대답하기를,

"해 가는 데 달이 가고 **부창부수(夫唱婦隨)**는 삼종(三從)의 떳떳한 바입니다. 임금이 욕되면 신하가 죽고 가장이 곤욕을 당하면 그 아내인들 곤욕을 면하리오. 부부는 한 몸이니 첩도 기어코 한가지로 하겠나이다."

심씨가 **가겠다고 하며 따라나**섰다. 진사가 마지못하여 밖에 나와 방문을 잠그고 부부 손을 이끌고 자학동을 찾아가니, 문밖에 수문(守門) 군사 많이 있었다.

군사를 대하여 말하기를,

"이 댁이 오홍 대감 댁입니까?"

군사가

"그렇다."

고 하니,

"잠깐 대감을 뵈옵고 신원(伸寃)할 말씀이 있사오니 통지하옵소서."

한 군사 통지하여 들라 하거늘, 진사 들어가 뜰아래 두 번 절하고 땅에 엎드렸다. 대감이 보시더니,

"너는 어느 뉘 댁 비복이냐?"

진사가 땅에 엎드려 아뢰기를,

[A] "소인은 전라도 남원에 거주하는 구대 진사 댁 비복이온대, 진사님 금년 같은 별연 궁춘에 팔십 노모님 초상을 당하시어, 미처 염습제구(殮襲諸具)를 준비하지 못하시어 소인 내외를 팔려고 하여 저희들이 왔나이다."

대감이 본래 적선하기를 좋아하는지라.

"너희 둘을 팔려고 한다면 얼마나 달라고 하던가?"

진사가 말하기를,

"오십 냥이면 넉넉히 된다고 합니다."

대감이 말하기를,

"너희들은 충노충비(忠奴忠婢)로구나."

하시고,

"다시 이것을 가지고 가서 네 상전의 초종(初終) 양례(兩禮)까지 치른 후에 와서 드난하라."

하시었다.

[중략 줄거리] 진사는 대감이 준 돈을 가지고 어머니의 상을 치르러 떠나고 부인은 대감의 집에 남아 노비로 지내며 고초를 겪다가 두 사람의 본래 신분이 밝혀진다.

대감은 그 길로 탑전에 들어가 땅에 엎드려 아뢰기를,

"소신이 천한 나이를 먹어서 조정에도 응당 추잡한 일만 할 것이니, 신은 집으로 물러가오리다."

전하께서 이 말을 들으시고 **옥루(玉淚)**를 흘리시고 가라사대,

"경이 무슨 추잡한 일이 있어서 **거짓 칭탈(稱頉)**을 하는고?"

하시니 대감이 다시 아뢰어 가로되,

"신이 어두워 전라도 남원에 거한 구대 진사 이태경을 몰라보고 천사(賤事)의 **노복**으로 몇 달 부렸사오니, 신의 **죄**를 조정에 전하시어 **국법**을 바르게 하옵소서."

전하가 말씀하시기를,

"경의 말을 짐이 전혀 모르겠구나."

하시매 대감이 다시 아뢰기를,

[B] "다름이 아니오라 태경이 금년의 별연 궁춘에 팔십 노모에 초상을 당하여 염습제구를 미처 준비하지 못하여 저의 내외에게 팔려온 것을, 신이 아득히 몰라보고 몇 달 부렸사옵니다. 신의 죄가 이만저만 아니오니, 이에 상달하나이다."

전하 들으시고 옥루를 흘리시고 말씀하시기를,

"태경의 효성은 짐도 몰랐거든 경이 어찌 알리오. 짐이 구중궁궐에 깊이 처하여 민간의 적자와 백성이 이같이 빈곤에 빠져 있어도 아득히 몰랐으니, 이는 경의 죄도 아니요 태경의 죄도 아니요, 이는 짐의 죄로다. 수원수구(誰怨誰咎)하리오."

하시었다.

상이 친히 황금 일천 량과 백금 일천 향과 향촉 이백 병과 백지 오백 동을 하사하시고 조상 부의금도 하사하시었다.

– 작자 미상, 「이태경전」 –

Ⅲ

9. 윗글의 서술상의 특징으로 가장 적절한 것은?

① 언어유희를 통해 인물의 성격을 비판하고 있다.
② 인물의 희화화를 통해 해학적 분위기를 형성하고 있다.
③ 서술자가 개입하여 상황에 대한 판단을 드러내고 있다.
④ 대화와 삽입된 노래를 통해 인물들의 심회를 나타내고 있다.
⑤ 장면 전환을 나타내는 상투어를 사용하여 내용을 전개하고 있다.

10. 몽사에 대한 설명으로 가장 적절한 것은?

① 꿈을 꾼 주체들에게 앞으로 일어날 일을 제시하고 있다.
② 꿈을 꾼 주체들에게 출생 내력을 요약하여 제시하고 있다.
③ 꿈을 꾼 주체들에게 자부심을 갖게 하는 역할을 하고 있다.
④ 꿈을 꾼 주체들에게 물아일체의 경지에 오르는 계기가 되고 있다.
⑤ 꿈을 꾼 주체들에게 서로의 생사 여부를 짐작하게 하는 징표를 제시하고 있다.

11. [A]와 [B]의 말하기 방식에 대한 설명으로 가장 적절한 것은?

① [A]는 갈등을 피하기 위해 상대를 비방하고 있고, [B]는 화해를 유도하기 위해 상대를 칭찬하고 있다.
② [A]는 상대의 호감을 얻기 위해 상대를 격려하고 있고, [B]는 사건을 해결하기 위해 상대에게 용기를 북돋워 주고 있다.
③ [A]는 자신의 손해를 줄이기 위해 상대의 요청을 거절하고 있고, [B]는 상대의 손해를 줄이기 위해 상대를 설득하고 있다.
④ [A]는 자신의 실망감을 전하기 위해 우회적으로 말하고 있고, [B]는 상대에게 원망을 전하기 위해 직설적으로 말하고 있다.
⑤ [A]는 자신의 목적을 달성하기 위해 거짓을 말하고 있고, [B]는 상대의 의문을 해소하기 위해 사건의 내용을 밝히고 있다.

12. <보기>를 참고하여 윗글을 감상한 내용으로 적절하지 않은 것은? [3점]

< 보 기 >

「이태경전」은 유교적 사상을 바탕으로 하는 조선 사회를 배경으로 한다. 유교 사상은 부모와 자식, 부부 사이 등의 관계뿐만 아니라 군왕을 중심으로 한 서로 다른 신분의 상하 관계에서 실천해야 할 윤리적 덕목을 기반으로 하는 질서로 구체화되었다. 경제적인 궁핍 등의 이유로 유교적 질서가 위협 받는 상황에서도 이를 지키고자 하는 의지가 표출되는 모습을 통해 유교적 질서가 당대의 이상적인 지배 질서였음이 드러난다.

① 진사가 '어떻게 해서든 살기 위해' 노력했으나 돈이 없어 '초종례'를 치르기 어려운 상황을 보니, 궁핍으로 인해 부모 자식 사이의 도리를 지키는 것에 곤란을 겪는 경우도 있었음을 알 수 있군.
② 심씨가 '전라 감사의 귀한 여식'임에도 '방비'가 되겠다는 모습을 보니, 자신의 본래 신분과 다른 신분이 되려 했던 경우가 있었음을 알 수 있군.
③ 심씨가 '부창부수'를 근거로 진사의 제안을 거절하고 함께 '가겠다고 하며 따라나'서는 것을 보니, 부부 사이의 관계에서 유교적 질서를 지키고자 하는 상황을 알 수 있군.
④ 임금이 '옥루'를 흘리며 대감에게 '거짓 칭탈'을 하는 이유를 묻는 것을 보니, 군신 간의 관계에서 경제적인 이유로 신하가 군왕에 대한 윤리적 덕목을 실천하지 않는 상황을 알 수 있군.
⑤ 대감이 이태경을 '노복'으로 부린 것을 '죄'라고 여겨 '국법'을 바르게 하라고 하는 모습을 보니, 신분 질서가 지켜지는 것을 바람직하게 여기는 사회상이 반영되어 있음을 알 수 있군.

총 문항				문항	맞은 문항					문항
개별 문항	1	2	3	4	5	6	7	8	9	10
채점										
개별 문항	11	12	13	14	15	16	17	18	19	20
채점										

7분 | 2022학년도 3월 학평 18~21번 | ★★★ | 정답 033쪽

[1~4] 다음 글을 읽고 물음에 답하시오.

일일은 할미 집에 온 다음 해 3월 보름에 할미는 술 팔러 가고, 낭자 홀로 초당에서 수를 놓고 있는데, **청조**가 날아와 매화 가지에 앉아 울거늘, 낭자가 왈,

"저 새도 나처럼 부모를 여의었는가? 어찌 혼자 우는가?"

하고 눈물을 흘리다가 홀연 졸더니, 그 새가 낭자에게 왈,

"낭자의 부모님이 저기 계시니, 저와 함께 가사이다."

하거늘, 낭자가 그 새를 따라 한 곳에 다다르니, 백옥 같은 연못 가운데 구슬로 대를 쌓고 그 위에 누각을 지었으되, 주춧돌과 기둥은 만호와 호박으로 만들었고 지붕은 유리로 이었는지라. 광채가 찬란하여 바로 보지 못할네라. 산호로 만든 현판에 금으로 '**요지**'라 쓰여 있었으니, 서왕모의 집일너라.

너무 으리으리하여 낭자가 들어가지 못하고 문밖에서 주저하더니, 문득 서쪽에서 오색구름이 일어나고 기이한 향내 진동하더니, 무수한 선관과 선녀들이 용도 타며 봉황도 타며 쌍쌍이 들어가고, 청운(青雲)이 어린 곳에 옥황상제께서 육룡이 모는 옥수레를 타고 오셨으며, 그 뒤에 서천 석가여래 오신다 하고 제천 제불과 삼태 칠성과 관음 나한과 보살이 시위하여 오되, 사방에서 풍류 소리 진동하니, 그 위엄 있고 엄숙한 행차와 거동이 일대 장관이더라. 이윽고 구름이 크게 일어나며 그 속에 백옥교자 탄 선녀가 백년화 한 가지를 꺾어 쥐고 단정히 앉아 있는데, 좌우에 무수한 선녀가 시위하여 오더니, 이는 ㉠ <u>월궁항아</u>의 행차러라. 항아가 숙향을 보고 왈,

"반갑다, 소아야! 인간 세상에서 고행을 얼마나 겪었는가? 나를 좇아 들어가 요지의 경치나 보고 가거라."

하거늘, 숙향이 항아를 따라 들어가니, 그 집 형상과 으리으리한 모습은 이루 말로 표현하기 어렵더라. 각양각색의 풍류 소리가 진동하는 가운데, 한 보살이 젊은 선관을 앞에 세우고 들어와 상제께 뵈오니, **상제 그 선관에게 이르시되,**

"태을아, 인간 재미 어떠하며, 소아를 만나 보았느냐?"

그 선관이 땅에 엎드려 무수히 사죄하더라.

항아가 옥황께 여쭈오되,

"소아가 네 번 죽을 액을 지나왔사오니 그만하옵셔 복록*을 정하소서."

상제 허락하셔서 여래에게 명하셔서 수명을 정하라 하시니, 여래 아뢰되,

"일흔 살을 정하나이다."

또 북두칠성에게 명하셔서 자손을 정하라 하시니, 칠성이 아뢰되,

"아들 형제와 딸 하나를 정하나이다."

또 남두칠성에게 명하셔서 복록을 정하라 하시니, 남두성이 아뢰되,

"두 아들은 정승이 되고, 딸은 황후가 되게 정하나이다."

상제 소아에게 명하셔서 ⓐ <u>반도 두 개와 계화(桂花) 한 가지</u>를 태을선군에게 주라 하시니, 소아가 상제 명을 받들어 한 손에 반도를 옥쟁반에 담아 들고, 한 손에 계화 한 가지를 가지고 내려와 태을선군에게 주니, 그 선관이 두 손으로 받으며 소아를 눈여겨보거늘, 소아가 부끄러워 돌아설 때 손에 낀 ⓑ <u>옥지환의 진주</u>가 계화에 걸려 떨어지거늘, 소아가 쥐고자 할 차에 벌써 그 선관이 쥐거늘, 소아가 부끄러워 돌아서서 들어가고자 할 때, 할미 들어와 낭자를 깨워 왈,

"봄날이 곤하거니와 무슨 낮잠을 그다지 오래 자는가?"

하며 깨우거늘, 소저 그 소리에 놀라 깨어 일어 앉으니, 요지의 풍경이 눈에 어른거리고, 천상의 풍류 소리가 귀에 쟁쟁하더라.

(중략)

3월 보름에 대성사에 올라가니, 몸이 곤하여 졸려 난간에 의지하여 잠깐 잠을 들었더니, 꿈에 **부처** 와 이르되,

"오늘 서왕모가 **요지**에서 잔치하니, 그대도 나를 좇아 구경이나 하자꾸나."

하거늘, 이선이 매우 기뻐 부처를 따라 한 곳에 다다르니, 선녀가 무수히 모여 분주하며, 기이한 화각(畫閣)과 빛나는 구름과 아름다운 향내는 이루 말로 표현하기 어렵더라. 부처 이선에게 손으로 가리키며 왈,

"북쪽 옥륜대 위에 높이 앉은 이는 옥황상제이시고, 그 뒤에는 삼태 칠성이 모든 별을 거느렸고, 동편 백옥교에는 석가여래 모든 부처를 거느리고 차례로 앉아 있으니, 내 먼저 들어가거든, 그대는 내 뒤를 좇아서 상제를 뵈온 후에 차례로 좌우에 있는 선관들에게 인사를 드리시게."

이선 왈,

"너무 으리으리하여 동서를 분별치 못할까 하나이다."

부처 웃고 소매 안에서 ⓒ <u>대추 같은 과일</u>을 주며 왈,

"이것을 먹으면 자연 알리라."

하거늘, 선이 받아먹으니, 전생에서 하던 일이 어제 같아, 모든 선관이 다 전의 친하던 벗일네라. 새로이 반가운 마음을 금치 못하여 부처께 사례하니, 부처 먼저 들어가거늘, 선이 뒤를 따라 들어가 상제께 큰절을 하고 모든 선관들에게 차례로 인사하니, 다 반겨하더라. **상제 전교*하시되,**

"태을아, 인간 재미 어떠하더냐? 네 소아를 만나보았느냐?"

선이 땅에 엎드려 사죄하더니, 상제 한 선녀를 명하셔서 반도 두 개와 계화 한 가지를 바치라 하시니, 이선이 땅에 엎드려 두 손으로 받으며 선녀를 얼핏 보니, 선녀 부끄러워 몸을 돌아설 때 손에 낀 옥지환의 진주가 계화에 걸려 선의 앞에 떨어지거늘, 가만히 한 손으로 쥐고 다시 희롱코자 하더니, 대성사 중들이 저녁 공양을 하기 위해 종을 치니, 그 소리에 놀라 깸에 요지의 풍경이 눈에 선하고 천상의 풍류 소리가 귀에 쟁쟁하며, 손에 진주가 분명 쥐어져 있거늘, 너무 신기하여 즉시 글을 지어 꿈속의 일을 기록하고, 부처께 하직한 후 집에 돌아오니라. 이후로는 부귀공명에 뜻이 없고, 오로지 소아만 생각하며 지내더라.

– 작자 미상, 「숙향전」 –

* 복록 : 복되고 영화로운 삶.
* 전교 : 임금의 명령을 내림.

1. 윗글을 읽고 알 수 있는 내용으로 적절하지 <u>않은</u> 것은?

① 이선은 요지에 다녀온 후 숙향을 보고 싶어 했다.
② 숙향은 부모와 만나고 싶은 마음에 청조를 따라갔다.
③ 숙향은 청조에 자신의 처지를 투영하며 슬픔을 느꼈다.
④ 숙향과 이선은 모두 서왕모 집의 규모에 압도됨을 느꼈다.
⑤ 이선은 마음이 석연치 않음에도 서왕모의 잔치에 참석했다.

2. ㉠에 대한 이해로 가장 적절한 것은?

① 숙향이 겪은 과거 사건들의 원인을 규명하고 있다.
② 숙향이 인간 세상에서 겪은 고행에 대해 알고 있다.
③ 숙향이 이선과 맺게 될 인연을 상제에게 설명하고 있다.
④ 숙향이 요지에서 겪을 일을 숙향에게 미리 알려 주고 있다.
⑤ 숙향이 태을선군을 이선으로 생각하도록 정보를 제공하고 있다.

3. ⓐ ~ ⓒ에 대한 설명으로 가장 적절한 것은?

① ⓐ는 인물이 꿈속에서 겪은 일을 실제 있었던 일로 믿는 증표가 되고 있다.
② ⓑ는 인물이 상대 인물에게 보인 수줍음이 완화되는 계기를 제공해 주고 있다.
③ ⓒ는 인물로 하여금 자신이 접하게 되는 주변 인물들을 알아볼 수 있게 해 주고 있다.
④ ⓐ, ⓑ는 모두 인물이 자신이 처한 상황의 어려움을 구체적으로 깨닫게 하고 있다.
⑤ ⓑ, ⓒ는 모두 인물이 상대 인물과의 인연을 마음에 품게 만들어 잊지 않도록 하고 있다.

4. <보기>를 참고하여 윗글을 감상한 내용으로 적절하지 <u>않은</u> 것은? [3점]

< 보 기 >

「숙향전」은 다양한 환상담으로 이루어져 있으며, 환상담의 구성에 여러 가지 서사적 전략이 활용되고 있다. 가령 동일한 시간에 특정한 한 공간에서 인물들이 각각 겪은 환상 체험을 제시하여 그 공간에서 일어난 일들을 서로 다른 입장에서 이해할 수 있게 함으로써 서사를 입체적으로 구성하고 있다. 이를 위해 서술자는 공통적인 서사 장치를 활용해 인물들이 비현실적 공간에 들고 나도록 하고 있으며, 인물들의 체험의 동일성이 나타나도록 진술하고, 인물들이 겪은 사건을 대응시키고 있다. 그리고 이러한 환상 체험은 현실 세계에서의 일들을 예고하는 기능도 수행하고 있다.

① 숙향이 '청조'를, 이선이 '부처'를 만나는 시·공간적 배경을 일치시키고 그 만남의 배경을 묘사함으로써 시·공간적 배경을 통해 환상 체험의 주요 사건을 암시하고 있군.
② 숙향과 이선이 환상 체험을 할 수 있는 공간으로 이동하는 데에 두 사람이 각자 잠드는 것을 서사적 장치로 활용함으로써 숙향과 이선의 환상 체험 간의 관련성을 높이고 있군.
③ 숙향과 이선이 공통적으로 '요지'에서 화려한 누각을 보고 향내를 맡은 것을 제시함으로써 특정한 한 공간에서 두 사람이 각각 겪은 체험의 동일성을 나타내고 있군.
④ '상제 그 선관에게 이르시되'라고 서술한 것을 '상제 전교하시되'로 서술함으로써 숙향이 관찰자의 입장에서 바라본 사건과 이선이 당사자로서 겪은 사건을 대응시키고 있군.
⑤ 숙향이 환상 체험하는 과정에서 상제에 의해 현실 세계에서의 숙향의 수명, 자손, 복록 등이 정해지도록 제시함으로써 환상 체험을 통해 현실 세계에서의 일들을 예고하고 있군.

7분 | 2022학년도 수능 28~31번 | ★★☆ | 정답 033쪽

【5~8】 다음 글을 읽고 물음에 답하시오.

이때 태보 궐문 밖으로 나오니 그제야 정신없어 기절하거늘 좌우 제신이며 일가 제족이 구완하여 겨우 인사 차려 좌우를 돌아보며 왈,

"이 몸이 명재경각(命在頃刻)이라. 어찌 살기를 바라리오. 군 등은 태보가 죽거든 죽기로써 간하여 왕비를 내치지 못하게 하옵소서."

한데 이때에 상소 중에 이름 올린 제원(諸員)이 모두 이로되,

[A] "그대는 죽기로써 간하다 어명을 입고 사경이 되었으나 우리도 역시 한 탓이로다. 막중한 충을 몰랐으니 무슨 낯이 있으리오. 일은 여럿이 참여하고 죄는 그대만 혼자 당하였으니 죄스럽고 민망하기 측량없노라."

무수히 위로하다가 형옥(刑獄)으로 전송하더라. 이튿날에 형조 판서 마지못하여 위계를 갖추고 대강 직계(直啓)로 올렸더니 상(上)이 보시고 다시 하교하사,

"금부로 가두라."

하시거늘 금부 옥졸이 옹위하여 **금부**에 이르니 만조백관이며 장안 백성이 구름 뫼듯 하더라. 이때에 생가 친척이며 양가 제족이 애연 돌탄하거늘 태보 위로 왈,

[B] "인명이오면 재천이옵거늘 설마 무죄로 죽어 청춘 원혼이 되리오마는 나의 뜻은 정한 지 오래되었는지라. 하늘이 무너지고 땅이 꺼져도 변할 길이 없사오니 이 몸이 죽거든 영천수 흐르는 물에 훨훨 씻어 다른 곳에는 묻지 말고 남산하에 묻어 주오면 죽은 혼백이라도 궐내를 향하여 우리 주상 심하에 복지하여 주야로 간하여 왕비를 다시 환궁하게 하올 것이니 아무리 죽은 사람의 말이라 하옵고 저버리지 마시며 부디 명심하소서."

금부에 수일 잡혀 갇혔더니, 상이 구태여 왕비는 내치시고 태보는 **진도**로 정배하라 하시니라.

[중략 부분의 줄거리] 박태보의 정배를 따라가려다 되돌아온 박태보의 부인은 꿈에서 남편을 만난다.

한림이 울어 왈,

"내 무죄하여 탕탕한 청천이 감동하사 사생풍진을 다 버리고 전고 충신을 따라 황성에로 구경 가나니, 슬프다! 부인은 기다리지 말고 만세 무양하옵소서."

하되, 부인이 대경 왈,

"어디를 가시며 기다리지 말라 하시니까? 한림은 그다지 독하시오. 첩도 한가지로 가사이다."

하며 한림의 소매를 잡고 못 가게 하니 한림이 왈,

"부인은 안심하소서. 구구한 사정을 어찌 잊으오리까? 일후 상봉할 날이 있으오리다."

하고 떨치고 나가거늘 부인 한림의 손을 잡고 따라가니 어떤 남자 십여 명이 의관을 정제하고 서 있거늘 겸연쩍어 방으로 들어앉으며 가만 보니 학발의관(鶴髮衣冠)을 갖춘 어린 제자 오륙 인이 분명하거늘 부인이 놀라 깨달으니 남가일몽이라.

부인이 몽사를 생각함에 심신이 산란하여 명월을 대하여

내념에

'분명 한림이 기사하였도다.'

시비를 데리고 몽사를 설화하더니 이미 동방이 밝았거늘 시부모 당하에 문안차로 나가니, **이화촌**에 개 짖으며 문밖에 울음소리 들리거늘 부인이 놀라 문을 열어 보니 한림의 하인 동일이라 하는 사람이 한림의 편지를 드리거늘 대감 부부와 부인이 망극하야 서로 붙들고 통곡하다가 기절하거늘 비복 등이 급히 구완하여 겨우 인사를 분별하는지라.

이때에 원근 제족과 만조백관이 다 조문 후에 장안 백성이 뉘 아니 낙루하리오. 이러구러 곡성이 진동하니 어찌 천신이 감동치 아니하리오. 그 편지를 떼어 보니 하였으되,

'불효자 태보는 두어 자 문안을 부모 전에 올리나이다. 천 리 원정에 가다가 **과천**의 관에서 신병과 심회가 울적하거늘 구천에 들어가오니, 사람의 죄 삼천을 정하였으되 불효한 죄가 제일이라 하였으니 삼천 수죄(首罪) 지었으나 국은을 또한 갚지 못하옵고 중로 고혼이 되어 구천에 돌아가는 자식을 생각지 마옵고 말년 귀체를 안보하시다가 만세 후에 부자지정을 만분지일이나 바라나이다.'

하였더라.

이날 대감이 판서 노복 등을 거느리고 즉시 과천으로 행할새, 장안 백성이 다 애연하며 구름 뫼듯 하더라. 대감과 판서 애통함이 측량없더라. 초종례로 극진히 한 후에 채단으로 염습하고 도로 집으로 옮겨와 장사를 지내니 일문이 애통함을 차마 못 볼러라.

각설, 이때에 상이 민 중전을 내치시고 태보를 정배 후, 자연 심신이 산란하여 밤이면 **성내 성외**를 미복으로 순행하시더니 일일은 **한 곳**에 다다르니 명월은 명랑한데 어떤 아이 오륙 인이 월색 희롱하며 노래하야 즐거워하거늘 상이 몸을 은신하시고 자세히 들으니 그 노래에 하였으되,

"저 달은 밝다마는 우리 주상은 불명하야 충신을 무슨 일로 천 리 원정에 내치시며, 무슨 일로 민 중전은 **외관**에 내치시고 군의신충 없었으니 이 부자자효 쓸데없다. 인심은 분명하건마는 국운이 말세 되어 백성도 못할 일을 국가에서 행하고 한심하고 가련하다. 사백 년 사직을 뉘라서 붙들랴. 이 애야, 저 애야. 홍망성쇠는 불관하다마는 당상 부모 모셨어라. **심산궁곡**에 들어가 초목으로 붓을 적시고, 금수로 벗을 삼아 세월을 보내다가 성군을 기다리자."

서로 비기며 애연히 가거늘 상이 그 노래를 들으시매 심신이 산란하여 그 아이들 성명을 묻고자 하시니 아이들이 달아나는지라 못내 애연하시며 곧 환궁하시니라.

- 작자 미상, 「박태보전」 -

5. 윗글의 내용에 대한 이해로 적절한 것은?

① 태보는 형옥에서 금부로 이송해 줄 것을 자청했다.
② 부인은 꿈에서 학발의관을 갖춘 사람들을 보고 놀라 꿈을 깼다.
③ 대감은 아들의 주검을 집으로 데려와 초종례를 극진히 지냈다.
④ 상은 노래의 내용을 알기 위해 아이들에게 이름이 무엇인지 물었다.
⑤ 형조 판서는 상의 명령대로 태보에 대한 조사 결과를 자세히 보고했다.

6. 윗글에 제시된 공간에 대한 설명으로 적절하지 않은 것은?

① '금부'는 임금이 권위를 실현하는 공간이고, '한 곳'은 임금이 권위를 내세우는 공간이다.
② '진도'는 임금에게 정배받은 태보가 향해야 하는 곳이고, '외관'은 임금에게 내쳐진 민 중전이 거처해야 하는 곳이다.
③ '이화촌'은 부인이 시부모에게 직접 문안하는 곳이자 태보가 하인을 보내 부모에게 문안하는 곳이다.
④ '과천'은 태보가 '진도'로 가는 경유지이자, 태보의 소식을 받은 대감이 '이화촌'을 떠나 향하는 지점이다.
⑤ '심산궁곡'은 '성내 성외'와 대비되어 임금을 피하려는 백성의 마음이 투영된 공간이다.

7. [A]와 [B]에 대한 설명으로 가장 적절한 것은?

① [A]에서 태보의 위기에 대해 책임을 통감하는 제원들의 탄식은, [B]에서 그 책임을 자신에게 돌리는 태보의 자책과 대비된다.
② [A]에서 태보가 받은 제원들의 위로는, [B]에서 삶을 도모하여 무죄를 소명하겠다는 태보의 결심으로 이어진다.
③ [A]에서 제원들이 칭송하는 태보의 강직함은, [B]에서 소신을 지키겠다고 하는 태보의 다짐에서 확인된다.
④ [A]에서 제원들 간의 갈등으로 인한 태보의 심리적 상처는, [B]에서 가족과의 만남을 통해 해소된다.
⑤ [A]에서 제원들의 말을 통해 드러난 태보의 후회는, [B]에서 가족들을 향한 태보의 말에서 반복된다.

8. <보기>를 참고하여 윗글을 감상한 내용으로 적절하지 않은 것은? [3점]

<보 기>

「박태보전」은 숙종 대의 실존 인물 박태보의 삶을 소설화한 작품이다. 이 작품에서 박태보는 임금의 부당함으로 드러나는 부도덕한 세계와의 대결에서 패배하여 숭고한 뜻을 이루지 못한다. 그럼에도 그는 가족과 국가에 윤리적 책무를 다하는 인물로 인정받음으로써 도덕적 영웅으로 고양된다. 이때 다양한 서사 장치들은 사건의 입체적 전개에 기여한다.

① 하늘이 태보를 무죄로 판명하여 전고 충신을 따르게 함을 몽사로 드러내어, 태보가 윤리적 명분 면에서 인정받은 도덕적 영웅임을 보여 주는군.
② 국은을 갚지 못하고 죽는다는 태보의 한탄을 편지로 제시하여, 태보가 임금을 올바른 길로 인도하려는 숭고한 뜻을 이루지 못하고 세계와의 대결에서 패배했음을 보여 주는군.
③ 만세 후에도 부자지정을 바라는 태보의 염원을 편지로 제시하여, 태보가 죽음에 이른 상황에서조차 부모에 대한 윤리적 책임을 다하려 한 인물임을 보여 주는군.
④ 주상이 밝은 달의 속성과 대비되는 불명한 인물임을 노래를 통해 제시하여, 백성들이 주상을 부도덕한 인물로 평가하여 신임하지 않았음을 보여 주는군.
⑤ 태보에 대한 민심을 편집자적 논평을 통해 반복적으로 나타내어, 태보가 기우는 국운을 회복한 영웅으로 추대되어 백성들의 지지를 받았음을 보여 주는군.

7분 | 2022학년도 9월 모평 18~21번 | ★☆☆ | 정답 034쪽

[9~12] 다음 글을 읽고 물음에 답하시오.

[**앞부분의 줄거리**] 제주도에 간 배 비장은 애랑의 유혹에 넘어가, 사람들에게 조롱을 받는다. 창피를 당한 배 비장은 서울로 돌아가려고 한다.

이때 배 비장은 떠나는 배가 어디 있나 물어보려고 무서움을 억지로 참고,

"ⓐ 여보게, 이 사람. 말씀 물어보세."

그 계집이 한참 물끄러미 보다가 대답도 아니 하고 고개를 돌리니, 배 비장 그중에도 분해서 목소리를 돋우어 다시 책망 겸 묻것다.

"ⓑ 이 사람, **양반이** 물으면 **어찌하여 대답이** 없노?"

"무슨 말이람나? 양반, 양반, 무슨 양반이야. 품행이 좋아야 양반이지. 양반이면 남녀유별 예의염치도 모르고 남의 여인네 발가벗고 일하는 데 와서 말이 무슨 말이며, 싸라기밥 먹고 병풍 뒤에서 낮잠 자다 왔습나? 초면에 반말이 무슨 반말이여? 참 듣기 싫군. 어서 가소. 오래지 아니하여 우리 집 남정네가 물속에서 전복 따 가지고 나오게 되면 큰 탈이 날 것이니, 어서 바삐 가시라구! 요사이 세력이 빨랫줄 같은 배 비장도 궤 속 귀신이 될 뻔한 일 못 들었습나?"

배 비장이 구식적 습관으로 **지방이라고 한 손 놓고 하대를** 하다가 그 말을 들어 보니, 부끄럽고 분한 마음이 앞서져서 혼잣말로 자탄을 하것다.

"허허 내가 금년 신수 불길하다! 우리 부모 만류할 제 오지나 말았더면 좋을 것을, 고집을 세우고 예 왔다가 경향에 유명한 웃음거리가 되고, 또 도처마다 망신을 당하니 섬이라는 데 참 사람 못 살 곳이로구!"

하며, 분한 마음에 그 계집과 다시 말싸움을 하고 싶지 않건마는, 해는 점점 서산에 걸치고 앞길은 **물을 사람이 없어** 함경도 문자로 '붙은 데 붙으라' 하는 말과 같이 '**사과나 하고 다시 물을 수밖에 없다.**' 하여, 말공대를 얼마쯤 올려 다시 수작을 하것다.

"ⓒ 여보시오, 내가 참 실수를 대단히 하였소. 이곳 풍속을 모르고."

"실수라 할 것이 왜 있사오리까? 그렇다 하는 말씀이지요. 그런데 당신은 어디로 가시는 양반이십니까?"

"네, 나는 지금 급한 일이 있어 서울을 갈 터인데, 어느 배가 서울로 가는지 그것을 좀 묻고자 그리하오."

"서울 양반이시면 무슨 일로 여기를 오셨으며, 또 성함은 뉘시오니까?"

"성명은 차차 아시지오마는, 내가 이곳에 볼일이 있어서 왔다가, 부모 병환 기별을 듣고 급히 가는 길인데, 가는 배가 없어 이처럼 애절이오."

"그러하면 가이없습니다. 서울로 가는 배는 어제저녁에 다 떠나고, 인제는 다시 사오 일을 기다려야 있겠습니다."

"그러하면 **이 노릇을 어찌하여야** 좋소?"

"참 딱한 일이올시다."

하더니,

"옳지! 가는 배 하나 있습니다. 그러나 그 배에서 행인을 잘 태울는지 모르겠소. 저기 저편 언덕 밑에 포장 치고 [조그마한 돛대 세운 배]에 가서 물어보시오. 그 배가 제주 성내에 사는 부인 한 분이 친정이 해남인데 급한 일이 있어 비싼 값을 주고 혼자 빌려 저녁 물에 떠난다더니, 참 떠나는지 알 수 없습니다."

배 비장이 그 말 듣고 좋아라고 허겁지겁 그 배로 뛰어가서 사공을 찾는다.

"ⓓ 어이, 뱃사공이 누구여?"

사공이 반말에 비위가 틀려,

"어! 사공은 왜 찾어?"

"말 좀 물어보면…."

"무슨 말?"

"그 배가 어디로 가는 배여?"

"물로 가는 배여."

원래 배 비장이 사공을 공손하게 대하기는 초라하고 '해라' 하자니 제 모양 보고 받을는지 몰라, **어정쩡하게** 말을 내놓다가 사공의 대답이 한층 더 올라가는 것을 보고, 한숨을 휘이 쉬며,

"허! 내가 그저 **춘몽을 못 깨고 또 실수**를 하였구나!"

어법을 고쳐 입맛이 썩 들어붙게,

"여보시오, ⓔ 노형이 이 배 임자시오?"

사공은 목낭청*의 혼이 씌었던지 그대로 좇아가며,

"그렇습니다. 내가 이 배 임자올시다."

"들으니까 노형 배가 오늘 떠나 해남으로 간다지요?"

"예, 오늘 저녁 물에 떠납니다."

"그러면 내가 서울 사는데 지금 가는 길이니 좀 타고 가옵시다."

"좋은 말씀이올시다마는 이 배가 행객 싣는 배가 아니옵고, 해남으로 가시는 부인 한 분이 혼자 빌려 가시는 터인즉, 사공의 임의로 다른 행객을 태울 수가 없습니다."

"그는 그러하겠소마는, 내가 부모 병환 급보를 듣고 급히 가는 길인데, 달리 가는 배는 없고 이 배가 간다 하니, 아무리 부인이 타신 터이라도 이러한 정세를 말씀하시고, 한편 이물 구석에 종용히 끼어 가게 하여 주시면 그 아니 적선이오?"

"당신 정경이 불쌍하오. 그러면 해 진 후에 다시 오시면, 부인 모르시게라도 슬며시 타고 가시게 하오리다."

- 작자 미상, 「배비장전」 -

* 목낭청 : 자기 주관 없이 응대하는 사람을 이르는 말.

9. 윗글의 내용에 대한 이해로 적절하지 않은 것은?

① '계집'은 '배 비장'의 문제점을 지적함으로써 양반답지 못한 태도에 대해 비판적 인식을 표출하고 있다.
② '배 비장'은 자신에게 이름을 묻는 '계집'의 질문에 즉답을 피함으로써 자신의 정체를 숨기고 있다.
③ '계집'은 '배 비장'에게 배편이 있을 수도 있다는 말을 건넴으로써 그가 궁금해했던 정보를 제공하고 있다.
④ '사공'은 '부인'의 허락 없이 임의로 다른 행객을 태울 수 없다고 말함으로써 낯선 이에 대한 경계심을 드러내고 있다.
⑤ '사공'은 '배 비장'의 다급한 상황을 듣고 해결책을 알려 줌으로써 상대방에 대한 연민의 감정을 보여 주고 있다.

10. ⓐ~ⓔ 중 '배 비장'이 상대의 기분을 풀어 주기 위해 사용한 표현으로만 짝지어진 것은?

① ⓐ, ⓑ ② ⓐ, ⓓ ③ ⓑ, ⓒ
④ ⓒ, ⓔ ⑤ ⓓ, ⓔ

11. [조그마한 돛대 세운 배]에 대한 이해로 가장 적절한 것은?

① 주인공이 부모의 병환 소식을 듣게 되는 공간이다.
② 주인공을 태우고 서울로 가기 위해 급히 준비되었다.
③ 주인공이 당일에 제주도를 떠나기 위해 타려는 대상이다.
④ 주인공이 경제적 보상까지 내세우며 타고자 하는 것이다.
⑤ 주인공이 행객들을 데리고 제주도를 떠나기 위해 타려 한다.

12. <보기>를 참고하여 윗글을 감상한 내용으로 적절하지 않은 것은? [3점]

<보 기>

「배비장전」에서 창피를 당해 제주도를 떠나려 했던 배 비장은 제주도에 남게 되고, 결말에 가서는 현감에 올라 사람들의 칭송을 받게 된다. 이와 같은 변화가 어떻게 가능했을까? 배 비장이 제주도를 떠나고자 할 때, 제주도 사람들의 도움을 받기 위해 자신이 서울 양반이라는 우월감을 버리고 그들을 존중하는 경험을 했기 때문이다. 이는 비록 불가피한 선택이었지만, 이 과정에서 그는 자신의 태도를 돌아보게 된다. 서울 양반의 경직된 관념에 변화가 일기 시작한 것이다.

① '양반이' 묻는데 '어찌하여 대답이' 없냐고 계집을 책망한 배 비장의 행위에서, 그가 자신의 신분에 대해 우월감을 갖고 있음을 알 수 있군.
② '지방이라고 한 손 놓고 하대를' 한 배 비장의 태도에서, 그가 서울에서 온 양반이라는 이유로 제주도 사람을 얕보고 있음을 알 수 있군.
③ '물을 사람이 없어' 계집에게 '사과나 하고 다시 물을 수밖에 없다'고 하는 배 비장의 생각에서, 그가 계집의 도움을 받기 위해 불가피한 선택을 했음을 알 수 있군.
④ '이 노릇을 어찌하여야' 좋겠냐고 묻는 배 비장의 모습에서, 그가 경직된 관념을 버리고 제주도 사람을 존중하는 방법을 고민하고 있음을 알 수 있군.
⑤ '어정쩡하게' 말하려다 '춘몽을 못 깨고 또 실수'했다고 한 배 비장의 발언에서, 그가 우월감을 가지고 있던 자신의 태도를 돌아보고 있음을 알 수 있군.

총 문항			문항	맞은 문항					문항
개별 문항	1	2	3	4	5	6	7	8	9	10
채점										
개별 문항	11	12	13	14	15	16	17	18	19	20
채점										

6분 | 2021학년도 수능 31~33번 | ★★☆ | 정답 035쪽

[1~3] 다음 글을 읽고 물음에 답하시오.

승상 나업은 딸 하나가 있었다. 재예(才藝)가 당대에 빼어났다. 아이는 이 말을 듣고 헌 옷으로 갈아입고 거울 고치는 장사라 속여 승상 집 앞에 가서 "거울 고치시오!"라 외쳤다. 소저는 이 말을 듣고 **거울**을 꺼내 유모에게 주어 보냈다. 소저는 유모 뒤를 따라 바깥문 안쪽까지 나가 문틈으로 엿보았다. 장사가 소저의 얼굴을 언뜻 보고 반해, 손에 쥐었던 **거울**을 일부러 떨어뜨려 깨뜨렸다. 유모가 놀라 화내며 때리자 장사가 울며 말했다.

"거울이 이미 깨졌거늘 때려 무엇 하세요? 저를 노비로 삼아 거울 값을 갚게 해 주세요."

유모가 들어가 이를 승상께 아뢰니 허락하였다. 승상은 그의 이름을 거울을 깨뜨린 노비라는 뜻으로 파경노(破鏡奴)라 짓고 말 먹이는 일을 시켰다. 말들은 저절로 살쪄 여윈 것이 하나도 없었다.

하루는 천상의 선관들이 구름처럼 몰려와 말 먹일 꼴을 다투어 그에게 주었다. 이에 파경노는 말들을 풀어놓고 누워만 있었다. 날이 저물어 말들이 파경노가 누워 있는 곳에 와 그를 향해 머리를 숙이며 늘어서자 보는 자마다 모두 기이하게 여겼다. 승상 부인은 이 말을 듣고 승상에게 말했다.

"파경노는 용모가 기이하고 탄복할 일이 많으니 필시 비범한 사람일 것입니다. 마부 일도, 천한 일도 맡기지 마세요."

승상이 옳게 여겨 그 말을 따랐다. 이전에 승상은 동산에 꽃과 나무를 많이 심었는데, 파경노에게 이를 기르게 했다. 이때부터 동산의 **화초**가 무성하며 조금도 시들지 않아, 봉황이 쌍쌍이 날아들어 꽃가지에 깃들었다.

열흘이 지났다. 파경노는 소저가 동산의 **꽃**을 보고 싶으나 파경노가 부끄러워 오지 못한다는 말을 들었다. 이에 파경노는 승상을 뵙고 말했다.

"제가 이곳에 온 지 여러 해 지났습니다. 한 번도 노모를 뵙지 못했으니, 노모를 뵙고 올 말미를 주십시오."

승상은 닷새를 주었다. 소저는 파경노가 귀향했다는 소식을 듣고 동산에 들어와 꽃을 보고,

"꽃이 난간 앞에서 웃는데 소리는 들리지 않네."라고 시를 지었다. 파경노는 꽃 사이에 숨어 있다가,

"새가 숲 아래서 우는데 눈물 보기 어렵네."라고 **시**로 화답했다. 소저가 부끄러워 얼굴을 붉히며 돌아갔다.

[**중략 부분 줄거리**] 중국 황제는 신라 왕에게 석함을 보내, 그 안에 있는 물건을 알아내 시를 지어 올리라 명한다. 신라 왕은 이를 해결하지 못하고 나업에게 과업을 넘긴다.

나업은 집으로 돌아와 석함을 안고 통곡했다. 파경노는 이 말을 듣고 사람들에게 왜 우는지를 물었다. 사람들이 모두 말해 주자, 자못 기쁨을 띠며 꽃가지를 꺾어 외청으로 갔다.

소저가 슬피 울다가 문득 벽에 걸린 **거울**에 비친 그림자를 보았다. 속으로 놀라 창틈으로 엿보니 파경노가 **꽃**을 들고 서 있었다. 소저가 이상히 여겨 묻자, 시치미를 떼며 말했다.

"그대가 이 꽃을 보고 싶다 하여 그대를 위해 가져 왔소. 시들기 전에 받아 보시오."

소저가 한숨을 크게 쉬니, 파경노가 위로하며 말했다.

"거울 속에 비친 이가 반드시 그대 근심을 없애 줄 것이오. 근심치 말고 꽃을 받으시오."

소저가 꽃을 받고 부끄러워하며 안으로 들어갔다.

얼마 뒤 소저는 파경노의 말을 괴이히 여겨 승상께 말했다.

"파경노가 비록 어리지만 재주가 남보다 뛰어나고, 신인(神人)의 기운이 있어 석함 속의 물건을 알아내어 **시**를 지을 수 있을 것입니다."

승상이 말했다.

"너는 어찌 쉽게 말하느냐? 만약 파경노가 할 수 있다면 나라의 이름난 선비 가운데 한 명도 시를 짓지 못해 이 석함을 나에게 맡겼겠느냐?"

소저가 말했다.

"뱁새는 비록 작지만 큰 새매를 살린다 합니다. 그가 비록 노둔하나 큰 재주를 지니고 있는지 어찌 알겠습니까?"

이어서 파경노가 걱정하지 말라고 했음을 고했다.

"만약 그가 시를 지을 수 없다면 어찌 그런 말을 냈겠습니까? 원컨대 그를 불러 시험 삼아 시를 짓게 하소서."

승상이 파경노를 불러 구슬리며 말했다.

"만약 이 석함 속의 물건을 알아내 시를 짓는다면 후한 상을 줄 것이며, 마땅히 네 뜻을 이루어 주겠다."

파경노가 거절하며 말했다.

"비록 후한 상을 준다 한들 제가 어찌 시를 짓겠습니까?"

소저가 이 말을 듣고 승상에게 말했다.

"살고 싶고 죽기 싫은 것이 인지상정입니다. 옛날에 어떤 이가 사형을 당하게 되었을 때, 그에게 '네가 만약 시를 짓는다면 내 마땅히 사면해 주겠다.' 했습니다. 그 사람은 무식한 이였으나 그 명을 따랐습니다. 하물며 파경노는 문학이 넉넉해 시를 지을 수 있지만 거짓으로 못하는 체하고 있습니다. 지금 아버님께서 그를 겁박하시면 어찌 삶을 좋아하고 죽음을 싫어하는 마음이 없어 복종치 않겠습니까?"

승상이 그럴듯하다 여기고 파경노를 불렀다.

- 작자 미상, 「최고운전」 -

1. 윗글의 서술상 특징으로 가장 적절한 것은?

① 시간의 역전을 통해 사건의 진상을 밝히고 있다.
② 서술자의 개입을 통해 사건의 전모를 밝히고 있다.
③ 인물의 희화화를 통해 사건의 반전 효과를 나타내고 있다.
④ 인물 간의 대화를 통해 사건 해결의 방안을 제시하고 있다.
⑤ 꿈과 현실의 교차를 통해 앞으로 일어날 사건을 암시하고 있다.

2. 윗글의 내용에 대한 이해로 적절하지 않은 것은?

① 유모에게 주어 보낸 '거울'은 아이가 소저의 얼굴을 보게 되는 계기를 만들고, 벽에 걸린 '거울'은 파경노가 소저에게 자신의 존재감을 드러내는 계기를 만든다.
② 깨뜨린 '거울'은 아이가 파경노라는 이름을 얻고 승상의 집안으로 들어가는 계기가 되고, 파경노가 관리한 동산의 '화초'는 승상 부인으로부터 인정받는 계기로 작용한다.
③ 동산의 '꽃'은 소저가 보고 싶었으나 파경노로 인해 접근하기 어렵게 된 대상이고, 파경노가 들고 서 있던 '꽃'은 소저에게 자신의 마음을 전달하기 위한 수단이다.
④ 동산에서 화답한 '시'는 파경노가 소저와 교감하기 위해 읊은 것이고, 석함 속 물건에 대한 '시'는 파경노가 해결할 수 있다고 소저가 기대하는 과제이다.
⑤ 석함 속 물건에 대한 '시'는 나업에게 슬픔을 유발하는 과업이지만, 파경노에게는 소저의 슬픔을 해소시켜 줄 수 있는 수단이다.

3. <보기>를 참고하여 윗글을 감상한 내용으로 적절하지 않은 것은? [3점]

> <보 기>
>
> 「최고운전」은 비범한 인물로서의 최치원을 형상화했다. 주인공은 문제 해결의 국면에서 치밀함, 기지, 당당함을 보인다. 또한 초월적 존재의 도움을 받으면서도 이에 전적으로 의존하지 않고 자신이 지닌 신이한 능력을 발휘하여 개인의 문제와 국가의 과제를 직접 해결한다. 이는 당대 독자들이 원했던 새로운 영웅상을 최치원에 투영하여 작품 속에서 구현한 것이다.

① 아이가 헌 옷으로 바꾸어 입고 거울 고치는 장사라 속이는 장면은 최치원이 치밀한 면모를 지닌 인물임을 보여 주는군.
② 파경노에게 선관들이 몰려와 말먹이를 가져다주는 장면은 최치원이 초월적 존재에게 도움을 받는 인물임을 보여 주는군.
③ 파경노가 기른 뒤로 화초가 시들지 않아 봉황이 날아드는 장면은 최치원이 신이한 능력을 지닌 인물임을 보여 주는군.
④ 파경노가 노모를 핑계 삼아 말미를 얻는 장면은 최치원이 원하는 바를 얻기 위해 기지를 발휘하는 인물임을 보여 주는군.
⑤ 파경노가 승상의 제안을 거절하는 장면은 최치원이 보상을 추구하기보다 스스로 국가의 과제를 해결하려는 당당한 인물임을 보여 주는군.

6분 | 2020학년도 10월 학평 43~45번 | ★★☆ | 정답 036쪽

[4~6] 다음 글을 읽고 물음에 답하시오.

> **[앞부분의 줄거리]** 명나라 양 부인에게 삼 형제가 있는데, 맏이 위윤은 현숙한 반씨를 아내로 맞아 아들 흥을 얻는다. 위진의 아내 채씨와 위준의 아내 맹씨가 반씨를 모해하자 양 부인이 채씨를 친정으로 보낸다. 채씨의 부친 채 승상은 이에 분노하여 위윤을 귀양 보내고, 양 부인은 채씨를 들이지 말라는 유언을 남기고 죽는다.

반씨가 시체를 붙들고 통곡 혼절하니, 흥이 대경하여 수족을 주무르며 약물을 드리오니 이윽고 진정하거늘, 흥이 위로 왈,

"모친은 진정하사 초상을 극진히 하소서."

반씨 망극한 중이나 그 말을 옳게 여겨 치상(治喪)할새, 문중이 모여 채씨에게 부고를 알릴 것을 의논하니, 위진이 왈,

"㉠ 채씨가 잘못함이 아니라 모친이 잠깐 노하여 보내 계시니, 무슨 일로 알리지 아니하리오."

하고, 즉시 시비를 불러 왈,

"채씨의 집에 가 **부고를 전하되 상복 입기 전에 오라** 하라. 그렇지 않으면 부부의 의를 끊으리라."

(중략)

차설, 위진이 크게 노하여 왈,

"반씨는 어떤 사람인데 **상중에 시비(是非)를 돋**우어 요란하게 하느뇨. **형님이 아니 계시어 내가 주장*할 것**이니, 두 번 이르지 말라."

하고 노복을 재촉하여 보내니, 흥이 죽은 양 부인의 옆에 엎드려 통곡하더니 큰 소리로 왈,

"숙부는 주장이 되었을 따름이거늘 초상 망극 중에 벌써 할머니의 유언을 저버리시니, 한갓 아내만 중히 여기사 저다지 노하시니, 소질*이 알 바는 아니로되, 금일 문중이 모두 다 공론이 여차한데도 구태여 유언을 저버리니, 이는 문중의 뜻에도 맞지 아니하오며 소질의 마음에도 불가하니이다."

반씨가 꾸짖어 왈,

"너는 조그만 아이라. 어찌 방자히 어른을 시비하리오."

위진이 크게 노하여 왈,

"이는 분명 너의 말이 아니라. 누구의 부탁을 듣고, 내 말이 여차여차하거든 너는 대답을 이리이리하라 한 것이 아니더냐. 너에게 기걸한 사람은 극한 요물이라. 너 혼자의 말이라면 어찌 이러하리오. 내 비록 유약하나 네 말대로 시행할까 보냐."

하니, 모든 친척이 칭찬 불이하더라.

흥이 숙부의 불측한 심사를 듣고 큰 소리로 왈,

"㉡ 아까 소질이 사뢴 바를 어른에게 배운 바라 하시니, 말씀이 옳사오면 따를 것이요, 비록 어른의 말이라도 부당하오면 따를 이유 없으니, 할머니의 상사를 당하였어도 부친이 삼천 리 밖에 계셔 상변(喪變)을 알지 못하시고 발상*도 못하오니, 비록 아니 계시나 **장자 장손이 발상함**은 예문(禮文)에 당당하옵거늘, 그는 의논치 아니하시니 누구와 더불어 대상* 하시나니이까. 금일 문중이 다 모였으니 결정하소서."

위진 형제 왈,

"㉢ 형님이 비록 귀양살이를 하고 있으나 죽지 아니하였고, 미처 부고를 알리지 못하였으나, 조그만 아이가 알 바가 아니라. 예문에 이상이라는 말이 없으니 불가하니라."

모든 사람이 왈,

"흥이 비록 어리나 소견에 이치가 있어 우리도 생각지 못한 일이거늘, 이 말이 가장 옳은지라. 바삐 대상하라."

위진 형제가 큰 소리로 노하여 왈,

"어찌 어린아이의 말로 인하여 상중 대사를 그릇되게 하리오. 우리는 예문대로 하리니 어찌 장자를 두고 대상하리오."
하고 일시에 피신하니, 문중이 상의하여 왈,
"상인(喪人)이 이제 우리를 피하니 더 있어 무엇하리오."
하고 상복 입는 것을 보지 아니하고 모두 귀가하니, 홍이 망극하여 실성통곡 왈,
"우리 집의 가세는 어찌 남과 다른고. ㉣ 숙부가 불의를 행하여 문중이 따로따로 흩어지니 무슨 아름다운 일이 있으리오."
말을 마치기 전에 채씨가 이르러 부인의 영위*에 곡하고 반씨를 보며 왈,
"나는 시댁에 득죄하여 본가에 있기로 존고*께 통신을 못하니 어찌 부끄럽지 아니하리오. 그대는 지극한 정성을 가지고 어찌 존고의 뒤를 따르지 아니하고 지금까지 부지하였느뇨. 그 사이 우애가 지극하여 저 나를 기다렸다 죽으려 하였느뇨. 지금도 참소와 아첨을 존고께 고하리잇고."
하고 욕설이 무수하니, 반씨가 분함을 겨우 참아 다만 대답하지 아니하더라.
채씨가 홍을 꾸짖어 왈,
"너는 황구소아*라. 무슨 일을 아는 척하고 우리를 원수로 지목하니, 네 그러면 **우리 일문을 다 삼킬 줄 아느냐**."
홍이 대답치 아니할 뿐이더라. 장례일을 당하니, 부인을 선산에 안장하고 집안을 정리할새 **집안 형세가 모두 채씨와 맹씨에게 돌아가**니, 두 사람이 주야로 남편을 미혹하게 하여 반씨 모자를 백 가지로 모해하니, 반씨가 홍을 불러 왈,
"㉤ 우리 모자가 이제 독수(毒手)를 면치 못할지니 미리 화를 피할 곳을 정하라."
하고, 인하여 양 부인 묘소에 초막(草幕)을 짓고 삼년상을 마친 후에, 다시 거취를 정하고자 하여, 이에 약간의 비복을 거느리고 조상을 모신 사당에 올라 통곡하고 **산중으로 들어**가니, 보는 사람들이 저마다 비창해 하지 않을 이 없더라.

– 작자 미상, 「반씨전」 –

* 주장 : 어떤 일을 책임지고 맡음. 또는 그런 사람.
* 소질 : 조카가 아저씨를 상대하여 자기를 낮추어 이르는 말.
* 발상 : 상례에서 초상난 것을 알림.
* 대상 : 장자가 없을 시 장손이 대신 상례를 주관함.
* 영위 : 상가에서 모시는 혼백이나 가주(假主)의 신위.
* 존고 : 시어머니를 높여 이르는 말.
* 황구소아 : 철없이 미숙한 사람을 낮잡아 이르는 말.

4. 윗글에 대한 이해로 가장 적절한 것은?

① 홍은 문중 사람들의 의견을 근거로 채씨에게 부고를 알리는 것에 반대했다.
② 채씨는 자신을 본가로 보낸 양 부인에게 지속적으로 사죄의 뜻을 전했다.
③ 반씨는 남편에게 부고를 전하지 않으려는 위진을 질책했다.
④ 문중 사람들은 위진에게 모친의 묘소를 정하도록 위임했다.
⑤ 위진은 위윤의 뜻에 따라 자신이 대상할 것을 주장했다.

5. ㉠~㉤에 대한 설명으로 적절하지 않은 것은?

① ㉠ : 과거의 사건에 대한 자신의 판단을 제시하며 자신이 하려는 행위의 정당성을 강조하고 있다.
② ㉡ : 다른 사람의 권위에 기대며 자신의 생각이 옳음을 강조하고 있다.
③ ㉢ : 현재 상황을 설명하며 상대방의 제안에 대해 무시하는 태도를 드러내고 있다.
④ ㉣ : 상대방의 행동을 평가하며 현재 상황에 대한 실망감을 드러내고 있다.
⑤ ㉤ : 앞으로의 일을 예측하며 행동의 방향을 제시하고 있다.

6. <보기>를 바탕으로 윗글을 감상한 내용으로 적절하지 않은 것은? [3점]

< 보 기 >

조선 후기 사대부 집안은 가문의 권위를 유지하기 위하여 장자 중심의 수직적 위계질서를 중시하였고, 가문의 중대사를 결정할 때에는 문중의 공론과 예문을 따르도록 했다. 특히 장자의 부재 시 장손이 아버지를 대신하는 대상을 행할 수 있다는 상례에는 이러한 위계질서가 잘 나타난다. 이 작품에는 장자의 부재 시에 상례가 발생한 상황에서 기존의 가권(家權)을 지키고자 하는 세력과, 가권을 차지하려는 욕망으로 이에 도전하는 세력 간의 갈등이 다양한 양상으로 드러난다.

① 위진이 채씨에게 '부고를 전하되 상복 입기 전에 오라'고 한 것에서, 위진이 모친의 유언에 담긴 수직적 위계질서를 따라 상례를 치르려 했음을 알 수 있군.
② 위진이 '상중에 시비를 돋'운다며 '형님이 아니 계시어 내가 주장할 것'이라고 말하는 것에서, 위진이 가권을 차지하는 데 반씨를 방해가 되는 존재로 인식하고 있음을 알 수 있군.
③ 홍이 예문을 근거로 '장자 장손이 발상함'을 주장하고 이에 대해 문중이 결정하도록 한 것에서, 홍이 예문과 문중의 공론을 통해 기존의 가권을 지키려고 했음을 알 수 있군.
④ 채씨가 '우리 일문을 다 삼킬 줄 아느냐'고 홍을 꾸짖는 것에서, 가권을 차지하려는 채씨의 욕망이 홍에 대한 적대감으로 나타난 것을 알 수 있군.
⑤ '집안 형세가 모두 채씨와 맹씨에게 돌아가'고, 반씨 모자가 '산중으로 들어'간 것에서, 가권을 둘러싼 갈등을 통해 가권이 위진 쪽으로 기울게 되었음을 알 수 있군.

6분 | 2021학년도 9월 모평 31~33번 | ★☆☆ | 정답 036쪽

【7~9】 다음 글을 읽고 물음에 답하시오.

심청이 왈,

"나는 이 동네 사람이러니, 우리 부친 앞을 못 봐 '공양미 삼백 석을 지성으로 불공하면 눈을 떠 보리라.' 하되 가난하여 장만할 길이 전혀 없어 내 몸을 팔려 하니 어떠하뇨?"

뱃사람들이 이 말을 듣고,

"효성이 지극하나 가련하다."

하며 허락하고, 즉시 쌀 삼백 석을 몽운사로 보내고,

"금년 삼월 십오 일에 배가 떠난다."

하고 가거늘 심청이 부친께,

"공양미 삼백 석을 이미 보냈으니 이제는 근심치 마옵소서."

심봉사 깜짝 놀라,

"너 그 말이 웬 말이냐?"

심청같이 타고난 효녀가 어찌 부친을 속이랴마는 어찌할 수 없는 형편이라 잠깐 ㉠거짓말로 속여 대답하길,

"장승상댁 노부인이 일전에 저를 수양딸로 삼으려 하셨으나 차마 허락지 아니하였는데, 지금 공양미 삼백 석을 주선할 길이 전혀 없어 이 사연을 노부인께 여쭌즉 쌀 삼백 석을 내어 주시기에 수양딸로 가기로 했나이다."

하니 심봉사 물색 모르고 이 말 반겨 듣고,

"그렇다면 고맙구나. 그 부인은 일국 재상의 부인이라 아마도 다르리라. 복이 많겠구나. 저러하기에 그 자제 삼 형제가 벼슬길에 나아갔으리라. 그러하나 양반의 자식으로 몸을 팔았단 말이 이상하다마는 장승상댁 수양딸로 팔린 거야 관계하랴. 언제 가느냐?"

"다음 달 보름에 데려간다 하더이다."

"어, 그 일 매우 잘 되었다."

심청이 그날부터 곰곰이 생각하니, **눈 어두운 백발 부친 영영 이별**하고 죽을 일과 사람이 세상에 나서 십오 세에 죽을 일이 정신이 아득하고 일에도 뜻이 없어 식음을 전폐하고 근심으로 지내더니 **다시금 생각**하되,

'엎질러진 물이요, 쏘아 놓은 화살이다.'

날이 점점 가까워 오니,

'**이러다간 안 되겠다. 내가 살았을 제** 부친 의복 빨래나 하리라.'

하고 춘추 의복 상침 겹것, 하절 의복 한삼 고이 박아 지어 들여놓고, 동절 의복 솜을 넣어 보에 싸서 농에 넣고, 청목으로 갓끈 접어 갓에 달아 벽에 걸고, 망건 꾸며 당줄 달아 걸어 두고, 행선 날을 세어 보니 하룻밤이 남은지라. 밤은 깊어 삼경인데 은하수 기울어졌다. 촛불을 대하여 두 무릎 마주 꿇고 머리를 숙이고 한숨을 길게 쉬니, 아무리 효녀라도 마음이 온전할쏘냐.

'아버지 버선이나 마지막으로 지으리라.'

하고 바늘에 실을 꿰어 드니 가슴이 답답하고 두 눈이 침침, 정신이 아득하여 하염없는 울음이 간장으로조차 솟아나니, 부친이 깰까 하여 크게 울지 못하고 흐느끼며 얼굴도 대어 보고 손발도 만져 본다.

(중략)

[A]
황후 반기시사 가까이 입시하라 하시니 상궁이 명을 받아 심봉사의 손을 끌어 별전으로 들어갈 새 심봉사 아무란 줄 모르고 겁을 내어 걸음을 못 이기어 별전에 들어가 계단 아래 섰으니 심 맹인의 얼굴은 몰라볼레라 백발은 소소하고 황후는 삼 년 용궁에서 지냈으니 부친의 얼굴이 가물가물하여 물으시길,

"처자 있으신가?"

심봉사 땅에 엎드려 눈물을 흘리면서,

"아무 연분에 상처하옵고 초칠일이 못 지나서 어미 잃은 딸 하나 있삽더니 눈 어두운 중에 어린 자식을 품에 품고 동냥젖을 얻어먹여 근근 길러 내어 점점 자라나니 효행이 출천하여 옛사람을 앞서더니 요망한 중이 와서 '공양미 삼백 석을 시주하오면 눈을 떠서 보리라.' 하니 신의 여식이 듣고 '**어찌 아비 눈 뜨리란 말을 듣고 그저 있으리오.**' 하고 달리 마련할 길이 전혀 없어 신도 모르게 남경 선인들에게 삼백 석에 몸을 팔아서 인당수에 제물이 되었으니 그때 십오 세라, 눈도 뜨지 못하고 **자식만 잃었사오니** 자식 팔아먹은 놈이 세상에 살아 쓸데없으니 죽여 주옵소서."

황후 들으시고 슬피 눈물 흘리시며 그 말씀을 자세히 들으심에 정녕 부친인 줄은 아시되 부자간 천륜에 어찌 그 말씀이 그치기를 기다리랴마는 자연 말을 만들자 하니 그런 것이었다. 그 말씀을 마치자 황후 버선발로 뛰어 내려와서 부친을 안고,

"아버지, 제가 그 심청이어요."

심봉사 깜짝 놀라,

"이게 웬 말이냐?"

하더니 어찌나 반갑던지 **뜻밖에 두 눈**에 딱지 떨어지는 소리가 나면서 두 눈이 활짝 밝았으니, 그 자리 맹인들이 심봉사 눈 뜨는 소리에 일시에 눈들이 '희번덕, 짝짝' 까치 새끼 밥 먹이는 소리 같더니, 뭇 소경이 천지 세상 보게 되니 맹인에게는 천지개벽이라.

- 작자 미상, 「심청전」 -

7. ㉠에 대한 이해로 적절하지 않은 것은?

① '심청'과 '뱃사람'의 대화 속에서, ㉠으로 감추려고 한 사건을 확인할 수 있다.

② '심청'이 ㉠을 결심할 때 드러나는 생각에서, '심청'이 불가피하게 ㉠을 선택했음을 알 수 있다.

③ ㉠을 전후하여 진행된 '심청'과 '심봉사'의 대화에서, ㉠에 등장하는 인물이 '심봉사'에게 낯설지 않은 존재임을 알 수 있다.

④ '심봉사'가 ㉠을 듣고 보인 반응에서, ㉠이 '심봉사'에게 의심 없이 받아들여졌음을 확인할 수 있다.

⑤ '심봉사'가 ㉠을 듣고 한 말에서, ㉠이 '심청'과 '심봉사' 사이의 갈등을 해소하는 단초가 됨을 알 수 있다.

8. [A]에 대한 설명으로 가장 적절한 것은?

① '황후'가 있는 별전에 '심봉사'가 들어가는 과정을 묘사함으로써 두 사람이 동일한 감정을 느끼고 있음을 보여 주고 있다.
② '심봉사'에게 가족에 관한 질문을 함으로써 '황후'가 '심봉사'의 정체를 확인할 수 있는 계기가 마련되고 있다.
③ '심봉사'가 부인과 일찍 사별하게 된 이유를 눈물을 흘리며 언급함으로써 '심봉사'의 기구한 삶이 드러나고 있다.
④ '심봉사'가 딸에게 그녀의 의지와는 무관한 선택을 강요함으로써 결국 영원히 이별하게 된 과정을 풀어내고 있다.
⑤ '심봉사'가 자신의 아버지임을 알아차린 '황후'가 '심봉사'의 발언이 끝나기 전에 자신이 딸임을 밝힘으로써 상봉의 기쁨을 강조하고 있다.

9. <보기>를 참고하여 윗글을 감상한 내용으로 적절하지 않은 것은? [3점]

<보 기>

「심청전」은 효의 실현 과정에서 다양한 양상의 모순적 상황이 발생한다. 심청이 효를 실천하기 위해 자기희생을 선택함으로써 정작 부친 곁에 남아 있지 못하게 되는 것은 심청의 효행으로 인한 모순적 상황이다. 그리고 심청의 자기희생의 목적이었던 부친의 개안(開眼)이 뒤늦게 실현되는 것은 결말의 지연을 위해 설정된 모순적 상황이라 할 수 있다. 이러한 모순적 상황들로 인해 결말은 보다 극적인 양상을 띠게 되고 심청의 효녀로서의 면모가 더욱 강조된다.

① 심청이 '눈 어두운 백발 부친'과의 '영영 이별'을 근심하면서도 이를 '다시금 생각'하는 것으로 보아, 심청은 자신의 효행으로 인한 모순적 상황을 염려하면서도 결국은 이를 수용하려 함을 알 수 있군.
② 심청이 '이러다간 안 되겠다'며 '내가 살았을 제' 할 일을 생각하는 것으로 보아, 심청은 자신의 효행으로 인한 모순적 상황을 걱정하며 이를 대비하고 있음을 알 수 있군.
③ 심청이 '어찌 아비 눈 뜨리란 말을 듣고 그저 있으리오'라고 말했다는 것으로 보아, 심청은 효행 그 자체보다는 효행으로 인한 모순적 상황을 걱정하고 있음을 알 수 있군.
④ 심봉사가 '자식만 잃었사오니'라고 말하는 것으로 보아, 심봉사는 결말의 지연을 위해 설정된 모순적 상황에 직면하여 자책하고 있음을 알 수 있군.
⑤ 심봉사가 심청과의 상봉으로 인해 '뜻밖에 두 눈'을 뜨게 되는 것으로 보아, 모순적 상황으로 인한 결말의 지연이 극적인 효과를 자아내고 있음을 알 수 있군.

총 문항				문항	맞은 문항					문항
개별 문항	1	2	3	4	5	6	7	8	9	10
채점										
개별 문항	11	12	13	14	15	16	17	18	19	20
채점										

Day 15 고전 산문

6분 | 2020학년도 7월 학평 25~27번 | ★★☆ | 정답 038쪽

【1~3】 다음 글을 읽고 물음에 답하시오.

이때 학공이 모친 슬하를 떠난 지 이미 십여 년이라. 노비 전답 문서를 매양 의복 속에 넣어 남이 몰라보게 하였더니, 그 문서를 신부가 알까 염려하여 그윽한 곳에 감추고 종종 가 보더니, 동지가 마침 그것을 보고 왈,

"거기다 무엇을 두고 저리 자주 보는고."

하고 즉시 가 보니 전대에 두루마리 뭉치가 있거늘, 가지고 저의 방에 들어가 떼어 보니 하였으되, '강주 홍천부 북면에 사는 김 낭청의 아들 학공'이라 하였거늘, 동지가 대경하여 이르되,

[A] "전일에 들으니 김 낭청 댁 종들이 낭청이 죽은 후 집의 가장이 없는 것을 보고 나쁜 마음을 먹어 여러 놈들이 그 집을 탈취하여 가지고 와서 사는지라, 주야로 들으니 그놈들이 말하기를 그 아들 학공을 잡아 죽여 후환을 없이 하자 하는 말을 들었더니 이리 될 줄 어찌 알았으리오."

하고 살펴보니 또 한 봉이 있거늘 자세히 보니 하나는 노비 전답 문서라. 동지가 대경하여 별선을 불러 왈,

"너희 둘을 보지 못하면 눈에 암암하여지더니, 이런 참혹한 일이 어디 있으리오."

하며 전후곡절을 말하니, 별선이 대경하고 낙루하며 왈,

"이 말이 만일 누설되면 낭군은 목숨을 잃을지라, 이 일을 어찌하면 좋으리이까, 부친은 이 말을 경솔히 누설치 마옵소서."

하더라.

이때 학공의 나이는 십팔 세요, 별선의 나이는 십육 세라. 부부가 흥락하여 주야로 즐겨하더니, 일일은 별선이 낭군께 문 왈,

"낭군은 본디 어디 살아 계시며 부형은 뉘라 하시나이까."

학공이 대 왈,

"조실부모한 고로 알지 못하노라."

하니, 별선이 또 문 왈,

"낭군이 홍천 북면촌에 사시던 김 낭청의 자제가 아니나이까."

학공이 변색 대 왈,

"이 말이 어인 말인고." / 하니 별선이 대 왈,

"첩에게 감추지 마옵소서." / 하고 저의 부친이 하시던 말씀을 자세히 말할 즈음에, 그 모 홍 씨가 딸의 방으로 놀러오다가 창 밖에서 들으니 여차여차하거늘, 이 말을 듣고 놀라 천방지방 달려와 호흡을 통치 못하다가 동지에게 왈,

"여아의 방에 갔다가 들으니 저의 내외 하는 말이 사위가 홍천부 북면에서 살던 김 낭청의 아들이라 하니 매우 수상하더이다."

동지가 크게 꾸짖어 왈,

"어디서 부당한 말을 듣고 옮기는다."

하고 별선을 불러 왈,

"너의 모친이 마침 네 방에 갔다가 너희들이 여차여차하는 말을 듣고 와서 나에게 이르니 어찌된 말이냐."

별선이 듣고 망극하여 왈,

"저희의 목숨은 부모님께 달렸사오니 불초한 자식을 보아 각별 조심하여 주옵소서."

학공이 이 말을 듣고 또 들어와 엎드리며 왈,

"복망 빙부께옵서는 널리 생각하사 이 말을 누설치 마옵소서. 만일 이 말이 누설되오면 불쌍한 인생이 살기 어렵사오니 깊이 통촉하옵소서."

하니, 동지가 학공의 손을 잡고 왈,

"장부가 아니로다. 어찌 대장부가 이만한 일을 두려워하리오. 내 어찌 이 말을 누설하리오. 조금도 염려치 말라."

하니, 학공이 수심을 덜고 방으로 돌아오니라.

수삼 삭이 되도록 아무 일이 없더니, 하루는 홍 씨가 술을 대취하게 먹고 저의 동류에게 이 말을 하였더니, 차차 옮기어 한 사람이 알고 두 사람이 알아 촌중에 자자하여, 의논이 분분하여 죽일 묘책을 의논하니 학공이 어찌 살기를 바라리오.

[중략 부분 줄거리] 학공은 별선의 희생으로 계도섬을 탈출한 후 아버지의 죽마고우인 황 승상의 양자가 되어 과거에 급제하고 자사가 되어 계도섬으로 돌아온다.

자사가 들어가며 좌우 산천을 바라보니, 산도 예 보던 산이오, 물도 예 보던 물이고, 수목도 예 보던 수목이라. 슬프다. 옛일을 생각하니 비회를 측량하지 못할러라. 자사가 감색을 불러 자사 왈,

"내 이 섬을 구경코자 와 보니, 섬은 절승지요, 또한 폐치 못할 섬이로다. 그러하나 인총(人叢)이 적으니, 온갖 구실과 전세를 탕감하여 백성이 모여 살게 하도록 나라에 장계했으니 그리들 알라."

하니, 그곳 백성들이 분부를 듣고 여쭙되,

"태산 같은 덕택으로 안접(安接)*하게 해 주옵소서."

하더라. 자사 왈,

"너희들은 하나도 떠나지 말고 안접하라."

하고, 물가에 나와 배를 타고 떠나니 그놈들이 손 모아 축수하더라. 자사가 '원수를 갚을 비계를 얻으니, 어찌 즐겁지 아니하리오'하고, 육지에 다다르니, 각 읍 군마와 대선이 다 등대했더라. 자사가 기뻐 즉시 이 뜻으로 천자께 아뢰고, 황 승상과 임 감사에게 서간을 보내고, 도로 회정하여 섬으로 들어가더라.

이때 그놈들이 자사의 말씀을 곧이듣고 양양자득(揚揚自得)하여 지내더니, 자사 다시 들어오신다 하거늘 더욱 기뻐하여 강두에 나와 맞으며 좋아하더라.

자사가 들어갈 제 군졸더러 분부하여 왈,

"내가 이 섬을 포상하고자 하여 뜻을 나라에 아뢰었더니, 교지에 '다시 들어가 백성을 안무하라' 하시기로 내 다시 왔다. 별로 분부할 말이 있으니, 너희는 가동주졸(街童走卒) 할 것 없이 하나도 빠지지 말고 일제히 대령하여 영을 들으라."

이놈들이 모두 기뻐하여 남녀노소 가동주졸 할 것 없이 모두 다 모였는지라. 자사 장대에 높이 올라 방포 일성에 백기를 휘두르니, 억만 군병이 일시에 응답하고 둘러싸는지라. 기치창검은 일월을 희롱하고, 고각함성은 천지에 진동하더라.

자사가 그제야 완완히 나서며 모인 중에 분부하여 왈,

"타동 백성이 이 중에 있거든 좌편으로 앉으라."

하고, 또 별선의 아비 내외도 좌편으로 가라 영을 내리시고, 그 남은 수를 살펴보니 부지기수라. 자사가 호통하여 말하기를

[B] "너희들은 나를 모르느냐? 나는 강주 홍천부 북면에서 살던 김 낭청의 아들 학공이다. 너희는 무슨 원수로 나의 부모 동생을 다 죽이고자 하고, 나도 마저 죽이려 했더냐? 애매한 별선이만 죽인 것을 아느냐? 내 이제 부모 동생과 별선의 원

└ 수를 갚고자 하여 들어왔으니, 너희는 내 손에 죽어 보라."
그놈들이 이 말을 들으매 대경실색하여 아니 떠는 놈이 없더라. 함정에 든 범이요 그물에 든 고기라 어찌 도망키를 바라리요. 속절없이 학공의 손에 일조에 함몰하나니라.

– 작자 미상, 「김학공전」

* 안접 : 편안히 마음을 먹고 머물러 삶.

1. 윗글의 내용에 대한 이해로 적절하지 않은 것은?

① 동지는 학공이 지닌 두루마리 뭉치를 통해 김 낭청 댁 종들이 학공의 집을 탈취하고 섬에 와 살고 있음을 알게 되었다.
② 학공이 김 낭청의 아들이라는 사실을 별선은 동지를 통해, 홍 씨는 학공 내외가 하는 말을 통해 알게 되었다.
③ 학공은 자신이 계도섬에 온 목적을 감추기 위해, 감색에게 계도섬을 구경하러 왔다고 말했다.
④ 계도섬 사람들은 자사가 학공이라는 것을 알아차리지 못하고 학공이 육지로 배를 타고 떠날 때 축수했다.
⑤ 학공은 계도섬의 백성들을 모두 모이게 한 후에 무고한 백성은 좌편에 앉게 해 그들이 희생을 당하지 않도록 했다.

2. [A], [B]에 대한 설명으로 가장 적절한 것은?

① [A]는 과거의 기억을 떠올리며, [B]는 현재의 상황을 언급하며 상대를 걱정하고 있다.
② [A]는 자신이 직접 경험한 일을, [B]는 자신이 전해들은 이야기를 요약하여 전달하고 있다.
③ [A]는 자책하는 독백을 통해, [B]는 타인을 원망하는 말을 통해 자신의 처지를 하소연하고 있다.
④ [A]는 인물이 처한 상황을 부각하기 위해, [B]는 상대를 질책하기 위해 물음의 방식을 활용하고 있다.
⑤ [A]는 앞으로 닥치게 될 고난을 암시하고 있고, [B]는 고난을 극복하기 위한 대응 방안을 제시하고 있다.

3. <보기>를 참고하여 윗글을 감상한 내용으로 적절하지 않은 것은? [3점]

<보 기>

이 작품은 반란을 일으킨 노비와 주인 사이의 대립과 갈등을 다룬 소설로, 조선 후기 절대적이라고 여겨졌던 신분제가 동요되고 해체되는 혼란스러운 시대 상황을 반영하여 하층민의 신분 상승 욕구와 봉건적 질서를 수호하려는 양반층의 의지가 드러나 있다. 이 작품에서 노비와 주인의 갈등은 아래와 같이 진행되고 있다.

1차 갈등		2차 갈등		3차 갈등
배반한 노비 ⇕ 주인 가족	→	강성해진 노비 ⇕ 학공	→	권력을 얻은 학공 ⇕ 노비

① '김 낭청 댁 종들'이 주인댁 가장이 없는 상황을 기회로 학공을 죽이려 하고 재산을 탈취한 것은 주인과 노비의 관계를 절대적이라고 여기지 않았기 때문이겠군.
② '김 낭청 댁 종들'이 학공의 정체를 알게 된 후 죽일 계책을 의논한 것은 학공의 존재가 자신들의 신분상에 위협이 된다고 보았기 때문이겠군.
③ 학공이 계도섬에 '전세를 탕감하여 백성이 모여 살게 하도록' 나라에 요청했다고 말한 것에서 봉건적 질서를 깨뜨리려는 학공의 모습을 확인할 수 있군.
④ 계도섬을 탈출했던 학공이 자사가 되어 권력을 얻게 된 것은 '김 낭청 댁 종들'과 학공 사이의 갈등 관계를 반전시키는 계기로 작용하는군.
⑤ 계도섬에 돌아온 학공이 노비들을 '일조에 함몰'한 것은 개인적으로는 복수이면서 동시에 신분 질서를 회복하려는 양반층의 생각이 반영된 것이라 볼 수 있겠군.

7분	2020학년도 3월 학평 39~42번	★★☆	정답 038쪽

【4~7】 다음 글을 읽고 물음에 답하시오.

이때 한림이 인향의 오라비인 인형과 같이 인형의 집으로 돌아와 인형에게 이르되,

"인향 소저 나와 백년가약을 맺었으니 필연 나를 위하여 의복을 지어 두었을 것이니 들어가 찾아보리라."

하니 인형이 즉시 누이가 있던 방에 들어가 세간을 열고 보니 과연 비단 의복이 겹겹이 있는지라. 인형이 일장통곡하다가 가지고 나와 한림께 드리니, 한림이 의복을 받아 보고 더욱 슬픔을 견디지 못하여 눈물이 옷깃을 적시더라. 수품 제도를 자세히 살펴보고 칭찬 왈,

"아깝도다, 이 재주를 어디 가서 다시 볼꼬."

하며 탄식하다가 인형을 작별하고 집으로 돌아오니라. 한림이 저녁을 먹은 후 노곤하므로 일찍 취침하더니, 비몽사몽간에 인향 소저 소매로 낯을 가리고 한림 앞에 와 재배하고 여쭈오되,

"한림은 나를 모르시나이까. 첩은 다른 사람이 아니오라 심천동에 가서 죽은 인향의 혼백이로소이다. 가련한 혼백이 의지할 곳도 없고 위로하여 줄 사람도 없사와 슬픔을 이기지 못하였삽더니 천만에 한림의 덕택으로 축문까지 읽어 주시고 원혼을 위로하여 주시니 귀신이라도 어찌 그 은혜를 모르오리까. 제문에 하시기를 죽은 귀신이라도 한림 댁 귀신이라 하시오니 그 은혜를 어찌 다 측량하오며 하해 같은 덕택을 입사와, 첩이 전생의 죄 중하여 일찍 모친을 이별하고 계모의 누명을 애매히 쓰고 죽사와 철천지한을 설원할 길이 없삽더니 명찰하신 성주님을 만나 원수를 갚삽고 또한 한림이 금의환향하사 원혼을 위로하여 주시었사오니 이제는 한이 없는지라. 한림은 저를 재생코자 하시거든 하늘께 축수하와 금생 연분을 이루게 하옵소서. 첩의 모친은 옥황상제께 상소하시었삽고 첩은 염라대왕께 발원하였사오니, 한림은 진심으로 하옵소서."

하며 눈물을 흘리고 나가거늘 한림이 언덕에 미끄러져서 깨니 ㉠ 꿈이라. 한림이 날이 새기를 기다려 부모께 몽사(夢事)를 아뢰고, 일가친척과 원근 제족(諸族)을 모으고 각 처에 법사를 불러 심천동으로 나아가니 산천은 첩첩하고 녹수는 잔잔한데 뭇 새소리 사람의 심회를 돕는 듯하더라. 심천동에 다다라 묘전에 제물을 차려 놓고, 모든 중들이 가사를 입은 후 하늘께 축수하며 옥황님을 불러 축원하고,

"옥황상제님은 살피사 불쌍하온 김 낭자를 다시 회생케 하옵소서."

하며 무수히 축원하고,

"김 낭자가 지부(地府)의 왕께 발원하였나이다. 만일 회생하면 어찌 황천후토께서 모르시리이까."

이와 같이 지성껏 축원하니 정성이 하늘에 사무치더라. 석양이 되매 제전을 파하고 집에 돌아와 등촉을 밝히고 있더니, 홀연 김 낭자 완연히 들어와 한림께 절하고 여쭈오되,

"오늘 정성하심을 하늘이 감동하옵시고 첩을 측은히 여기사 다시 환생케 하오니, 한림은 명일 아침에 음식과 이 약물을 가지고 심천동으로 오소서. 이 약물은 옥황상제께서 주신 회생수오니 그리 아옵소서."

하고 일어나 두 번 절하고 나가거늘, 놀라 깨니 ㉡ 꿈이라. 한림이 자세히 살펴보니 그 옆에 약병이 있거늘, 한림이 대희하여 날 새기를 기다려 부친 전에 이 사연을 고하고 즉시 제물을 차려 가지고 인형과 같이 심천동으로 찾아가니 ⓐ 낙락장송은 희색을 띠어 한림을 반기는 듯, 산간에 두견새는 한림을 부르는 듯, 비금주수(飛禽走獸)가 모두 다 임을 보고 환영하는 듯하더라. 한림 일행이 심천동에 당도하여 묘전에 제물을 차려 놓고 분향재배한 후 제문을 읽으니, 그 제문에 하였으되,

"유세차 모년 모월 모일에 감소고우* 한림은 옥황상제 전에 일배주로 축원하오니 불쌍하온 김 낭자를 다시 회생케 하옵시면 미진한 인연을 다시 이어 백년동락으로 지낼까 하오니, 복원 옥황상제님은 다시 회생케 하옵소서."

하며 빌기를 무수히 한 후 제물을 파하고 다시 제물을 차려 묘전에 벌여 놓고 재배한 후 축문을 읽으니, 하였으되,

"유세차 모년 모월 모일에 한림 유성윤은 일배주를 김 낭자 좌하에 올리나니 흠향*하옵소서. 도시 액운이 한림의 죄오니 모든 것을 용서하시고, 구구히 축원하는 한림을 보아 회생하여 인연을 다시 이어 살았으면 지금 죽어도 한이 없겠나이다."

하고 즉시 인형과 같이 분묘를 헐고 신체를 보니 목과 얼굴이 조금도 썩지 아니하고 인향과 동생 인함이 자는 듯하거늘 한림이 즉시 회생수를 뿌리니, 얼마 후에 숨을 후유 쉬고 두 소저 서로 돌아눕는지라. 한림이 일변 하인들에게 명하여 보교를 가져오라 하여 두 소저를 태워 가지고 기뻐 어쩔 줄을 몰라 하여 집으로 돌아오니라. 이때 유공 부부 한림을 심천동에 보내고 궁금히 여기더니 이윽고 하인들이 보교를 메고 들어오는지라.

유공이 물어 왈,

"뉘 댁 내행(內行)을 우리 집으로 뫼시는다."

하니 하인들이 여쭈오되,

"댁내 행이오이다."

하는지라. 유공 부부 즉시 보교 문을 열고 보니 두 소저 앉았거늘 이때 한림이 들어와 전후수말을 고하고 즉시 방에 불을 더웁게 때고 소저를 누인 후 한림이 친히 사지를 주무르니, 얼마 후에 두 소저 정신을 차리는지라. 유공 부부며 한림과 인형이 매우 기뻐하여 그 즐겨함은 이루 측량하지 못할러라. 노부인이 즉시 의복을 갈아입히니, 전일 보던 인향과 인함이 조금도 다름이 없더라. 이 소문이 평안도 일경에 자자하니, 일가친척들이 신기하게 여김은 물론이요 일읍에 노소 부인이 구경오는 자가 구름 같더라. 인형이 두 누이의 손을 잡고 눈물을 흘리며 지난 일에 대한 회포를 이기지 못하여 못내 좋아라 춤을 추더라.

이러구러 세월이 여류하여 어언간 원려(遠慮)가 지나매 유공 부부 즉시 장 승지 댁에 통혼하여 인형을 혼인시키니 장 소저의 아리따운 태도가 선녀 같은지라. 유공이 즉시 또 택일하여 한림과 인향 소저의 혼례를 지낼새 일가친척이며 동네 남녀 빈객이 인산인해를 이루었더라.

– 작자 미상, 「김인향전」 –

* 감소고우 : 감히 밝혀 아룀.
* 흠향 : 신명(神明)이 제물을 받아서 먹음.

4. 윗글을 읽고 이해한 내용으로 적절한 것은?

① 인형은 한림과 달리 인향의 옷을 지은 솜씨에 감탄했다.
② 인형은 한림으로부터 인향과 인함의 재생 소식을 들었다.
③ 한림이 심천동에 갈 때 한림의 부모는 그 이유를 몰랐다.
④ 한림은 자신의 안위를 위해 법사들을 심천동에 데리고 갔다.
⑤ 한림은 제문을 통해 인향과의 연분을 이어 가겠다는 생각을 드러냈다.

5. <보기>를 참고하여 윗글을 감상한 내용으로 적절하지 않은 것은? [3점]

< 보 기 >

문학 작품에서 모티프들은 서로 결합해 서사적 의미를 생성한다. 「김인향전」의 서사에는 전처의 소생이 계모와 갈등하며 비극적 사건이 발생하고 그로 인한 원한을 해소하는 계모 모티프가 반영되어 있는데, 여기에 혼사 장애를 극복하고 혼인을 하는 혼사 장애 모티프가 결합되어 있다. 그리고 인물들의 노력으로 혼사 장애를 극복하는 과정에서 서로에 대한 믿음과 진실된 마음을 중시하는 태도가 나타나고 있다.

① 한림이 인향에게 제물을 올리고 자신의 죄에 대해 용서를 구하는 데서 계모에 대해 남아 있는 인향의 한을 모두 푸는 것이 한림과 인향의 혼인에 전제 조건이 됨을 알 수 있군.
② 한림이 자신을 위한 의복을 인향이 지어 놓았을 것이라고 확신하는 데서 인향이 죽은 혼사 장애의 상황에서 그가 인향에 대한 믿음을 잃지 않고 있음을 알 수 있군.
③ 한림이 인향과의 인연을 이어 함께 살았으면 좋겠다는 바람을 반복적으로 드러내는 데서 인향을 향한 그의 진실된 마음이 나타나고 있음을 알 수 있군.
④ 인향이 한림의 노력을 통해 회생하고 혼인을 하는 데서 계모에 의해 초래된 비극적 사건의 해결과 혼사 장애의 극복이 결합되어 있음을 알 수 있군.
⑤ 인향이 계모의 누명을 애매히 쓰고 죽었다고 한림에게 말한 데서 인향과 계모 간의 갈등이 혼사 장애의 요소로 작용했음을 알 수 있군.

6. ㉠, ㉡에 대한 설명으로 적절하지 않은 것은?

① ㉠에서 인향은 한림에게 자신을 위로하여 준 것에 대한 감사의 뜻을 표하고 있다.
② ㉠에서 인향은 혼백으로 의지할 곳 없이 쓸쓸하게 지냈던 처지에 대해 언급하고 있다.
③ ㉡에서 인향은 자신의 분신에 해당하는 상징적 증표를 한림에게 전달하고 있다.
④ ㉡에서 인향은 한림의 정성으로 자신이 환생할 수 있게 되었다는 소식을 한림에게 전하고 있다.
⑤ ㉠, ㉡을 통해 인향은 자신의 재생을 위해 한림이 해야 하는 일을 일러 주고 있다.

7. ⓐ의 서사적 기능으로 가장 적절한 것은?

① 중심인물의 성격을 직접적으로 제시하고 있다.
② 앞으로 일어날 사건의 성격을 짐작하게 하고 있다.
③ 사건의 빠른 전개로 긴박한 분위기를 조성하고 있다.
④ 시간적 배경의 비약적인 변화를 감각적으로 보여 주고 있다.
⑤ 공간적 배경이 초월적 세계에서 현실적 세계로 바뀌고 있음을 나타내고 있다.

7분	2020학년도 수능 33~36번	★☆☆	정답 039쪽

[8~11] 다음 글을 읽고 물음에 답하시오.

[앞부분의 줄거리] 아들 유세기가 부모의 허락 없이 백공과 혼사를 결정했다고 여긴 선생은 유세기를 집에서 내쫓는다.

백공이 왈,

"혼인은 좋은 일이라 서로 헤아려 잘 생각할 것이니 어찌 [이같이 좋지 않은 일]이 일어나는가? 내가 한림의 재모를 아껴 이같이 기별해 사위를 삼고자 하였더니 선생 형제는 도학군자라 예가 아닌 것을 문책하시는도다. 내가 마땅히 곡절을 말하리라."

이에 백공이 유씨 집안에 이르러 선생 형제를 보고 인사를 하고 나서 흔쾌히 웃으며 가로되,

"제가 두 형과 더불어 죽마고우로 절친하고 또 아드님의 특출함을 아껴 제 딸의 배필로 삼고자 하여, 어제 세기를 보고 여차여차하니 아드님이 단호하게 말하고 돌아가더이다. 제가 더욱 흠모하여 염치를 잊고 거짓말로 일을 꾸며 구혼하면서 '정약'이라는 글자 둘을 더했으니 이는 진실로 저의 희롱함이외다. 두 형께서 과도히 곧이듣고 아드님을 엄히 꾸짖으셨다 하니, 혼사에 도리어 훼방이 되었으므로 어찌 우습지 않으리까? 원컨대 두 형은 아드님을 용서하여 아드님이 저를 원망하게 하지 마오."

선생과 승상이 바야흐로 아들의 죄가 없는 줄을 알고 기뻐하면서 사례하여 왈,

"저희 자식이 분에 넘치게 공의 극진한 대우를 받으니 마땅히 그 후의를 받들 만하되, 이는 선조로부터 대대로 내려오는 가법이 아니기에 감히 재취를 허락하지 못하였소이다. 저희 자식이 방자함이 있나 통탄하였더니 그간 곡절이 이렇듯 있었소이다."

백공이 화답하고 이윽고 돌아가서 다시 혼삿말을 이르지 못하고 딸을 다른 데로 시집보냈다. 선생이 백공을 돌려보낸 후에 한림을 불러 앞으로 더욱 행실을 닦을 것을 훈계하자 한림이 절을 하면서 명령을 받들었다. 차후 더욱 예를 삼가고 배우기를 힘써 학문과 도덕이 날로 숙연하고, 소 소저와 더불어 백수해로하면서 여덟 아들, 두 딸을 두고, 집안에 한 명의 첩도 없이 부부 인생 희로를 요동함이 없더라.

승상의 둘째 아들 세형의 자는 문회이니, 형제 중 가장 빼어났으니 산천의 정기와 일월의 조화를 타고 태어나 아름다운 얼굴은 윤택한 옥과 빛나는 봄꽃 같고, 호탕하고 깨끗한 풍채는 용과 호랑이의 기상이 있으며, 성품이 호기롭고 의협심이 강하여 맑고 더러움의 분별을 조금도 잃지 않으니, 부모가 매우 사랑하여 며느리를 널리 구하더라.

(중략)

화설, 장 씨 ㉠이화정에 돌아와 긴 단장을 벗고 난간에 기대어 하늘가를 바라보며 평생 살아갈 계책을 골똘히 헤아리자, 한이 눈썹에 맺히고 슬픔이 마음속에 가득하여 생각하되,

'내가 재상가의 귀한 몸으로 유생과 백년가약을 맺었으니 마음이 흡족하고 뜻이 즐거울 것이거늘, 천자의 귀함으로

[A] 한 부마를 뽑는데 어찌 구태여 나의 아름다운 낭군을 빼앗아 가 위세로써 나로 하여금 공주 저 사람의 아래가 되게 하셨는가? 도리어 저 사람의 덕을 찬송하고 은혜를 읊어 한없는 영광은 남에게 돌려보내고 구차한 자취는 내 일신에 모이게 되었도다. 우주 사이는 우러러 바라보기나 하려니와 나와 공주의 현격함은 하늘과 땅 같도다. 나의 재주와 용모가 저 사람보다 떨어지는 것이 없고 먼저 혼인 예물까지 받았는데 이처럼 남의 천대를 감심할 줄 어찌 알리오? 공주가 덕을 베풀수록 나의 몸엔 빛이 나지 않으리니 제 짐짓 능활하여 아버님, 어머님이나 시누이를 제 편으로 끌어들인다면 낭군의 마음은 이를 좇아 완전히 달라질지라. 슬프다, 나의 앞날은 어이 될고?'

생각이 이에 미치자 북받쳐 오르는 한이 마음속에 가득 쌓이기 시작하니 어찌 좋은 뜻이 나리오? 정히 눈물을 머금고 마음을 붙일 곳 없어하더니, 문득 세형이 보라색 두건과 녹색 도포를 가볍게 나부끼며 이르러 장 씨의 참담한 안색을 보고 옥수를 잡고 어깨를 비스듬히 기대게 하며 물어 왈,

"그대 무슨 일로 슬픈 빛이 있나뇨? 나를 좇음을 원망하는가?"

장 씨가 잠시 동안 탄식 왈,

[B] "낭군은 부질없는 말씀 마옵소서. 제가 낭군을 좇는 것을 원망했다면 어찌 깊은 규방에서 홀로 늙는 것을 감심하였사오리까? 다만 제가 귀댁에 들어온 지 오륙일이 지났으나 좌우에 친한 사람이 없고 오직 우러르는 바는 아버님, 어머님과 낭군뿐이라 어린 여자의 마음이 편안하지 못한 바이옵니다. 공주가 위에 계셔 온 집의 권세를 오로지 하시니 그 위의와 덕택이 저로 하여금 변변찮은 재주 가진 하졸이 머릿수나 채워 우물 속에서 하늘을 바라보는 것 같게 만드옵니다. 제가 감히 항거할 뜻이 있는 것이 아니나 평생의 신세가 구차하여 슬프고, 진양궁에 나아가면 궁비와 시녀들이 다 저를 손가락질하며 비웃어 한 가지 일도 자유롭게 하지 못하게 하옵고, 제 입에서 말이 나면 일천여 시녀가 다 제 입을 가리니, 공주의 은덕에 의지하여 겨우 실례를 면하고 돌아왔사옵니다."

부마가 바야흐로 장 씨의 외로움을 가련하게 여기고 공주의 위세가 장 씨를 억누르는 것을 좋지 않게 여기고 있다가 장 씨의 이렇듯 애원한 모습을 보자 크게 불쾌하여 장 씨를 위한 애정이 샘솟는 듯하였다. 은근하고 간곡하게 장 씨를 위로하고 그 절개와 외로움에 감동하여 이날부터 발자취가 ㉡ 이화정을 떠나지 않았다. 연리지와 같은 신혼의 정은 양왕의 꿈에 빠진 듯 어지럽고, 낙천의 마음이 취한 듯 기쁘고 즐거워 바라던 바를 다 얻은 듯한 마음은 세상에 비할 데가 없더라.

- 작자 미상, 「유씨삼대록」 -

8. 이같이 좋지 않은 일에 대한 이해로 적절하지 않은 것은?

① 백공의 거짓말 때문에 일어난 일이다.
② 백공이 한림을 곤경에 처하게 한 일이다.
③ 선생과 승상 사이에서 의견 대립이 심화된 일이다.
④ 한림이 선생과 승상으로부터 꾸지람을 당한 일이다.
⑤ 백공이 한림을 자신의 딸과 혼인시키려다 일어난 일이다.

9. [A]와 [B]에 대한 설명으로 적절하지 않은 것은?

① [A]와 [B]는 모두 과거 사건에 대한 정보를 제공하고 있다.
② [A]와 [B]는 모두 비유적 진술을 통해 자신이 처한 상황을 부각하고 있다.
③ [A]는 [B]와 달리 타인에 대한 자신의 원망을 의문형 표현을 활용하여 드러내고 있다.
④ [B]는 [A]와 달리 대화 상대의 환심을 사기 위해 자신의 우월한 지위를 드러내고 있다.
⑤ [A]는 앞으로의 일을 추정하는, [B]는 지난 일을 토로하는 방식으로 자신의 우려를 제시하고 있다.

10. '장 씨'를 중심으로 ㉠과 ㉡을 이해한 내용으로 가장 적절한 것은?

① ㉠은 학문을 연마하는 공간이고, ㉡은 덕행을 닦는 공간이다.
② ㉠은 불신을 드러내는 공간이고, ㉡은 조소를 당하는 공간이다.
③ ㉠은 한탄을 드러내는 공간이고, ㉡은 애정을 확인하는 공간이다.
④ ㉠은 계책을 꾸미는 공간이고, ㉡은 외로움을 인내하는 공간이다.
⑤ ㉠은 선후 시비를 따지는 공간이고, ㉡은 오해를 해소하는 공간이다.

11. <보기>를 참고하여 윗글을 감상한 내용으로 적절하지 않은 것은? [3점]

<보 기>

「유씨삼대록」은 유씨 3대 인물들의 이야기들을 연결한 국문 장편 가문 소설이다. 각 이야기는 그 자체로 완결성을 갖추고 있어 독립적이지만, 혼사나 그로부터 파생된 각각의 갈등이 동일한 가문 내에서 전개된다는 점에서 연결된다. 이러한 갈등은 가법이나 인물의 성격에서 유발된다. 가문의 구성원들은 혼사를 둘러싼 갈등이 가문의 안정과 번영을 저해한다고 여겼기에, 가문 차원에서 이를 해결해 간다.

① 유세기 이야기와 유세형 이야기를 보니, 각각의 갈등이 한 가문의 혼사를 중심으로 발생한다는 점에서 두 이야기가 서로 연결되어 있음을 알 수 있군.

② 유세기의 혼사 문제에 선생과 승상이 관여한 것을 보니, 혼사를 둘러싼 갈등 해결이 가문 구성원들의 문제로 다루어짐을 알 수 있군.

③ 유세기가 혼사와 관련한 곤욕을 치른 것과 유세형이 공주를 멀리한 것을 보니, 가법과 인물의 성격 간의 대립이 갈등의 원인임을 알 수 있군.

④ 백공이 유세기를 사위 삼으려는 것과 천자가 유세형을 부마 삼은 것을 보니, 혼사가 혼인 당사자 개인의 문제에 그치지 않음을 알 수 있군.

⑤ 유세기가 평생 첩을 두지 않고 소 소저와 해로했다는 것을 보니, 유세기를 둘러싼 혼사 갈등이 해소되며 이야기 하나가 마무리됨을 알 수 있군.

총 문항				문항	맞은 문항					문항
개별 문항	1	2	3	4	5	6	7	8	9	10
채점										
개별 문항	11	12	13	14	15	16	17	18	19	20
채점										

고전시가

• 고3 국어 문학 •

고전 시가

출제 트렌드

고전 시가도 고전 산문처럼 작품의 범위가 한정적인 편입니다. 그럼에도 문학 영역에서 수험생들이 가장 어려워하는 갈래가 바로 고전 시가일 것입니다. 그 이유는 어휘가 낯설어 해석이 어렵기 때문인데, 맞힌 문제라고 하더라도 뜻을 정확히 모르는 어휘가 있었다면 짚고 넘어가는 것이 좋습니다. 다행히도 강호한정, 연군지정, 이별과 그리움 등 주로 출제되는 주제가 정해져 있으므로 주제가 무엇인지 파악하면 내용을 어느 정도 가늠할 수 있습니다. 현대시와 마찬가지로 화자의 정서와 태도가 중요하며, 표현상의 특징과 소재의 기능을 파악하는 문제가 자주 출제됩니다. 고전 시가의 여러 갈래 중에서도 특히 시조와 가사의 출제 빈도가 높으니 주요 작품들은 완전하게 해석할 수 있을 만큼 공부해 두는 것이 좋습니다. 고전 시가 단독 지문의 출제 빈도가 낮아지면서 이제는 주로 수필과 함께 묶여 갈래 복합 지문으로 출제되는 경향이 큽니다. 2023학년도 수능에서도 고전 시가와 현대 수필이 묶여 출제되었습니다.

시행	출제 지문	문제 수	난이도
2023학년도 9월 모평	이현보, '어부단가' / 박인로, '소유정가'	3문제 출제	★★☆
2022학년도 수능	정훈, '탄궁가' / 위백규, '농가'	3문제 출제	★★☆
2022학년도 9월 모평	허난설헌, '규원가' / 작자 미상, '재 위에 우뚝 선~'	3문제 출제	★★☆

1등급 꿀팁

하나 _ 고전 시가의 대표적인 주제에 맞는 작품들을 분석하자.
두울 _ 빈출 작품은 현대어 풀이를 외워 두자.
세엣 _ 낯선 고어의 뜻을 정확히 이해하고 넘어가는 습관을 들이자.
네엣 _ 화자의 정서와 태도는 운문 문학을 이해하는 데 기초가 된다는 점을 명심하자.
다섯 _ 고전 갈래가 주는 당대의 내용적, 형식적 특징을 미리 알아 두자.
여섯 _ 시 문학에서 사용되는 다양한 표현 방법들을 알아 두자.
일곱 _ 제목의 의미를 알아 둔다면 작품의 상황과 분위기를 감지할 수 있음을 기억하자.

2023학년도 9월 모평 32번 대표기출

다음 글을 읽고 물음에 답하시오.

(가)

이 중에 시름없으니 **어부(漁父)**의 생애로다
일엽편주를 만경파(萬頃波)에 띄워 두고
인세(人世)를 다 잊었거니 날 가는 줄을 아는가 <제1수>

굽어보면 천심 녹수 돌아보니 만첩 청산
십장 홍진(十丈紅塵)이 얼마나 가렸는가 [A]
강호에 월백(月白)하거든 더욱 무심(無心)하여라
<제2수>

청하(靑荷)에 밥을 싸고 **녹류(綠柳)에 고기 꿰어**
노적 화총(蘆荻花叢)에 배 매어 두고
일반 청의미(一般淸意味)를 어느 분이 아실까 <제3수>

㉠ 산두(山頭)에 한운(閑雲) 일고 수중(水中)에 백구(白鷗) 난다
무심코 다정한 것 이 두 것이로다
㉡ 일생에 시름을 잊고 너를 좇아 놀리라 <제4수>

- 이현보, 「어부단가」 -

(나)

때마침 부는 **추풍(秋風)** 반갑게도 보이도다
말술이 다나 쓰나 술병 메고 벗을 불러
언덕 너머 어촌에 내 놀이 가자꾸나
흰 두건을 젖혀 쓰고 **소정(小艇)**을 타고 오니
㉢ 바람에 떨어진 갈대꽃 갠 하늘에 눈이 되어
석양에 높이 날아 어지러이 뿌리는데
갈잎에 닻 내리고 **그물로**
잔잔한 강물 속 자린은순(紫鱗銀脣)* **수없이 잡아내어**
연잎에 담은 회와 항아리에 채운 술을
실컷 먹은 후에
태기 넓은 돌에 높이 베고 누웠으니
희황천지(羲皇天地)*를 오늘 다시 보는구나
잠시 잠들어 뱃노래에 깨어 보니
추월(秋月)이 만강(滿江)하여 밤빛을 잃었거늘
반쯤 취해 시 읊으며 배 위로 건너오니
강물 아래 잠긴 달은 또 어인 달인 게오 [B]
달 위에 배를 타고 달 아래 앉았으니
문득 의심은 월궁(月宮)에 올랐는 듯
물외(物外)의 기이한 경관 넘치도록 보이도다
청경(淸景)을 다투면 내 분에 두랴마는
즐겨도 말리는 이 없으니 나만 둔가 여기노라
놀기를 탐하여 돌아갈 줄 잊었도다
㉣ 아이야 닻 들어라 만조(晩潮)에 띄워 가자
푸른 물풀 위로 **강풍(江風)**이 짐짓 일어
귀범(歸帆)을 재촉하는 듯
아득하던 앞산이 뒷산처럼 보이도다
잠깐 사이 날개 돋아 연잎배 탄 신선된 듯
연파(烟波)를 헤치고 월중(月中)에 돌아오니
㉤ 동파(東坡) 적벽유(赤壁遊)*인들 이내 흥(興)에 미치겠는가
강호 흥미(興味)는 나만 둔가 여기노라

- 박인로, 「소유정가」 -

* 자린은순: 물고기를 아름답게 표현하는 말.
* 희황천지: 복희씨(伏羲氏) 때의 태평스러운 세상.
* 동파 적벽유: 중국 송나라 때 소식(蘇軾)이 적벽에서 했던 뱃놀이.

32. ㉠~㉤에 대한 이해로 적절하지 않은 것은?

① ㉠은 대구를 통해 자연 경물의 모습을 제시함으로써 한적한 분위기를 조성하고 있다.
② ㉡은 자연 경물을 '너'로 지칭하여 관계를 맺음으로써 이들과 동화하려는 의지를 표출하고 있다.
③ ㉢은 자연 경물의 모습을 감각적으로 표현함으로써 물가의 아름다운 풍경을 묘사하고 있다.
④ ㉣은 명령형 어미를 사용하여 '아이'가 해야 할 행동을 제시함으로써 자연 경물에 대한 인식의 변화를 촉구하고 있다.
⑤ ㉤은 유사한 놀이를 즐겼던 과거 인물과 비교함으로써 화자의 자긍심을 드러내고 있다.

문제풀이

32번은 각 구절에 사용된 표현 방법을 파악하는 문제이다. 평소 시의 다양한 표현 방법들을 알아 두는 것은 필수이며, 문제를 풀 때는 한 단계 더 나아가서 그 표현 방법이 어떤 목적으로 사용되었는지, 어떤 역할을 하고 있는지까지 파악해야 함을 잊지 말자.

① ㉠에서는 '산두에 한운 일고'와 '수중에 백구 난다'가 대구를 이루며, 산머리와 한가로운 구름, 강과 백구 등의 자연 경물의 모습을 제시하여 한가롭고 고요한 분위기를 조성하고 있다.
② ㉡에서는 초장의 '한운'과 '백구'를 '너'로 지칭하며 '좇아 놀리라'라고 표현함으로써, 이들과 관계를 맺고 동화하려는 의지를 드러내고 있다.
③ ㉢에서는 '바람에 떨어진 갈대꽃'이 석양에 흩날리는 모습을 '눈이 되어' '어지러이 뿌리는' 것으로 감각적으로 표현하여 물가의 아름다운 풍경을 묘사하고 있다.
❹ ㉣에서는 '-어라'라는 명령형 어미를 사용하여 '아이'가 해야 할 닻을 드는 행동을 제시하고 있다. 그러나 이는 만조에 배를 띄워 가기 위해 한 말일 뿐, 이를 통해 자연에 대한 인식의 변화를 촉구하고 있는 것은 아니다.
⑤ ㉤은 중국 송나라 때 소식이 즐긴 뱃놀이도 자신의 흥에는 못 미칠 것이라는 의미로, 뱃놀이를 즐긴 화자의 자긍심을 보여 주고 있다.

5분	2023학년도 9월 모평 32~34번	★★☆	정답 040쪽

【1~3】 다음 글을 읽고 물음에 답하시오.

(가)

이 중에 시름없으니 **어부(漁父)**의 생애로다
일엽편주를 만경파(萬頃波)에 띄워 두고
인세(人世)를 다 잊었거니 날 가는 줄을 아는가 <제1수>

굽어보면 천심 녹수 돌아보니 만첩 청산
십장 홍진(十丈紅塵)이 얼마나 가렸는가 [A]
강호에 월백(月白)하거든 더욱 무심(無心)하여라
<제2수>

청하(靑荷)에 밥을 싸고 **녹류(綠柳)에 고기 꿰어**
노적 화총(蘆荻花叢)에 배 매어 두고
일반 청의미(一般淸意味)를 어느 분이 아실까 <제3수>

㉠ 산두(山頭)에 한운(閑雲) 일고 수중(水中)에 백구(白鷗) 난다
무심코 다정한 것 이 두 것이로다
㉡ 일생에 시름을 잊고 너를 좇아 놀리라 <제4수>

- 이현보, 「어부단가」 -

(나)

때마침 부는 **추풍(秋風)** 반갑게도 보이도다
말술이 다나 쓰나 술병 메고 벗을 불러
언덕 너머 어촌에 내 놀이 가자꾸나
흰 두건을 젖혀 쓰고 **소정(小艇)**을 타고 오니
㉢ 바람에 떨어진 갈대꽃 갠 하늘에 눈이 되어
석양에 높이 날아 어지러이 뿌리는데
갈잎에 닻 내리고 **그물로**
잔잔한 강물 속 자린은순(紫鱗銀脣)* **수없이 잡아내어**
연잎에 담은 회와 항아리에 채운 술을
실컷 먹은 후에
태기 넓은 돌에 높이 베고 누웠으니
희황천지(羲皇天地)*를 오늘 다시 보는구나
잠시 잠들어 뱃노래에 깨어 보니
추월(秋月)이 만강(滿江)하여 밤빛을 잃었거늘
반쯤 취해 시 읊으며 배 위로 건너오니
강물 아래 잠긴 달은 또 어인 달인 게오 [B]
달 위에 배를 타고 달 아래 앉았으니
문득 의심은 월궁(月宮)에 올랐는 듯
물외(物外)의 기이한 경관 넘치도록 보이도다
청경(淸景)을 다투면 내 분에 두랴마는
즐겨도 말리는 이 없으니 나만 둔가 여기노라
놀기를 탐하여 돌아갈 줄 잊었도다
㉣ 아이야 닻 들어라 만조(晩潮)에 띄워 가자
푸른 물풀 위로 **강풍(江風)**이 짐짓 일어
귀범(歸帆)을 재촉하는 듯
아득하던 앞산이 뒷산처럼 보이도다
잠깐 사이 날개 돋아 연잎배 탄 신선된 듯
연파(烟波)를 헤치고 월중(月中)에 돌아오니
㉤ 동파(東坡) 적벽유(赤壁遊)*인들 이내 흥(興)에 미치겠는가
강호 흥미(興味)는 나만 둔가 여기노라

- 박인로, 「소유정가」 -

* 자린은순: 물고기를 아름답게 표현하는 말.
* 희황천지: 복희씨(伏羲氏) 때의 태평스러운 세상.
* 동파 적벽유: 중국 송나라 때 소식(蘇軾)이 적벽에서 했던 뱃놀이.

1. ㉠~㉤에 대한 이해로 적절하지 않은 것은?

① ㉠은 대구를 통해 자연 경물의 모습을 제시함으로써 한적한 분위기를 조성하고 있다.
② ㉡은 자연 경물을 '너'로 지칭하여 관계를 맺음으로써 이들과 동화하려는 의지를 표출하고 있다.
③ ㉢은 자연 경물의 모습을 감각적으로 표현함으로써 물가의 아름다운 풍경을 묘사하고 있다.
④ ㉣은 명령형 어미를 사용하여 '아이'가 해야 할 행동을 제시함으로써 자연 경물에 대한 인식의 변화를 촉구하고 있다.
⑤ ㉤은 유사한 놀이를 즐겼던 과거 인물과 비교함으로써 화자의 자긍심을 드러내고 있다.

2. [A], [B]에 대한 설명으로 가장 적절한 것은?

① [A]에서 화자는 달을 절대적 존재로 인식하고 강호 자연에서 '무심'한 삶을 살 수 있도록 기원하고 있다.
② [A]에서 화자는 달에 인격을 부여하여 '녹수'와 '청산'으로 둘러싸인 강호 자연의 가을 달밤 정경을 묘사하고 있다.
③ [B]에서 화자는 하늘의 달과 강물에 비친 달 사이에 놓임으로써 '월궁'에 오른 듯한 신비로움을 표현하고 있다.
④ [B]에서 화자는 시간의 흐름에 따라 모양을 달리 하는 달의 특성을 활용하여 계절의 변화를 다채롭게 나타내고 있다.
⑤ [A]와 [B]에서 강호 자연에 은거한 화자는 달을 대화 상대이면서 동시에 위안의 대상으로 여기고 있다.

3. <보기>를 바탕으로 (가), (나)를 감상한 내용으로 적절하지 않은 것은? [3점]

<보 기>

'어부'는 정치 현실과 거리를 둔 은자로 형상화된다. 이때 '어부 형상'은 어부 관련 소재, 행위, 정서 등의 어부 모티프와 연관하여 작품별로 공통적인 속성을 가지면서 다양한 변주를 보인다. (가)는 어부와 관련된 상황의 일부를 초점화하여 유유자적한 삶을 사는 어부를, (나)는 어부와 관련된 여러 상황을 이어 가며 흥취 있는 삶을 사는 어부를 형상화하고 있다.

① (가)의 '어부'는 '십장 홍진'으로 표현된 정치 현실에서 벗어나 뱃놀이를 즐기며 '인세'의 근심과 시름을 다 잊고 한가로움을 추구하려고 하는군.

② (나)의 '추풍'은 뱃놀이의 흥취를 북돋우는 자연 현상이고, '강풍'은 흥취의 대상을 강에서 산으로 옮겨 가는 자연 현상이라 볼 수 있군.

③ (가)의 '일엽편주'와 (나)의 '소정'은 화자가 소박한 뱃놀이를 즐기고 있다는 것을 알려 주는 어부 형상 관련 소재라고 할 수 있군.

④ (가)의 '녹류에 고기 꿰어'에는 어부의 삶과 관련된 일부 행위를 통해 유유자적한 삶이, (나)의 '그물로', '수없이 잡아 내어', '실컷 먹은'에는 뱃놀이의 여러 상황들이 연결되어 흥취를 즐기는 삶이 나타나고 있군.

⑤ (가)의 '어부'는 강호 자연의 삶 속에서 홀로 자족감을 표출하고 있고, (나)의 어부는 벗들과 함께한 흥겨운 뱃놀이를 통해 만족감을 표출하고 있군.

5분 | 2022학년도 수능 32~34번 | ★★☆ | 정답 041쪽

[4~6] 다음 글을 읽고 물음에 답하시오.

(가)

춘일(春日)이 지지(遲遲)하여 뻐꾸기가 보채거늘
동린(東隣)에 쟁기 얻고 서사(西舍)에 호미 얻고
집 안에 들어가 씨앗을 마련하니
㉠ <u>올벼 씨 한 말은 반 넘게 쥐 먹었고</u>
기장 피 조 팥은 서너 되 부쳤거늘
한아(寒餓)한 식구 이리하여 어이 살리

(중략)

베틀 북도 쓸데없어 빈 벽에 남겨 두고
㉡ <u>솥 시루 버려두니 붉은 빛이 다 되었다</u>
세시 삭망 명절 제사는 무엇으로 해 올리며
원근 친척 내빈왕객(來賓往客)은 어이하여 접대할꼬
㉢ <u>이 얼굴 지녀 있어 어려운 일 하고 많다</u>
이 원수 궁귀(窮鬼)를 어이하여 여의려뇨
술에 후량을 갖추고 이름 불러 전송하여
길한 날 좋은 때에 사방으로 가라 하니
웅얼웅얼 불평하며 원노(怨怒)하여 이른 말이
어려서나 늙어서나 희로우락(喜怒憂樂)을 너와 함께하여
죽거나 살거나 여읠 줄이 없었거늘
어디 가 뉘 말 듣고 가라 하여 이르느뇨
우는 듯 꾸짖는 듯 온가지로 협박커늘
돌이켜 생각하니 네 말도 다 옳도다
무정한 세상은 다 나를 버리거늘
네 혼자 유신하여 나를 아니 버리거든
위협으로 회피하며 잔꾀로 여읠려냐
하늘 삼긴 이내 궁(窮)을 설마한들 어이하리
빈천도 내 분(分)이니 서러워해 무엇하리 [A]

- 정훈, 「탄궁가」 -

(나)

서산에 돋을볕 비추고 구름은 느지막이 내린다
비 온 뒤 묵은 풀이 뉘 밭이 우거졌던고
㉣ <u>두어라 차례 정한 일이니 매는 대로 매리라</u>

<제1수>

면화는 세 다래 네 다래요 이른 벼의 패는 모가 곱난가
오뉴월이 언제 가고 칠월이 반이로다
아마도 하느님 너희 삼길 제 날 위하여 삼기셨다 [B]

<제7수>

아이는 낚시질 가고 집사람은 절이채 친다
새 밥 익을 때에 새 술을 걸러셔라
㉤ <u>아마도 밥 들이고 잔 잡을 때에 홍에 겨워 하노라</u>

<제8수>

- 위백규, 「농가」 -

4. (가)에 대한 설명으로 가장 적절한 것은?

① 계절의 변화에 조응하는 여러 자연물을 활용해 화자의 인식 전환을 보여 주고 있다.
② 계절감이 드러난 소재를 대등하게 나열해 시상을 전개하고 있다.
③ 특정 계절의 풍속을 화자의 시선 이동에 따라 묘사하고 있다.
④ 특정 계절을 배경으로 제시해 화자의 처지를 부각하고 있다.
⑤ 계절의 순환을 중심으로 자연의 섭리를 드러내고 있다.

5. [A], [B]에 대한 이해로 적절하지 않은 것은?

① [A]에서 '술에 후량'을 갖춘 화자는 의례를 통해 '궁귀'에 대한 예우를 표하고 있다.
② [B]에서 화자는 시간의 경과를 의식하며 '세 다래 네 다래' 열린 '면화'에 대한 만족감을 드러내고 있다.
③ [A]에서 화자는 '이내 궁'과의 관계를, [B]에서 화자는 '너희'와의 관계를 운명적인 것으로 여기는 관점을 취하고 있다.
④ [A]에서 화자는 '옳도다'라는 응답으로 '네 말'을 수용하는 태도를, [B]에서 화자는 '반이로다'라는 감탄으로 '패는 모'에 대한 기대감을 드러내고 있다.
⑤ [A]와 [B]에서 화자는 각각 초월적인 존재인 '하늘'과 '하느님'을 예찬하는 어조를 취하고 있다.

6. <보기>를 참고할 때, ㉠~㉤의 문맥적 의미에 대한 이해로 적절하지 않은 것은? [3점]

<보 기>

「탄궁가」는 향촌 공동체에서 경제적 기반이 취약한 사대부가 가정과 사회에 대한 책임을 다하기 어려운 자신의 궁핍한 삶을 실감나게 그려 낸 작품이다. 한편 「농가」는 곤궁한 향촌 공동체의 발전을 위해 여러 방도를 모색한 사대부가 가난을 벗어난 이상화된 농촌상을 그려 낸 작품이다.

① ㉠은 파종할 볍씨를 쥐가 먹어 버린 상황을 제시해 가난한 향촌 사대부의 곤혹스러운 처지를 실감나게 그려 낸다.
② ㉡은 솥과 시루가 녹슨 상황을 제시해 끼니조차 잇지 못하는 생활이 지속되는 향촌 사대부 가정의 궁핍함을 부각한다.
③ ㉢은 체면을 지키기 어려운 상황을 제시해 취약한 경제적 기반 때문에 사회적 책임을 내려놓는 향촌 사대부의 죄책감을 드러낸다.
④ ㉣은 밭을 맬 때 예정된 차례에 따라야 함을 나타내어 사회적 약속에 대한 존중을 향촌 공동체 발전의 방도로 여기는 관점을 드러낸다.
⑤ ㉤은 먹을거리에 부족함이 없이 즐거운 향촌 구성원의 모습을 통해 가난을 벗어난 이상화된 농촌상의 일면을 보여 준다.

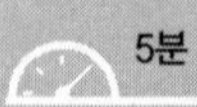
5분 | 2022학년도 9월 모평 32~34번 | ★★☆ | 정답 042쪽

【7~9】 다음 글을 읽고 물음에 답하시오.

(가)

공후배필은 못 바라도 군자호구 원하더니
삼생의 원업(怨業)이오 월하의 연분으로
장안유협(長安遊俠) 경박자(輕薄子)를 ㉠꿈같이 만나 있어
당시의 용심(用心)하기 살얼음 디디는 듯
삼오이팔 겨우 지나 천연여질 절로 이니
이 얼골 이 태도로 백년기약하였더니
연광(年光)이 훌훌하고 조물이 다시(多猜)*하여
봄바람 가을 물이 베오리에 북 지나듯
설빈화안 어디 두고 면목가증(面目可憎)* 되거고나
내 얼골 내 보거니 어느 임이 날 괼소냐 [A]

(중략)

옥창에 심은 매화 몇 번이나 피여 진고
겨울밤 차고 찬 제 자최눈 섯거 치고
여름날 길고 길 제 궂은비는 무슨 일고 [B]
삼춘화류(三春花柳) 호시절(好時節)의 경물이 시름없다
가을 달 방에 들고 **실솔(蟋蟀)이 상(床)에 울 제**
긴 한숨 지는 눈물 속절없이 헴만 많다
아마도 모진 목숨 죽기도 어려울사
도로혀 풀쳐 혜니 이리하여 어이하리
청등을 돌라 놓고 녹기금(綠綺琴) 빗겨 안아
벽련화(碧蓮花) 한 곡조를 시름 좇아 섯거 타니
소상야우(瀟湘夜雨)의 댓소리 섯도는 듯
화표천년(華表千年)의 별학이 우니는 듯
옥수(玉手)의 타는 수단 옛 소리 있다마는
부용장(芙蓉帳) 적막하니 뉘 귀에 들리소니
간장이 구곡되어 굽이굽이 끊쳤어라
차라리 잠을 들어 ㉡꿈에나 보려 하니
바람의 지는 잎과 풀 속에 우는 짐승
무슨 일 원수로서 잠조차 깨우는다

- 허난설헌, 「규원가」 -

* 다시: 시기가 많음.
* 면목가증: 얼굴 생김이 남에게 미움을 살 만한 데가 있음.

(나)

재 위에 우뚝 선 **소나무 바람 불 적마다 흔덕**흔덕
개울에 섰는 **버들** 무슨 일 좇아서 흔들흔들 [C]
임 그려 우는 눈물은 옳거니와 **입하고 코**는 어이 무슨 일 좇아서 **후루룩 비쭉** 하나니

- 작자 미상 -

7. [A]~[C]의 표현상 특징에 대한 설명으로 적절하지 않은 것은?

① [A]는 여성의 생활에 밀접한 소재를 활용하여 흘러가는 세월에 대한 화자의 인식을 시각적으로 표현하였다.
② [B]는 단어를 반복하는 구절을 행마다 사용하여 화자가 주목하는 각 계절의 특성을 강조하였다.
③ [C]는 두 대상을 발음이 비슷한 의태어로 표현하여 움직이는 모습의 유사성을 드러내었다.
④ [A], [B]는 계절적 배경을 알려 주는 시어를 활용하여 시간에 따라 화자의 처지가 달라졌음을 드러내었다.
⑤ [B], [C]는 대구를 활용하여 리듬감을 형성하였다.

8. ㉠, ㉡에 대한 이해로 가장 적절한 것은?

① ㉠은 흐릿한 기억 때문에 혼란스러운 화자의 심정을 나타낸다.
② ㉡은 현실에서는 화자가 문제를 해결할 수 없어서 선택한 방법이다.
③ ㉠은 임과의 만남에 대한 기대에서, ㉡은 임과의 이별에 대한 망각에서 비롯된다.
④ ㉠은 이미 일어난 일에 대해 회상하고, ㉡은 곧 일어날 일에 대해 단정하고 있다.
⑤ ㉠은 인연의 우연성에 대한, ㉡은 재회의 필연성에 대한 화자의 우려를 드러내고 있다.

9. <보기>를 참고하여 (가), (나)를 감상한 내용으로 적절하지 않은 것은? [3점]

<보 기>

(가), (나)는 이별에 대한 서로 다른 대처를 보여 준다. (가)의 화자는 외부와 단절된 채 자신의 쓸쓸한 내면에 몰입하고, 자신의 슬픔을 주변으로 확장한다. (나)의 화자는 외부 대상의 모습에서 자신과의 동질성을 발견하며 슬픔을 확인하면서도, 슬픔을 분출하는 자신의 우스운 외양에 주목한다. (가)는 슬픔을 확장하고 펼쳐 냄으로써, (나)는 슬프지만 슬픔과 거리를 둠으로써 이별에 대처한다.

① (가)에서 '실솔이 상에 울 제'는 화자가 자신의 슬픔을 주변으로 확장한 것을 보여 주는군.
② (가)에서 '부용장 적막하니 뉘 귀에 들리소니'는 화자가 외부와의 교감을 거부하고 내면에 몰입하는 모습을 드러내는군.
③ (나)에서 화자는 '소나무'가 '바람 불 적마다 흔덕'거리는 모습에서 자신과의 동질성을 발견한 것이겠군.
④ (가)의 '삼춘화류'는, (나)의 '버들'과 달리 화자의 내면과 대비되어 외부와의 단절감을 강조하는군.
⑤ (나)의 '후루룩 비쭉'하는 '입하고 코'는, (가)의 '긴 한숨 지는 눈물'과 달리 화자가 자신의 우스운 외양에 주목하여 슬픔과 거리를 두는 것을 보여 주는군.

총 문항				문항	맞은 문항					문항
개별 문항	1	2	3	4	5	6	7	8	9	10
채점										
개별 문항	11	12	13	14	15	16	17	18	19	20
채점										

IV

5분 | 2021학년도 6월 모평 38~40번 | ★★☆ | 정답 043쪽

【1~3】 다음 글을 읽고 물음에 답하시오.

금강대 맨 우층의 선학(仙鶴)이 삿기 치니
춘풍 옥적성(玉笛聲)의 첫잠을 깨돗던디
호의현상*이 반공(半空)의 소소 뜨니
서호 녯 주인*을 반겨셔 넘노는 듯
소향로 대향로 눈 아래 구버보고
정양사 진헐대 고텨 올나 안즌마리
여산 진면목이 여긔야 다 뵈는구나
어와 조화옹이 헌사토 헌사할샤
날거든 뛰디 마나 섯거든 솟디 마나
부용(芙蓉)을 고잣는 듯 백옥(白玉)을 뭇것는 듯 [A]
동명(東溟)*을 박차는 듯 북극(北極)을 괴왓는 듯
놉흘시고 망고대 외로올샤 **혈망봉**이
하늘의 추미러 므스 일을 사로려
천만겁(千萬劫) 디나도록 구필 줄 모르느냐
어와 너여이고 너 가트니 또 잇는가
개심대 고텨 올나 **중향성** 바라보며
만이천봉을 녁녁(歷歷)히 혀여 하니
봉마다 맺쳐 잇고 긋마다 서린 긔운
맑거든 조티 마나 조커든 맑디 마나
뎌 긔운 흐터 내야 인걸을 만들고쟈
형용도 그지업고 톄세(體勢)도 하도 할샤
천지 삼기실 제 **자연이 되**연마는
이제 와 보게 되니 유경(有情)도 유경할샤

(중략)

그 알픠 너러바회 화룡소 되어셰라
천년 노룡(老龍)이 구비구비 서려 이셔
주야의 흘녀 내여 창해(滄海)예 니어시니
풍운을 언제 어더 삼일우(三日雨)를 디련느냐
음애예 이온 플*을 다 살와 내여스라
마하연 묘길상 안문재 너머 디여
외나모 써근 다리 **불정대** 올라 하니
천심(千尋) 절벽을 반공애 셰여 두고
은하수 한 구비를 촌촌이 버혀 내여
실가티 플텨 이셔 **베**가티 거러시니
도경(圖經) 열두 구비 내 보매는 여러히라
이적선 이제 이셔 고텨 의논하게 되면
여산*이 여긔도곤 낫단 말 못 하려니

- 정철, 「관동별곡」 -

* 호의현상: 흰 저고리에 검은 치마란 뜻으로 학을 가리킴.
* 서호 녯 주인: 송나라 때 서호에서 학을 자식으로 여기며 살았던 은사(隱士) 임포.
* 동명: 동해 바다.
* 음애예 이온 플: 그늘진 벼랑에 시든 풀.
* 여산: 당나라 시인 이백(이적선)의 시구에 나오는 중국의 명산.

1. 윗글에 대한 설명으로 가장 적절한 것은?

① '금강대'에서 '진헐대'로 이동하면서 자연에 대한 화자의 이중적 태도를 보여 주고 있다.
② '진헐대'와 '불정대'에서는 이미지의 대립을 통해 화자의 내적 갈등이 고조되고 있다.
③ '개심대'에서는 선경후정의 방식으로 화자가 바라본 풍경과 그에 대한 감흥이 서술되고 있다.
④ '화룡소'에서는 화자의 시선이 원경에서 근경으로 이동하며 대상의 특징을 묘사하고 있다.
⑤ '화룡소'에서 '불정대'까지의 이동 경로를 드러내지 않아 시상이 빠르게 전개되고 있다.

2. [A]를 이해한 내용으로 적절하지 <u>않은</u> 것은?

① 봉우리를 '부용'을 꽂고 '백옥'을 묶은 듯한 시각적 형상으로 묘사하여 대상의 아름다움을 표현하였다.
② 봉우리를 '백옥', '동명'과 같은 무생물에 빗대어 대상에서 느낄 수 있는 자연의 영속성을 표현하였다.
③ 봉우리를 '동명'을 박차고 '북극'을 받치는 듯한 모습에 빗대어 대상의 웅장한 느낌을 표현하였다.
④ '날거든 뛰디 마나 섯거든 솟디 마나'와 같이 행위를 부각하는 대구를 통해 봉우리의 역동적인 느낌을 표현하였다.
⑤ '고잣는 듯', '박차는 듯'과 같이 상태나 동작을 보여 주는 유사한 통사 구조의 나열을 통해 봉우리의 다채로운 면모를 표현하였다.

3. <보기>를 바탕으로 윗글을 감상한 내용으로 적절하지 않은 것은? [3점]

<보 기>

조선의 사대부들은 자연에 하늘의 이치[天理]가 구현된 것으로 보았으며, 그들 중 대부분은 자연의 미를 관념적으로 형상화하였다. 한편 「관동별곡」의 작가는 자연의 미를 현실에서 발견하여 사실감 있게 묘사함으로써 그들과의 차별성을 드러내었다. 또한 그는 자연을 바라보며 사회적 책무를 떠올리고 자연에 투사된 이상적 인간상을 모색하기도 하였다.

① '혈망봉'을 '천만겁'이 지나도록 굽히지 않는 존재로 본 것은, 작가가 지향하는 이상적 인간상을 자연에 투사한 것이군.
② '개심대'에서 '뎌 긔운 흐터 내야 인걸을 만들'겠다는 의지를 드러낸 것은, 작가가 자연을 바라보며 자신의 사회적 책무를 인식하고 있음을 보여 주는군.
③ '중향성'을 바라보며 천지가 '자연이 되'었다고 본 것은, 자연의 미가 하늘의 이치가 구현된 인간 사회의 영향을 받는다고 생각하는 작가의 인식을 보여 주는군.
④ '불정대'에서 본 폭포의 아름다움을 '실'이나 '베'와 같은 구체적 사물을 활용하여 표현한 것은, 자연을 사실감 있게 나타내려는 작가의 태도를 반영한 것이군.
⑤ '불정대'에서 본 풍경을 중국의 '여산'과 비교하며 우리 자연의 아름다움을 강조한 것은, 관념이 아닌 현실에서 아름다움을 발견하는 작가의 차별성을 보여 주는군.

7분 | 2020학년도 9월 모평 16~20번 | ★★★ | 정답 044쪽

[4~8] 다음 글을 읽고 물음에 답하시오.

(가)

㉠ 홍진(紅塵)에 뭇친 분네 이 내 생애 엇더ᄒᆞᆫ고
녯사ᄅᆞᆷ 풍류를 미ᄎᆞᆯ가 뭇 미ᄎᆞᆯ가
천지간 남자 몸이 날만 ᄒᆞᆫ 이 하건마ᄂᆞᆫ
산림에 뭇쳐 이셔 지락(至樂)을 ᄆᆞᄅᆞᆯ 것가
ⓐ 수간모옥(數間茅屋)을 벽계수(碧溪水) 앏픠 두고
송죽 울울리*에 풍월주인 되여셔라
엇그제 겨을 지나 새봄이 도라오니
도화행화(桃花杏花)ᄂᆞᆫ 석양리(夕陽裏)에 퓌여 잇고
녹양방초(綠楊芳草)ᄂᆞᆫ 세우(細雨) 중에 프르도다
칼로 ᄆᆞᆯ아 낸가 붓으로 그려 낸가
조화신공(造化神功)이 물물마다 헌ᄉᆞ롭다
수풀에 우ᄂᆞᆫ 새ᄂᆞᆫ 춘기(春氣)ᄅᆞᆯ ᄆᆞᆺ내 계워 소리마다 교태로다
물아일체(物我一體)어니 흥이ᄋᆡ 다ᄅᆞᆯ소냐
시비에 거러 보고 ⓑ 정자애 안자 보니
소요음영*ᄒᆞ야 산일(山日)이 적적ᄒᆞᆫᄃᆡ
한중진미(閒中眞味)ᄅᆞᆯ 알 니 업시 호재로다
㉡ 이바 니웃드라 산수 구경 가쟈ᄉᆞ라
답청(踏青)으란 오ᄂᆞᆯ ᄒᆞ고 욕기(浴沂)란 내일 ᄒᆞ새
아ᄎᆞᆷ에 채산(採山)ᄒᆞ고 나조ᄒᆡ 조수(釣水)ᄒᆞ새
ᄀᆞᆺ 괴여 닉은 술을 갈건(葛巾)으로 밧타 노코
곳나모 가지 것거 수 노코 먹으리라
화풍(和風)이 건ᄃᆞᆺ 부러 녹수(綠水)ᄅᆞᆯ 건너오니
청향(淸香)은 잔에 지고 낙홍(落紅)은 옷새 진다
㉢ 준중(樽中)이 뷔엿거든 날ᄃᆞ려 알외여라
소동 아ᄒᆡᄃᆞ려 주가에 술을 믈어
얼운은 막대 집고 아ᄒᆡᄂᆞᆫ 술을 메고
미음완보(微吟緩步)ᄒᆞ야 ⓒ 시냇ᄀᆞ의 호자 안자
명사(明沙) 조ᄒᆞᆫ 믈에 잔 시어 부어 들고
청류(淸流)ᄅᆞᆯ 굽어보니 ᄯᅥ오ᄂᆞ니 도화(桃花)ㅣ로다
무릉이 갓갑도다 져 ᄆᆡ이 긘 거인고

- 정극인, 「상춘곡」 -

* 울울리 : 빽빽하게 우거진 속.
* 소요음영 : 자유로이 천천히 걸으며 시를 읊조림.

(나)

ⓓ 고산구곡담(高山九曲潭)을 사ᄅᆞᆷ이 모로더니
주모복거(誅茅卜居)ᄒᆞ니 **벗님**ᄂᆡ 다 오신다
어즈버 무이를 상상ᄒᆞ고 **학주자(學朱子)**를 ᄒᆞ리라 <1수>

일곡은 어ᄃᆡ미오 ⓔ 관암에 ᄒᆡ 비췬다
평무(平蕪)에 ᄂᆡ 거드니 원산(遠山)이 그림이로다
송간(松間)에 녹준*을 노코 벗 오ᄂᆞᆫ 양 보노라 <2수>

이곡은 어ᄃᆡ미오 화암에 춘만(春晩)커다
벽파*에 곳을 ᄯᅴ워 야외로 보내노라
㉣ 사ᄅᆞᆷ이 승지(勝地)를 모로니 알게 ᄒᆞᆫ들 엇더리 <3수>

오곡은 어디민오 **은병(隱屛)**이 보기 됴타
수변(水邊) 정사는 소쇄홈*도 ㄱ이 업다
이 중에 **강학(講學)**도 ᄒᆞ려니와 **영월음풍**ᄒᆞ리라 <6수>

칠곡은 어디민오 ⓕ 풍암에 추색(秋色) 됴타
청상(淸霜) 엷게 치니 절벽이 금수(錦繡) ㅣ로다
한암(寒巖)에 혼ᄌᆞ셔 안자 집을 잇고 잇노라 <8수>

구곡은 어디민오 문산에 세모(歲暮)커다
기암괴석이 눈 속에 무쳐셰라
ⓜ 유인(遊人)은 오지 아니ᄒᆞ고 볼 것 업다 ᄒᆞ더라 <10수>

- 이이, 「고산구곡가」 -

* 녹준 : 술잔 또는 술동이.
* 벽파 : 푸른 물결.
* 소쇄홈 : 기운이 맑고 깨끗함.

4. (가)와 (나)의 공통점으로 가장 적절한 것은?

① 과거를 회상하며 현실의 덧없음을 환기하고 있다.
② 음성 상징어의 사용으로 생동감을 부각하고 있다.
③ 점층적인 표현으로 대상과의 거리감을 강조하고 있다.
④ 역사적 인물들을 호명하여 회고적 분위기를 조성하고 있다.
⑤ 자연물을 통하여 시간적 배경을 시각적으로 드러내고 있다.

5. <보기>를 참고하여 ㉠~㉤을 설명한 내용으로 가장 적절한 것은?

<보 기>

조선 전기의 시조와 가사는 노래로 향유되며, 사대부들이 서로의 문화적 동질성을 확인하는 데 활용되었다. 이러한 갈래적 특성으로 인해 사대부 시가에는 대화 상황이 연상되는 여러 표현으로 공감을 유도하는 방식이 관습화되었다.

① ㉠에서는 청자와 화자가 서로 동질적인 삶을 살고 있음을 질문하기를 통해 확인하고 있다.
② ㉡에서는 청자를 불러들여 함께했던 지난날의 경험을 상기시키며 동질성 회복을 권유하고 있다.
③ ㉢에서는 화자가 상대의 부탁을 수용하며 자신과 뜻을 같이 할 것을 청자에게 명령하고 있다.
④ ㉣에서는 사람들을 일깨우려는 화자의 생각을 청자에게 묻는 방식으로 제시해 공감을 유도하고 있다.
⑤ ㉤에서는 눈으로 확인한 사실만을 믿어야 한다고 주장하는 이의 말을 청자에게 전하며 조언을 구하고 있다.

6. (가)에 대한 감상으로 적절하지 않은 것은?

① 자신의 삶을 옛사람과 비교하며 스스로를 풍월주인이라 여기는 데에서 화자의 자부심이 드러나는군.
② 붓으로 그린 듯한 숲 속에서 봄의 흥을 노래하는 새를 바라보는 데에서 새에 대한 화자의 부러움이 드러나는군.
③ 오늘과 내일, 아침과 저녁에 할 일들을 나열하는 데에서 하고 싶은 일에 대한 화자의 기대감이 드러나는군.
④ 맑은 향이 담긴 술잔과 옷에 떨어지는 꽃잎을 주목하는 데에서 자연과 화자의 일체감이 드러나는군.
⑤ 시냇물에 떠내려오는 도화를 보며 이상향을 연상하는 데에서 화자의 고조되는 감흥이 드러나는군.

7. ⓐ~ⓕ를 중심으로 (가)와 (나)를 이해한 내용으로 적절하지 않은 것은?

① (가)의 화자는 거처인 ⓐ를 나와 ⓑ와 ⓒ의 장소들로 옮겨 다니고 있다.
② (나)의 화자가 소개하는 ⓔ와 ⓕ는 ⓓ를 구성하는 장소들이라는 점에서 서로 대등한 관계에 있다.
③ (가)와 (나)의 화자는 각각 ⓑ와 ⓔ를 주위에서 가장 빼어난 경치를 볼 수 있는 곳이라고 예찬하고 있다.
④ (가)의 화자는 ⓐ에 인접한 맑은 풍경을, (나)의 화자는 자신이 ⓓ에 터를 정함으로써 생긴 변화를 드러내고 있다.
⑤ (가)의 화자는 ⓒ에서 주변으로 시선을 보내고 있고, (나)의 화자는 ⓕ를 향해 시선을 보내고 있다.

8. <보기>를 활용하여 (나)를 탐구한 내용으로 적절하지 <u>않은</u> 것은? [3점]

<보 기>

이이의 생애를 기록한 연보에는, 그가 고산구곡에 정사를 건립한 일이 주자가 무이구곡의 은병에서 후학을 양성한 것을 본받았다는 점과 「고산구곡가」의 창작 이후 이곳을 찾는 이들이 더 많아졌다는 사실이 기록되어 있다. 한편 그가 고산구곡의 곳곳에서 지인들과 교유한 경험을 소개한 「송애기」에는 욕심 없는 마음으로 자연과 인간이 별개가 아님을 느끼고, 자연으로부터 마음을 바르게 하는 도리를 찾으면 군자의 참된 즐거움을 누릴 수 있다는 그의 생각이 나타나 있다.

① 고산구곡에서의 생활에 대한 「송애기」의 기록을 참고할 때, 고산구곡이 작자와 '벗님'들의 교유 장소로도 활용되었음을 추리할 수 있겠군.
② 작품 창작 이후와 관련한 연보의 기록을 참고할 때, '학주자'를 하려는 작자의 선택에 대한 사람들의 긍정적 반응을 추측할 수 있겠군.
③ 정사에 대한 연보의 기록을 참고할 때, '은병'이 주자를 학문적으로 계승하기 위해 선택된 공간이기도 했음을 짐작할 수 있겠군.
④ 참된 즐거움과 관련한 「송애기」의 기록을 참고할 때, '강학'과 '영월음풍'이 모순 없이 서로 어울릴 수 있는 행위임을 유추할 수 있겠군.
⑤ 자연의 감상에 대한 「송애기」의 기록을 참고할 때, 바위를 덮은 '눈'에서 자연과 합일을 이루려는 인간의 의지를 엿볼 수 있겠군.

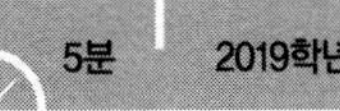
5분 | 2019학년도 4월 학평 43~45번 | ★★☆ | 정답 045쪽

【9~11】 다음 글을 읽고 물음에 답하시오.

황ᄆᆡ시절(黃梅時節) 떠난 이별 만학단풍(萬壑丹楓) 느젓스니
상ᄉᆞ일념(相思一念) 무한ᄉᆞ*는 져도 나를 그리련이
구든 언약 깁흔 정을 닌들 어이 이젓슬가
인간의 일이 만코 **조물(造物)**이 시긔련지
삼ᄒᆞ삼추(三夏三秋) 지나가고 **낙목한천(落木寒天)** 또 되엿ᄂᆡ
운산이 머럿쓰니 소식인들 쉬울손가
ᄃᆡ인난* **긴 한숨**의 **눈물**은 몇때런고
흉중의 ㉠<u>불</u>이 나니 구회간장 다타간다
인간의 물로 못끄난 불이라 업것마는
ᄂᆡ 가삼 ᄐᆡ우는 불은 ㉡<u>물</u>노도 어이 못끄난고
ᄌᆞ네 사정 ᄂᆡ가 알고 ᄂᆡ 사정 ᄌᆞ네 알니
세우ᄉᆞ창(細雨紗窓) 저문 날과 소소상풍 송안성*의
상ᄉᆞ몽(相思夢) 놀라 ᄭᆡ여 ᄆᆡᆨᄆᆡᆨ키* ᄉᆡᆼ각ᄒᆞ니
방춘화류(芳春花柳) 조흔 시절 강누ᄉᆞ찰 경ᄀᆡ돗ᄎᆞ*
일부일 월부월의 운우지락(雲雨之樂) 협흡할제*
청산녹수 증인두고 **ᄎᆞᄉᆡᆼᄇᆡᆨ년 서로 ᄆᆡᆼ세**
못보와도 병이 되고 더듸 와도 성화로세
오는 **글발** 가는 **ᄉᆞ연** ᄌᆞᄌᆞ획획 다정턴이
엇지타 한 별니가 역여조기(惄如調飢) 어려웨라*

– 이세보, 「상사별곡(相思別曲)」 –

* 상ᄉᆞ일념 무한ᄉᆞ: 임 그리워하는 마음이 무한함.
* ᄃᆡ인난: 오지 않는 사람을 기다리는 안타까움.
* 송안성: 기러기 울음 소리.
* ᄆᆡᆨᄆᆡᆨ키: 어떤 일에 대처할 방법이 잘 생각나지 않아 답답하게.
* 강누ᄉᆞ찰 경ᄀᆡ돗ᄎᆞ: 누각과 사찰의 경치를 따라.
* 운우지락 협흡할제: 남녀 간의 정을 나누는 즐거움으로 화목하게 지낼 때.
* 역여조기 어려웨라: 임을 그리워하는 정이 간절하여 마음이 힘듦.

9. 윗글의 표현상 특징에 대한 설명으로 적절하지 <u>않은</u> 것은?
① 대구의 방식을 활용하여 리듬감을 형성하고 있다.
② 공간의 이동을 활용하여 화자의 의지를 나타내고 있다.
③ 비유적 표현을 활용하여 화자의 심정을 부각하고 있다.
④ 청각적 심상을 활용하여 화자의 상황을 드러내고 있다.
⑤ 설의적인 표현을 활용하여 화자의 생각을 강조하고 있다.

IV

10. <보기>를 바탕으로 윗글을 이해한 내용으로 적절하지 않은 것은? [3점]

〈 보 기 〉

「상사별곡」은 임에 대한 그리움을 진솔하게 노래한 작품이다. 화자는 임과 이별한 상황에서 임을 기다리며 느끼는 상사의 아픔을 토로하며 과거의 행복했던 시절을 그리워하고 있다. 또한 이별의 원인과 이별이 지속되는 근본적인 이유를 직접적으로 제시하지 않고, 이를 외적 요인으로 돌리려 한다.

① 화자는 '인간의 일'이나 '조물'과 같은 외적 요인을 임과 재회하지 못하게 하는 이유로 떠올리고 있다.
② 화자는 '삼ᄒᆞ삼추'와 '낙목한천'이라는 계절의 흐름을 통해 임과 이별한 상황이 지속되고 있음을 제시하고 있다.
③ 화자는 '긴 한숨'과 '눈물'을 통해 임을 기다리며 느끼는 상사의 아픔을 드러내고 있다.
④ 화자는 'ᄎᆞ싱빅년'을 '서로 밍세'했던 과거를 떠올리며 임과 행복했던 시절을 그리워하고 있다.
⑤ 화자는 오고 가는 '글발'과 'ᄉᆞ연'을 임과 이별하게 된 원인으로 제시하고 있다.

11. ㉠과 ㉡을 이해한 내용으로 가장 적절한 것은?

① ㉠은 화자가 과거를 잊게 하는 소재이고, ㉡은 화자가 미래를 예측하게 하는 소재이다.
② ㉠은 화자의 상황을 드러내는 소재이고, ㉡은 화자의 상황 해결이 어려움을 드러내는 소재이다.
③ ㉠은 화자에게 부정적 인식을 심어 주는 소재이고, ㉡은 화자의 인식을 긍정적으로 바꾸게 하는 소재이다.
④ ㉠과 ㉡은 모두 화자의 소망을 실현시켜 주는 소재이다.
⑤ ㉠과 ㉡은 모두 자연에 대한 화자의 경외감을 느끼게 하는 소재이다.

총 문항				문항	맞은 문항					문항
개별 문항	1	2	3	4	5	6	7	8	9	10
채점										
개별 문항	11	12	13	14	15	16	17	18	19	20
채점										

갈래 복합

• 고3 국어 문학 •

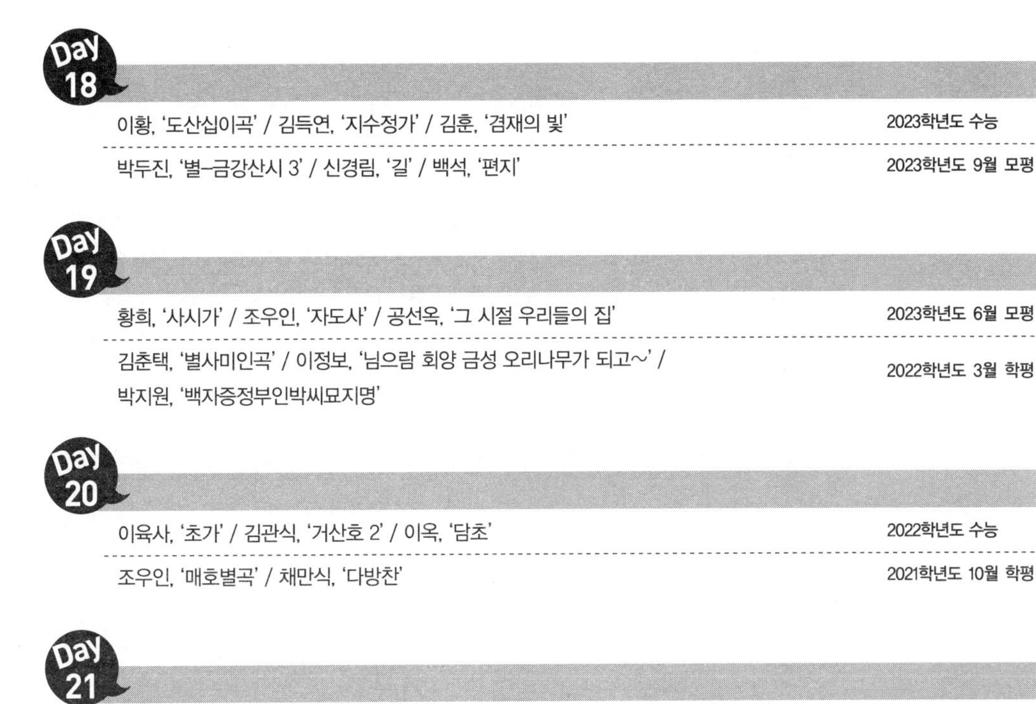

갈래 복합

출제 트렌드

갈래 복합 지문은 한 지문당 5~6문제씩 출제되고 2~3개의 작품이 묶이기 때문에 지문의 길이도 긴 편이므로 문학 영역에서 차지하는 비중이 꽤 큽니다. 고전 시가와 수필이 복합된 경우를 가장 흔하게 볼 수 있고, 종종 현대시와 수필, 현대시와 고전 시가, 소설과 희곡 또는 시나리오가 함께 출제되기도 합니다. 서로 다른 갈래의 작품을 한 지문으로 엮었다는 것은 곧 작품들에 공통적인 요소가 있음을 의미합니다. 이때 글의 표현 방법이나 내용 전개 방식이 공통점이 되는 경우가 많고, 작품의 주제 의식에 공통점이 있는 경우도 있습니다. 그리고 이를 묻는 문제는 반드시 출제됩니다. 또 작품 속 소재의 의미나 역할을 비교하는 문제도 자주 출제됩니다. 갈래 복합 지문은 문제를 풀기 전부터 어려울 것이라 생각해서 겁을 먹는 경향이 있는데, 앞서 단일 갈래에 대한 학습을 충분히 했기 때문에 복합 갈래라고 해서 특별히 더 어려울 것이라고 생각하지 않아도 됩니다. 2023학년도 수능에서는 고전 시가 두 편과 현대 수필 한 편이 함께 출제되었고, 난이도는 평이했습니다.

시행	출제 지문	문제 수	난이도
2023학년도 수능	이황, '도산십이곡' / 김득연, '지수정가' / 김훈, '겸재의 빛'	5문제 출제	★☆☆
2023학년도 9월 모평	박두진, '별-금강산시 3' / 신경림, '길' / 백석, '편지'	6문제 출제	★★☆
2023학년도 6월 모평	황희, '사시가' / 조우인, '자도사' / 공선옥, '그 시절 우리들의 집'	6문제 출제	★★☆
2022학년도 수능	이육사, '초가' / 김관식, '거산호 2' / 이옥, '담초'	6문제 출제	★★☆

1등급 꿀팁

하나 _ 수필은 핵심 소재와 글쓴이의 생각을 파악하자.
두울 _ 시는 기본적으로 화자의 정서와 태도를 중심으로 생각하자.
세엣 _ 소설은 기본적으로 등장인물들의 관계, 갈등과 사건을 중심으로 생각하자.
네엣 _ 희곡과 시나리오는 무대 혹은 상영 장면의 연출을 전제하는 문학임을 명심하자.
다섯 _ 각 작품을 공통적으로 아우르는 주제와 분위기를 캐치하자.
여섯 _ 한 지문에만 해당하는 문제는 그 지문을 읽은 직후에 푸는 방법을 활용하여 시간을 단축하자.
일곱 _ 다양한 갈래의 작품을 함께 엮어 이해하는 종합적 사고력을 기르자.

다음 글을 읽고 물음에 답하시오.

(나)

산가(山家) 풍수설에 동구 못이 좋다 할새
십 년을 경영하여 한 땅을 얻으니
형세는 좁고 굵은 암석은 많고 많다
옛 길을 새로 내고 **작은 연못** 파서
활수*를 **끌어 들여** 가는 것을 **머물게 하니**
맑은 거울 **티 없어 산 그림자** 잠겨 있다
[B]
천고(千古)에 황무지를 아무도 모르더니
일조(一朝)에 진면목을 **내 혼자 알았노라**
처음의 이 내 뜻은 물 머물게 할 뿐이더니
이제는 돌아보니 **가지가지 다 좋구나**
백석은 치치(齒齒)하여 은도로 새겨 있고
벽류는 콸콸 흘러 옥 술잔을 때리는 듯
첩첩한 산들은 좌우의 병풍이요
빽빽한 소나무는 전후의 울타리로다
구곡 상하대는 층층이 둘러 있고
삼경(三逕) 송국죽(松菊竹)은 줄지어 벌여 있다
하물며 바위 벼랑 높은 위에 노송이 용이 되어 구부려 누웠거늘
운근(雲根)을 베어 내고 ㉠ 작은 정자 붙여 세워
띠 풀로 지붕 이고 자르지 않으니 이것이 어떤 집인가
남양의 제갈려인가 무이의 와룡암인가*
다시금 살펴보니 필굉 위언의 그림의 것이로다
무릉도원을 예 듣고 못 봤더니
이제야 알겠구나 이 진짜 거기로다

- 김득연, 「지수정가」 -

* 활수: 흐르는 물.
* 남양의 제갈려, 무이의 와룡암: 옛 현인이 은거한 거처.

(다)

내 초로의 어느 가을날, 나는 겸재가 동해안을 따라 내려가면서 동해 승경을 화폭에 옮겼던 월송정, 망양정, 청간정, 성류굴을 일삼아 떠돌아다녔다. 망양정은 옛 기성면의 바닷가에서 지금의 근남면 산포리로 옮겨 세운 지가 140여 년이 넘어, 기성면의 ㉡ 옛 망양정 자리는 도로 공사로 단애의 허리가 잘리워 나가, 바닷물은 단애 끝으로부터 멀찌감치 쫓겨났고 그 사이는 시멘트 칠갑이 되어 있었다. 정자 터는 사방이 깎여져 나갔고 화폭 속의 소나무 숲도 베어져 버린 채, 그 언덕은 그저 무의미한 흙더미로 변해 있었다. 마을의 고로(古老)들도 그곳에 들어서 있던 정자를 본 일은 없었고, 다만 그들의 증조나 고조로부터 전해 오는 구전에 의해 그 흙더미가 망양정 옛터였음을 옮길 뿐이었다.

겸재의 화폭을 마음속에 앞세우고 겸재 실경산수(實景山水)의 자리를 찾을 적에 그곳에 옛 정자가 이미 오래전에 없어져 버린 그 허전한 사태는 그다지 허전하지 않았다. 왜 그런가. 현실 속의 정자에 오르면 화폭 속의 정자는 보이지 않는다. 육신의 눈을 앞세워 정자를 찾아오는 자에게는 풍경 전체 속에서 인간세의 위치와 규모를 대표하는 상징으로서의 정자는 보이지 않는다.

(중략)

[C] **먼 산을 그릴 때** 그는 그 산과 인간 사이의 거리를 그리는 것이 아니라, **그 거리를 들여다보는 시선의 깊이를 그린다.** 먼 것들은 원근상의 거리에 의해 격리되는 것이 아니라, 깊이에 의해 자리 잡는다. 겸재의 화폭 속에서 풍경은 **가깝다는 이유만으로 사실성을 부여받지 않**고 또 멀다는 이유만으로 사실성을 박탈당하지 않는다. 대체로 그의 그림 속에서는 **인간과 인간에 직접 관련된 것들**—정자, 집, 배, 나귀, 가마, 화분, 성곽 같은 것들이 **비교적 명료한 사실성을 띠**고 있지만, 그 사실성은 원근에 의해 정립되는 사실성이 아니라, **세계를 관찰하는 인간과의 관계 속**에서 **정립**되는 사실성이다.

- 김훈, 「겸재의 빛」 -

25. ㉠과 ㉡을 이해한 내용으로 가장 적절한 것은?

① ㉠은 화자가 노력을 기울여 만든 인공물이고, ㉡은 글쓴이가 의도하지 않게 찾아낸 장소이다.
② ㉠은 현실에서 명예를 실현하려는 의지를, ㉡은 현실에서 편의를 실현한 결과를 보여 준다.
③ ㉠은 화자에게 만족하며 머무르는 삶에 대해, ㉡은 글쓴이에게 허전하지 않은 이유에 대해 생각하게 한다.
④ ㉠은 화자에게 일상적인 유용성을 상실한 공간이고, ㉡은 글쓴이에게 본래적인 유용성을 상실한 공간이다.
⑤ ㉠은 화자에게 자신의 삶을 가다듬는 역할을 수행하고, ㉡은 글쓴이에게 자신의 삶을 비판하는 계기로 작용한다.

문제풀이

시와 수필의 복합 지문은 이제는 문학 영역의 대표 유형이 되었다. 25번과 같이 서로 다른 작품 속 소재를 비교하는 문제가 자주 출제되는데, 이때 선택지에 나타난 두 조건(㉠은 ~이고, ㉡은 ~이다)이 모두 적절한지, 하나만 적절한 것은 아닌지 주의해야 한다.

❸ (나)의 화자는 자연 속에 ㉠을 세우고, 그곳을 '남양의 제갈려', '무이의 와룡암'과 같은 옛 현인이 은거한 거처, '무릉도원'과 같은 이상적 공간이라고 인식하는 태도를 보이고 있다. 따라서 ㉠은 화자에게 만족하며 머무르는 삶에 대해 생각하게 하는 장소라고 할 수 있다. (다)에서 ㉡은 겸재의 그림 속 승경을 찾아간 글쓴이가 '옛 정자가 이미 오래전에 없어져 버린 그 허전한 사태'를 목격한 곳인데, 이곳에서 글쓴이는 그 사태가 '그다지 허전하지 않았다'고 하며 사색하고 있으므로 ㉡은 글쓴이에게 허전하지 않은 이유에 대해 생각하게 하는 장소라고 할 수 있다.
⑤ (나)의 화자는 ㉠을 이상적 공간으로 여기며 만족감을 드러내고 있을 뿐 자신의 삶을 가다듬는 태도를 보이고 있지는 않으며, (다)의 글쓴이 또한 ㉡을 통해 사색하고 있을 뿐 자신의 삶을 비판하고 있지는 않다.

8분 | 2023학년도 수능 22~26번 | ★☆☆ | 정답 046쪽

[1~5] 다음 글을 읽고 물음에 답하시오.

(가)

이런들 어떠하며 저런들 어떠하료
초야우생(草野愚生)이 이렇다 어떠하료
하물며 **천석고황(泉石膏肓)**을 고쳐 므슴하료 <제1수>

연하(烟霞)로 **집을 삼고** 풍월(風月)로 **벗을 삼아**
태평성대에 병으로 늙어 가네
이 중에 바라는 일은 **허물이나 없고자** <제2수>

[A]

춘풍(春風)에 화만산(花滿山)하고 추야(秋夜)에 월만대(月滿臺)라
사시 가흥(佳興)이 **사람과 한가지라**
하물며 어약연비(魚躍鳶飛) 운영천광(雲影天光)이야 어느 끝이 있으리 <제6수>

- 이황, 「도산십이곡」 -

(나)

산가(山家) 풍수설에 동구 못이 좋다 할새
십 년을 경영하여 한 땅을 얻으니
형세는 좁고 굵은 암석은 많고 많다
옛 길을 새로 내고 **작은 연못** 파서
활수*를 **끌어 들여** 가는 것을 **머물게 하니**
맑은 거울 **티 없어 산 그림자** 잠겨 있다

[B]

천고(千古)에 황무지를 아무도 모르더니
일조(一朝)에 진면목을 **내 혼자 알았노라**
처음의 이 내 뜻은 물 머물게 할 뿐이더니
이제는 돌아보니 **가지가지 다 좋구나**
백석은 치치(齒齒)하여 은도로 새겨 있고
벽류는 콸콸 흘러 옥 술잔을 때리는 듯
첩첩한 산들은 좌우의 병풍이요
빽빽한 소나무는 전후의 울타리로다
구곡 상하대는 층층이 둘러 있고
삼경(三逕) 송국죽(松菊竹)은 줄지어 벌여 있다
하물며 바위 벼랑 높은 위에 노송이 용이 되어 구부려 누웠거늘
운근(雲根)을 베어 내고 ㉠ 작은 정자 붙여 세워
띠 풀로 지붕 이고 자르지 않으니 이것이 어떤 집인가
남양의 제갈려인가 무이의 와룡암인가*
다시금 살펴보니 필굉 위언의 그림의 것이로다
무릉도원을 예 듣고 못 봤더니
이제야 알겠구나 이 진짜 거기로다

- 김득연, 「지수정가」 -

* 활수: 흐르는 물.
* 남양의 제갈려, 무이의 와룡암: 옛 현인이 은거한 거처.

(다)

내 초로의 어느 가을날, 나는 겸재가 동해안을 따라 내려가면서 동해 승경을 화폭에 옮겼던 월송정, 망양정, 청간정, 성류굴을 일삼아 떠돌아다녔다. 망양정은 옛 기성면의 바닷가에서 지금의 근남면 산포리로 옮겨 세운 지가 140여 년이 넘어, 기성면의 ㉡ 옛 망양정 자리는 도로 공사로 단애의 허리가 잘리워 나가, 바닷물은 단애 끝으로부터 멀찌감치 쫓겨났고 그 사이는 시멘트 칠갑이 되어 있었다. 정자 터는 사방이 깎여져 나갔고 화폭 속의 소나무 숲도 베어져 버린 채, 그 언덕은 그저 무의미한 흙더미로 변해 있었다. 마을의 고로(古老)들도 그곳에 들어서 있던 정자를 본 일은 없었고, 다만 그들의 증조나 고조로부터 전해 오는 구전에 의해 그 흙더미가 망양정 옛터였음을 옮길 뿐이었다.

겸재의 화폭을 마음속에 앞세우고 겸재 실경산수(實景山水)의 자리를 찾을 적에 그곳에 옛 정자가 이미 오래전에 없어져 버린 그 허전한 사태는 그다지 허전하지 않았다. 왜 그런가. 현실 속의 정자에 오르면 화폭 속의 정자는 보이지 않는다. 육신의 눈을 앞세워 정자를 찾아오는 자에게는 풍경 전체 속에서 인간세의 위치와 규모를 대표하는 상징으로서의 정자는 보이지 않는다.

(중략)

[C] **먼 산을 그릴 때** 그는 그 산과 인간 사이의 거리를 그리는 것이 아니라, **그 거리를 들여다보는 시선의 깊이를 그린다**. 먼 것들은 원근상의 거리에 의해 격리되는 것이 아니라, 깊이에 의해 자리 잡는다. 겸재의 화폭 속에서 풍경은 **가깝다는 이유만으로 사실성을 부여받지 않**고 또 멀다는 이유만으로 사실성을 박탈당하지 않는다. 대체로 그의 그림 속에서는 **인간과 인간에 직접 관련된 것들**―정자, 집, 배, 나귀, 가마, 화분, 성곽 같은 것들이 **비교적 명료한 사실성을 띠**고 있지만, 그 사실성은 원근에 의해 정립되는 사실성이 아니라, **세계를 관찰하는 인간과의 관계 속**에서 **정립**되는 사실성이다.

- 김훈, 「겸재의 빛」 -

1. (가)~(다)의 공통점으로 가장 적절한 것은?

① 대상에 주목하여 대상과 관련된 가치를 추구하는 자세를 나타내고 있다.
② 부정적인 현실을 비판하며 좌절을 극복하려는 의지를 부각하고 있다.
③ 현실을 통찰하며 관용적 삶에 대한 지향을 보여 주고 있다.
④ 계절감을 활용하여 환경의 다양한 변화를 표현하고 있다.
⑤ 가상의 상황을 제시하여 환상적 분위기를 강화하고 있다.

2. [A], [B]에 대한 설명으로 적절하지 않은 것은?

① [A]의 <제1수> 초장은 유사한 어휘의 반복을 통해 리듬감을 형성하고 있다.
② [A]의 <제2수> 초장은 <제1수> 종장의 시상을 이어받아 자연 친화적인 모습을 드러내고 있다.
③ [B]에서는 '산 그림자'가 담긴 '작은 연못'의 경관을 묘사하여 깨끗한 자연의 형상을 보여 주고 있다.
④ [A]의 '집을 삼고'와 '벗을 삼아'는 화자와 대상의 가까운 관계를, [B]의 '끌어 들여'와 '머물게 하니'는 화자가 대상을 가까이 하려는 행동을 제시하고 있다.
⑤ [A]의 '허물이나 없고자'는 미래에 대한 화자의 바람을, [B]의 '티 없어'는 대상을 관찰하기 전에 나타난 화자의 심리를 표현하고 있다.

3. <보기>를 바탕으로 (가), (나)를 이해한 내용으로 적절하지 않은 것은? [3점]

<보 기>

「도산십이곡」에서 강호는 자연의 이치와 인간이 지향하는 이치가 일치된 이상적 공간으로, 「지수정가」에서 강호는 자연에서 생활하면서 자연의 가치를 새롭게 발견할 수 있는 공간으로 나타난다. 「도산십이곡」에서는 조화로운 자연과 합일하는 화자가 등장하며, 「지수정가」에서는 자연의 구체적인 모습을 묘사하며 자연의 가치를 확인한 화자가 등장한다.

① (가)의 '초야우생'은 인간이 지향하는 이치와 자연의 이치가 일치된 공간에 존재하는 화자가 스스로를 이르는 말이겠군.
② (나)의 '내 혼자 알았노라'는 자연에서 생활하면서 자연의 가치를 발견한 화자의 심정을 드러내는 말이겠군.
③ (가)의 '천석고황'은 이상적 공간에 다다르지 못한 것에 대한 화자의 아쉬움이, (나)의 '무릉도원'은 현실적 공간을 이상적 공간으로 바라보는 화자의 인식이 나타난 말이겠군.
④ (가)의 '사람과 한가지라'는 자연의 이치와 인간이 지향하는 이치가 다르지 않음을 확인한 화자의 인식이, (나)의 '가지가지다 좋구나'는 자연의 가치를 확인한 화자의 심정이 나타난 말이겠군.
⑤ (가)의 '춘풍에 화만산하고 추야에 월만대라'는 계절의 양상을 통해 조화로운 자연을, (나)의 '벽류는 콸콸 흘러 옥 술잔을 때리는 듯'은 화자가 발견한 자연의 아름다운 모습을 드러낸 말이겠군.

4. ㉠과 ㉡을 이해한 내용으로 가장 적절한 것은?

① ㉠은 화자가 노력을 기울여 만든 인공물이고, ㉡은 글쓴이가 의도하지 않게 찾아낸 장소이다.
② ㉠은 현실에서 명예를 실현하려는 의지를, ㉡은 현실에서 편의를 실현한 결과를 보여 준다.
③ ㉠은 화자에게 만족하며 머무르는 삶에 대해, ㉡은 글쓴이에게 허전하지 않은 이유에 대해 생각하게 한다.
④ ㉠은 화자에게 일상적인 유용성을 상실한 공간이고, ㉡은 글쓴이에게 본래적인 유용성을 상실한 공간이다.
⑤ ㉠은 화자에게 자신의 삶을 가다듬는 역할을 수행하고, ㉡은 글쓴이에게 자신의 삶을 비판하는 계기로 작용한다.

5. <보기>를 바탕으로 [C]를 읽은 독자의 반응으로 적절하지 않은 것은?

<보 기>

겸재는 산을 그리면서도 뺄 건 빼고 과장할 것은 과장하면서 필요한 경우에는 자리를 옮겨 가면서까지 자신이 생각하는 구도로 풍경을 재구성하였다. 한 폭의 그림 속에서 물과 바다, 하늘과 땅, 그리고 정자와 인간을 포함한 모든 대상이 화가의 시선에 의해 재구성되어 회화의 구도상 의미를 지닌 자리에 놓일 때야말로 진정한 그림의 요체가 드러나기 때문에, 겸재의 그림은 실물과 똑같이 그리는 것이 능사가 아니라는 점을 증명하고 있다.

① '먼 산을 그릴 때' 그 거리에 집착하지 않는 까닭은, 실물과 똑같이 그리는 것이 능사가 아니기 때문이겠군.
② '그 거리를 들여다보는 시선의 깊이를 그린다'는 뜻은, 화가가 자신의 시선으로 풍경을 재구성하는 작업이 중요하다는 의미이겠군.
③ '가깝다는 이유만으로 사실성을 부여받지 않'는 까닭은, 대상을 표현할 때 뺄 건 빼고 과장할 것은 과장할 수 있다는 화가의 생각 때문이겠군.
④ '인간과 인간에 직접 관련된 것들'을 '비교적 명료한 사실성을 띠'도록 그린다는 뜻은, 대상을 회화의 구도상 의미를 지닌 자리로 옮겨 풍경의 원근감을 보이는 그대로 실현해야 한다는 의미이겠군.
⑤ '세계를 관찰하는 인간과의 관계 속'에서 사실성이 '정립'되는 까닭은, 화가의 의도에 따라 풍경을 재구성하는 창작 작업을 통해 그림의 요체가 드러나기 때문이겠군.

9분 | 2023학년도 9월 모평 22~27번 | ★★☆ | 정답 047쪽

[6~11] 다음 글을 읽고 물음에 답하시오.

(가)

아아 아득히 내 첩첩한 산길 왔더니라. **인기척 끊**이고 새도 짐승도 있지 않은 **한낮 그 화안한 골 길**을 다만 아득히 나는 머언 생각에 잠기어 왔더니라.

백화(白樺) 앙상한 사이를 바람에 백화같이 불리우며 물소리에 흰 돌 되어 씻기우며 나는 총총히 외롬도 잊고 왔더니라

살다가 오래여 삭은 장목들 흰 팔 벌리고 서 있고 풍설(風雪)에 깎이어 날선 봉우리 훌 훌 훌 창천(蒼天)에 흰 구름 날리며 섰더니라

쏴아 ― 한종일내 ― 쉬지 않고 부는 물소리 안은 바람소리 …… **구월** 고운 낙엽은 날리어 푸른 담(潭) 위에 호르르르 낙화같이 지더니라.

어젯밤 잠자던 동해안 어촌 그 검푸른 밤하늘에 나는 장엄히 뿌리어진 허다한 **바다의 별들**을 보았느니,

이제 나의 이 **오늘밤** 산장에도 얼어붙는 바람 속 우러르는 나의 **하늘에 별들**은 쏠리며 다시 **꽃과 같이 난만(爛漫)하여라.**

- 박두진, 「별 - 금강산시 3」 -

(나)

사람들은 자기들이 길을 만든 줄 알지만
길은 순순히 **사람들의 뜻**을 좇지는 않는다 [A]
사람을 끌고 가다가 문득
벼랑 앞에 세워 **낭패**시키는가 하면
큰물에 우정 제 허리를 동강 내어
사람이 부득이 저를 버리게 만들기도 한다 [B]
사람들은 이것이 다 사람이 만든 길이
거꾸로 사람들한테 세상 사는
슬기를 가르치는 거라고 말한다 [C]
길이 사람을 밖으로 불러내어
온갖 곳 온갖 사람살이를 구경시키는 것도
세상 사는 이치를 가르치기 위해서라고 말한다
그래서 길의 뜻이 거기 있는 줄로만 알지
길이 사람을 밖에서 안으로 끌고 들어가
스스로를 깊이 들여다보게 한다는 것은 모른다 [D]
길이 밖으로가 아니라 안으로 나 있다는 것을
아는 **사람**에게만 **길**은 고분고분해서 [E]
꽃으로 제 몸을 수놓아 향기를 더하기도 하고
그늘을 드리워 사람들이 땀을 식히게도 한다
그것을 알고 나서야 **사람들**은 비로소
자기들이 길을 만들었다고 말하지 않는다 [F]

- 신경림, 「길」 -

(다)

고요하니 즐거운 이 밤 초롱초롱 맑게 고인 샘물 같은 눈으로 나는 지금 **당신**께서 보내 주신 맑고 고운 수선화 한 폭을 들여다봅니다. 들여다보노라니 그윽한 향기와 새파란 꿈이 안개같이 오르고 또 노란 슬픔이 연기같이 오릅니다. 나는 이제 이 긴긴 밤을 당신께 이 **노란 슬픔의 이야기**나 해서 보내도 좋겠습니까.

남쪽 바닷가 어떤 낡은 항구의 처녀 하나를 나는 좋아하였습니다. 머리가 까맣고 눈이 크고 코가 높고 목이 패고 키가 호리낭창하였습니다.

(중략)

어느 해 유월이 저물게 **실비 오는 무더운 밤**에 처음으로 그를 안 나는 여러 아름다운 것에 그를 견주어 보았습니다 ― 당신께서 좋아하시는 산새에도 해오라비에도 또 진달래에도 그리고 산호에도……. 그러나 나는 어리석어서 아름다움이 닮은 것을 골라낼 수 없었습니다.

총명한 내 친구 하나가 그를 비겨서 수선이라고 하였습니다. 그제는 나도 기뻐서 그를 비겨 수선이라고 하였습니다. 그러한 나의 수선이 시들어 갑니다. 그는 스물을 넘지 못하고 또 **가슴의 병**을 얻었습니다. 이 이야기는 이만하고 나의 노란 슬픔이 더 떠오르지 않게 나는 당신의 보내 주신 맑고 고운 수선화의 폭을 치워 놓아야 하겠습니다.

밤이 **아직 샐 때가** 멀고 또 복밥을 먹을 때도 아직 되지 않았습니다. 이제 나는 어머니의 바느질 그릇이 있는 데로 가서 무새 헝겊이나 얻어다가 알룩달룩한 각시나 만들면서 **이 남은 밤**을 당신께서 좋아하실 내 시골 **육보름*** 밤의 이야기나 해서 보내도 좋겠습니까.

육보름으로 넘어서는 밤은 집집이 안간으로 사랑으로 웃간에도 맏웃간에도 다락방에도 허텅에도 고방에도 부엌에도 대문간에도 외양간에도 모두 째듯하니 불을 켜 놓고 복을 맞이하는 밤입니다. 달 밝은 마을의 행길 어데로는 **복덩이가 돌아다닐 것도 같은 밤**입니다. 닭이 수잠을 자고 개가 밤물을 먹고 도야지 깃을 들썩이는 밤입니다. **새악시 처녀들**은 새 옷을 입고 복물을 긷는다고 벌을 건너기도 하고 고개를 넘기도 하여 부잣집 우물로 가서 반동이에 옹패기에 찰락찰락 물을 길어 오며 별 같은 이야기를 **자깔자깔** 하는 밤입니다. 새악시 처녀들은 또 복을 가져오노라고 달을 보고 웃어 가며 살쾡이같이 여우같이 **부잣집**으로 가서는 날쌔기도 하게 기왓골의 **기왓장을 벗겨 오**고 부엌의 솥뚜껑을 들어 오고 곱새담의 짚날을 뽑아 오고……. 이렇게 **허물없는 즐거움** 속에 **끼득깨득** 하는 그들은 산에서 내린 무슨 암짐승이 되어 버리는 밤입니다.

- 백석, 「편지」 -

* 육보름: 정월 대보름 다음날.

6. (가)~(다)의 공통점으로 가장 적절한 것은?

① 빗대어 표현하는 방식으로 대상의 속성을 드러내고 있다.
② 과거를 회상하는 방식으로 현재의 의미를 나타내고 있다.
③ 영탄적인 어조로 대상에서 촉발된 인상을 표현하고 있다.
④ 예스러운 종결 표현으로 고풍스러운 느낌을 자아내고 있다.
⑤ 계절감을 드러내는 표현으로 시간의 경과를 보여 주고 있다.

7. <보기>를 참고하여 (가), (나)를 감상한 내용으로 적절하지 않은 것은? [3점]

<보 기>

(가)에서 화자는 금강산으로 가는 길에서 만난 자연의 모습을 자신의 내면에 투영하여 형상화하고 있다. 자연의 외적 모습을 바라보는 데 그치지 않고 주관적 대상으로 묘사하여, 화자와 자연의 정서적 교감을 드러낸다.

(나)에서 화자는 길에 대한 사람들의 생각이 자신의 관점에만 치우쳐 있어서 내면의 길을 찾지 못하고 있음을 일깨우고 있다. '밖'과 '안'을 대비하여 내적 성찰의 중요성을 이끌어 내는 길의 상징적 의미를 진술함으로써, 길에 대해 사람들이 깨달음을 얻어 가는 과정을 보여 준다.

① (가)는 '화안한 골 길'과 '백화 앙상한 사이'를 통해, 화자가 여정 속에서 만난 자연의 모습을 묘사하고 있군.
② (가)는 '바다의 별들'과 '하늘에 별들'을 통해, 화자의 내면에 투영된 자연에 대한 주관적 인상을 형상화하고 있군.
③ (나)는 '벼랑 앞에'서 '낭패'를 겪는 사람들의 상황을 보여 줌으로써, 자신의 관점으로만 길을 이해한 사람들을 일깨우려 하고 있군.
④ (나)는 '세상 사는 이치'에서, 내면의 길을 찾아내어 내적 성찰을 이끌어 낸 사람들의 생각을 담아내고 있군.
⑤ (가)는 '꽃과 같이 난만하여라'에서, (나)는 '꽃으로 제 몸을 수놓아 향기를 더하기도 하고'에서, 대상에 대한 화자의 긍정적인 태도를 엿볼 수 있군.

8. (가), (다)에 대한 이해로 가장 적절한 것은?

① (가)의 '구월'은 화자의 고뇌가 심화되는 시간으로 볼 수 있다.
② (다)의 '고요하니 즐거운 이 밤'은 '당신'과의 재회에 대한 기대감이 고조되는 시간으로 볼 수 있다.
③ (가)의 '어젯밤'은 화자가, (다)의 '복덩이가 돌아다닐 것도 같은 밤'은 글쓴이가 고독감을 느끼는 시간으로 볼 수 있다.
④ (가)의 '오늘밤'은 화자가 고향에 대한 기억을 되살리는, (다)의 '실비 오는 무더운 밤'은 글쓴이가 지난날을 후회하는 계기로 볼 수 있다.
⑤ (가)의 '인기척 끊긴 '한낮'은 화자가 생각에 잠길 만한, (다)의 '아직 샐 때가' 먼 '이 남은 밤'은 글쓴이가 이야기를 계속할 만한 시간으로 볼 수 있다.

9. (가)에 대한 이해로 적절하지 않은 것은?

① 1연에서 '아득히', '왔더니라'를 반복하여, '첩첩한 산길'과 '머언 생각에 잠기'는 화자의 내면을 조응시키고 있다.
② 2연의 '물소리에 흰 돌 되어 씻기우며'에서, 자연과의 관계에서 느끼는 화자의 정서를 드러내고 있다.
③ 3연의 '오래여 삭은 장목들'과 '풍설에 깎이어 날선 봉우리'를 통해, 자연의 유구함에서 풍기는 분위기를 표상하고 있다.
④ 3연의 '홀 홀 홀', 4연의 '쏴아', '호르르르'와 같은 표현으로, 자연의 풍경을 생동감 있게 형상화하고 있다.
⑤ 5연의 '동해안'과 6연의 '산장'이라는 공간의 대조를 통해, 장소의 이동에 따른 화자의 태도 변화를 부각하고 있다.

10. [A]~[F]에 대한 이해로 적절하지 않은 것은?

① [A]에서 '길'이 '사람들의 뜻'을 좇지 않는다는 진술의 구체적인 양상을 [B]에서 확인할 수 있다.
② [B]에서의 경험을 [C]에서 '사람들'이 어떻게 수용하는지를 밝히고 있다.
③ [C]의 '사람들'이 미처 깨닫지 못한 바가 무엇인지를 [D]에서 밝히고 있다.
④ [E]와 같이 제 뜻을 굽혀 '사람'에게 복종하는 '길'의 모습은 [B]와 대비되고 있다.
⑤ [F]에서 깨달음을 얻은 '사람들'의 태도는 [A]의 '사람들'의 태도와 대비되고 있다.

11. <보기>를 참고하여 (다)를 감상한 내용으로 적절하지 않은 것은?

<보 기>

'당신'에게 쓰는 편지 형식의 이 수필에서 글쓴이는 개인적 경험과 공동체적 경험으로 대비되는 두 가지 이야기를 들려준다. 수선화에서 연상된 이야기가 글쓴이에게 슬픔을 환기하는 기억이라면, 고향의 풍속 이야기는 일탈이 용인되는 유쾌한 축제로 그려진다. 이를 통해 독자는 슬픔과 즐거움이라는 삶의 양면성을 경험하게 된다.

① 글쓴이가 '당신'에게 말하는 형식으로 되어 있어 독자는 자신이 편지의 수신인이 된 것처럼 친근함을 느낄 수 있겠군.
② '노란 슬픔의 이야기'는 '가슴의 병'을 얻은 여인과 관련된 개인적 경험으로 볼 수 있겠군.
③ '육보름'에 대한 '당신'과 글쓴이의 경험을 대비한 것은 삶의 양면성을 보여 주려는 의도로 볼 수 있겠군.
④ '부잣집'의 '기왓장을 벗겨 오'는 '새악시 처녀들'의 행동은 축제 같은 분위기 속에 일시적으로 용인된 것이겠군.
⑤ '자깔자깔', '끼득깨득'과 같은 음성 상징어에서 '새악시 처녀들'의 '허물없는 즐거움'과 쾌감을 느낄 수 있겠군.

총 문항				문항	맞은 문항					문항
개별 문항	1	2	3	4	5	6	7	8	9	10
채점										
개별 문항	11	12	13	14	15	16	17	18	19	20
채점										

V

9분	2023학년도 6월 모평 22~27번	★★☆	정답 049쪽

[1~6] 다음 글을 읽고 물음에 답하시오.

(가)

강호에 봄이 드니 이 몸이 일이 많다
나는 그물 깁고 아이는 밭을 가니
뒷 뫼에 엄기는 약을 **언제** 캐려 하나니 <제1수>

삿갓에 도롱이 입고 세우(細雨) 중에 호미 메고
산전을 흩매다가 **녹음**에 누웠으니
목동이 우양을 몰아다가 **잠든 나**를 깨와다 <제2수>

대추 볼 붉은 골에 밤은 어이 떨어지며
벼 벤 그루에 게는 어이 내리는고
술 익자 체 장수 **돌아가니** 아니 먹고 어이리 <제3수>

뫼에는 **새** 다 긏고 들에는 갈 이 없다
외로운 배에 삿갓 쓴 **저 늙은이**
낚대에 맛이 깊도다 눈 깊은 줄 아는가 <제4수>

- 황희, 「사시가」 -

(나)

건곤이 얼어붙어 삭풍이 몹시 부니
하루 쬔다 한들 열흘 추위 어찌할꼬
은침을 빼내어 **오색실** 꿰어 놓고
임의 터진 옷을 깁고자 하건마는
㉠ <u>천문구중(天門九重)에 갈 길이 아득하니</u>
아녀자 깊은 정을 임이 **언제** 살피실꼬
㉡ <u>음력 섣달 거의로다 새봄이면 늦으리라</u>
동짓날 자정이 지난밤에 **돌아오니**
만호천문(萬戶千門)이 차례로 연다 하되
자물쇠를 굳게 잠가 **동방(洞房)**을 닫았으니
눈 위에 서리는 얼마나 녹았으며
뜰 가의 매화는 몇 송이 피었는고
㉢ <u>간장이 다 썩어 넋조차 그쳤으니</u>
천 줄기 원루(怨淚)는 피 되어 솟아나고
반벽청등(半壁靑燈)은 빛조차 어두워라
황금이 많으면 매부(買賦)나 하련마는
㉣ <u>백일(白日)이 무정하니 뒤집힌 동이에 비칠쏘냐</u>
평생에 쌓은 죄는 다 나의 탓이로되
언어에 공교 없고 눈치 몰라 다닌 일을
풀어서 혜여 보고 다시금 생각거든
조물주의 처분을 누구에게 물으리오
사창 매화 달에 가는 한숨 다시 짓고
㉤ <u>은쟁(銀箏)을 꺼내어 원곡(怨曲)을 슬피 타니</u>
주현(朱絃) 끊어져 다시 잇기 어려워라
차라리 죽어서 **자규**의 넋이 되어
밤마다 이화에 피눈물 울어 내어
오경에 잔월(殘月)을 섞어 **임의 잠**을 깨우리라

- 조우인, 「자도사」 -

(다)

그 집은 **그 집 아이들**에게 작은 우주였다. 그곳에는 많은 비밀이 있었다. 자연 속에는 눈에 보이는 것 말고도 눈에 보이지 않는 무한한 비밀이 감춰져 있었다. **그**는 그 집에서 크면서 자연 속에 감춰진 [비밀들]을 깨달아 갔다.

석양의 북새, 혹은 **낮게 깔리는 굴뚝 연기**를 보고 그는 비설거지를 했다. 그런 다음 날은 틀림없이 **비**가 올 것이므로. 비가 온 날 저녁에는 또 지렁이가 밤새 운다는 것을 그는 알고 있었다. 똑또르 똑또르 하는 지렁이 울음소리. 냄새와 소리와 맛과 색깔과 형태 들이 그 집에서는 선명했다. 모든 것들이 말이다. 왜냐하면 봄과 여름과 가을과 겨울과 아침과 낮과 저녁과 밤이 그 집에서는 뚜렷했으므로. 자연이 그러한 것처럼 사람들의 삶이 명료했다.

이제 그 집을 떠난 그에게는 모든 것이 불분명하다. 아침과 저녁이 불분명하고 사계절이 불분명하고 오감이 불분명하다. 병원에서 태어나 수십 군데 이사를 다니고 나서 겨우 장만한 **아파트. 그 사각진 콘크리트 벽 속**에 살고 있는 **그의 아이**는 **여름에 긴팔 옷을 입고 겨울에 반팔 옷을 입는**다.

돈은 은행에서 나고 먹을 것은 슈퍼에서 나는 것으로 아는 아이는, 수박이 어느 계절의 과일인지 분간하지 못하는 아이는 그래서 봄 여름 가을 겨울을 알지 못한다. 아침 저녁의 냄새와 소리와 맛과 형태와 색깔이 어떻게 다른지 알지 못한다.

어머니의 부음을 듣고 그는 그가 나고 성장한 그 노란 집으로 갔다. 팔 남매를 낳고 기르느라 조그마해질 대로 조그마해진 어머니는 바로 자신의 아이들을 낳았던 그 자리에 자신의 몸을 부려 놓고 있었다.

그 집, 노란 그 집에 **탄생과 죽음**이 있었다. 그 집 안주인의 죽음 이후 그 집은 적막해졌다. 아무도 그 집에 들어와 살지 않을 것이며 누구도 아이를 그 집에서 낳지 않을 것이며 그러므로 죽음 또한 그 집에서는 일어나지 않을 것이다. 그 집의 역사는 그렇게 끝이 난 것이다.

우리들의 어머니의 죽음과 함께 조왕신과 성주신이 살지 않는 우리들의 집은 이제 적막하다. 더 이상의 탄생과 죽음이 없는 우리들의 집은 쓸쓸하다.

우리는 오늘 밤도 쓸쓸한 집으로 돌아들 간다.

- 공선옥, 「그 시절 우리들의 집」 -

1. (가)~(다)의 공통점으로 가장 적절한 것은?

① 어조의 변화를 통해 긴장감을 조성하고 있다.
② 자연과 인간의 대비를 통해 세태를 비판하고 있다.
③ 대상과의 문답을 통해 주제 의식을 부각하고 있다.
④ 초월적 공간을 설정하여 고조된 감정을 드러내고 있다.
⑤ 시간을 나타내는 표현을 활용하여 내용을 전개하고 있다.

2. (가)의 시상 전개에 대한 설명으로 가장 적절한 것은?

① <제1수>의 초장, 중장은 풍경 묘사이고, 종장은 이에 대한 감상의 표현이다.
② <제2수>의 초장, 중장은 인물의 행위가 순차적으로 나열된 것이다.
③ <제2수>의 초장과 중장에 있는 인물의 행위는 <제3수>의 초장에서 그 결과로 나타난다.
④ <제3수>의 초장의 장면은 중장과 인과적 관계로 연결된다.
⑤ <제4수>의 초장의 동적인 분위기는 중장의 정적인 분위기로 전환된다.

3. <보기>에 따라 (나)의 ㉠~㉤을 이해한 내용으로 적절하지 않은 것은?

<보 기>

선생님 : 이 작품의 제목에 쓰인 '자도(自悼)'는 '자신을 애도한다'는 뜻으로, 죽음에 견줄 만큼의 극단적인 슬픔을 드러낸 것입니다. 이 점에 주목하여 작품을 읽어 봅시다.

① ㉠을 통해, 임과 만날 가능성이 희박하다는 비관적 인식이 자신을 애도하게 만든 배경임을 알 수 있어요.
② ㉡을 통해, 새봄을 맞이하여 이별의 슬픔을 극복하기 위해 마음을 다잡으려 노력하고 있음을 알 수 있어요.
③ ㉢을 통해, 임에 대한 사무치는 그리움이 너무나 커서 자신을 애도할 수밖에 없는 상황임을 알 수 있어요.
④ ㉣을 통해, 무정한 임 때문에 자신의 처지가 바뀔 가능성이 없음을 깨닫고 좌절감을 느끼고 있음을 알 수 있어요.
⑤ ㉤을 통해, 임을 향한 원망의 마음을 음악으로 표현하여 내면의 슬픔을 토로하고 있음을 알 수 있어요.

4. (가)와 (나)의 시어에 대한 이해로 가장 적절한 것은?

① (가)의 '녹음'은 평온한 분위기의, (나)의 '동방'은 암울한 분위기의 장소이다.
② (가)의 '언제'는 미래의 어느 시기를, (나)의 '언제'는 과거의 어느 시기를 가리킨다.
③ (가)의 '새'와 (나)의 '자규'는 모두 화자의 감정이 이입된 대상물이다.
④ (가)의 '잠든 나'의 '잠'과 (나)의 '임의 잠'은 모두 꿈을 통해서라도 소망을 실현하기 위한 매개이다.
⑤ (가)의 '돌아가니'와 (나)의 '돌아오니'는 모두 화자가 새로운 상황에 기대감을 갖는 계기이다.

5. 비밀들을 중심으로 (다)를 이해한 내용으로 적절하지 않은 것은?

① '그 집'을 떠난 후 그의 오감이 불분명한 것은 비밀들이 그의 '아파트'에 감춰져 있기 때문이다.
② '그 집 아이들'은 '그 집'에서 '낮게 깔리는 굴뚝 연기'에 감춰진 '비'에 관한 비밀들을 깨달을 수 있었다.
③ '그의 아이'가 '여름에 긴팔 옷을 입고 겨울에 반팔 옷을 입는' 것은 비밀들을 모르고 살아가는 모습을 보여 준다.
④ '그 집'의 역사가 어머니의 죽음 후 끝났다고 한 것은 비밀들과 함께할 사람들의 '탄생과 죽음'이 사라졌기 때문이다.
⑤ '그 사각진 콘크리트 벽 속'에 사는 '그의 아이'는 비밀들을 알아차릴 줄 아는 감각을 익히지 못해 삶이 불분명하다.

6. <보기>를 참고하여 (가)~(다)를 감상한 내용으로 적절하지 않은 것은? [3점]

<보 기>

시조, 가사, 수필에서 작가는 대개 1인칭으로 나타나므로 작가 정보를 활용하면 작품을 더 풍부하게 해석할 수 있다. 그런데 작가는 자신을 다른 인물로 상정하여 표현하기도 한다. 이 경우에도 작가를 그 인물에 투영해서 읽을 수 있다. (가)는 작가가 나이 들어 벼슬에서 물러나 전원에서 생활하며 지은 시조라는 점, (나)는 작가가 임금에게 충언하는 시를 쓴 죄로 옥에 갇혔을 때 지은 가사라는 점, (다)는 작가가 시골에서 성장한 경험을 반영하여 쓴 수필이라는 점을 고려하여 작품을 해석할 수 있다.

① (가)의 '저 늙은이'가 작가라면, 전체적으로 이 작품은 연로한 작가가 느끼는 전원생활의 흥취를 드러낸 것이겠군.
② (가)의 '저 늙은이'가 작가가 아니라면, <제4수>는 '낚대'의 깊은 맛에 몰입하며 '나'와는 달리 한가롭게 지내는 인물에 대한 심리적 거리감을 드러낸 것이겠군.
③ (나)의 '아녀자'가 작가라면, 이 작품은 '은침'과 '오색실'로 '임의 터진 옷'을 깁는 상황을 설정하여 임금에 대한 곧은 충심을 표현한 것이겠군.
④ (다)의 '그'가 작가라면, 이 작품은 '그 집'에서 성장하고 떠났던 자신의 경험을 타인의 것처럼 전달함으로써 개인적인 경험에 거리를 두고 객관화하여 표현한 것이겠군.
⑤ (다)의 '우리들'에 작가 자신이 포함되므로, 이 작품은 작가 자신의 개인적 경험을 확장하여 유사한 경험을 가진 독자들의 공감을 이끌어 내려 한 것이겠군.

9분 | 2022학년도 3월 학평 22~27번 | ★★☆ | 정답 050쪽

[7~12] 다음 글을 읽고 물음에 답하시오.

(가)

㉠ 이보소 저 각시님 설운 말씀 그만하오
말씀을 드러하니 설운 줄 다 모를새
㉡ 인연인들 한가지며 이별인들 같을손가
광한전 백옥경의 님을 뫼셔 즐기더니
아양을 하였거니 재앙인들 업슬손가
해 다 저문 날의 가는 줄 설워 마소
엇더타 이 내 몸이 견줄 데 전혀 업네
광한전 어디인가 백옥경 내 알던가
원앙침 비취금에 뫼셔 본 적 전혀 업네
내 얼골 이 거동이 무엇으로 님 사랑할가
길쌈을 모르거니 가무(歌舞)야 더 이를가
엇언지 님 향(向)한 한 조각 이 마음을
하늘이 생기시고 성현이 가르쳐서
정확*이 앞에 잇고 부월*이 뒤에 이셔
일백 번 죽고 죽어 뼈가 가루가 된 후라도
님 향한 이 마음이 변할손가
나도 일을 가져 남의 업는 것만 얻어
부용화 옷을 짓고 목난으로 주머니 삼아
하늘께 맹세하여 님 섬기랴 원이러니
조믈 시기했나 귀신이 훼방했나
내 팔자 그만하니 사람을 원망할가
내 몸의 지은 죄를 모르니 긔 더 죄라
나도 모르거니 남이 어이 알겠는가 [A]

(중략)

뫼셔서 이리하기 각시님 같던들
설움이 이러하며 생각인들 이러할가
차생의 이러커든 후생을 어이 알고
차라리 싀여져 **구름**이나 되어서
상광 오색*이 님 계신 데 덮였으면
그도 마소 하면 **바람**이나 되어서
하일 청음*의 님 계신 데 불어서
그도 마소 하면 일륜명월 되어서
영영 반야에 뚜렷이 비최고저

– 김춘택, 「별사미인곡」 –

* 정학 : 죄인을 삶아 죽이는 큰 솥.
* 부월 : 작은 도끼와 큰 도끼.
* 상광 오색 : 다섯 가지의 길한 빛.
* 하일 청음 : 여름날의 맑고 시원한 응달.

(나)

님으람* 회양(淮陽) 금성(金城) **오리나무**가 되고 나는 **삼사월 칡넝쿨**이 되야
그 나무에 그 칡이 납거미 나비 감듯 이리로 츤츤 저리로 츤츤 외오 풀러 올히 감아 얽거져 틀어져 밑부터 끝까지 조금도 빈틈 업시 찬찬 굽의 나게 휘휘 감겨 주야 장상(晝夜長常) 뒤트러져 감겨 잇서
동(冬)섯달 바람비 눈서리를 아무리 맛즌들 ㉢ 떨어질 줄 이시랴

– 이정보 –

* 님으람 : 임은.

(다)

돌아가신 큰누님의 이름은 아무개로서 반남 박씨이다. 그 동생 지원 중미가 묘지명을 지었으니 다음과 같다.

누님은 나이 열여섯에 덕수 이씨 택모 백규에게 시집가서 딸 하나 아들 둘을 두었다. 신묘년 구월 초하루에 돌아가 사십삼 세를 살았다. 남편의 선산이 아곡이라 그곳의 경좌* 방향 자리에 장사를 지낼 예정이었다.

그런데 백규가 어진 아내를 잃은 데다가 가난하여 생계를 꾸릴 방도가 없는지라, 아예 어린 자식들과 계집종 하나를 데리고 솥과 그릇가지, 옷상자와 짐 보따리를 챙겨서 배를 타고 그 골짜기로 들어가 버렸다. 상여와 함께 일제히 떠나는 새벽, 나는 두모포에서 배 타고 떠나는 그들을 배웅하고 통곡을 하고서 돌아섰다.

아아! 누님이 시집가는 날 새벽에 몸단장하던 모습이 흡사 어제 일만 같구나. ㉣ 나는 그때 겨우 여덟 살이라, 벌렁 드러누워 발버둥을 치면서 새신랑이 말을 더듬으며 점잔 빼는 말투를 흉내 냈다. 누님은 부끄러워하다가 그만 빗을 떨어뜨려 내 이마를 때렸다. 나는 화가 나서 울음을 터트리고는 분가루에 먹을 뒤섞고 거울에 침을 뱉어 문질러 댔다. 그러자 누님은 옥으로 만든 오리와 금으로 만든 벌 노리개를 꺼내어 주면서 울음을 그치라고 나를 달랬다. 지금으로부터 스물여덟 해 전 일이다.

강가에 말을 세우고 저 멀리 바라보니 붉은 명정*이 바람에 펄럭이고 돛대는 비스듬히 미끄러지는데, 강굽이에 이르러 나무를 돈 뒤에는 모습을 감추어 더는 보이지 않았다. 강가 멀리 앉은 산은 시집가던 날 누님의 쪽 지은 머리처럼 검푸르고, 강물 빛은 그날의 거울처럼 보이며, 새벽달은 누님의 눈썹처럼 보였다. 빗을 떨어뜨리던 그날의 일을 눈물 속에서 생각하니 유독 어릴 적 일만이 또렷또렷하게 떠오른다. 그때는 또 그렇게도 즐거운 일이 많았고, 세월은 길게만 느껴졌다.

그사이에는 늘 이별과 환난에 시달려야 했고 빈궁에 시름겨워했다. 그 일들이 꿈속인 양 황홀하게 스쳐 지나간다. ㉤ 형제로 지낸 날들은 어찌도 그렇게 짧았단 말인가?

떠나는 이 간곡하게 뒷기약을 남기기에
보내는 이 도리어 눈물로 옷깃을 적시네.
조각배는 이제 가면 언제나 돌아올까?
보내는 이 쓸쓸히 강 길 따라 돌아서네. [B]

– 박지원, 「백자증정부인박씨묘지명」 –

* 경좌 : 서남쪽을 등진 방향.
* 명정 : 죽은 사람의 관직과 성씨 따위를 적은 기.

7. (가)~(다)에 대한 설명으로 가장 적절한 것은?

① (가)에서는 과거의 인연을 끊고 새로운 인연을 찾으려 하는 삶의 방식을 보여 주고 있다.
② (나)에서는 자신의 잘못을 인정하고 새로운 목표를 지향하는 상황을 강조하고 있다.
③ (다)에서는 인생의 허무함을 극복하려는 적극적인 태도를 부각하고 있다.
④ (가), (다)에서는 모두 특정한 대상을 떠올리며 그리워하는 상황을 드러내고 있다.
⑤ (가), (나), (다)에서는 모두 현실에 대한 인식을 바탕으로 미래에 대한 불안을 나타내고 있다.

8. ㉠~㉤에 대한 설명으로 적절하지 않은 것은?

① ㉠: 화자가 상대방을 부르며 자신의 생각을 드러내고 있다.
② ㉡: 화자는 인연이나 이별의 상황이 각자 다르다고 여기고 있다.
③ ㉢: 화자가 임에 대한 자신의 태도가 변하지 않을 것임을 강조하고 있다.
④ ㉣: 글쓴이가 자신의 나이와 행위를 통해 과거의 철없는 모습을 드러내고 있다.
⑤ ㉤: 글쓴이가 과거 사건을 요약하며 좌절감을 완화하고 있다.

9. [A]에 나타난 화자에 대한 이해로 가장 적절한 것은?

① 자신이 과거에 임과 만나게 된 이유를 상세히 밝히고 있다.
② 자신이 아무런 죄 없이 참소를 당했다고 임에게 호소하고 있다.
③ 자신이 정성을 담아 만든 물건을 임에게 전달한 후 안도하고 있다.
④ 자신의 행동과 재주가 임의 사랑을 받기에는 부족하다고 한탄하고 있다.
⑤ 자신의 풍류 의식과 성현의 가르침 사이에서 고뇌하는 모습을 드러내고 있다.

10. <보기>를 바탕으로 (가), (나)를 감상한 내용으로 적절하지 않은 것은?

< 보 기 >

문학에서는 상상력을 발휘하여 현실의 한계를 벗어나 다른 존재로 거듭 나기를 바라는 심정을 형상화하기도 한다. 고전 시가에서 변신에 대한 소망은 주로 (가)와 같이 죽어서 다른 존재로 다시 태어나는 '전생'이나, (나)와 같이 죽지 않고 다른 존재로 몸을 바꾸는 '전신' 등으로 구현된다. 그리고 변신의 양상에는 혼자서 변신하기를 바라는가 아니면 상대방과 함께 변신하기를 바라는가, 다른 인간으로 변신하기를 바라는가 아니면 인간이 아닌 다른 존재로 변신하기를 바라는가 등이 있다.

① (가)의 '구름'은 현실의 한계를 벗어나기 위해 화자가 죽어서 다시 태어나기를 바라는 존재로 볼 수 있겠군.
② (나)의 '삼사월 칡넝쿨'은 화자가 상상력을 발휘해 몸을 바꾸기를 바라는 존재로 볼 수 있겠군.
③ (나)의 '그 나무에 그 칡이 납거미 나비 감듯'은 임이 자신과 함께 변신하여 서로의 관계가 굳건하게 이어지기를 바라는 화자의 소망을 드러낸 것으로 볼 수 있겠군.
④ (가)의 '해 다 저문 날'과 (나)의 '동섯달'은 모두 화자가 임과 헤어지는 시간으로, 화자가 변신을 바라는 계기로 작용한다고 볼 수 있겠군.
⑤ (가)의 '바람'은 화자 자신의 변신을, (나)의 '오리나무'는 임의 변신을 바라는 화자의 심정을 형상화한 것으로 볼 수 있겠군.

11. (다)의 맥락을 고려하여 [B]를 이해한 내용으로 적절하지 않은 것은?

① 글쓴이는 [B]에서 누님과의 약속을 어긴 이유를 밝히고 있다.
② 글쓴이가 [B]에서 제시한 시적 배경은 새벽녘 강가로 볼 수 있다.
③ 글쓴이는 [B]를 통해 사별의 정서와 관련된 구체적인 행동을 드러내고 있다.
④ 글쓴이는 [B]에서 상여를 실은 조각배가 떠난 후 돌아서는 자신의 모습을 제시하고 있다.
⑤ 글쓴이는 [B]에서 스스로 묻는 방식으로 더 이상 누님을 대면할 수 없는 상황을 나타내고 있다.

12. <보기>는 선생님의 안내에 따라 학생들이 (다)를 이해한 내용이다. ⓐ~ⓓ 중 적절한 것만을 있는 대로 고른 것은? [3점]

< 보 기 >

선생님: 남성 문인들이 쓴 조선 시대 여성의 묘지명은 몇 가지 서술상의 관행이 있었습니다. 고인의 이름을 명시하지 않고, 남편의 뜻을 따르는 수동적 언행을 제시하며, 고인의 행적 중 살림을 잘해 사후에도 가족들을 풍족하게 지낼 수 있게 하는 일처럼 가문에 공헌한 것만을 골라서 칭송했습니다. 그러나 박지원은 묘지명이 단순히 가문을 자랑하기 위한 글이 아니라 고인과의 일화 등을 통해 개인적인 정과 추억을 담아 아름답게 묘사하는 글이어야 가치가 있다고 생각했습니다. 이를 참고하여 (다)에서 당대의 상투적인 서술상의 관행에서 탈피한 내용을 찾아 봅시다.

학생 1: 누님의 이름을 구체적으로 밝혀 가문에 대한 자랑과 누님에 대한 애틋한 정을 동시에 드러냈습니다. ········· ⓐ
학생 2: 누님의 남편이 생계가 어려워 가족을 데리고 이주하는 상황을 구체적으로 언급했습니다. ··························· ⓑ
학생 3: 누님이 화가 난 남동생을 달래기 위해 노리개를 꺼낸 일화를 소개했습니다. ·· ⓒ
학생 4: 시집가던 날의 누님의 모습을 글쓴이가 회상하며 누님에 대한 개인적인 추억을 표현했습니다. ·················· ⓓ

① ⓐ, ⓑ ② ⓐ, ⓒ ③ ⓑ, ⓓ
④ ⓐ, ⓒ, ⓓ ⑤ ⓑ, ⓒ, ⓓ

총 문항			문항	맞은 문항					문항
개별 문항	1	2	3	4	5	6	7	8	9	10
채점										
개별 문항	11	12	13	14	15	16	17	18	19	20
채점										

9분	2022학년도 수능 18~23번	★★☆	정답 051쪽

【1~6】 다음 글을 읽고 물음에 답하시오.

(가)

구겨진 하늘은 묵은 얘기책을 편 듯 ┐
돌담 울이 고성같이 둘러싼 산기슭 [A]
박쥐 나래 밑에 황혼이 묻혀 오면
초가 집집마다 **호롱불**이 켜지고
고향을 그린 묵화(墨畫) 한 폭 좀이 쳐.

띄엄 띄엄 보이는 그림 조각은
앞밭에 보리밭에 말매나물 캐러 간 ┐
가시내는 가시내와 종달새 소리에 반해 [B]

빈 바구니 차고 오긴 너무도 부끄러워
술레짠 두 뺨 위에 모매꽃이 피었고.

그넷줄에 비가 오면 풍년이 든다더니 ┐
앞내강에 씨레나무 밀려 나리면 [C]
젊은이는 젊은이와 **뗏목**을 타고
돈 벌러 항구로 흘러간 몇 달에
서릿발 잎 져도 못 오면 바람이 분다.

피로 가꾼 이삭이 참새로 날아가고 ┐
곰처럼 어린 놈이 북극을 꿈꾸는데 [D]
늙은이는 늙은이와 싸우는 입김도

벽에 서려 성에 끼는 한겨울 밤은 ┐
동리(洞里)의 밀고자인 강물조차 얼붙는다. [E]

- 이육사, 「초가」 -

(나)

오늘, 북창을 열어,
장거릴 등지고 산을 향하여 앉은 뜻은
사람은 맨날 변해 쌓지만
태고로부터 푸르러 온 산이 아니냐.
고요하고 너그러워 수(壽)하는 데다가
보옥을 갖고도 자랑 않는 겸허한 산.
마음이 본시 산을 사랑해
평생 산을 보고 산을 배우네.
그 품 안에서 자라나 거기에 가 또 묻히리니
내 이승의 낮과 저승의 밤에
아아라히 뻗쳐 있어 다리 놓는 산.
네 품이 내 고향인 그리운 산아
미역취 한 이파리 상긋한 산 내음새
산에서도 오히려 산을 그리며
꿈같은 산 정기(精氣)를 그리며 산다.

- 김관식, 「거산호 2」 -

(다)

온갖 꽃들이 요란스럽게 일제히 터트려져 광채가 찬란하다. 이때에 바람이 살짝 불어오면 향기가 코를 스친다. 때마침 꼴 베는 자가 낫을 가지고 와서 손 가는 대로 베어 내는데, 아쉬워 돌아보거나 거리끼는 마음도 없다. 나는 이에 한숨을 쉬며 탄식하여 말하였다.

"땅이 낳고 하늘이 기르는바, 만물이 무성히 자라며 모두가 광대한 은택을 입는구나. 이에 따스한 바람이 불어 갖가지 형상을 아로새기고 단비를 내려 온 둘레를 물들이니, 천기(天機)를 함께 타고나 형체를 부여받음에 각기 그 자질에 따라 고운 자태를 드러낸다. 모란의 진귀하고 귀중함을 해당화의 곱고 아름다움에 견주어 보면, 비록 크고 작은 차이는 있겠으나, 어찌 **공교함과 졸렬함**에 다른 헤아림이 있었겠는가?

(중략)

그런데도 **귀함**이 저와 같고 **천함**이 이와 같아, 어떤 것은 **부호가의 깊은 장막 안**에서 눈앞의 봄바람을 지키고, 어떤 것은 짧은 낫을 든 어리석은 종의 손아귀에서 가을 서리처럼 변한다. 이 어찌 된 일인가? 뜨락은 사람 가까이에 있고 교외의 땅은 멀리 막혀 있어 가까운 것은 친하기 쉽고 멀리 있는 것은 저어하기 때문이 아니겠는가? 아니면 요황과 위자*는 성씨가 존엄한데 범상한 화초는 이름이 없으며, 성씨가 존엄한 것은 곱게 빛나는데 이름 없는 것들은 먼 데서 이주해 온 백성 같은 존재이기 때문인가? 그도 아니면 뿌리가 깊은 것은 종족이 번성한데 빽빽이 늘어선 것들은 가늘고 작으며, 높고 큰 것은 높은 자리에 있고 가늘고 작은 것들은 들판에 있기 때문인가?

아! 낳는 것은 하늘에 달려 있으나 **영화롭게** 하는 것은 인간에 달려 있다. 하늘은 사사로움이 없기에 그 **조화(造化)가 균일**하지만, 인간은 널리 베풀지 못하므로 **소원함**도 있고 **친함**도 있는 것이다. 하늘이 이미 낳아 주었는데 또 어찌 사람이 영화롭게 하고 영화롭지 못하게 한다고 원망하겠는가? 나에게는 비록 감정이 있지만 풀에는 감정이 없으니, 그것이 **소**의 목구멍을 채우는 것과 **나비**로 하여금 다투어 찾도록 하는 것을 어찌 달리 보겠는가?"

- 이옥, 「담초(談艸)」 -

* 요황과 위자 : 모란의 진귀한 품종을 일컫는 말.

1. (가)~(다)에 대한 설명으로 가장 적절한 것은?

① (가)에서는 현실적인 문제 해결의 실마리로 조화로운 공동체의 모습을 제시하고 있다.
② (나)에서는 현실에 대한 부정적 인식을 바탕으로 앞날에 대한 회의를 드러내고 있다.
③ (다)에서는 자연과 인간의 관계를 살펴 자연을 바라보는 인간의 태도에 대한 성찰을 드러내고 있다.
④ (가), (다)에서는 모두 자연물이 쇠락하는 과정을 제시하여 인생에 대한 무상감을 드러내고 있다.
⑤ (가), (나), (다)에서는 모두 자연과의 교감을 통해 장소에 대한 낙관적 전망을 이끌어 내고 있다.

2. <보기>를 참고할 때, [A]~[E]에 대한 이해로 적절하지 않은 것은?

<보 기>

이육사는 「초가」를 발표하면서 '유폐된 지역에서'라고 창작 장소를 밝혔다. 이곳에서 그는 오래전 떠나온 고향을 떠올려 시로 형상화했다. 계절의 흐름에 따라 낭만적인 봄에서 비극적인 겨울로 시상을 전개하여 악화되어 가는 일제 강점기의 현실을 묘사했다.

① [A]: 돌담 울에 둘러싸인 산기슭을 묘사하여 화자가 고향을 회상하는 장소의 분위기를 나타내고 있다.
② [B]: 봄날의 보리밭 풍경을 제시하여 화자가 떠올리는 고향의 모습을 형상화하고 있다.
③ [C]: 고향 사람들이 기대하던 앞내강 정경을 묘사하여 화자의 소망이 이루어진 상황을 나타내고 있다.
④ [D]: 풍족한 결실을 거두지 못한 상황에서 자신이 처한 현실 너머의 세계를 꿈꾸는 소년의 모습을 보여 주고 있다.
⑤ [E]: 강물이 얼어붙는 삭막한 겨울의 이미지로 일제 강점기의 가혹한 현실 상황을 드러내고 있다.

3. '산'에 대한 화자의 태도를 중심으로 (나)를 감상한 내용으로 적절하지 않은 것은?

① '산'을 수시로 변하는 인간과 달리 태고로부터 본질을 잃지 않는 불변성을 지닌 것으로 인식하는군.
② '산'을 인간의 덕성을 표면화하는 데 집중하는 적극적 의지를 지닌 존재로 여기는군.
③ '산'을 삶과 죽음을 이어 줌으로써 죽음 이후에도 함께할 대상으로 여기는군.
④ '산'을 근원적 고향으로 인식함으로써 그리움의 대상으로 바라보는군.
⑤ '산'을 현재 함께하는 존재로 여기면서도 지속적으로 지향해야 할 궁극적인 존재로 인식하는군.

4. (다)의 '나'에 대한 이해로 가장 적절한 것은?

① 꽃의 '공교함과 졸렬함'을 판단할 때는 꽃의 형체보다는 쓰임새에 기준을 두어야 함을 강조한다.
② 화초의 '귀함'과 '천함'에 대한 평가는 그 본성에 맞게 이름이 부여되었느냐에 달려 있다고 믿는다.
③ 풀을 '영화롭게' 만드는 주체는 인간이 아니라 하늘이어야 한다는 깨달음을 드러낸다.
④ 하늘의 입장에서 보면 모든 풀은 '조화가 균일'한 존재로서 가치의 우열을 가지지 않는다고 생각한다.
⑤ 인간의 감정에는 '소원함'과 '친함'이 모두 있으므로 사사로움을 넘어 균형을 도모할 수 있다고 본다.

5. 묵화와 북창을 중심으로 (가)와 (나)를 비교한 내용으로 가장 적절한 것은?

① (가)에서는 '묵화'와 '박쥐 나래'의 이미지를 연결하여 고향의 어두운 분위기를, (나)에서는 '북창'에서 바라본 산의 '품'에 주목하여 산이 주는 아늑한 분위기를 드러낸다.
② (가)에서 '묵화'는 '황혼'이 상징하는 현실적 상황에, (나)에서 '북창'은 '저승의 밤'이 의미하는 절망적 상황에 대응된다.
③ (가)에서 '묵화'에 '좀이 쳐'라고 한 것은 화자가 고향에 대해 느끼는 세월의 깊이를, (나)에서 '북창'을 '오늘' 열었다고 한 것은 산을 대하는 화자의 인식이 변화된 시점을 드러낸다.
④ (가)에서 '묵화'를 '그림 조각'이라고 한 것은 고향의 분절된 이미지를, (나)에서 '북창'을 '열어' 산을 보고 있다는 것은 선망하는 세계와 분리된 이미지를 나타낸다.
⑤ (가)에서는 '묵화'에 그려진 '모매꽃'에 부끄러움의 정서를, (나)에서는 '북창'을 통해 본 '보옥'에 안타까움의 정서를 담아낸다.

V

6. <보기>를 참고하여 (가)~(다)를 감상한 내용으로 적절하지 <u>않은</u> 것은? [3점]

<보 기>

문학적 표현에는 표현 대상을 그와 연관된 다른 관념이나 사물로 대신하여 나타내는 방법이 있다. 여기에는 사물의 속성으로 실체를 대신하거나 대상의 한 부분으로 전체를 대신하는 것 등이 포함된다. 이러한 방법들은 서로 혼재되기도 하면서 구체적이고 생생한 이미지와 분위기를 환기한다.

① (가)에서 저녁이 오는 시간을 그와 연관된 사물인 '호롱불'이 켜진다는 것으로 나타냄으로써, 산골 마을의 저녁 풍경을 시각적 이미지로 보여 주는군.

② (가)에서 고향에 머무르지 못하고 객지로 떠나는 현실을 '뗏목'을 타고 흘러가는 것과 연관 지어 나타냄으로써, 삶의 불안정함을 구체적 이미지로 보여 주는군.

③ (나)에서 세속적인 삶의 공간 전체를 이해관계가 얽혀 있는 '장거리'의 속성을 활용하여 나타냄으로써, 인심이 쉽게 변하는 세속 공간의 분위기를 환기하는군.

④ (다)에서 귀한 대우를 받는 삶을 그러한 속성을 가진 '부호가의 깊은 장막 안'으로 나타냄으로써, 인간과 가까운 공간의 적막한 분위기를 환기하는군.

⑤ (다)에서 풀의 가치를 '소'와 '나비'의 행위와 연관 지어 나타냄으로써, 하찮게 취급되는 풀과 귀하게 여겨지는 풀의 차이를 구체적 이미지로 보여 주는군.

【7~11】 다음 글을 읽고 물음에 답하시오.

(가)

태평시절 ᄇᆞ린 몸이 물외(物外)예 누어더니
갑 업ᄉᆞᆫ 풍월과 임ᄌᆡ 업ᄉᆞᆫ 강산을
조물이 허락ᄒᆞ야 날을 맛겨 ᄇᆞ리시니
ⓐ <u>ᄂᆡ라 ᄉᆞ양ᄒᆞ며 닷토리 뉘 이시리</u>
상주 동쪽 두둑과 낙동강 서쪽 물가예
연하를 헤치고 **동천***을 ᄎᆞᄌᆞ 드러
죽장망혜(竹杖芒鞋)로 처처(處處)의 도라보니
맑은 연못 깁흔 곳의 노프니ᄂᆞᆫ 절벽이오
ⓑ <u>옥 ᄀᆞᆺᄐᆞᆫ 여흘은 비단 편 ᄃᆞᆺ 흘러 있다</u>
ⓒ <u>대(臺)도 ᄃᆞᆺ그려니 뎡ᄌᆞ도 지으려니</u>
연못도 ᄑᆞ오며 시냇물도 혜오려니
ᄂᆡ 힘 밋ᄂᆞᆫ ᄃᆡ로 초옥삼간(草屋三間) 지어 ᄂᆡ니
ⓓ <u>갖춘 것 부족ᄒᆞᆫᄃᆡ 경ᄀᆡᄂᆞᆫ 그지업다</u>
(중략)
천 이랑의 맑은 물은 거울을 ᄃᆞᆺ가시며
십 리 어촌은 연수*로 둘럿으니
임호정과 어풍대에서 바라본 풍경을
말로 다 이ᄅᆞ오며 아니 보아 어이 알소
그ᄂᆞᆫᄏᆞ니와 사시(四時)예 뵈ᄂᆞᆫ 경이
피여 디ᄂᆞᆫ ᄃᆞᆺ 푸르러 이우ᄂᆞᆫ ᄃᆞᆺ
온갖 바위 비단된 ᄃᆞᆺ 온 골짜기 구슬된 ᄃᆞᆺ [A]
화공 솜씨를 측량키 어려워라
보아 싫증나며 변화ᄅᆞᆯ 가늠ᄒᆞᆯ가
ⓔ <u>늙고 병들고 게으른 이 셩품이</u>
세상 물정도 몰ᄅᆞ고 인사(人事)의 우활ᄒᆞ여
공명부귀도 구하기에 재주 없어
빈천 기한(飢寒)을 일ᄉᆡᆼ의 겪고 이셔
낙천지명*을 예 좀ᄶᆞᆫ 드러더니
산수(山水)에 벽*이 이셔 우연히 드러오니
득실도 모ᄅᆞ거든 영욕(榮辱)을 어이 알며
시비(是非)를 못 듯거니 출척*을 어이 알소
좁은 방이 **쓸쓸하**고 용슬을 ᄒᆞ덧 마덧*
작은 방이 적막하고 세상 근심 이져시니
책 속의 성현 말씀 오랜 세월예 사우*시며
천지신명은 마음의 비최시며
타고난 성품을 저버리지 마자 ᄒᆞ니
거친 밥 마실 물도 잇든지 못 잇든지
고인 진락(古人眞樂)이 고요함 속의 깁허셔라

— 조우인, 「매호별곡」 —

* 동천 : 산천으로 둘러싸인 경치 좋은 곳.
* 연수 : 연기나 안개, 구름 따위에 싸여 뽀얗고 멀리 보이는 나무.
* 낙천지명 : 하늘의 뜻에 순응하여 자기의 처지에 만족함.
* 벽 : 무엇을 치우치게 즐기는 성벽(性癖).
* 출척 : 못된 사람을 내쫓고 착한 사람을 올리어 씀.
* 용슬을 ᄒᆞ덧 마덧 : 방이 좁아서 무릎을 들일 듯 말 듯.
* 사우 : 스승으로 삼을 만한 벗.

(나)

어떤 화문 잡지에서 「근일끽다점풍경(近日喫茶店風景)*」이라고 제한 다음과 같은 풍자만화를 본 일이 있다.

스탠드가 놓이고 액(額)이 걸리고 열대 식물의 분(盆)이 있

고 한 것이 배경이요, 그 앞으로 세트가 한 벌.
탁(卓)에는 빈 찻잔과 설탕 단지와 재떨이.
㉠그리고서 걸상에는, 탁 밑에 구두를 가지런히 벗어 넣고, 걸상 앉을깨 위에 가 무릎을 단정히 꿇고 두 손을 마주 잡아 무릎 위에 올려놓고, 두 눈을 내려 감고 한 인물이 조용히 앉아 있다.
사족 같으나 원화에 있는 설명을 마저 소개하면
"저 사람 꽤 버티지?"
"참선하나 봐!"
이러한 만화를 구태여 인용하지 않더라도 진작부터 이 두레에도 첨구거사들이 다방인종을 신랄하게 풍자한 썩 재미있는 어휘가 많이 있다.
벽화(壁畫)!
반만 마신 찻잔에서는 김도 오르지 않고 재떨이에는 꽁초만 그득하니 벌써 두 시간이 되었는지 세 시간이 되었는지, ㉡그두 시간 혹은 세 시간을 벽 밑의 세트에 가서 그린 듯 붙박이로 앉아 있는 포즈가 왜 아니 그림 같을꼬! 벽화란 참으로 천금 값이 나가는 한마디다.
또 특히 온종일 다방으로 돌아다니면서 물만 먹는대서 금붕어라고도 한다. 역시 재치꾼이 아니고는 지어내기 어려운 명담(名談)이다.

[B] 이렇듯 다방인종이 일부 사람에게 (가령 독한 가시는 없으나마) 조롱을 받는 것이 사실은 사실이나 그러한 조롱을 때우고도 넉넉 남음이 있을 만큼 다방은 전당국과 아울러 현대인에게 다시없이 고마운 물건이 아닐 수 없다.
머리와 몸이 피로하기 쉬운 우리 도시이다.

오피스로부터 풀려나오는 길이라도 좋다. 볼일로 줄창 돌아다니던 길이라도 좋다. 혹은 아스팔트를 거닐러 나왔던 길이거나 영화를 보고 나오던 길이라도 좋다.
아무튼지 피로를 느낄 때, 길옆 거기 어디 다방을 찾아 들어서면 우선 푹신한 쿠션이 있어서 앉을 자리가 편안하다.
기호에 따라 향긋한 홍차든지 쌉쌀한 커피든지 또는 갈증에 좋은 청량음료든지, 이편이 청하는 대로 대령을 한다.
명곡이 구비하다. ㉢웬만한 것이면 이편이 귀가 서툴러 못 알아들을 지경이다.
하니, 자리가 편안하겠다, 마시는 것이 흥분제였다, 음악이 아름답겠다. 차를 마신 다음에는 담배라도 붙여 물고 유유히 20, 30분이고 앉아 있노라면 피로는 자연 걷혀진다.
만일 이만한 설비를 제가끔 제 가정에다가 해 놓고 지내자고 해 보아라. ㉣가뜩이나 살림살이가 군색한 조선의 중류 사람으로 땅띔도 못 할* 것이니.
도시에 살자니, 펀둥펀둥 놀고먹는 사람이 아니고는 제각기 제 깜냥에 자작소롬한 용무가 많고, 자주 사람을 만나야 한다.
그것을 일일이 찾아다니고 제집에서 기다려서 만나 보고 하자면 여간만 불편한 게 아니다.
㉤한데 다방이면 으레 중심 지대에 있겠다, 항용 다른 볼일과 겸서서 나올 수도 있고 지날 길에 잠시 들를 수도 있다. 더구나 전화가 있으니 편리하다. 웬만한 회담이면, 그러므로 안성맞춤인 것이 다방이다.
가령 의식적으로 피로를 쉰다거나 더욱이 다방을 사랑방으로 이용하는 그런 공리적인 타산은 말고라도, 혹시 겨울의 모진 추위에 몸을 웅숭그리고 아스팔트 위로 종종걸음을 치다가 문득 눈에 띄는 대로 노방의 다방 문을 밀치고 들어간다고 하자. 활짝 단 가스난로 가까이 푸근한 쿠션에 걸어앉아, 잘 끓은 커피 한 잔을 따끈하게 마시면서 아무 것이고 그때 마침 건 명곡 한 곡조를 듣는 안일과 그 맛이란 역시 도회인만이 누릴 수 있는 하나의 낙인 것이요, 그것을 모르고 도시에 살다니, 그는 분명 촌맹*이며 가련한 전 세기 사람일 것이다.

– 채만식, 「다방찬」 –

* 근일끽다점풍경 : 근래의 다방 풍경.
* 땅띔도 못 할 : 감히 생각조차 못 할.
* 촌맹 : 시골에 사는 사람.

7. (가)의 ⓐ ~ ⓔ에 대한 설명으로 적절하지 않은 것은?

① ⓐ : 설의적 표현을 통해 시적 상황에 대한 화자의 생각을 강조하고 있다.
② ⓑ : 비유적 표현을 통해 대상에 대한 화자의 인상을 드러내고 있다.
③ ⓒ : 대구의 방식을 활용하여 화자의 행위를 나타내고 있다.
④ ⓓ : 영탄적 표현을 통해 화자의 의지를 표출하고 있다.
⑤ ⓔ : 열거의 방식을 활용하여 화자 자신에 대해 표현하고 있다.

8. (가)에 대한 이해로 가장 적절한 것은?

① '갑 업슨 풍월과 임지 업슨 강산'은 화자가 떠나온 곳으로 '동천'과 대조적 성격을 지닌다.
② '노프니는 절벽이오'는 화자가 '맑은 연못 깁흔 곳'에서 벗어나 도달하고자 하는 내면적 경지를 드러낸다.
③ '산수에 벽이 이셔'는 화자가 '빈천 기한'을 일생토록 겪으면서 극복하고자 한 문제를 가리킨다.
④ '타고난 성품을 저버리지 마자'는 '책 속의 성현 말씀', '천지신명'과 관련하여 화자가 지향하게 된 태도를 나타낸다.
⑤ '거친 밥 마실 물'은 '작은 방'에서 '쓸쓸하'게 지내는 화자가 궁극적으로 얻고자 하는 것을 알려 준다.

9. (나)의 ㉠ ~ ㉤에 대해 이해한 내용으로 가장 적절한 것은?

① ㉠ : 의자에 무릎을 꿇고 앉아 있는 사람이 다방의 풍경과 조화를 이룬다는 글쓴이의 생각을 드러내고 있다.
② ㉡ : 다방에서 종일토록 시간을 보내는 사람들에 대한 글쓴이의 부러움을 표현하고 있다.
③ ㉢ : 다방에서 틀어 주는 음악의 수준이 높다는 글쓴이의 생각을 드러내고 있다.
④ ㉣ : 조선의 중류 사람이라면 다방의 모든 설비를 마련할 수 있다는 글쓴이의 생각을 밝히고 있다.
⑤ ㉤ : 다방이 중심지에만 위치하고 있는 현실에 대한 글쓴이의 아쉬움을 강조하고 있다.

V

10. [A], [B]에 대한 설명으로 가장 적절한 것은?

① [A]는 자연의 순리에 대한, [B]는 현대인의 모순된 생활 태도에 대한 깨달음을 드러내고 있다.
② [A]는 자연 속에서 유유자적하는 생활에 대한, [B]는 도시에서의 바쁜 일상에 대한 그리움을 드러내고 있다.
③ [A]는 자연과 인간의 부조화에 대한, [B]는 도시 속 공간과 인간의 부조화에 대한 비판적 태도를 드러내고 있다.
④ [A]는 자연이 보여 주는 다채로운 모습에 대한, [B]는 다방이 지니고 있는 효용성에 대한 긍정적 인식을 드러내고 있다.
⑤ [A]는 자연에서 느낀 세월의 흐름에 대한, [B]는 다방을 대하는 사람들의 일반적인 태도에 대한 안타까움을 드러내고 있다.

11. <보기>를 바탕으로 (가), (나)를 감상한 내용으로 적절하지 <u>않은</u> 것은? [3점]

< 보 기 >

주체는 공간과 관계를 맺으며 공간 속에서 자신에 대해 인식하고 자신의 삶을 돌아본다. 이때 주체가 공간과 관계를 맺는 방식에 따라 '3인칭의 공간'과 '2인칭의 공간'으로 구분할 수 있다. 3인칭의 공간은 주체인 '나'에게 객관적인 대상으로 인식되는 공간이고, 2인칭의 공간은 '나와 너'의 관계를 맺고 있는 공간이다. 3인칭의 공간은 '나'와의 관련성이 높아지면 2인칭의 공간으로 변한다. 2인칭의 공간에서의 체험은 주체에게 3인칭의 공간에서의 체험보다 의미 있는 것이 된다.

① (가)에서 'ᄂᆡ 힘 밋ᄂᆞᆫ ᄃᆡ로 초옥삼간 지어' 냈다고 한 것은, 주체가 자연을 일상생활의 공간으로 삼았다는 점에서 자연과 밀접한 관계를 맺은 것이라고 할 수 있겠군.
② (가)에서 '임호정과 어풍대에서 바라본 풍경'에 대해 '아니 보아 어이 알소'라고 한 것은, 체험을 통해 자연이 2인칭의 공간이 되었을 때 주체가 그 풍경의 가치를 제대로 인식할 수 있음을 말한 것이라고 할 수 있겠군.
③ (나)에서 '피로는 자연 걷혀진다'라고 한 것은, 주체가 공간에 부여한 의미를 통해 주체에게 '다방'이 2인칭 공간임을 나타낸 것이라고 할 수 있겠군.
④ (가)에서 '시비를 못 듯거니'라고 한 것과 (나)에서 '그것을 모르고 도시에 살다니'라고 한 것은, 특정 공간에서 품게 된 내면의 욕구를 밝혔다는 점에서 주체가 공간에서 자신을 성찰하는 과정을 보여 준 것이라고 할 수 있겠군.
⑤ (가)에서 '고인 진락'을 제시한 것과 (나)에서 '안일과 그 맛'을 제시한 것은, 공간이 주체와의 관계를 바탕으로 주체의 삶을 의미 있게 만들어 줄 수 있음을 드러낸 것이라고 할 수 있겠군.

총 문항				문항	맞은 문항					문항
개별 문항	1	2	3	4	5	6	7	8	9	10
채점										
개별 문항	11	12	13	14	15	16	17	18	19	20
채점										

9분 | 2022학년도 6월 모평 22~27번 | ★★☆ | 정답 053쪽

【1~6】 다음 글을 읽고 물음에 답하시오.

(가)

청평사의 나그네 有客清平寺
봄 산을 마음대로 노니네 春山任意遊
고요한 외로운 탑에 산새 지저귀고 鳥啼孤塔靜
흐르는 작은 내에 꽃잎 떨어지네 花落小溪流
좋은 나물은 때 알아 돋아나고 佳菜知時秀
향기로운 버섯은 비 맞아 부드럽네 香菌過雨柔
시 읊조리며 **신선 골짝** 들어서니 行吟入仙洞
나의 **백 년 근심** 사라지네 消我百年愁

- 김시습, 「유객(有客)」 -

(나)

도연명(陶淵明) 죽은 후에 또 연명(淵明)이 나다니
밤마을 옛 이름이 때마침 같을시고
돌아와 수졸전원(守拙田園)*이야 그와 내가 다르랴 <제1곡>

삼공(三公)이 귀하다 한들 이 강산과 바꿀쏘냐
조각배에 달을 싣고 낚싯대 흩던질 때
이 몸이 이 청흥(淸興) 가지고 만호후*인들 부러우랴 <제8곡>

어지럽고 시끄런 문서 다 주어 내던지고
필마(匹馬) 추풍에 채를 쳐 돌아오니
아무리 매인 새 놓였다고 **이대도록 시원하랴** <제10곡>

세버들 가지 꺾어 낚은 **고기** 꿰어 들고
주가(酒家)를 찾으려 **낡은 다리** 건너가니
온 골에 살구꽃 져 쌓이니 갈 길 몰라 하노라 <제15곡>

최 행수 쑥달임 하세 조 동갑 꽃달임 하세
닭찜 게찜 올벼 점심은 날 시키소
매일에 이렇게 지내면 무슨 **시름** 있으랴 <제17곡>

- 김광욱, 「율리유곡(栗里遺曲)」 -

* 수졸전원 : 전원에서 분수를 지키며 소박하게 살아감.
* 만호후 : 재력과 권력을 겸비한 세도가.

(다)

오십이 넘은 **판교(板橋)**는 마음에 맞지 않는 관직을 버리고 거리낌 없는 자유로운 심경에서 여생을 보냈다.

"**청수(淸瘦)한 한 폭 대**를 그리어 추풍강상(秋風江上)에 낚대나 만들까 보다."

㉠ 궁핍을 면할 양으로 본의 아닌 생활을 계속하느니보다 모든 속사(俗事)를 버리고 표연히 강상(江上)의 어객(漁客)이 되는 것이 운치 있는 생활이기도 하려니와 얼마나 자유를 사랑하는 청고(淸高)한 마음이냐. 고기를 낚는 취미도 실로 **삼매경**에 몰입할 수 있는 좋은 놀음이다.

푸른 물이 그득히 담긴 못가에서 흐느적거리는 낚싯대를 척 휘어잡고 바늘에 미끼를 물린다. 가장자리에는 물이끼들이 꽉 엉켰을 뿐 아니라 고기도 **송사리** 떼밖에 오지 않는지라, 팔 힘 자라는 대로 낚싯줄이 허(許)하는 대로 되도록 멀리 낚시를 던져 조금이라도 큰 고기를 잡을 양으로 한껏 내던져도 본다. 퐁당 물결이 여울처럼 흔들리고 나면 거울 같은 수면에 찌만이 외롭고 슬프게 곧추서 있다.

㉡ 한 점 찌는 객이 되고 나는 주인이 되어 알력과 모략과 시기와 저주로 꽉 찬 이 풍진(風塵) 세상을 등 뒤로 두고 서로 무언의 우정을 교환한다.

내 모든 정열을 오로지 외로이 떠 있는 한 점 찌에 기울이고 있노라면, 가다가 ㉢ 별안간 이 한 점 찌는 술 취한 놈처럼 까딱까딱 흔들리기 시작한다.

'고기가 왔구나!'

다음 순간, 찌는 물속으로 자꾸 딸려 들어간다.

'옳다, 큰 놈이 물린 게로군.'

[A] 잡아당길 때 무거울 것을 생각하면서 배꼽에 힘을 잔뜩 주고 행여나 낚대를 놓칠세라 두 손으로 꽉 붙잡고 번쩍 치켜 올리면, 허허 이런 기막힌 일도 있을까. 큰 고기는커녕 어떤 때는 방게란 놈이 달려 나오고, 어떤 때는 개구리란 놈이 발버둥을 치는 수가 많다. 하면 되는 줄만 알았던 낚시질도 간대로 우리 따위까지 단번에 되란 법은 없나 보다.

[B] 세상일이란 모조리 그러한 것이리라마는 아무리 내 재주가 서툴다기로서니 개구리나 방게란 놈들도 염치가 있지, 속어에 이르기를 숭어가 뛰니 망둥이도 뛴다는 셈으로 나는 나대로 제법 강상의 어객인 양하고 나섰는 판에, 그래도 그럴 듯 미끈한 잉어까지야 못 물린다손 치더라도 고기도 체면은 알 법한지라, 하다못해 붕어 새끼쯤이야 안 물리랴 하는 판에, 얼토당토않은 구역질 나는 놈들이 제가 젠체하고 가다듬은 내 마음을 더럽힐 줄 어찌 알았으랴.

㉣ 세상이 하 뒤숭숭하니 고요히 서재나 지키어 한묵(翰墨)*의 유희(遊戲)로 푹 박혀 있자는 것도 말처럼 쉽사리 되는 것은 아니라, 그렇다고 거리로 나가 **성격 파산자**처럼 공연스레 왔다 갔다 하기도 부질없고, 보이는 것 들리는 것이 모조리 **심사 틀리는 소식**밖엔 없어 그래도 죄 없는 곳은 **내 서재**니라 하여 며칠만 틀어박혀 있으면 그만 **속에서 울화가 터져 나온다.**

위진(魏晉) 간에 심산벽촌(深山僻村)에 은거하여 청담(淸談)이나 일삼던 그네의 심경을 한때는 **욕**을 한 적도 있었으나, ㉤ 막상 나 자신이 그런 심경에 처해 있고 보니 고인(古人)의 불우한 그 심정을 넉넉히 동감하게 된다.

- 김용준, 「조어삼매(釣魚三昧)」 -

* 한묵 : 글을 짓거나 쓰는 것을 이르는 말.

1. (가)와 (나)의 공통점으로 가장 적절한 것은?

① 자연물의 속성에 주목하여 교훈적 의미를 전달하고 있다.
② 설의적 표현을 통해 추구하고자 하는 삶의 태도를 제시하고 있다.
③ 먼 경치에서부터 가까운 곳으로 시선을 옮기며 심리의 변화를 드러내고 있다.
④ 화자가 자신을 객관화하는 표현을 내세워 내적 갈등에 대한 공감을 유도하고 있다.
⑤ 계절을 드러내는 시어를 사용하여 시기에 부합하는 자연의 모습을 구체화하고 있다.

2. (나)에 대한 이해로 적절하지 않은 것은?

① <제1곡>에서는 지명에 주목하여 화자의 지향을 드러내고 있다.
② <제8곡>에서는 자연의 가치를 부각하여 화자가 즐기는 흥취를 강조하고 있다.
③ <제10곡>에서는 화자의 현재 상황에 대한 만족감을 바탕으로 자연물에 대한 연민을 드러내고 있다.
④ <제15곡>에서는 다양한 행위를 연속적으로 나열하여 화자가 누리는 생활의 일면을 제시하고 있다.
⑤ <제17곡>에서는 청자를 호명하며 즐거움을 함께하려는 화자의 마음을 전달하고 있다.

3. 문맥을 고려하여 ㉠~㉤에 대해 이해한 내용으로 적절하지 않은 것은?

① ㉠: 생계를 유지하기 위한 생활과 대비되는 낚시의 의의를 드러내고 있다.
② ㉡: 낚시 도구와 글쓴이의 관계를 설정하여 낚시에 몰입하는 태도를 표현하고 있다.
③ ㉢: 낚시에 집중했던 글쓴이의 기다림과 기대에 부응하는 순간을 부각하고 있다.
④ ㉣: 낚시의 대안으로 선택한 것으로서, 글쓴이에게 마음의 안정을 찾게 해 준 방법으로 제시되고 있다.
⑤ ㉤: 낚시를 해 본 후 달라진 글쓴이의 마음가짐으로서, 은거했던 옛사람들에 기대어 자신의 심정을 드러내고 있다.

4. (나)와 (다)를 비교하여 이해한 내용으로 가장 적절한 것은?

① (나)의 '도연명'과 (다)의 '판교'는 각각 화자와 글쓴이가 행적을 따르고자 하는 인물이다.
② (나)의 '삼공'과 (다)의 '성격 파산자'는 모두 세속에서 높은 지위를 차지하고 있는 이들을 가리킨다.
③ (나)의 '세버들 가지'와 (다)의 '청수한 한 폭 대'는 각각 화자와 글쓴이가 자신과 동일시하는 대상이다.
④ (나)의 '고기'와 (다)의 '송사리'는 각각 화자와 글쓴이가 자신을 보잘것없는 존재로 비유한 표현이다.
⑤ (나)의 '시름'과 (다)의 '욕'은 각각 화자와 글쓴이가 자신을 억압하는 존재를 염두에 둔 표현이다.

5. [A]와 [B]에 대한 이해로 가장 적절한 것은?

① [A]에 나타난 글쓴이의 경이감은 [B]에서 인생에 대한 낙관적 기대로 확장된다.
② [A]에 나타난 글쓴이의 무력감은 [B]에서 과거의 삶에 대한 동경을 통해 해소된다.
③ [A]에 나타난 글쓴이의 실망감은 [B]에서 자신의 손상된 체면에 대한 한탄으로 이어진다.
④ [A]에 나타난 글쓴이의 상실감은 [B]에서 새로운 이상을 품도록 만드는 계기로 작용한다.
⑤ [A]에 나타난 글쓴이의 혐오감은 [B]에서 자신의 능력에 대한 겸손한 반성으로 전환된다.

6. <보기>를 바탕으로 (가)~(다)를 감상한 내용으로 적절하지 않은 것은? [3점]

<보 기>

문학 작품에서 공간에 대한 인식을 형상화하는 방식은 다양하다. 공간에 대한 인식을 직접적으로 드러내는 표현을 사용하거나, 공간 내 특정 대상의 속성으로써 그 대상이 포함된 공간 전체를 표상하기도 한다. 또한 이러한 인식은 공간 간의 관계를 통해 표현되기도 한다. 이때 관계를 이루는 공간에는 작품에 명시된 공간은 물론 그 이면에 전제된 공간도 포함된다.

① (가)의 '신선 골짝'은 화자가 지향하는 공간으로서, 이에 대립되는 곳으로 '백 년 근심'이 유발된 공간이 이면에 전제된 것이라 할 수 있겠군.
② (나)의 '낡은 다리'는 '주가'와 '온 골'이라는 대비되는 속성을 지닌 두 공간의 경계를 표현하여, 양쪽 모두에 미련을 버리지 못한 화자의 상황을 상징하고 있겠군.
③ (나)에서 화자가 돌아온 곳은 '어지럽고 시끄런 문서'로 표상되는 공간과 대비되는 공간으로서, '이대도록 시원하랴'와 같은 반응을 자연스럽게 이끌어낸 것이겠군.
④ (다)에서 '푸른 물이 그득히 담긴 못가'는 글쓴이가 '삼매경'에 빠지기를 기대하는 곳으로, 글쓴이가 자신의 지향과 직결되는 공간을 직접적으로 드러낸 것이겠군.
⑤ (다)에서 '내 서재'는 '심사 틀리는 소식'을 피하기 위한 곳임에도 불구하고 '속에서 울화가 터져 나온다'고 언급되었다는 점에서, 그 이면에는 새로운 공간에 대한 지향이 있음을 알 수 있겠군.

8분	2021학년도 수능 38~42번	★★☆	정답 055쪽

【7~11】 다음 글을 읽고 물음에 답하시오.

(가)

이 몸 삼기실 제 님을 조차 삼기시니
ᄒᆞᆫ싱 **연분(緣分)**이며 **하늘** 모ᄅᆞᆯ 일이런가
나 ᄒᆞ나 **졈어 잇고** 님 ᄒᆞ나 날 괴시니
이 ᄆᆞ음 이 ᄉᆞ랑 견졸 ᄃᆡ **노여** 업다
평싱(平生)애 원(願)ᄒᆞ요ᄃᆡ ᄒᆞᆫᄃᆡ 녜쟈 ᄒᆞ얏더니
늙거야 ᄆᆞᄉᆞ 일로 외오 두고 그리ᄂᆞᆫ고
엇그제 님을 뫼셔 광한뎐(廣寒殿)의 올낫더니
그 더ᄃᆡ 엇디ᄒᆞ야 하계(下界)예 ᄂᆞ려오니
올 저긔 비슨 머리 헛틀언 디 **삼 년**일쇠
연지분(臙脂粉) 잇ᄂᆡ마ᄂᆞᆫ 눌 위ᄒᆞ야 고이 ᄒᆞᆯ고
ᄆᆞ음의 미친 실음 텹텹(疊疊)이 ᄡᅡ혀 이셔
짓ᄂᆞ니 한숨이오 디ᄂᆞ니 눈믈이라
인싱(人生)은 유ᄒᆞᆫ(有限)ᄒᆞᆫᄃᆡ 시름도 그지업다
무심(無心)ᄒᆞᆫ 셰월(歲月)은 믈 흐ᄅᆞ듯 **ᄒᆞᄂᆞᆫ고야**
염냥(炎凉)이 ᄣᅢ를 아라 **가는 ᄃᆞᆺ 고텨** 오니
듯거니 보거니 늣길 일도 하도 할샤
동풍이 건듯 부러 젹셜(積雪)을 헤텨 내니
창(窓) 밧긔 심근 **미화(梅花)** 두세 가지 픠여셰라
ᄀᆞᆺ득 ᄂᆡᆼ담(冷淡)ᄒᆞᆫᄃᆡ 암향(暗香)은 **ᄆᆞᄉᆞ 일고**
황혼의 ᄃᆞᆯ이 조차 벼마ᄐᆡ 빗최니
늣기ᄂᆞᆫ ᄃᆞᆺ 반기ᄂᆞᆫ ᄃᆞᆺ **님이신가** 아니신가
뎌 미화 것거 내여 님 겨신 ᄃᆡ 보내오져
님이 너ᄅᆞᆯ 보고 엇더타 너기실고

– 정철, 「사미인곡」 –

(나)

창 밧긔 워석버석 **님이신가** 니러 보니
혜란(蕙蘭) 혜경(蹊徑)*에 낙엽은 **므스 일고**
어즈버 유한(有限)ᄒᆞᆫ 간장(肝腸)이 **다** 그츨가 **ᄒᆞ노라**

– 신흠 –

* 혜란 혜경 : 난초 핀 지름길.

(다)

나는 예전에 장흥방의 길갓집에 살았다. 그 집은 저잣거리에 제법 가까워서 소란스러웠다. 문 옆에 한 칸짜리 초당이 있어 볏짚으로 덮고 흙을 쌓았더니 그윽하고 조용해서 살 만했다. 그러나 초당이 동쪽으로 치우쳐 햇볕을 받았기에 여름이면 너무 더웠다. 그래서 '고요함이 더위를 이긴다[靜勝熱]'는 말을 당호(堂號)*로 정해 문설주에 편액을 해 걸어 두고 위안을 삼았다.

대저 고요함에는 두 가지가 있으니 하나는 몸의 고요함이요, 다른 하나는 마음의 고요함이다. 몸이 고요한 사람은, 앉고 눕고 일어나고 서는 등 모든 행동에 있어 편안함을 취할 뿐이다. 마음이 고요한 사람은, 천하만사가 마치 촛불로 비춰 보고 거북이로 점을 치는 듯하니 시원한 날씨와 더운 날씨가 무슨 상관이 있겠는가? 그러므로 '고요함이 이긴다'고 한 지금의 말은 마음의 고요함을 가리킨다.

그 집에서 이십 년을 살고 이사하였다. 그로부터 삼 년이 흐른 뒤 옛집을 찾아가 보았다. 그새 주인이 바뀐 지 여러 번이지만 집은 옛 모습 그대로였다.

은은하게 처마에 들어오는 산빛, 콸콸콸 담을 따라 도는 골짜기 물, 밀랍으로 발라 번들번들한 살창, 쪽빛으로 물들여 놓은 늘어진 천막.

(중략)

내가 여기에 살던 시절은 집안이 번성하던 때였다. 선친께서 승명전에 봉직하실 때라, 퇴근하신 밤이면 우리 형제들이 모시고 앉아 학문과 예술을 담론하고 옛일을 기록하거나, 시를 읽거나 거문고를 들었으니 유중영의 옛일*과 비슷하였다. 그 즐거움을 잊을 수는 없건마는 다시 되찾을 수는 없다!

『서경』에 '그릇은 새것을 찾고, 사람은 옛 사람을 찾는다.'라고 했다. 집 역시 그릇과 같이 무언가를 담는 부류이긴 하나, 사람은 집이 아니면 몸을 붙여 머물 데가 없고 집보다 더 거처를 많이 하는 것은 없으므로, 집은 그릇보다는 사람에 가깝다 하겠다. 그러니 어찌 그리워하지 않을 수 있으랴!

그렇지만 인간사가 벌써 바뀌어, 사물에 닿을 때마다 슬픔만 더하므로 이 집에 다시 살고 싶지는 않다. 마땅히 임원(林園)*에 집터를 보아 집을 지어서 옛 이름의 편액을 걸어 옛집에서 지녔던 뜻을 잊지 않으려 한다.

누군가는 '임원이 이미 고요하거늘, 지금 다시 '고요함이 이긴다'고 하면 또한 군더더기가 아닌가?'라고 말할 수 있으리라. 나는 답하리라. '고요한데 또 고요하니, 이것이야말로 고요함이라네.'라고.

– 유본학, 「옛집 정승초당을 둘러보고 쓰다」 –

* 당호 : 집에 붙이는 이름.
* 유중영의 옛일 : 당나라 때 문신 유중영이 늘 책을 가까이하며 자식들을 가르치던 일.
* 임원 : 산림.

V

7. (가)와 (나)에 대한 설명으로 가장 적절한 것은?

① (가)의 '노여'와 (나)의 '다'라는 수식어는 모두 임에 대한 원망의 정서를 강조하기 위해 사용된 것이다.
② (가)의 'ᄒᆞᄂᆞᆫ고야'와 (나)의 'ᄒᆞ노라'는 모두 화자의 의지를 단정적인 종결형으로 나타낸 것이다.
③ (가)의 '미화'와 (나)의 '혜란'은 모두 화자와 동일시되는 자연물을 의인화하여 나타낸 것이다.
④ (가)의 'ᄆᆞᄉᆞ 일고'와 (나)의 'ᄆᆞ스 일고'는 모두 뜻밖의 대상과 마주하게 된 반가움을 영탄적 어조로 표현한 것이다.
⑤ (가)의 '님이신가'와 (나)의 '님이신가'는 모두 임을 만나고 싶은 간절함을 독백적 어조로 드러낸 것이다.

8. <보기>를 바탕으로 (가)를 감상한 내용으로 적절하지 <u>않은</u> 것은?

> <보 기>
>
> (가)에는 천상의 시간과 지상의 시간이 모두 나타난다. 천상에서는 지상과 달리 생로병사의 과정 없이 끝없는 사랑이 지속된다. 이러한 시간적 질서는 지상에 내려온 화자를 힘겹게 하는데, 이 과정에서 화자는 지상의 물리적 시간을 심리적으로 변형하여 자신의 심경을 드러낸다.

① 임과의 '연분'을 '하늘'과 연결 짓는 것은, 임과의 사랑이 천상의 시간 질서처럼 끝없이 이어지기를 바라는 마음이 반영된 것이라 볼 수 있겠어.
② '졈어 잇고'와 '늙거야'를 통해 화자가 천상의 시간에서 벗어나 지상의 시간으로 편입되었음을 알 수 있겠어.
③ '삼 년' 전을 '엇그제'로 인식하는 것에서, 임과 함께한 기억이 아직도 선명하게 남아 있어 지상의 물리적 시간이 심리적으로 압축되어 나타나고 있음을 알 수 있겠어.
④ '인싱은 유훈'과 '무심훈 셰월'을 통해 지상의 시간적 질서에 따라 소망을 이룰 수 있는 시간이 줄고 있는 것에 대한 불안한 마음을 엿볼 수 있겠어.
⑤ '염냥'이 '가는 둧 고텨' 온다는 인식에서, 임과의 관계 단절에 따른 절망감으로 인해 지상의 물리적 시간이 심리적으로 지연되어 나타나고 있음을 알 수 있겠어.

9. <보기>를 바탕으로 (나), (다)를 감상한 내용으로 적절하지 <u>않은</u> 것은? [3점]

> <보 기>
>
> 고요함은 소리나 움직임이 없이 잠잠한 상태인 외적 고요와 마음이 평온한 상태인 내적 고요로 구분할 수도 있다. 이에 주목하여 (나)를 감상할 때, 화자가 처한 상황과 그에 따른 심리는 고요함의 측면에서 이해될 수 있다. 또한 (다)에서 필자는 고요함에 대한 통찰을 통해 자신이 처한 공간에서 내적 고요를 추구하려 하는데, 이를 통해 삶에서 느끼는 불편이나 슬픔을 이겨 내는 동력을 얻고 있다.

① (나)에서 '낙엽' 소리가 창 안에서도 들린다는 것은 화자가 외적 고요의 상태에 있었다는 것을 의미하겠군.
② (나)에서 '낙엽' 소리를 임이 오는 소리로 착각했다는 것은 화자의 심리가 내적 고요의 상태에 있지 못했기 때문이겠군.
③ (다)에서 '사물에 닿을 때마다 슬픔만 더'한다는 것은 옛집을 돌아본 경험이 필자로 하여금 내적 고요를 이루기 어렵게 만들었다는 인식이 반영된 것이겠군.
④ (다)에서 '옛집'의 '초당'에 붙였던 당호를 '임원'의 새집에서도 사용하겠다는 것은 필자가 외적 고요에 더해 내적 고요를 추구하고 있음을 보여 주는 것이겠군.
⑤ (다)에서 '누군가'가 '고요함이 이긴다'는 당호를 '군더더기'로 본다는 것은 외적 고요만으로는 삶에서 느끼는 불편이나 슬픔을 이겨 내기 어렵다고 여겼기 때문이겠군.

10. (가)와 (다)를 비교하여 이해한 내용으로 가장 적절한 것은?

① (가)와 (다) 모두 인간의 외양이 변화하는 상황에 대한 안타까움이 나타나 있다.
② (가)와 (다) 모두 오래된 것보다는 새로운 것을 더 중시하는 삶의 자세가 나타나 있다.
③ (가)와 (다) 모두 자신이 있는 공간에서 그 공간에 부재하는 대상을 떠올리는 상황이 나타나 있다.
④ (가)에는 인생의 허무함에 대한 순응적 태도가, (다)에는 인생의 허무함에 대한 극복 의지가 나타나 있다.
⑤ (가)에는 과거와 달라진 타인의 마음에 대한, (다)에는 과거와 달라진 자신의 마음가짐에 대한 아쉬움이 나타나 있다.

11. (다)에 대한 이해로 적절하지 <u>않은</u> 것은?

① 여름에 더웠던 경험을 바탕으로 옛집 초당의 당호를 정하게 된 내력을 서술하고 있다.
② 과거 인물의 행적에 비추어, 다시 찾은 옛집에서 떠올린 기억에 대한 감회를 드러내고 있다.
③ 새집에 붙이고자 하는 당호의 의미를 통해 옛집에서 다시 살고 싶어하는 마음을 표현하고 있다.
④ 변함없는 옛집의 외양과 달리, 변해 버린 인간사로 인해 새집을 지으려는 마음을 갖게 되었음을 밝히고 있다.
⑤ 집이 그릇과 같은 부류이지만 사람을 담고 있는 존재라는 점에 주목하여 옛집에 대한 그리움을 부각하고 있다.

총 문항				문항	맞은 문항					문항
개별 문항	1	2	3	4	5	6	7	8	9	10
채점										
개별 문항	11	12	13	14	15	16	17	18	19	20
채점										

8분 | 2020학년도 10월 학평 22~26번 | ★★☆ | 정답 056쪽

[1~5] 다음 글을 읽고 물음에 답하시오.

(가)

솔 아래 길을 내고 못 위에 대를 싸니
풍월(風月) 연하(煙霞)는 좌우로 오는고야
이 사이 한가히 앉아 **늙는 줄을 모르리라**

<제3수>

㉠ 집 뒤에 자차리 뜯고 문 앞에 맑은 샘 길어
기장밥 익게 짓고 산채갱* 므로* 삶아
조석에 풍미가 족함도 내 분인가 하노라

<제5수>

늙어 해올 일 없어 **산중**에 돌아오니
송국(松菊) 원학(猿鶴)이 다 나를 반기나다
아이야 술 가득 부어라 낙이망우(樂而忘憂) 하리라

<제10수>

[A]
도원이 있다 하여도 예 듣고 못 봤더니
홍하*이 만동(滿洞)하니 이 진짓 거기로다
이 몸이 또 어떠하뇨 무릉인인가 하노라

<제14수>

– 김득연, 「산중잡곡」 –

* 산채갱 : 산나물로 만든 국. * 므로 : 푹.
* 홍하 : 붉은 노을.

(나)

별이(別異)실 외딴 마을 해는 어이 쉬 넘거니
봉당(封堂)에 자리 보아 더새고* 가자꾸나
밤중(中)만 사립 밖에 긴 바람 일어나며
새끼 곰 큰 호랑(虎狼)이 목 갈아 우는 소리
산골에 울려 있어 기염(氣焰)도 흘난할샤*
칼 빼어 곁에 놓고 이 밤을 겨우 새워
앞내에 빠진 옷을 쥡짜서 손에 쥐고
㉡ 긴 별로(別路) 돌아 달려가 벌불에 쬐어 입고
[B]
진(秦) 때의 숨은 백성 이제 와 보게 되면
도원이 여기보다 낫단 말 못하려니
천변(天邊)의 가려진 뫼 대관령 이었으니
위태코 높은 고개 촉도난*이 이렇던가
하늘에 돋은 별을 져기면 만질노다
망망대양이 그 앞에 둘러 있어
대지 산악을 일야의 흔드는 듯
밑 없는 큰 구렁에 한없이 쌓인 물이
만고에 한결같이 영축*이 있었던가

– 권섭, 「영삼별곡」 –

* 더새고 : 밤을 지내고.
* 기염도 흘난할샤 : 기세가 어지럽구나.
* 촉도난 : 촉나라로 가는 험한 길의 어려움.
* 영축 : 가득 차는 것과 줄어드는 것.

(다)

정업원동은 창덕궁의 서쪽에 있는데, 숲과 골짜기가 깊숙한 데다가 그 골짜기로부터 시냇물이 흘러 내려와서 서늘하고 아름다운 운치를 갖고 있었다. 나는 일찍이 실록국에서 일하고 있어서 아침저녁으로 이곳을 지나게 되었다. 그러나 늘 직책에 얽매이다 보니 한 번도 조용히 찾아볼 수 없어서 한탄만 하였다. 그러던 중 하루는 유희경을 따라 금천교 위에 올라갔다가 그 다리 아래로 시냇물이 흐르고 그 시냇물 위로 무수히 떨어진 꽃잎들이 떠내려오는 것을 보고 기쁜 마음으로 이렇게 말했다.

[C]
"아마 무릉도원이 여기서 멀지 않나 보군. 이 물을 따라 올라가면 만리장성의 노역을 면하기 위해 피난 왔다가 수백 년 동안 죽지도 않고 살아 있다는 그 진(秦)나라 사람도 만나 보겠군."

그러자 유희경이 살짝 웃으며 말했다.

"이 물의 상류에 내가 살고 있네. 나는 그곳에 누대를 지어 놓았는데 마침 복숭아꽃이 활짝 피었다네. 어젯밤에 비바람이 몹시 불더니 아마 오늘 그 꽃잎들이 많이 떨어졌나 보군. 공이 만일 가 보겠다면 내 마땅히 이곳의 주인으로서 기쁘게 맞이하겠네."

나는 기쁜 마음으로 그를 따라갔다. 한 백 발자국 남짓 올라가자 오른쪽에 경치 좋은 곳이 있었다. 그곳이 바로 그가 사는 곳이었다. 흐르는 물이 맑고 찬데, 그 물가에 돌을 쌓아 누대를 지었다. 그 누대의 섬돌은 흐르는 물 위로 한 자 남짓 높게 쌓여 있었다. ㉢ 그래서 물을 베고 있다는 뜻으로 '침류대'라는 이름을 붙인 것일까?

이 누대의 아래 위에는 다른 꽃이라고는 없고 오직 복숭아나무 수십 그루가 개울물의 좌우에 늘어서 있어서, 그 나무의 떨어지는 꽃들이 붉은 비가 되어 물 위로 떠내려갔다.

[D]
그리고 이 개울은 한 폭의 비단을 펼쳐 놓은 듯 출렁출렁 춤을 추었다. 옛날 사람이 일컫는 무릉도원이라는 곳도 여기보다 낫지는 않을 듯하다.

당나라 사람 조영이 그의 시에서 '무릉도원의 멋을 저잣거리에서도 찾을 수 있다.'고 한 뜻을 이제야 알 것 같다. 나는 감탄하며 말했다.

"㉣ 옛날 유신이라는 자는 천태산의 도원에 들어가서 신선을 만나 돌아오지 않았다고 하는데, 그대가 바로 유신 같은 사람이 아닌가? 나는 지금 다행스럽게도 이 신비스러운 경치를 보았으니 무릉도원을 찾아갔던 어부의 느낌이 나와 같았겠지. 내 이 물에 들어가서 이 물로 입을 가신다고 하여 방해될 것이 있겠는가?"

우리는 서로 마주보며 한바탕 웃은 뒤에 물가에 자리를 펴고 앉았다. 졸졸 흐르는 물소리에 군이 씻지 않아도 깨끗해졌다. ㉤ 속세의 티끌 하나 묻어 있지 않은 곳이라서 온갖 잡념이 가시니, 정신과 기운이 저절로 맑아져서 바람이 불지 않아도 날아갈 듯하였다. 속세를 벗어난 경지가 참으로 이런 것인가?

– 이수광, 「침류대기」 –

V

1. (가)에 대한 설명으로 적절하지 않은 것은?

① '풍월'과 '연하'는 화자가 느끼는 한가함의 정서와 조응이 되는 대상을 나타낸 것이다.
② '이 사이'와 '산중'은 화자가 현재 자연을 즐기는 공간을 나타낸 것이다.
③ '늙는 줄을 모르리라'는 자연과 조화를 이룬 화자의 심정을 나타낸 것이다.
④ '기장밥 익게 짓고 산채갱 므로 삶아'는 소박한 삶을 살고 있음을 나타낸 것이다.
⑤ '아이야 술 가득 부어라'는 풍류적 지향과 정신적 수양 사이의 고뇌를 나타낸 것이다.

2. (가)와 (나)의 표현상의 특징으로 적절하지 않은 것은?

① (가)는 묻고 답하는 방식을 통해 시적 의미를 부각하고 있다.
② (나)는 공간의 이동에 따라 시상을 전개하고 있다.
③ (나)는 과장적 표현을 통해 주관적 인식을 드러내고 있다.
④ (가)와 (나)는 모두 음보율을 사용하여 운율감을 드러내고 있다.
⑤ (가)와 (나)는 모두 음성 상징어를 활용하여 대상을 생동감 있게 묘사하고 있다.

3. <보기>를 참고하여 [A] ~ [D]를 감상한 내용으로 적절하지 않은 것은? [3점]

< 보 기 >

중국의 「도화원기」는 어부가 복숭아꽃이 만발한 숲속의 물길을 따라갔다가 수백 년 전 진(秦)나라 때 노역이나 난리를 피하여 온 사람들이 모여 사는 이상향인 무릉도원을 방문했다는 이야기를 담고 있다. 여기에 영향을 받은 우리 선조들은 무릉도원과 같은 이상향을 동경하다가 차츰 현실의 삶에서 무릉도원을 연상했다. 그래서 여행지나 일상적 생활 공간에서 만족감을 얻으면 무릉도원과 유사하다고 인식하기도 했다. 이러한 인식은 상상의 관념을 현실화하려는 욕망의 구현으로 볼 수 있다.

① [A]는 자연의 아름다움과 관련지어 자신이 무릉도원에 산다는 사람들과 유사하다는 인식을 드러내고 있군.
② [B]는 일상적 생활 공간에서 벗어난 사람이 무릉도원보다 나은 새로운 이상향을 찾기 위해 애쓰는 모습을 부각하고 있군.
③ [B]와 [C]는 모두 「도화원기」에 언급된 이상향에 모여 사는 사람들의 내용과 연결하여 자신의 생각을 드러내고 있군.
④ [C]와 [D]는 모두 「도화원기」와 관련된 자연물이 있는 시냇물의 광경을 통해 무릉도원을 연상하고 있군.
⑤ [B]는 여행지에서 체험한 풍경을, [D]는 특정한 인물의 생활 공간인 누대 주변의 풍경을 무릉도원과 비교하고 있군.

4. (나)의 화자의 심리를 이해한 내용으로 가장 적절한 것은?

① 밤중에 짐승들의 울음소리를 듣고 불안감을 느꼈군.
② 걸어가는 길이 평탄해서 먼 산을 바라보며 즐거워했군.
③ 인가에 머무르지 못해 야외에서 잠자리를 찾으며 탄식했군.
④ 하늘의 별을 바라보며 부재하는 임에 대한 그리움을 느꼈군.
⑤ 높은 산들로 시야가 차단되어 바다를 보지 못하게 되자 아쉬워했군.

5. ㉠ ~ ㉤에 대한 설명으로 적절하지 않은 것은?

① ㉠: 자신의 생활상을 구체적으로 제시하고 있다.
② ㉡: 냇물에 젖은 옷을 말리는 모습이 나타나 있다.
③ ㉢: 누대가 놓인 형세를 토대로 누대의 이름을 붙인 이유를 짐작하고 있다.
④ ㉣: 은밀하게 혼자서만 경치를 즐기려는 태도에 문제를 제기하고 있다.
⑤ ㉤: 아름다운 경치에 몰입하여 느끼게 된 흥취를 표현하고 있다.

8분 | 2021학년도 9월 모평 38~42번 | ★★☆ | 정답 057쪽

【6~10】 다음 글을 읽고 물음에 답하시오.

(가)

ⓐ문학 작품의 의미가 생성되는 양상은 세 가지로 나누어 볼 수 있다. 첫째는 자기의 경험은 물론 자기 내면의 정서나 의식 등을 대상에 투영하여, 외부 세계에 새로운 의미를 부여하는 경우이다. 둘째는 외부 세계의 일반적 삶의 방식이나 가치관, 이념 등을 자기 내면으로 수용하여, 자신을 새롭게 해석함으로써 의미를 만들어 내는 경우이다. 셋째는 자기와 외부 세계를 상호적으로 대비하여 양자에 대한 새로운 해석을 통해 의미를 생성하는 경우이다.

문학적 의미 생성의 이러한 세 가지 양상은 문학 작품에서 자기와 외부 세계의 관계를 파악할 때 적용할 수 있다. 첫째와 둘째의 경우, 자기와 외부 세계와의 거리는 가까워지고 친화적 관계가 형성된다. 셋째의 경우는 자기가 외부 세계를 바라보는 관점에 따라 둘 사이의 거리가 가까워져 친화적 관계가 형성되기도 하고, 그 거리가 드러나 소원한 관계가 유지되기도 한다.

(나)

산슈 간(山水間) 바회 아래 뛰집을 짓노라 ᄒᆞ니
그 모론 **놈들**은 욷는다 ᄒᆞ다마ᄂᆞᆫ
㉠어리고 햐암의 뜻의ᄂᆞᆫ 내 분(分)인가 ᄒᆞ노라 <제1수>

보리밥 픗ᄂᆞ믈을 알마초 머근 후(後)에
바횟 긋 믉ᄀᆞ의 슬ᄏᆞ지 노니노라
그 나믄 **녀나믄 일**이야 부롤 줄이 이시랴 <제2수>

잔 들고 혼자 안자 먼 **뫼**흘 ᄇᆞ라보니
그리던 **님**이 오다 **반가옴**이 이리ᄒᆞ랴
말숨도 우음도 아녀도 몯내 됴하ᄒᆞ노라 <제3수>

누고셔 **삼공**(三公)도곤 낫다 ᄒᆞ더니 **만승**(萬乘)이 이만ᄒᆞ랴
이제로 헤어든 소부(巢父) 허유(許由)ㅣ 냑돗더라
아마도 **님천 한흥**(林泉閑興)을 비길 곳이 업세라 <제4수>

내 셩이 게으르더니 하ᄂᆞᆯ히 아ᄅᆞ실샤
인간 만ᄉᆞ(人間萬事)를 ᄒᆞᆫ 일도 아니 맛뎌
다만당 ᄃᆞ토리 업슨 강산(江山)을 딕희라 ᄒᆞ시도다 <제5수>

강산이 됴타 ᄒᆞᆫ돌 내 분(分)으로 누얻ᄂᆞ냐
님군 은혜(恩惠)를 이제 더옥 아노이다
아므리 갑고쟈 ᄒᆞ야도 ᄒᆡ올 일이 업세라 <제6수>

- 윤선도, 「만흥(漫興)」 -

(다)

산림(山林)에 살면서 명리(名利)에 마음을 두는 것은 큰 부끄러움[大恥]이다. 시정(市井)에 살면서 명리에 마음을 두는 것은 작은 부끄러움[小恥]이다. 산림에 살면서 은거(隱居)에 마음을 두는 것은 큰 즐거움[大樂]이다. 시정에 살면서 은거에 마음을 두는 것은 작은 즐거움[小樂]이다.

작은 즐거움이든 큰 즐거움이든 나에게는 그것이 다 즐거움이며, 작은 부끄러움이든 큰 부끄러움이든 나에게는 그것이 다 부끄러움이다. 그런데 큰 부끄러움을 안고 사는 자는 백(百)에 반이요, 작은 부끄러움을 안고 사는 자는 백에 백이며, 큰 즐거움을 누리는 자는 백에 서넛쯤 되고, 작은 즐거움을 누리는 자는 백에 하나 있거나 아주 없거나 하니, 참으로 가장 높은 것은 작은 즐거움을 누리는 자이다.

나는 시정에 살면서 은거에 마음을 두는 자이니, 그렇다면 이 작은 즐거움을 가장 높은 것으로 말한 ㉡나의 이 말은 대부분의 사람들의 생각과는 거리가 먼, 물정 모르는 소리일지도 모른다.

- 이덕무, 「우언(迂言)」 -

6. (나)의 시상 전개에 대한 설명으로 가장 적절한 것은?

① <제1수>에서는 경험적 성격과 연결된 공간으로부터, <제6수>에서는 관념적 성격과 연결된 공간으로부터 시상이 전개된다.
② <제2수>에서는 구체성이 드러나는 소재로, <제3수>에서는 추상성이 강화된 소재로 시상이 시작된다.
③ <제2수>에서 설의적 표현으로 제기된 의문이 <제5수>에서 해소되었음이 영탄적 표현으로 드러난다.
④ <제3수>에서의 현재에 대한 긍정이 <제4수>에서의 역사에 대한 부정으로 바뀌며 시상이 전환된다.
⑤ <제3수>에 나타난 정서적 반응이 <제6수>에서 감각적 표현을 통해 구체화된다.

7. (가)를 참고하여 (나)를 감상한 내용으로 적절하지 않은 것은?

① '산슈 간'에서 살고자 하는 마음과 이에 공감하지 못하는 '놈들'의 생각을 병치하여 화자와 '놈들' 사이의 거리가 드러남으로써, 자기와 외부 세계 사이의 소원한 관계가 유지된다.
② '바횟 긋 믉ᄀᆞ'에서 즐거움을 누리는 삶과 '녀나믄 일'을 대비하여 세상일과 거리를 두려는 화자의 태도가 드러남으로써, 자기와 외부 세계 사이의 소원한 관계가 유지된다.
③ '님'에 대한 '반가옴'보다 더한 감흥을 불러일으키는 '뫼'의 의미를 부각하여 화자와 '님' 사이의 거리가 드러남으로써, 자기와 외부 세계 사이의 소원한 관계가 유지된다.
④ '님천'에서의 '한흥'이 '삼공'이나 '만승'보다 더한 가치를 지닌다고 강조하여 화자와 '님천' 사이의 거리가 가까워짐으로써, 자기와 외부 세계 사이의 친화적 관계가 형성된다.
⑤ '강산' 속에서의 삶이 '님군'의 '은혜' 덕택임을 제시하여 화자와 '님군' 사이의 거리가 가까워짐으로써, 자기와 외부 세계 사이의 친화적 관계가 형성된다.

V

8. (다)를 이해한 내용으로 적절하지 않은 것은?

① '부끄러움'과 '즐거움'을 조화시킴으로써 더 나은 삶의 방식을 결정할 수 있다.
② '나'는 어디에 사느냐와 어디에 마음을 두느냐를 고려하여 삶의 유형을 나누고 있다.
③ '산림'에 사는 사람들 중에는 '즐거움'을 누리는 경우보다 '부끄러움'을 가진 경우가 더 많다.
④ '큰 부끄러움'과 '작은 즐거움'은 어디에 사느냐와 어디에 마음을 두느냐가 모두 서로 다르다.
⑤ '명리'를 '부끄러움'에, '은거'를 '즐거움'에 대응시킨 것으로 보아 '나'는 '은거'의 가치를 '명리'의 가치보다 높이 두고 있음을 알 수 있다.

9. ㉠, ㉡에 대한 설명으로 가장 적절한 것은?

① ㉠은 자신의 처지를 남의 일을 말하듯이 표현함으로써 자신의 문제를 회피하고 있다.
② ㉡은 자신의 행동을 냉철하게 성찰함으로써 자신의 과오를 인정하고 있다.
③ ㉠은 ㉡과 달리, 자신의 처지를 자문자답 형식으로 말함으로써 자신의 생각을 일반화하고 있다.
④ ㉡은 ㉠과 달리, 자신의 생각을 남의 말을 인용하여 표현함으로써 자신의 신념을 객관화하고 있다.
⑤ ㉠과 ㉡은 모두, 자신이 말하고자 하는 바를 우회하여 표현함으로써 자신의 삶에 대한 자부심을 드러내고 있다.

10. ⓐ를 바탕으로 (나), (다)를 이해한 내용으로 적절하지 않은 것은? [3점]

① (나)에서 무정물인 대상에 대해 호감을 표현한 것은 자신의 정서를 대상에 투영한 것이라고 볼 수 있다.
② (다)에서 자연에 의미를 부여하는 것은 자신의 생각을 대상에 투영하여 세계를 해석하는 것이라고 볼 수 있다.
③ (다)에서 삶의 방식을 상대적 기준에 따라 나누어 평가한 것은 자신의 가치관과 세상 사람들의 생각을 비교하여 세계의 의미를 새롭게 파악한 것이라고 할 수 있다.
④ (나)에서는 선인들의 삶의 태도를 자기 내면으로 수용하는 과정을 거쳐, (다)에서는 대다수 사람들의 뜻을 자기 내면으로 수용하는 과정을 거쳐 새로운 의미를 생성한다고 볼 수 있다.
⑤ (나)에서 자기 본성을 하늘의 뜻에 연관 지은 것과, (다)에서 자기 삶의 방식을 일반적인 삶의 방식과 견준 것은 자기 삶의 가치를 새롭게 해석하여 의미를 만들어 낸 것이라고 할 수 있다.

총 문항				문항	맞은 문항					문항
개별 문항	1	2	3	4	5	6	7	8	9	10
채점										
개별 문항	11	12	13	14	15	16	17	18	19	20
채점										

Day 23 갈래 복합

7분	2020학년도 7월 학평 42~45번	★★☆	정답 058쪽

[1~4] 다음 글을 읽고 물음에 답하시오.

(가)

취안(醉眼) 잠간 드러 석문을 바라보니
놀랍다 져 산봉우리는 어이ᄒᆞ여 쑬녓ᄂᆞᆫ고
용문산 ᄡᅳ린 도끼 수문(水門)을 내엿ᄂᆞᆫ가 [A]
거대한 신령의 큰 손바닥 산창(山窓)을 밀쳣ᄂᆞᆫ가
만고(萬古)의 동개(洞開)ᄒᆞ여 다들 줄 몰낫도다
신선이 농사짓던 열두 배미 요초(瑤草)*를 심었던가
선인(仙人)은 어듸 가고 풀만 나마시니 [B]
우리 백성 농사를 권하여 수역(壽域)*의 올니고져
만강풍랑(滿江風浪) 치ᄂᆞᆫ 곳의 은주암 기묘ᄒᆞ샤
작은 고깃배로 드러가면 처사 종적(處士蹤迹) 긔뉘 알니 [C]
팔판동(八判洞) 기픈 곳을 무릉이라 ᄒᆞ건마ᄂᆞᆫ
인거(人居)ᄂᆞᆫ 어디인지 백운(白雲)만 줌겻셔라
하진(下津)의 배를 나려 단암서원(丹巖書院)* 첨배(瞻拜)*ᄒᆞ니
지금까지 끼친 덕이 산수간의 흘너 잇다
석주탄(石柱灘) 밧비 건너 강선대(降仙臺) 올나 셔니
양액(兩腋) 청풍(淸風)이 가볍게 들리는 듯

(중략)

오로봉(五老峰) 진면목(眞面目)은 부용(芙蓉)이 소사ᄂᆞᆫ 듯
호천대(壺天臺) 올나 안자 전체를 대강 바라보고
창하정(倉霞亭) 잔을 드러 풍연(風煙)을 희롱(戲弄)타가 [D]
홀연히 도라보니 이 몸이 등선(登仙)ᄒᆞᆯ 듯
일흥(逸興)을 가득 시러 ᄒᆞᆫ 구븨 흘러 도니
마죠 오ᄂᆞᆫ 옥순봉(玉筍峰)이 ᄯᅩ다시 신기(神奇)이ᄒᆞ다
하늘 기둥은 우뚝 솟아 북극을 괴왓ᄂᆞᆫ 듯
화표(華表)*ᄂᆞᆫ 우뚝 서서 백학이 넘노ᄂᆞᆫ 듯 [E]
벽옥낭간(碧玉琅玕)*이 낫낫치 버러시니
이 떨기 열매 열면 봉황이 먹으리라
단구동문(丹邱洞門)* 새긴 글ᄌᆞ 선현(先賢)의 필적이라
신선의 땅을 중히 여겨 경계(境界)를 정ᄒᆞ신가

– 신광수, 「단산별곡」

* 요초 : 아름다운 풀.
* 수역 : 다른 곳에 비하여 오래 사는 사람이 많은 지역이란 뜻으로, 풍요롭게 사는 즐거운 삶을 비유적으로 이름.
* 단암서원 : 우탁과 이황의 학문과 덕행을 추모하기 위한 서원.
* 첨배 : 선조 혹은 선현의 묘소나 사당에 우러러 절함.
* 화표 : 망주석과 같이 묘 앞에 세우는 문.
* 벽옥낭간 : 옥과 진주 같은 아름다운 돌을 이르는 말.
* 단구동문 : 옥순봉에 새겨진 퇴계 이황의 글씨.

(나)

다시, 자전거를 저어서 바람 속으로 나선다.

봄에는 자전거 바퀴가 흙 속으로 빨려든다. ㉠ 이제 흙의 알맹이들은 녹고 또 부풀면서 숨을 쉬느라고 바쁘다. 부푼 흙은 바퀴를 밀어서 튕겨주지 않고, 바퀴를 흙의 안쪽으로 끌어당긴다. 그래서 봄에는 페달을 돌리는 허벅지에 더 많은 힘이 들어간다. 허벅지에 가득 찬 힘이 체인의 마디를 돌리고, 앞선 마디와 뒤따르는 마디가 당기고 끌리면서 바퀴를 굴린다.

몸의 힘은 체인을 따라 흐르고, 기어는 땅의 저항을 나누고 또 합쳐서 허벅지에 전한다. 몸의 힘이 흐르는 체인의 마디에서 봄빛이 빛나고, 몸을 지나온 시간이 바퀴로 퍼져서 흙 속으로 스민다. 다가오는 시간과 사라지는 시간이 체인의 마디에서 만나고 또 헤어지면서 바퀴는 구른다. ㉡ 바퀴를 굴리는 몸의 힘은 절반쯤은 땅속으로 잠기고 절반쯤이 자전거를 밀어주는데, 허벅지의 힘이 흙 속으로 깊이 스밀 때 자전거를 밀어주는 흙의 힘은 몸속에 가득 찬다.

봄의 부푼 땅 위로 자전거를 저어갈 때 흙 속으로 스미는 몸의 힘과 몸속으로 스미는 흙의 힘 사이에서 나는 늘 쩔쩔맸다. 페달을 돌리는 허벅지와 장딴지에 힘이 많이 들어가면 봄은 몸속 깊이 들어온 것이다. 봄에는 근력이 필요하고, 봄은 필요한 만큼의 근력을 가져다준다. 자전거를 멈추고 지나온 길을 돌아보면, 몸을 떠난 힘은 흙 속에 녹아서 보이지 않는다. 지나간 힘은 거둘 수 없고 닥쳐올 힘은 경험되지 않는데 지쳐서 주저앉은 허벅지에 새 힘은 가득하다. **기진한 힘 속에서 새 힘의 싹들이 돋아나오고**, 나는 그 비밀을 누릴 수 있지만 설명할 수 없다.

㉢ 자전거를 저어서 나아갈 때 풍경은 흘러와 마음에 스민다. 스미는 풍경은 머무르지 않고 닥치고 스쳐서 불려가는데, 그때 풍경을 받아내는 것이 몸인지 마음인지 구별되지 않는다.

풍경은 바람과도 같다. 방한복을 벗어버리고 반바지와 티셔츠로 봄의 산하를 달릴 때 몸은 바람 속으로 넓어지고 마음은 풍경 쪽으로 건너간다. ㉣ 나는 몸과 마음과 풍경이 만나고 또 갈라서는 그 언저리에서 나의 모국어가 돋아나기를 바란다. 말들아, 풍경을 건너오는 새떼처럼 내 가슴에 내려앉아다오. 거기서 날갯소리 퍼덕거리며 날아올라다오.

태풍전망대에서 바라다보이는 임진강 너머 북녘 산하에 봄빛이 내린다. 산이 열리고 강이 풀려서 물은 수목의 비린내를 실어내린다. 도라전망대에서 마주 보이는 개성 남쪽 들녘에서 손수레를 끄는 농부들이 밭으로 두엄을 실어내고 있다. **대지의 향기가 봄바람에 실려온다.**

오두산전망대 아래 임진강은 밀물에 가득 차고 썰물에 아득하다. 가득 차고 아득한 물이 멀어서 닿을 수 없는 공간 속으로 나아간다. 하구의 시간과 공간은 크나큰 융해의 힘으로 느리고 평화롭다. 한강, 임진강, 한탄강이 거기서 모이고, 개성 쪽에서 내려온 예성강이 그 큰 물길에 합쳐진다. 그 늙은 강의 이름은 조강(祖江)이다. ㉤ 할아버지의 강이고, 조국의 강이며, 소멸의 힘으로 신생을 이끄는 새로운 시간의 강이다. 지금, 내 자전거는 조강 언저리를 나아가고 있다. 자전거는 노을에 젖고 바람에 젖는다. 저물어도 잠들지 않는 내 허벅지의 힘을 달래가면서 나는 풍경과 말들을 데리고 천천히, 조금씩 아껴서 나아가겠다.

– 김훈, 「자전거 여행」

V

1. (가)에 대한 설명으로 가장 적절한 것은?

① 대구의 방식을 통해 계절의 변화를 표현하고 있다.
② 영탄적 표현을 통해 화자의 놀라움을 나타내고 있다.
③ 대상에 감정을 이입하여 화자의 애상감을 심화하고 있다.
④ 과거와 현재를 대비하여 화자의 삶의 태도를 드러내고 있다.
⑤ 문장의 어순을 도치하여 화자의 체념적 인식을 강조하고 있다.

2. [A]~[E]에 대한 이해로 적절하지 않은 것은?

① [A]에서 화자는 석문의 모습을 수문과 산창에 비유하여 초월적 존재가 만들었다고 여길 만큼 신기하다고 생각하고 있다.
② [B]에서 화자는 신선이 살았을 법한 땅에 농사짓기를 권하여 백성들의 삶이 나아지기를 바라고 있다.
③ [C]에서 화자는 은주암과 팔판동을 속세와 단절된 곳으로 인식하여 자신의 종적을 다른 사람이 알 것을 걱정하는 마음을 드러내고 있다.
④ [D]에서 화자는 호천대에서 주변을 바라보고, 창하정에서 술을 마시면서 신선이 된 듯한 마음을 드러내고 있다.
⑤ [E]에서 화자는 옥순봉의 모습을 여러 대상에 빗대어 표현하며 자신이 바라보는 풍경의 신이함을 드러내고 있다.

3. (나)의 ㉠~㉤에 대한 설명으로 적절하지 않은 것은?

① ㉠: 흙의 알맹이에 생명감을 부여하며 봄의 대지 위를 힘을 주어 달리는 상황을 보여 주고 있다.
② ㉡: 몸의 힘과 흙의 힘이 서로 영향을 주고받는 모습을 보여 주며 자전거 바퀴를 굴리면서 느끼는 흙과의 교감을 드러내고 있다.
③ ㉢: 자전거를 타며 마주친 풍경이 자신에게 의미를 더해가는 상황을 제시하며 몸과 마음으로 봄을 즐기는 모습을 보여 주고 있다.
④ ㉣: 모국어에 말을 건네는 방식을 활용하여 풍경 속에서 느낀 바를 우리말로 온전하게 표현하고 싶은 바람을 드러내고 있다.
⑤ ㉤: 조강의 언저리에서 벗어나 조금씩 앞으로 나아가면서 조강의 새로운 의미를 발견해 내고 싶은 바람을 드러내고 있다.

4. <보기>를 바탕으로 (가)와 (나)를 이해한 것으로 적절하지 않은 것은? [3점]

<보 기>

(가)는 화자가 단양팔경을 유람하고 쓴 기행 가사이고, (나)는 글쓴이가 자전거 여행 중에 느낀 생각을 쓴 기행 수필이다. 이러한 기행 문학에는 일상적인 공간을 떠나 여행 중에 마주친 아름다운 경치에 대한 묘사와 감흥이 드러나 있을 뿐만 아니라 여행을 통해 깨달은 다양한 생각이 담겨 있다. 또한, 여행 중에 사람을 만나고 여행지와 관련된 사람을 떠올리면서 이들을 예찬하거나 이들의 삶의 모습을 본받고 싶은 소망이 나타나기도 한다.

① (가)의 '지금까지 끼친 덕이 산수간의 흘너 잇다'는 단암서원에서 첨배하면서 현재까지도 영향을 미치는 선현들을 예찬한 것으로 볼 수 있다.
② (가)의 '오로봉 진면목은 부용이 소사는 듯'은 여행 중에 마주친 오로봉의 아름다움을 연꽃에 비유하여 묘사한 표현으로 볼 수 있다.
③ (가)의 '단구동문 새긴 글즈 선현의 필적이라'는 '이황'을 떠올리며 높은 학문의 경지에 도달한 화자의 상황을 드러낸 것으로 볼 수 있다.
④ (나)의 '기진한 힘 속에서 새 힘의 싹들이 돋아나오고'는 지친 몸에 새로운 힘을 채울 수 있는 봄의 생명력을 여행을 통해 깨달았음을 드러낸 것으로 볼 수 있다.
⑤ (나)의 '대지의 향기가 봄바람에 실려온다'는 도라전망대에서 바라본 농부들의 모습을 보고 느낀 봄날의 감흥을 감각적으로 표현한 것으로 볼 수 있다.

8분 | 2020학년도 수능 21~25번 | ★☆☆ | 정답 059쪽

【5~9】 다음 글을 읽고 물음에 답하시오.

(가)

동녁 두던 밧긔 크나큰 너븐 들희
만경(萬頃) 황운(黃雲)이 ᄒᆞᆫ 빗치 되야 잇다
중양이 거의로다 **내노리 ᄒᆞ쟈스라**
블근 게 여믈고 **눌은 ᄃᆞᆰ**기 ᄉᆞᆯ져시니
술이 니글션졍 버디야 업ᄉᆞᆯ소냐
전가(田家) 흥미ᄂᆞᆫ 날로 기퍼 가노매라
살여흘 긴 몰래에 **밤블이 볼가시니**
㉠ 게 잡ᄂᆞᆫ 아ᄒᆡ들이 그물을 흣텨 잇고
호두포* 엔 구븨예 **아젹믈이 미러오니**
㉡ 돗ᄃᆞᆫ빈 애내셩(欸乃聲)*이 고기 ᄑᆞᄂᆞᆫ 당시로다
경(景)도 됴커니와 **생리(生理)라 괴로오랴** [A]

(중략)

어와 이 청경(淸景) 갑시 이실 거시런ᄃᆞᆯ
적막히 다든 문애 **내** 분으로 드려오랴
사조(私照)* 업다 호미 거즌말 아니로다
㉢ 모재(茅齋)*에 빗쵠 빗치 옥루(玉樓)라 다롤소냐
청준(淸樽)을 밧씨 열고 큰 잔의 ᄀᆞ득 브어
㉣ 죽엽(竹葉) ᄀᆞᄂᆞᆫ 술롤 ᄃᆞᆯ빗 조차 거후로니
표연ᄒᆞᆫ 일흥(逸興)이 져기면 ᄂᆞᆯ리로다
이적선(李謫仙) 이려ᄒᆞ야 ᄃᆞᆯ을 보고 밋치닷다
춘하추동애 경물이 아름답고
주야조모(晝夜朝暮)애 완상이 새로오니
㉤ 몸이 한가ᄒᆞ나 귀 눈은 겨롤 업다
여생이 언마치리 백발이 날로 기니
세상 공명은 계륵이나 다롤소냐
ⓐ 강호 어조(魚鳥)애 새 밍세 깁퍼시니
옥당금마(玉堂金馬)*의 몽혼(夢魂)*이 섯긔엿다
초당연월(草堂煙月)의 시름업시 누워 이셔
촌주강어(村酒江魚)로 장일취(長日醉)롤 원(願)ᄒᆞ노라
이 몸이 이러구롬도 역군은(亦君恩)이샷다

- 신계영, 「월선헌십육경가」 -

* 호두포 : 예산현의 무한천 하류.
* 애내성 : 어부가 노를 저으면서 부르는 노랫소리.
* 사조 : 사사로이 비춤.
* 모재 : 띠로 지붕을 이어 지은 집.
* 옥당금마 : 관직 생활.
* 몽혼 : 꿈.

(나)

어촌(漁村)은 나의 벗 **공백공**의 자호(自號)다. 백공은 나와 태어난 해는 같으나 생일이 뒤이기 때문에 내가 **아우**라고 한다. 풍채와 인품이 소탈하고 명랑하여 사랑할 만하다. **대과에 급제**하고 좋은 벼슬에 올라, 갓끈을 나부끼고 인끈을 두르고 필기를 위한 붓을 귀에 꽂고 나라의 옥새를 주관하니, 사람들은 진실로 그에게 원대한 기대를 하였으나, 담담하게 강호의 취미를 지니고 있다. 가끔 흥이 무르익으면, 「어부사」를 노래한다. 그 음성이 맑고 밝아서 천지에 가득 찰 것 같다. 증자가 상송(商頌)을 노래하는 것을 듣는 듯하여, 사람의 가슴으로 하여금 멀리 강호에 있는 것 같게 만든다. 이것은 그의 **마음에 사욕이 없**어 사물에 초탈하였기 때문에 소리의 나타남이 이와 같은 것이다.

하루는 나에게 말하기를,

"나의 뜻은 어부(漁父)에 있다. 그대는 어부의 즐거움을 아는가. **강태공**은 성인이니 **내가 감히** 그가 주 문왕을 만난 것과 같은 그런 만남을 기약할 수 없다. **엄자릉**은 현인이니 **내가 감히** 그의 깨끗함을 바랄 수는 없다. ㉥ 아이와 어른들을 데리고 갈매기와 백로를 벗하며 어떤 때는 낚싯대를 잡고, ㉦ 외로운 배를 노 저어 조류를 따라 오르고 내리면서 가는 대로 맡겨 두고, 모래가 깨끗하면 뱃줄을 매어 두고 산이 좋으면 그 가운데를 흘러간다. ㉧ 구운 고기와 신선한 생선회로 술잔을 들어 주고받다가 해가 지고 달이 떠오르며 바람은 잔잔하고 물결이 고요한 때에는 배에 기대어 길게 휘파람을 불며, 돛대를 치고 큰 소리로 노래를 부른다. ㉨ 흰 물결을 일으키고 맑은 빛을 헤치면, 멀고 멀어서 마치 성사*를 타고 하늘에 오르는 것 같다. 강의 연기가 자욱하고 짙은 안개가 내리면, 도롱이와 삿갓을 걸치고 그물을 걷어 올리면 금빛 같은 비늘과 옥같이 흰 꼬리의 물고기가 제멋대로 펄떡거리며 뛰는 모습은 ㉩ 넉넉히 눈을 즐겁게 하고 마음을 기쁘게 한다. 밤이 깊어 구름은 어둡고 하늘이 캄캄하면 사방은 아득하기만 하다. 어촌의 등불은 가물거리는데 배의 지붕에 빗소리는 울어 느리다가 빠르다가 우수수하는 소리가 차갑고도 슬프다. …(중략)… 여름날 뜨거운 햇빛에 더위가 쏟아질 적엔 버드나무 늘어진 낚시터에 미풍이 불고, 겨울 하늘에 눈이 날릴 때면 차가운 강물에서 홀로 낚시를 드리운다. 사계절이 차례로 바뀌건만 어부의 즐거움은 없는 때가 없다.

저 영달에 얽매여 벼슬하는 자는 구차하게 **영화**에 매달리지만 나는 만나는 대로 편안하다. 빈궁하여 고기잡이를 하는 자는 구차하게 **이익**을 계산하지만 나는 스스로 유유자적을 즐긴다. 성공과 실패는 운명에 맡기고, 진퇴도 오직 때를 따를 뿐이다. 부귀 보기를 뜬구름과 같이 하고 공명을 헌신짝 벗어 버리듯 하여, 스스로 세상의 물욕 밖에서 방랑하는 것이니, 어찌 시세에 영합하여 이름을 낚시질하고, 벼슬길에 빠져들어 생명을 가볍게 여기며 이익만 취하다가 스스로 함정에 빠지는 자와 같겠는가. ⓑ 이것이 내가 몸은 벼슬을 하면서도 뜻은 강호에 두어 매양 노래에 의탁하는 것이니, 그대는 어떻게 생각하는가?"

하니 내가 듣고 **즐거워하며** 그대로 기록하여 백공에게 보내고, 또한 나 자신도 살피고자 한다. 을축년 7월 어느 날.

- 권근, 「어촌기」 -

* 성사 : 옛날 장건이 타고 하늘에 다녀왔다고 하는 배.

V

5. ㉠~㉥에 대한 이해로 적절하지 않은 것은?

① ㉠에는 전원에서의 생활상이, ㉥에는 자연과 동화되는 삶이 나타난다.
② ㉡에는 한가로운 자연 속 흥취가, ㉦에는 고독을 해소하려는 의지가 나타난다.
③ ㉢에는 자연현상에서 연상된 그리움의 대상이, ㉨에는 배의 움직임에 따른 청아한 풍경이 나타난다.
④ ㉣에는 운치 있는 풍류의 상황이, ㉧에는 자연에서 누리는 흥겨운 삶의 모습이 나타난다.
⑤ ㉤에는 변화하는 자연에서 얻는 즐거움이, ㉩에는 생동감 넘치는 자연에서 느끼는 만족감이 나타난다.

6. <보기>를 바탕으로 [A]를 감상한 내용으로 적절하지 않은 것은? [3점]

<보 기>

17세기 가사 「월선헌십육경가」는 월선헌 주변의 16경관을 그린 작품으로 자연에서의 유유자적한 삶을 읊으면서도 현실적 생활 공간으로서의 전원에 새롭게 관심을 두었다. 그에 따라 생활 현장에서 볼 수 있는 풍요로운 결실, 여유로운 놀이 장면, 그리고 생업의 현장에서 느끼는 정서 등을 다양한 표현 방법을 통해 현장감 있게 노래했다.

① 전원생활에서 목격한 풍요로운 결실을 '만경 황운'에 비유해 드러냈군.
② 전원생활 가운데 느끼는 여유를 '내노리 ᄒᆞ쟈스라'와 같은 청유형 표현을 통해 드러냈군.
③ 전원생활의 풍족함을 여문 '블근 게'와 살진 '눌은 돍'과 같이 색채 이미지에 담아 드러냈군.
④ 전원생활에서의 현장감을 '밤블이 블가시니'와 '아젹믈이 미러 오니'와 같은 묘사를 활용해 드러냈군.
⑤ 전원생활의 여유를 즐기면서도 생업의 현장에서 느끼는 고단함을 '생리라 괴로오랴'와 같은 설의적인 표현으로 드러냈군.

7. (나)의 '공백공'에 대한 설명으로 가장 적절한 것은?

① 시간에 따른 공간의 다채로운 모습을 제시하며 자신의 감정을 드러내고 있다.
② 상대의 말과 행동이 불일치함을 언급하여 자신의 결백을 입증하고 있다.
③ 상대에 대해 심리적 거리감을 느껴 자신의 생각 표현을 자제하고 있다.
④ 질문에 답변하며 현실에 대처하는 자신의 태도를 밝히고 있다.
⑤ 대상과 관련된 행위를 열거하며 자신의 무력감을 깨닫고 있다.

8. <보기>를 참고하여 (나)를 이해한 내용으로 적절하지 않은 것은?

<보 기>

「어촌기」의 작가는 벗의 말을 인용하여 자신의 생각을 드러내고 있다. 작가는 벗에 관한 이야기가 기록할 만한 가치가 있다는 근거를 벗과의 관계와 그의 성품에 대한 평을 통해 마련하고 있다. 이를 통해 작가는 자신이 추구하는 삶의 방향성과 가치관을 드러내며 벗의 생각에 공감하고 있다.

① 벗이 '영화'와 '이익'을 중시하는 삶을 거부한다는 것을 통해 벗의 가치관을 알 수 있군.
② 작가가 벗의 말을 '즐거워하며' 자신도 살피려 하는 것을 통해 작가는 벗의 생각에 공감하고 있음을 알 수 있군.
③ 작가가 벗을 '아우'로 삼고 있다는 것을 통해 벗이 추구하는 삶의 자세가 작가로부터 전해 받은 것임을 알 수 있군.
④ 벗이 '강태공'과 '엄자릉'을 들어 '내가 감히'라는 말을 언급한 것을 통해 그들의 삶에 미치지 못함을 스스로 인정하는 벗의 겸손한 성품을 알 수 있군.
⑤ 작가가 벗이 '대과에 급제'하여 기대를 받고 있는데도 '마음에 사욕이 없'다고 평한 것을 통해 벗의 말이 기록할 만한 가치가 있다고 여김을 알 수 있군.

9. ⓐ와 ⓑ를 비교한 내용으로 가장 적절한 것은?

① ⓐ는 '내'가 '강호'에서의 은거를 긍정하지만 정치 현실에 미련이 있음을, ⓑ는 '공백공'이 정치 현실에 몸담고 있지만 '강호'에 은거하려는 지향을 나타낸다.
② ⓐ는 '내'가 '강호'에서의 은거를 마치고 정치 현실로 복귀하려는 의지를, ⓑ는 '공백공'이 정치 현실에서 신뢰를 잃어 '강호'에 은거하려는 소망을 나타낸다.
③ ⓐ는 '내'가 '강호'에서 경치를 완상하며 정치 현실의 번뇌를 해소하려는 자세를, ⓑ는 '공백공'이 정치 현실과 갈등하여 '강호'에 은거하려는 자세를 나타낸다.
④ ⓐ는 '내'가 '강호'에서 늙어 감에 체념하면서도 정치 현실을 지향함을, ⓑ는 '공백공'이 정치 현실을 외면하면서 '강호'에 은거하려는 염원을 나타낸다.
⑤ ⓐ는 '내'가 '강호'에서 임금께 맹세하며 정치 현실의 이상을 실현하려는 태도를, ⓑ는 '공백공'이 정치 현실의 폐단에 실망하며 '강호'에 은거하려는 희망을 나타낸다.

총 문항				문항	맞은 문항					문항
개별 문항	1	2	3	4	5	6	7	8	9	10
채점										
개별 문항	11	12	13	14	15	16	17	18	19	20
채점										

[1~5] 다음 글을 읽고 물음에 답하시오.

특허권은 발명에 대한 정보의 소유자가 특허 출원 및 담당 관청의 심사를 통하여 획득한 특허를 일정 기간 독점적으로 사용할 수 있는 법률상 권리를 말한다. 한편 영업 비밀은 생산 방법, 판매 방법, 그 밖에 영업 활동에 유용한 기술상 또는 경영상의 정보 등으로, 일정 조건을 갖추면 법으로 보호받을 수 있다. 법으로 보호되는 특허권과 영업 비밀은 모두 지식 재산인데, 정보 통신 기술(ICT) 산업은 이 같은 지식 재산을 기반으로 창출된다. 지식 재산 보호 문제와 더불어 최근에는 ICT 다국적 기업이 지식 재산으로 거두는 수입에 대한 과세 문제가 불거지고 있다.

일부 국가에서는 ICT 다국적 기업에 대해 [디지털세] 도입을 진행 중이다. 디지털세는 이를 도입한 국가에서 ICT 다국적 기업이 거둔 수입에 대해 부과되는 세금이다. 디지털세의 배경에는 법인세 감소에 대한 각국의 우려가 있다. 법인세는 국가가 기업으로부터 걷는 세금 중 가장 중요한 것으로, 재화나 서비스의 판매 등을 통해 거둔 수입에서 제반 비용을 제외하고 남은 이윤에 대해 부과하는 세금이라 할 수 있다.

㉠ <u>많은 ICT 다국적 기업이 법인세율이 현저하게 낮은 국가에 자회사를 설립하고 그 자회사에 이윤을 몰아주는 방식으로 법인세를 회피한다</u>는 비판이 있어 왔다. 예를 들면 ICT 다국적 기업 Z사는 법인세율이 매우 낮은 A국에 자회사를 세워 특허의 사용 권한을 부여한다. 그리고 법인세율이 A국보다 높은 B국에 설립된 Z사의 자회사에서 특허 사용으로 수입이 발생하면 Z사는 B국의 자회사로 하여금 A국의 자회사에 특허 사용에 대한 수수료인 로열티를 지출하도록 한다. 그 결과 Z사는 ⓐ <u>B국의 자회사에 법인세가 부과될 이윤을 최소화한다</u>. ICT 다국적 기업의 본사를 많이 보유한 국가에서도 해당 기업에 대한 법인세 징수는 문제가 된다. 그러나 그중 어떤 국가들은 ICT 다국적 기업의 활동이 해당 산업에서 자국이 주도권을 유지하는 데 중요하기 때문에라도 디지털세 도입에는 방어적이다.

[A] ICT 산업을 주도하는 국가에서 더 중요한 문제는 ICT 지식 재산 보호의 국제적 강화일 수 있다. 이론적으로 봤을 때 지식 재산의 보호가 약할수록 유용한 지식 창출의 유인이 저해되어 지식의 진보가 정체되고, 지식 재산의 보호가 강할수록 해당 지식에 대한 접근을 막아 소수의 사람만이 혜택을 보게 된다. 전자로 발생한 손해를 유인 비용, 후자로 발생한 손해를 접근 비용이라고 한다면, 지식 재산 보호의 최적 수준은 두 비용의 합이 최소가 될 때일 것이다. 각국은 그 수준에서 자국의 지식 재산 보호 수준을 설정한다. 특허 보호 정도와 국민 소득의 관계를 보여 주는 한 연구에서는 국민 소득이 일정 수준 이상인 상태에서는 국민 소득이 증가할수록 특허 보호 정도가 강해지는 경향이 있지만, 가장 낮은 소득 수준을 벗어난 국가들은 그들보다 소득 수준이 낮은 국가들보다 오히려 특허 보호가 약한 것으로 나타났다. 이는 지식 재산 보호의 최적 수준에 대해서도 국가별 입장이 다름을 시사한다.

1. 윗글을 읽고 답을 찾을 수 있는 질문에 해당하지 <u>않는</u> 것은?

① 법으로 보호되는 특허권과 영업 비밀의 공통점은 무엇인가?
② 영업 비밀이 법적 보호 대상으로 인정받기 위한 절차는 무엇인가?
③ ICT 다국적 기업의 수입에 과세하는 제도 도입의 배경은 무엇인가?
④ 로열티는 ICT 다국적 기업의 법인세를 줄이는 데 어떻게 이용되는가?
⑤ 이론적으로 지식 재산 보호의 최적 수준은 어떻게 설정하는가?

2. [디지털세]에 대한 이해로 가장 적절한 것은?

① 지식 재산 보호를 강화할 수 있는 수단이다.
② 이윤에서 제반 비용을 제외한 금액에 부과된다.
③ ICT 산업에서 주도적인 국가는 도입에 적극적이다.
④ 여러 국가에 자회사를 설립하는 방식으로 줄일 수 있다.
⑤ 도입된 국가에서 ICT 다국적 기업이 거둔 수입에 부과된다.

3. <보기>는 윗글을 읽은 학생이 수행할 학습지의 일부이다. ㉮에 들어갈 말로 가장 적절한 것은? [3점]

<보 기>

ㅇ **과제** : '㉠을 근거로 ICT 다국적 기업에 디지털세가 부과되는 것이 타당한가?'를 검증할 가설에 대한 판단

• **가설**

ICT 다국적 기업 자회사들의 수입 대비 이윤의 비율은 법인세율이 높은 국가일수록 낮다.

• **판단**

가설이 참이라면 [㉮]고 할 수 있으므로 ㉠을 근거로 디지털세를 부과하는 것을 지지할 수 있겠군.

① ICT 다국적 기업 자회사의 수입이 법인세율이 높은 국가일수록 많다
② ICT 다국적 기업이 법인세율이 높은 국가의 자회사에 로열티를 지출한다
③ ICT 다국적 기업 자회사의 수입 대비 제반 비용의 비율이 법인세율이 낮은 국가일수록 높다
④ ICT 다국적 기업이 법인세율이 높은 국가의 자회사에서 수입에 비해 이윤을 줄이는 방식으로 법인세를 줄이고 있다
⑤ 법인세율이 높은 국가에 본사가 있는 ICT 다국적 기업 자회사의 수입 대비 이윤의 비율은 법인세율이 낮은 국가일수록 낮다

4. [A]를 적용하여 <보기>를 이해한 내용으로 적절하지 <u>않은</u> 것은?

<보 기>

S국은 현재 국민 소득이 가장 낮은 수준의 국가이고 ICT 산업에서 주도적인 국가가 아니다. S국의 특허 보호 정책은 지식 재산 보호 정책을 대표한다.

① ICT 산업에서 주도적인 국가는 S국이 유인 비용을 현재보다 크게 인식하여 지식 재산 보호 수준을 높이기 바라겠군.
② S국에서는 지식 재산 보호 수준이 낮을 때가 높을 때보다 지식 재산 창출 의욕의 저하로 인한 손해가 더 심각하겠군.
③ S국에서 현재의 특허 제도가 특허권을 과하게 보호한다고 판단한다면 지식 재산 보호 수준을 낮춰 접근 비용을 높이고 싶겠군.
④ S국의 국민 소득이 점점 높아진다면 유인 비용과 접근 비용의 합이 최소가 되는 지식 재산 보호 수준은 낮아졌다가 높아지겠군.
⑤ S국이 지식 재산 보호 수준을 높일 때, 지식의 발전이 저해되어 발생하는 손해는 감소하고 다수가 지식 재산의 혜택을 누리지 못하여 발생하는 손해는 증가하겠군.

5. 문맥상 ⓐ와 바꿔 쓰기에 적절하지 <u>않은</u> 것은?

① Z사의 전체적인 법인세 부담을 줄인다
② A국의 자회사가 거두는 수입을 늘린다
③ A국의 자회사가 얻게 될 이윤을 줄인다
④ B국의 자회사가 낼 법인세를 최소화한다
⑤ B국의 자회사가 지출하는 제반 비용을 늘린다

【6~9】 (가)는 텔레비전 방송의 인터뷰이고, (나)는 (가)를 시청하고 산림 치유 프로그램에 참여한 학생이 쓴 수기이다. 물음에 답하시오.

(가)

진행자: 산림 치유에 대해 알아보고자 ◇◇ 국립 산림 치유원의 산림 치유 지도사 이○○ 님을 모셨습니다. 안녕하세요.

지도사: 안녕하세요.

진행자: 시청자 분들께 산림 치유와 산림 치유 프로그램에 대해 간단히 소개해 주시겠어요?

지도사: 산림 치유란 피톤치드, 나뭇잎의 초록색 등과 같은 숲의 환경 요소로 심신의 건강을 회복시키는 것입니다. 산림욕, 숲 치료라고들 하시는데요, 공식 명칭은 산림 치유입니다. 산림 치유원과 치유의 숲에서는 숲 명상, 숲 체조 등의 활동으로 구성된 다양한 산림 치유 프로그램을 운영하고 있습니다. 저희가 운영하고 있는 숲 명상 사례를 잠시 보여 드리겠습니다. (동영상 제시) 시청자 분들께서는 화면을 보시면서, 숲의 소리에 귀 기울여 보세요. 숲의 짙은 녹음과 맑은 새소리에 마음이 편안해지실 겁니다.

진행자: (동영상을 보고 나서) 숲에서의 활동이 실감 나게 느껴지네요. 실제로 체험하면 훨씬 좋겠습니다. 중·장년층이 주로 이런 활동에 참여할 거라고 많은 분들이 생각하시는데, 실제로는 그렇지 않죠?

지도사: 청소년부터 노년층까지 폭넓은 연령층이 참여합니다. 최근에는 청소년 대상 프로그램의 인기가 높습니다.

진행자: 제 생각에는 청소년들이 학업 등으로 힘들어하는 경우가 많아져서 그런 것 같네요. 산림 치유 프로그램에 참여하면 어떤 점이 좋나요?

지도사: 요즘 스트레스 때문에 힘들어하는 분들이 많으시죠? 진행자께서도 스트레스 때문에 힘들었던 적 있으신가요?

진행자: 네, 업무 처리가 생각만큼 잘 진행되지 않아서 스트레스를 받았던 적이 있습니다. 그럴 땐 좀 힘들죠.

지도사: 스트레스는 마음을 지치게 하죠. 그럴 때 산림 치유 프로그램이 도움이 될 수 있습니다. (표 제시) 이 표는 저희가 프로그램 참가자의 스트레스 정도를 조사한 자료인데요, 참가 전과 후를 비교해 보면 두 집단 모두 스트레스 점수의 평균값이 절반 이하로 감소했음을 알 수 있습니다.

진행자: 산림 치유 프로그램의 효과를 잘 알 수 있네요.

지도사: 진행자께서도 참여하시면 스트레스가 줄어들고 마음이 좀 편해지실 겁니다. 꼭 한번 참여해 보세요.

진행자: 네, 그러겠습니다. 그러면 프로그램 운영 장소에 대해 알려 주시겠어요?

지도사: (그림 제시) 이렇게 한 곳의 산림 치유원과 스물일곱 곳의 국공립 치유의 숲이 여러 시·도에 분산돼 운영되고 있습니다. 적절한 장소를 골라 참가 신청을 하고 이용하시면 됩니다.

진행자: 말씀하신 참가 신청은 어떻게 할 수 있나요?

지도사: △△ 누리집에 신청 방법과 프로그램 정보가 안내되어 있으니, 그에 따라 신청하시면 됩니다.

진행자: 끝으로 시청자 분들께 한 말씀 해 주시죠.

지도사: 숲은 마음을 토닥여 주는 친구입니다. 숲으로 오세요.

진행자: 오늘 좋은 말씀 감사합니다.

(나)

내성적인 성격 때문에 고민이 많았다. 내 생각을 표현하고 친구들에게 말을 거는 것이 쉽지 않아 속상했고, 스트레스를 받았다. 그러던 중 산림 치유에 대한 방송 인터뷰를 보게 되었다. 인터뷰에서는 산림 치유 프로그램이 스트레스를 낮춰 준다고 했다. 그런 점이 나에게 도움이 될 것 같아 산림 치유 프로그램에 참여하기로 마음먹었다.

내 생각과 달리 인터뷰에서는 산림 치유 프로그램에 어른들만 참여하는 것이 아니라고 했다. '내 또래의 다른 청소년들도 산림 치유 프로그램을 많이 찾는구나.' 하고 생각했다. 그런데 인터뷰 내용만으로는 내게 맞는 청소년 프로그램이 언제, 어디서 열리는지 알 수 없었다. 그래서 인터뷰에서 알려 준 누리집에 들어가 보니 자세한 내용을 확인할 수 있었다. □□ 치유의 숲에서 운영하는 산림 치유 프로그램의 하나인 '쉼숲' 프로그램이 마음에 들었다.

'쉼숲' 프로그램에서 제일 좋았던 활동은 '나무와 대화하기'였다. 내 마음에 드는 나무를 하나 골라 그 나무와 20분 동안 대화하는 활동이었다. 나무에 귀를 대고 숲의 소리를 들어 보기도 하고, 그동안 하지 못했던 이야기를 나무에게 털어놓기도 했다. 친구들에게 나를 표현하지 못해 답답했던 것, 그런 내 모습 때문에 힘들었던 일들을 이야기했다. 그러고 나니 마음이 후련해지면서 고민하던 나 자신의 모습을 한 발짝 물러서서 바라볼 수 있었다. 인터뷰에서 숲을 '마음을 토닥여 주는 친구'라고 했던 말이 마음에 와닿았다.

[A]

6. (가)에 나타난 의사소통 방식으로 적절하지 않은 것은?

① '진행자'는 '지도사'의 답변에 자신의 의견을 덧붙이고 있다.
② '지도사'는 '진행자'가 잘못 이해하고 질문한 내용을 바로잡아 주고 있다.
③ '진행자'는 '지도사'의 답변에 대한 추가 정보를 요청하는 질문을 하고 있다.
④ '진행자'는 자신의 경험을 언급하며 '지도사'의 질문에 대해 답변하고 있다.
⑤ '지도사'는 기대되는 긍정적인 결과를 언급하며 '진행자'의 참여를 권유하고 있다.

7. '지도사'가 인터뷰를 위해 준비한 자료이다. ㉠~㉢의 활용 계획 중 (가)에 드러나지 않은 것은? [3점]

<보기 1>

방송국입니다. 인터뷰 질문을 보내 드리니, 답변과 자료를 준비해 주세요. 추가 질문이 있으면 다시 연락드리겠습니다.
[질문 1] 산림 치유와 산림 치유 프로그램을 간단히 소개해 주시겠어요?
[질문 2] 산림 치유 프로그램의 긍정적 효과에 대해 소개해 주시겠어요?
[질문 3] 프로그램 운영 장소에 대한 정보를 알려 주시겠어요?

<보기 2>

㉠ [동영상]
○ 내용: '숲 명상' 참가자들이 숲에서 새소리 등 숲의 소리를 들으며 명상하는 장면 (1분 분량)

㉡ [표]

산림 치유 프로그램 참가자 집단의 스트레스 점수 평균값 변화

참가자 집단	참가 전 점수 평균값	참가 후 점수 평균값
A 직업군	36.6점	12.4점
B 직업군	34.3점	10.8점

※ 32~49점 구간: '스트레스 관련 질환 주의군'에 해당함.

㉢ [그림]

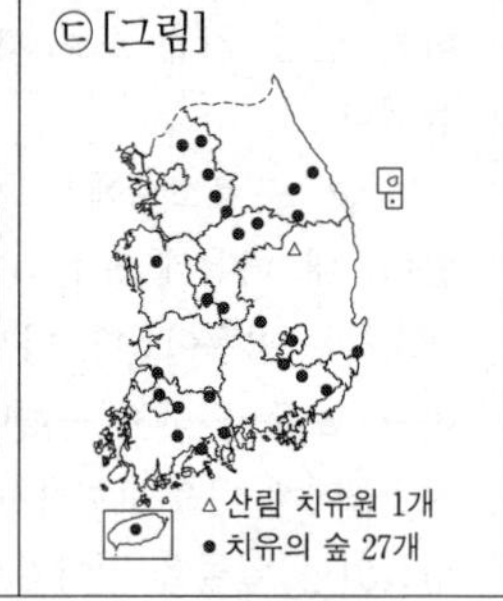

① [질문 1]에 대한 답변 과정에서 ㉠을 제시하며, 실제 산림 치유 프로그램 활동을 간접 체험해 보도록 안내해야겠군.
② [질문 1]에 대한 답변 과정에서 ㉠을 제시하여, 영상과 소리를 통해 산림 치유 프로그램 활동을 생생하게 전달해야겠군.
③ [질문 2]에 대한 답변 과정에서 ㉡을 제시하여, 수치 변화로 알 수 있는 산림 치유 프로그램의 효과를 보여 줘야겠군.
④ [질문 2]에 대한 답변 과정에서 ㉡을 제시하며, 많은 직장인이 스트레스 관련 질환 주의군에 속한다는 점을 언급해야겠군.
⑤ [질문 3]에 대한 답변 과정에서 ㉢을 제시하며, 산림 치유 프로그램 운영 장소의 수와 분포에 대한 정보를 제공해야겠군.

8. (가)와 (나)를 고려할 때, 학생이 글을 쓰기 위해 떠올렸을 생각으로 적절하지 않은 것은?

① 인터뷰에서 숲을 비유적으로 표현했는데, 그 어구를 활용해 산림 치유 프로그램이 나에게 도움이 되었음을 제시해야겠다.
② 인터뷰에서 산림 치유 프로그램이 스트레스 해소에 좋다고 했는데, 그 점이 프로그램에 참여하는 계기였음을 밝혀야겠다.
③ 인터뷰에서 산림 치유 프로그램에 청소년들도 참가한다고 했는데, 이 말을 듣고 산림 치유 프로그램에 대한 기존의 생각이 바뀌었음을 밝혀야겠다.
④ 인터뷰에서 숲의 환경 요소가 심신에 좋은 영향을 준다고 했는데, 산림 치유 프로그램에서 만난 다른 사람들도 좋은 영향을 받았음을 언급해야겠다.
⑤ 인터뷰에서 청소년을 대상으로 하는 산림 치유 프로그램의 운영 시기와 장소에 대한 정보를 얻지 못했는데, 이에 대한 구체적 정보를 누리집에서 찾을 수 있었음을 언급해야겠다.

9. 다음을 고려할 때, [A]에 들어갈 내용으로 가장 적절한 것은?

> **〔글쓰기 과정에서의 자기 점검〕**
> 체험의 의미가 부각되도록 '쉼숲' 프로그램에 참여하기 전과 후의 내 마음 상태를 모두 표현해야겠어. 그리고 삶의 자세에 대한 다짐을 나타내야지.

① 주말에 집에만 틀어박혀 지내던 나는 이제 주말이 오면 종종 숲으로 향한다. 숲이 내가 믿고 기댈 수 있는 친구가 되었기 때문이다.
② 고민거리를 지니고 있던 나는 나무와 대화를 나눈 후 마음의 짐을 덜어 낼 수 있었다. 산림 치유의 효과를 실감한 뜻깊은 시간이었다.
③ 인터뷰에서 알게 된 산림 치유 프로그램을 직접 경험해 보니 정말 만족스러웠다. 앞으로 힘든 일이 생길 때마다 숲을 찾아가 숲의 응원을 받고 와야겠다.
④ 이제 나는 집에 돌아와 다시 일상을 보내고 있다. 나를 따뜻하게 맞아 주던 숲을 기억하면서 나도 다른 사람들에게 향기로운 사람이 되려고 노력할 것이다.
⑤ 성격 때문에 속상해하던 나는 나무와 대화를 나누고 나서, 속상했던 마음이 풀리고 내 성격을 인정하게 되었다. 이제 내 모습을 아끼며 살아갈 것이다.

10. <학습 활동>을 수행한 결과로 적절하지 <u>않은</u> 것은?

<학습 활동>

다음은 중세 국어의 문자 및 표기와 관련된 내용이다. 자료 에서 ⓐ~ⓔ를 확인할 수 있는 예를 모두 골라 묶어 보자.

ⓐ 乃냉終ᄌᆞᆼㄱ소리ᄂᆞᆫ 다시 첫소리ᄅᆞᆯ 쓰ᄂᆞ니라
[종성 글자는 따로 만들지 않고 다시 초성 글자를 사용한다]
ⓑ ㅇᄅᆞᆯ 입시울쏘리 아래 니ᅀᅥ 쓰면 입시울 가ᄇᆡ야ᄫᆞᆫ 소리 ᄃᆞ외ᄂᆞ니라
[ㅇ을 순음 글자 아래 이어 쓰면 순경음 글자가 된다]
ⓒ 첫소리ᄅᆞᆯ 어울워 ᄡᅳᆯ디면 ᄀᆞᆯᄫᅡ 쓰라 乃냉終ᄌᆞᆼㄱ소리도 ᄒᆞᆫ가지라
[초성 글자를 합하여 사용하려면 옆으로 나란히 쓰라 종성 글자도 마찬가지이다]
ⓓ ㆍ와 ㅡ와 ㅗ와 ㅜ와 ㅛ와 ㅠ와란 첫소리 아래 브텨 쓰고
['ㆍ, ㅡ, ㅗ, ㅜ, ㅛ, ㅠ'는 초성 글자 아래에 붙여 쓰고]
ⓔ ㅣ와 ㅏ와 ㅓ와 ㅑ와 ㅕ와란 올ᄒᆞᆫ녀긔 브텨 쓰라
['ㅣ, ㅏ, ㅓ, ㅑ, ㅕ'는 초성 글자 오른쪽에 붙여 쓰라]

자료 ᄢᅵ니, 붇, 사ᄫᅵ, 스ᄀᆞᄫᆞᆯ, ᄣᅡᆨ, ᄒᆞᆰ

① ⓐ: 붇, ᄣᅡᆨ, ᄒᆞᆰ
② ⓑ: 사ᄫᅵ, 스ᄀᆞᄫᆞᆯ
③ ⓒ: ᄢᅵ니, ᄣᅡᆨ, ᄒᆞᆰ
④ ⓓ: 붇, 스ᄀᆞᄫᆞᆯ, ᄒᆞᆰ
⑤ ⓔ: ᄢᅵ니, 사ᄫᅵ, ᄣᅡᆨ

11. 다음은 된소리되기와 관련한 수업의 일부이다. [A]에 들어갈 말로 적절하지 않은 것은? [3점]

> **선생님** : 오늘은 표준 발음을 대상으로 용언의 활용에서 나타나는 된소리되기를 알아봅시다. '(신발을) 신고[신:꼬]'처럼 용언의 활용에서는 마지막 소리가 'ㄴ, ㅁ'인 어간 뒤에 처음 소리가 'ㄱ, ㄷ, ㅅ, ㅈ'인 어미가 결합하면 어미의 처음 소리가 된소리로 바뀌어요.
>
> **학생** : 아, 그렇군요. 그런데 선생님, 국어에서 'ㄱ, ㄷ, ㅅ, ㅈ'이 'ㄴ, ㅁ' 뒤에 이어지면 항상 된소리로 바뀌나요?
>
> **선생님** : 항상 그런 것은 아니에요. 표준 발음에서는 용언 어간에 피·사동 접사가 결합하거나 어미끼리 결합하거나 체언과 조사가 결합하는 경우에는 된소리되기가 일어나지 않아요. 그리고 '먼지[먼지]'처럼 하나의 형태소 안에서 'ㄴ, ㅁ' 뒤에 'ㄱ, ㄷ, ㅅ, ㅈ'이 있는 경우에도 된소리되기가 일어나지 않아요. 그럼 다음 ⓐ~ⓔ의 밑줄 친 말에서 'ㄴ'이나 'ㅁ' 뒤의 소리가 된소리로 바뀌지 않는 이유를 설명해 볼까요?
>
> | | |
> |---|---|
> | ⓐ 피로를 풀다[푼다] | ⓑ 더운 여름도[여름도] |
> | ⓒ 대문을 잠가[잠가] | ⓓ 품에 안겨라[안겨라] |
> | ⓔ 학교가 큰지[큰지] | |
>
> **학생** : 그 이유는 [A] 때문입니다.
>
> **선생님** : 네, 맞아요.

① ⓐ의 'ㄴ'과 'ㄷ'이 모두 어미에 속해 있는 소리이기
② ⓑ의 'ㅁ'과 'ㄷ'이 체언과 조사가 결합하면서 이어진 소리이기
③ ⓒ의 'ㅁ'과 'ㄱ'이 모두 하나의 형태소 안에 속해 있는 소리이기
④ ⓓ의 'ㄴ'과 'ㄱ'이 어미끼리 결합하면서 이어진 소리이기
⑤ ⓔ의 'ㄴ'과 'ㅈ'이 어간과 어미가 결합하면서 이어진 소리가 아니기

12. ㉠~㉣의 문장 성분과 문장 구조에 대한 설명으로 적절한 것은?

> ㉠ 나는 내 친구가 보낸 책을 제시간에 받기를 바란다.
> ㉡ 나는 테니스 배우기가 재미있다고 친구에게 말했다.
> ㉢ 이 식당은 우리 가족이 점심을 먹은 식당이 아니다.
> ㉣ 그녀는 아름다운 관광지를 신이 닳도록 돌아다녔다.

① ㉠에는 필수적 부사어가 생략된 안긴문장이 있고, ㉡에는 주어가 생략된 안긴문장이 있다.
② ㉠과 ㉡에는 모두, 주어 기능을 하는 명사절이 있다.
③ ㉠과 ㉢에는 모두, 주어가 생략된 안긴문장이 있다.
④ ㉢에는 보어 기능을 하는 안긴문장이 있고, ㉣에는 부사어 기능을 하는 안긴문장이 있다.
⑤ ㉢과 ㉣에는 모두, 목적어가 생략된 관형사절이 있다.

총 문항				문항	맞은 문항					문항
개별 문항	1	2	3	4	5	6	7	8	9	10
채점										
개별 문항	11	12	13	14	15	16	17	18	19	20
채점										

BIG
EVENT
1+3

씨뮬 교재를 구매하신 모든 분들께
고1, 2, 3 한국사 · 사회탐구 · 과학탐구 과목
중에서 학년에 상관없이 원하는 3과목의
최신 모의고사(과목별 4~12회 구성)
PDF 파일을 메일로 보내 드립니다.

❶ 설문지를 작성하고, "Big Event 1+3"
한국사 · 사회탐구 · 과학탐구 교재 목록에서
교재번호와 과목명을 확인한 후
'Big Event 1+3 교재 신청란'에 정확히 기입합니다.

❷ 설문지 부분을 핸드폰(또는 디지털 카메라)으로 찍어서
골드교육 홈페이지(www.goldedu.co.kr)
커뮤니티 → "1+3 이벤트" 게시판에 올리시면 됩니다.

❸ "Big Event 1+3"은 3과목까지 신청할 수 있으며,
여러 과목을 신청하면 임의대로 3과목을 선정하여
보내 드립니다.

★ 2023년 시행 모의고사를
신청하면 출간 일정상 2024년
2월부터 보내 드리오니 이용에
착오 없으시기 바랍니다.
그리고 이 책의 1+3 이벤트 유효
기간은 발행일로부터 3년입니다.

★ 개인 정보는 이벤트 목적
외에는 사용하지 않으며 이벤트
마감 이후 폐기함을 알려드립니다.

"Big Event 1+3" 한국사 · 사회탐구 · 과학탐구 교재 목록

1. 2022년 시행 모의고사 : 신청하시면 확인 후 바로 보내드리고 있습니다.

학년	과목(영역)	횟수	PDF 제공 교재
고1	한국사	4회	11-1 한국사
고2	한국사	4회	11-2 한국사
	사회탐구	4회	11-3 생활과 윤리, 11-4 윤리와 사상, 11-5 한국지리, 11-6 세계지리, 11-7 동아시아사, 11-8 세계사, 11-9 정치와 법, 11-10 경제, 11-11 사회 · 문화
	과학탐구	4회	11-12 물리학 I, 11-13 화학 I, 11-14 생명과학 I, 11-15 지구과학 I
고3	한국사	12회	11-16 한국사
	사회탐구	12회	11-17 생활과 윤리, 11-18 윤리와 사상, 11-19 한국지리, 11-20 세계지리, 11-21 동아시아사, 11-22 세계사, 11-23 법과 정치, 11-24 경제, 11-25 사회 · 문화
	과학탐구	12회	11-26 물리학 I, 11-27 화학 I, 11-28 생명과학 I, 11-29 지구과학 I
		11회	11-30 물리학 II, 11-31 화학 II, 11-32 생명과학 II, 11-33 지구과학 II

2. 2023년 시행 모의고사 : 2024년 2월부터 보내드릴 예정입니다.

학년	과목(영역)	횟수	PDF 제공 교재
고1	한국사	4회	12-1 한국사
고2	한국사	4회	12-2 한국사
	사회탐구	4회	12-3 생활과 윤리, 12-4 윤리와 사상, 12-5 한국지리, 12-6 세계지리, 12-7 동아시아사, 12-8 세계사, 12-9 정치와 법, 12-10 경제, 12-11 사회 · 문화
	과학탐구	4회	12-12 물리학 I, 12-13 화학 I, 12-14 생명과학 I, 12-15 지구과학 I
고3	한국사	11회	12-16 한국사
	사회탐구	11회	12-17 생활과윤리, 12-18 윤리와 사상, 12-19 한국지리, 12-20 세계지리, 12-21 동아시아사, 12-22 세계사, 12-23 법과 정치, 12-24 경제, 12-25 사회 · 문화
	과학탐구	11회	12-26 물리학 I, 12-27 화학 I, 12-28 생명과학 I, 12-29 지구과학 I
		10회	12-30 물리학 II, 12-31 화학 II, 12-32 생명과학 II, 12-33 지구과학 II

※ 과목별 수록 회차는 사정상 변경될 수 있습니다.

(주)골드교육 씨뮬 교재를 이용해 주셔서 감사합니다.
더 좋은 교재를 만들기 위해 독자 여러분의 의견을 귀담아 듣고자 합니다.

1. 이 책을 구입하게 된 동기는 무엇입니까?
① 학교/학원 교재 ② 선생님이 추천해 주셔서 ③ 선배나 친구들이 추천해서
④ 직접 서점에서 보고 ⑤ 광고나 입소문을 들어서 ⑥ 기타( )

2. 이 책의 전반적인 부분에 대한 질문입니다.
- 문제의 분량 : 많다□ 알맞다□ 적다□
- 해설의 분량 : 많다□ 적당하다□ 부족하다□
- 책의 크기 : 크다□ 적당하다□ 작다□
- 이용 편의성 : 편하다□ 보통이다□ 불편하다□
- 책의 가격 : 비싸다□ 적당하다□ 싸다□
- 책의 만족도 : 만족□ 보통□ 불만족□

3. 이 책에서 좋았던 점은 무엇입니까? (복수 응답 가능)
① 24일 학습 체계 ② 출제 트렌드 & 1등급 꿀팁 ③ 대표 기출 문제 풀이
④ 지문의 난이도, 소요 시간 안내 ⑤ 채점 박스 ⑥ 정답 및 해설
⑦ 내신 대비 서브노트 ⑧ 기타( )

4. 내가 구매한 씨뮬 교재에 대한 독자서평을 작성해 주세요.
베스트 독자서평으로 채택되면 다음 씨뮬 교재에 수록해 드립니다.

Big Event 1+3 교재 신청란 〈유형+ 씨뮬 고3 국어 문학〉

이름

이벤트 신청은 위의 표를 보고 교재번호와 과목명을 빈칸에 정확히 적어 주시기 바랍니다. (교재번호 11-5, 과목명 한국지리)

	교재번호	과목명
신청 과목 1		
신청 과목 2		
신청 과목 3		

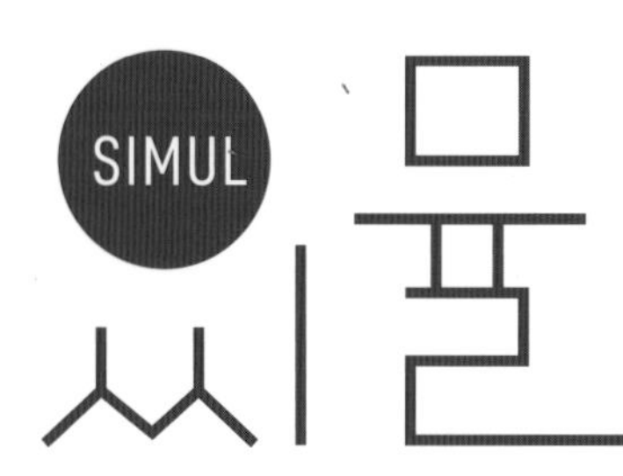

믿을 수 있는 기출문제로 실전 연습하여
출제 경향과 유형을 파악하라!

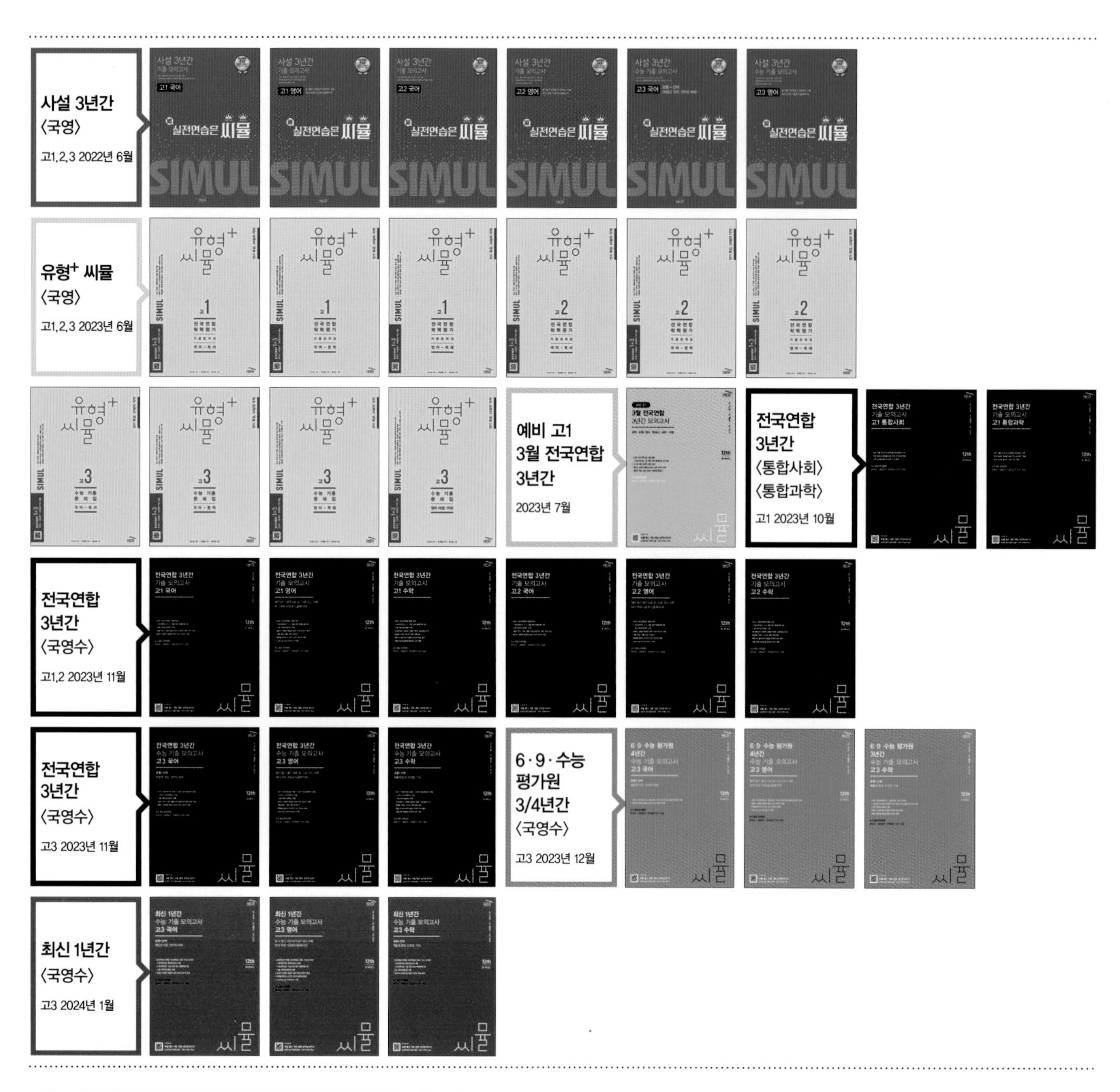

2024 씨뮬 시리즈

대한민국 No 1. 내신 / 학평, 수능 대비 문제집

국어	영어	수학	전과목 / 통합사회·과학
· 유형+ 씨뮬 고1 국어 독서	· 유형+ 씨뮬 고1 영어 독해	· 전국연합 3년간 고1 수학	· 예비고1 3월 학력평가
· 유형+ 씨뮬 고1 국어 문학	· 유형+ 씨뮬 고2 영어 독해	· 전국연합 3년간 고2 수학	· 전국연합 3년간 고1 통합사회
· 유형+ 씨뮬 고2 국어 독서	· 유형+ 씨뮬 고3 영어 독해	· 전국연합 3년간 고3 수학	· 전국연합 3년간 고1 통합과학
· 유형+ 씨뮬 고2 국어 문학	· 유형+ 씨뮬 고3 영어 어법·어휘	· 6·9·수능 3년간 고3 수학	
· 유형+ 씨뮬 고3 국어 독서	· 전국연합 3년간 고1 영어	· 최신 1년간 고3 수학	
· 유형+ 씨뮬 고3 국어 문학	· 전국연합 3년간 고2 영어		
· 전국연합 3년간 고1 국어	· 전국연합 3년간 고3 영어		
· 전국연합 3년간 고2 국어	· 사설 3년간 고1 영어		
· 전국연합 3년간 고3 국어	· 사설 3년간 고2 영어		
· 사설 3년간 고1 국어	· 사설 3년간 고3 영어		
· 사설 3년간 고2 국어	· 6·9·수능 4년간 고3 영어		
· 사설 3년간 고3 국어	· 최신 1년간 고3 영어		
· 6·9·수능 4년간 고3 국어			
· 최신 1년간 고3 국어			

씨뮬 풀고 자동 채점 성적분석까지

STUDY SENSE 온라인 성적분석 서비스

유형 + 씨물

단기 특강, 24일의 기적!

고3

수능기출 문제집

국어 – 문학

정답 및 해설

씨뮬과 함께하는 기출 완전정복 커리큘럼

씨뮬 = 실전 연습

내신, 학평, 수능까지 실전 대비 최고의 연습, 씨뮬

씨뮬과 함께 1등급, SKY, 의치한까지

독자 여러분의 애정 어린 충고로

씨뮬은 해마다 새롭게 완성되어 갑니다!

실제 크기의 시험지와 OMR 카드를 제공해 주어서 실제 시험을 보는 것 같아 실제 시험에서 떨리지 않았고 문제에 대한 해설이 친절히 서술되어 있어 어려운 문제도 혼자만의 노력으로 이해할 수 있었어요. 역시 씨뮬!
—≫ **황*현**

모의고사가 모아져 있는 책 중 씨뮬이 정말 최고예요. 특히 영어는 듣기 연습용 받아쓰기도 있어서 많은 도움이 되었습니다. 감사합니다.
—≫ **조*빈**

회차별 영단어 핸드북뿐 아니라 책 마지막 부분에 있는 수능 필수 영숙어 파트가 도움이 많이 되었다. 수능에서뿐만 아니라 내신 시험에도 나오는 표현들이 많아 유용했다.
—≫ **김*희**

모의고사를 대비하기 위해 구매하였습니다. 다른 문제집들은 실제 모의고사 시험지처럼 되어 있지 않아서 긴장감이 많이 떨어지는데, 씨뮬은 실제 시험지처럼 되어 있고 OMR 카드도 있어서 모의고사 대비하기 아주 좋아요!
—≫ **김*연**

씨뮬 교재가 실제 모의고사 종이 크기이다 보니 실제 시험을 치는 듯한 느낌이 들어 더 집중이 잘 되는 것 같다. 해설도 꼼꼼하게 되어 있어 내가 어디서 해석이 안 되는지 바로 찾을 수 있어서 좋았다.
—≫ **김*진**

국어에 자신감이 없어서 시작했는데 해설이 꼼꼼하고 추가적인 작품이나 문법이 수록돼 있어서 더 깊이 있게 공부할 수 있었어요.
—≫ **배*진**

이 책을 구매했던 이유들 중 하나인, 실전과 비슷한 종이 재질 덕분에 더욱 실감나게 학습할 수 있었습니다. 그리고 맨 뒤에 부착되어 있는 OMR 카드로 체킹 실수를 줄이는 연습도 되었습니다. 꼼꼼한 해설지와 문제 풀이로 공부하면서 그 외에 실전 감각 또한 함양할 수 있는 씨뮬 모의고사입니다!
—≫ **권*희**

백분위 95~96을 왔다갔다했어요. 수학 실력을 늘리기 위해 책을 구매해 풀어 본 후 높은 점수를 받게 되었습니다.
—≫ **정*현**

모의고사 볼 때처럼 큰 종이로 되어 있어 더 몰입감 있게 집중할 수 있었던 것 같습니다. 또 해설도 자세하고 고난도 문제와 등급컷도 알려 주어 좋았습니다!
—≫ **서*준**

어느 정도 실력이 쌓이고 나면 모의고사로 실전 대비 훈련을 하며 실력을 굳혀 나가야 되죠. 그리고 그 연습 방법으로는 '씨뮬'이라는 교재가 정말 완벽한 것 같아요. 여러분들에게 '씨뮬' 적극 추천합니다.
—≫ **백*민**

내신에서 학평까지 실전 연습은 씨뮬 기출 하나로 충분하다

전국연합학력평가 3년간 모의고사 | 11th 국영수 고1~3

01 실제 시험 그대로 실전 감각 익히기
02 핵심을 짚어주는 명쾌한 해설
03 오답 노트 & OMR 카드
04 같은 작가 다른 작품(국어), 기출문법[구문] 모아보기(영어), 준 킬러 문항 연습(수학)
05 [12th] 전국연합 3년간 수학 교재의 중요 문항에 동영상 강의 제공 예정

DAY 01

1 ① 2 ⑤ 3 ① 4 ② 5 ⑤

6 ② 7 ① 8 ③ 9 ⑤ 10 ④

11 ③ 12 ③

DAY 02

1 ② 2 ② 3 ⑤ 4 ④ 5 ③

6 ① 7 ③ 8 ⑤ 9 ① 10 ④

11 ③ 12 ③

DAY 03

1 ⑤ 2 ④ 3 ② 4 ④ 5 ④

6 ③ 7 ⑤ 8 ⑤ 9 ③ 10 ③

11 ⑤ 12 ③

DAY 04

1 ② 2 ④ 3 ① 4 ⑤ 5 ①

6 ⑤ 7 ④ 8 ⑤ 9 ① 10 ④

11 ⑤ 12 ④

DAY 05

1 ② 2 ① 3 ① 4 ④ 5 ③

6 ⑤ 7 ② 8 ④ 9 ⑤ 10 ②

11 ③ 12 ④

DAY 06

1 ① 2 ④ 3 ② 4 ③ 5 ②

6 ④ 7 ③ 8 ② 9 ④ 10 ①

DAY 07

1 ① 2 ② 3 ④ 4 ② 5 ④

6 ⑤ 7 ③ 8 ② 9 ③ 10 ③

11 ④

DAY 08

1 ④ 2 ⑤ 3 ② 4 ② 5 ①

6 ② 7 ② 8 ① 9 ③ 10 ②

11 ⑤

DAY 09

1 ⑤ 2 ② 3 ④ 4 ⑤ 5 ②

6 ① 7 ③ 8 ④ 9 ⑤

DAY 10

1 ④ 2 ② 3 ④ 4 ② 5 ③

6 ④ 7 ⑤ 8 ① 9 ④

DAY 11

1 ④ 2 ③ 3 ③ 4 ⑤ 5 ①

6 ④ 7 ⑤ 8 ⑤ 9 ④ 10 ②

11 ③ 12 ④

DAY 12

1 ⑤ 2 ① 3 ④ 4 ① 5 ④

6 ③ 7 ④ 8 ⑤ 9 ③ 10 ①

11 ⑤ 12 ④

DAY 13

1 ⑤ 2 ② 3 ③ 4 ① 5 ②

6 ① 7 ③ 8 ⑤ 9 ④ 10 ④

11 ③ 12 ④

DAY 14

1 ④ 2 ② 3 ⑤ 4 ① 5 ②

6 ① 7 ⑤ 8 ② 9 ③

DAY 15

1 ① 2 ④ 3 ③ 4 ⑤ 5 ①

6 ③ 7 ② 8 ③ 9 ④ 10 ③

11 ③

DAY 16

1 ④ 2 ③ 3 ② 4 ④ 5 ⑤

6 ③ 7 ④ 8 ② 9 ②

DAY 17

1 ③ 2 ② 3 ③ 4 ⑤ 5 ④

6 ② 7 ③ 8 ⑤ 9 ② 10 ⑤

11 ②

DAY 18

1 ① 2 ⑤ 3 ③ 4 ③ 5 ④

6 ① 7 ④ 8 ⑤ 9 ⑤ 10 ④

11 ③

DAY 19

1 ⑤ 2 ② 3 ② 4 ① 5 ①

6 ② 7 ④ 8 ⑤ 9 ④ 10 ④

11 ① 12 ⑤

DAY 20

1 ③ 2 ③ 3 ② 4 ④ 5 ①

6 ④ 7 ④ 8 ④ 9 ③ 10 ④

11 ④

DAY 21

1 ⑤ 2 ③ 3 ④ 4 ① 5 ③

6 ② 7 ⑤ 8 ⑤ 9 ⑤ 10 ③

11 ③

DAY 22

1 ⑤ 2 ⑤ 3 ② 4 ① 5 ④

6 ① 7 ③ 8 ① 9 ⑤ 10 ④

DAY 23

1 ② 2 ③ 3 ⑤ 4 ③ 5 ②

6 ⑤ 7 ① 8 ③ 9 ①

DAY 24

1 ② 2 ⑤ 3 ④ 4 ③ 5 ③

6 ② 7 ④ 8 ④ 9 ⑤ 10 ①

11 ④ 12 ①

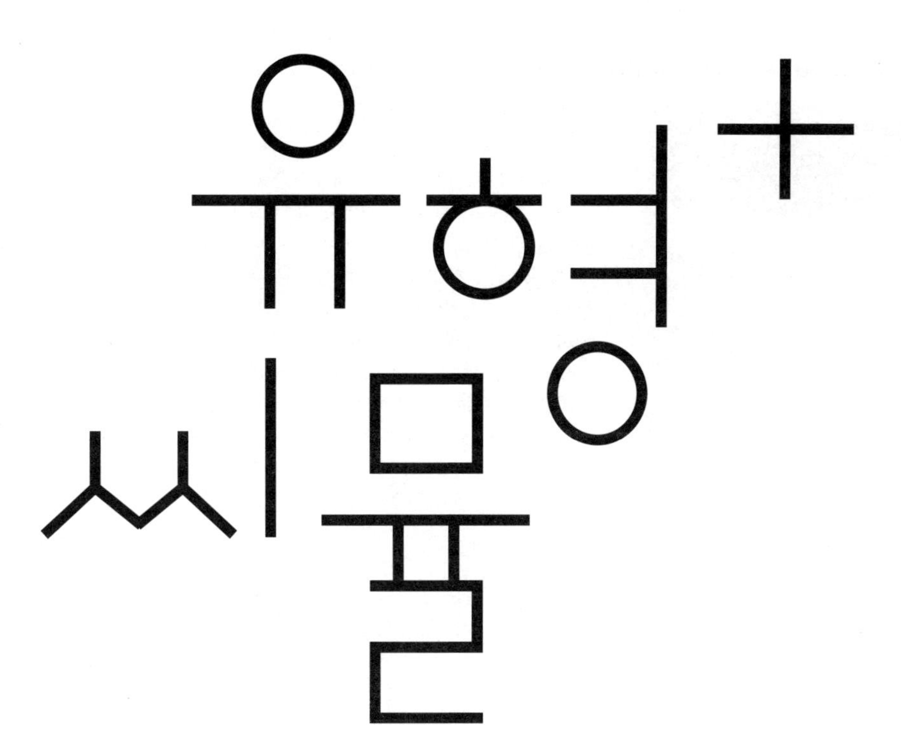

단기 특강, 24일의 기적!

정답 및 해설

고3 국어 문학

CONTENTS

현대 소설

본문 004쪽

Day 01

1. ①	2. ⑤	3. ①	4. ②	5. ⑤
6. ②	7. ①	8. ③	9. ⑤	10. ④
11. ③	12. ③			

【1~4】 최명희, '쓰러지는 빛'

작품해설

유년 시절부터 살아온 집을 떠나 이사를 가게 된 '나'의 가족의 상황을 그린 소설이다. 서술자 '나'가 자신의 경험을 바탕으로 내면을 드러내며 이야기를 서술하고 있으며, 이웃과 따뜻한 정을 나눌 수 있는 천변 동네의 분위기와 주위에 산과 시냇물이 있고 앞마당에 커다란 오동나무가 자라고 있는 천변의 집의 모습을 감각적으로 묘사하고 있다. 반면 '나'의 가족이 새로 이사를 하게 된 번화한 도로변에 있는 집은 천박한 구조를 지녔으며 온갖 소음이 들려오는 곳으로 묘사됨으로써 천변의 집과 대비를 이루고 있다.

- **갈래** : 단편 소설
- **성격** : 회상적, 묘사적
- **배경** : 전주의 한 천변 동네
- **시점** : 1인칭 주인공 시점
- **주제** : 가족의 추억이 서려 있는 집에 대한 애착

1. ① 작품 내용 이해하기

❶ '영익'은 이사 날짜가 결정되었다는 말을 듣고는 고개를 떨어뜨리더니 "내가……."라고 무슨 말을 하려다 말고 다시 공부를 하려 산으로 올라갔다. 이를 통해 이사를 가야 하는 가족의 상황을 알고서도 자신의 생각을 분명히 드러내지 않았음을 알 수 있다.
② '영익'은 이 년째 산속의 절에서 사법 고시 준비를 하고 있는데, '어머니'가 "영익이 언제 다녀갔지?"라고 묻자 '나'가 "사흘 됐나? 그저께 아니었어요?"라고 답한 것을 통해 영익이 이삼일 전에 집에 다녀갔음을 알 수 있다. 따라서 '영익'이 출가하여 소식이 끊긴 상황은 아니며 '어머니'가 아들의 근황을 궁금해하는 모습도 나타나지 않았다.
③ '나'는 동생 '영익'이 산속의 절에서 공부하고 있다는 것을 알고 있으며, 어머니의 말을 통해 동생이 머무르는 절의 위치를 알게 된 것이지 동생의 말을 듣고 그가 현재 어디에 머무르는지 알게 된 것은 아니다.
④ '시장 안의 가게들'은 밤이 깊어지면 하나씩 문을 닫는다고 했으므로 밤늦게 물건을 사기 위해 사람들이 모여드는 곳이라고 볼 수는 없다.
⑤ '나'는 아버지와 어머니가 혼인한 '삼십 년 전 그때', 천변은 '부성 밖의 한적하고 빈한한 동네였을 것'이라고 추측했으므로, 천변이 아버지와 어머니가 결혼할 때부터 사람들이 북적였던 번화한 동네였다고 볼 수는 없다.

2. ⑤ 서술상 특징 파악하기

① [A]에서 서술자는 상인들이 리어카를 끌고 다리 위로 올라온 모습을 '이만큼에 서서 흔들리는 버드나무 가지 사이로 바라보'고 리어카의 카바이드 불빛이 요요하다고 말하고 있으므로, 대상을 지각할 수 있는 위치에서 서술하고 있음을 알 수 있다.
② [B]에서 '벽오동집 아주머니'와 '오동나무 아주머니'는 '어머니'를 호명하는 말로, 이를 각각 하나의 문단에 서술함으로써 호칭이 두드러져 보이고 있다.
③ [C]에 나타난 '우리', '나'와 같은 표현을 통해 서술자가 자신의 경험을 바탕으로 하는 이야기를 서술하고 있음을 알 수 있다. 또한 '그것은 어쩌면 이 가난한 동네의 한 호사였는지도 모른다.'에서 서술자의 내면이 드러나고 있다.
④ [D]에서 서술자는 삼십 년 전의 천변 동네에 대해 '그때만 하여도, 부성 밖의 한적하고 빈한한 동네였을 것이다.'라고 말하고 있는데, 이때 '-일 것'은 확정된 사실이 아니라 추측을 나타내는 표현이다.
❺ [E]에 나타난 어머니와의 대화 상황에서 "사흘 됐나? 그저께 아니었어요?"라고 말하는 사람은 서술자인 '나'이므로, 말하는 이와 서술자가 다르다는 설명은 적절하지 않다.

3. ① 소재의 성격과 기능 파악하기

❶ '나'의 집 앞마당에 있는 오동나무는 '나'가 태어나던 해 아버지가 기념으로 심은 것으로, '그 나무는 나보다 나이가 많았다.'라고 한 것을 통해 오동나무에서 세월의 흐름을 느끼는 모습이 나타난다. 또한 '해마다 이른 봄이면, ~ 그리고 가을에는 종이우산만큼이나 넓어지는 것 같았다.'라는 구절을 통해 오동나무는 계절의 자연스러운 변화를 느끼게 되는 경험적 대상임이 드러난다.
② '나'가 천변 마을에 오동나무가 많은 것에 대해 '가난한 동네의 한 호사였는지도 모른다'고 생각하고 있을 뿐, 실제로 오동나무가 사람들에게 호사를 누릴 수 있게 한 경제적 기반이라고 볼 수는 없다.
③ 오동나무는 '나'가 태어난 해 아버지가 심은 것이다.
④ '나'가 오동나무가 많은 동네에 속으로 '벽오동촌'이라는 별명을 지었다고 했을 뿐, 동네 사람들이 마을에 오동나무와 관련한 별명을 짓는 모습은 나타나지 않았다.
⑤ 아버지는 '나'가 태어난 해 기념으로 집 앞마당에 오동나무를 심었는데, 마을 곳곳의 오동나무는 아버지가 심은 것이 아니라 '나'의 집에서 날아간 오동나무 씨앗이 떨어져 자라난 것이다.

4. ② 외적 준거에 따라 작품 감상하기

① '나'는 '천변' 집에 살면서 천변 동네 이웃들과, 집 앞마당에서 자라는 오동나무에 대한 추억을 형성해 왔다. 이러한 시간들은 '나'가 천변의 집을 떠나 이사할 처지에 놓인 상황을 불편하게 여기는 요인으로 볼 수 있다.
❷ '나'는 이사 가기로 한 집을 살펴보며 그 구조가 천박하다고 생각하는데, 이것의 바탕에 천변의 '집을 고치'던 경험이 있다고 볼 수는 없다. 또한 '나'는 새로 이사 갈 집에 대해 부정적인 인식을 보일 뿐 거주 환경의 변화에 적응하여 낯선 공간에 친숙해지고자 하는 생각을 드러내고 있지는 않다.
③ '서걱거리는 소리'는 앞마당에 있는 오동나무의 무성한 잎사귀에서 나는 소리로 '나'에게 친밀감을 준다. 이에 반해 '불규칙한 마찰음'은 새로 이사를 간 집 주변에서 들리는 소리로 그곳의 '환락과 유행과 홍정의 경박한' 분위기를 드러내며 '나'에게 거리감을 준다.
④ '나'는 지금 살고 있는 천변 집에 대해 애착을 보이고 있다. 이와 달리 새로 이사 갈 집은 '창문'을 '막아 버린' 방과 '채광 통풍조차' 되지 않는 속성을 지녀 '나'에게 집의 구조가 천박하다는 부정적 반응을 일으키고 있다.
⑤ '나'는 이사 갈 집 문간에 서서 그곳을 기웃거리며 들여다보면서 '우리들'의 상황이 '잘못 날아든 참새들 같'기만 하다고 생각한다. 이는 번화한 도로변에 있어 온갖 소음이 들려오고 구조가 천박해 보이는 그 집을 낯설어하는 심리를 비유적으로 표현한 것이다.

【5~8】 최명익, '폐어인'

작품해설

일제 강점기 말기인 1930년대 후반을 배경으로 현일과 도영, 병수라는 세 인물을 통해 당시의 우울하고 불안한 시대상과 지식인들의 혼란스러운 내면을 그린 소설이다. 제목 '폐어인'의 '폐어'는 물속에서도 물에서도 호흡하는 물고기로, 부정적인 현실과 개인적 비극 속에서 절망과 비관, 패기와 낙관이라는 두 방향의 의식과 태도를 지니며 살아가고자 했던 현일의 태도를 드러낸다. 제시된 장면에서는 기성세대인 현일이 현실을 회피하려는 제자 병수에게 안타까움을 느끼면서 젊은 세대가 더 나은 삶을 살기를 바라는 태도가 드러나 있는 한편, 청년 세대인 병수가 기성세대를 냉소적으로 인식하는 모습이 드러나 있다.

- **갈래** : 단편 소설
- **성격** : 사실적, 현실 비판적
- **배경** : 1930년대 후반
- **시점** : 전지적 작가 시점
- **주제** : 일제 강점하 지식인들의 불안한 삶의 현실과 혼란스러운 내면

5. ⑤ 작품의 내용 파악하기

① 병수는 현일에게 속에 있는 대로 털어놓고는 '도리어 쓸쓸'했고, '말이 지나쳤다고 후회'했다.
② 도영이 피를 토하며 쓰러졌을 때 병수는 그를 간호하려다 현일의 만류에 물러나 성문으로 들어갔고, 얼마 후에 자동차를 가지고 돌아와 도영이를 태웠다.
③ 현일은 병수를 만나면 '젊은이의 청신한 기분'을 맛볼 수 있기를 기대했는데, 실제 병수와의 대화가 어긋나자 우울함을 느꼈다.
④ 병수는 현일에게 '실생활에 나서기가 무서워서'라는 이유로 할 수만 있으면 오래 학창 생활을 하겠다고 말했다.
❺ 현일은 '병수의 온건치 않은 말이 불쾌하면서도 전연 억측만도 아닌 바'라고 생각하고 있으므로, 병수의 말을 전혀 근거 없는 추측이라고 여기고 있는 것은 아니다.

6. ② 서술상 특징 파악하기

① [A]에서 인물의 외양을 감각적으로 묘사하여 인물의 성격을 제시한 부분은 찾을 수 없다.

❷ [A]에서는 '나 역시 이 세상과는 벌써 인연이 멀어진 사람이로구나.', '그러나 지금 내게는 무엇이 남았으랴.'와 같이 현일의 내적 독백을 직접 제시하여 그의 내면 의식을 드러내고 있다.
③ [A]에서 공간적 배경을 사실적으로 제시한 부분은 찾을 수 없다.
④ [A]에서는 등장인물인 현일의 내면 심리를 '나'의 독백 형식으로 직접적으로 제시하면서 그의 행동을 나타내고 있다.
⑤ [A]는 서술자가 현일의 시각에서 사건을 서술하고 있는 부분이다.

7. ① 소재의 기능 이해하기

❶ 〈보기〉에서는 폐어와 관련해 형성될 수 있는 물속과 뭍, 물과 공기의 대조적 의미 관계가 현일을 통해 드러나고 있다고 하였다. 이 글에서 현일은 자신이 절망과 패기, 비관과 낙관의 두 가지 생각을 번갈아 가며 살아왔는데, 현재 자신의 상태를 '죽어 가는 폐어', 즉 '두 가지 호흡의 기능을 다 잃고 죽어 가는 것'이라고 인식하면서 '절망인들 남았으랴.'라고 생각한다. 따라서 폐어가 '두 가지 호흡의 기능'을 모두 잃고 죽어 가는 것은 절망과 패기를 지니고 있던 현일이 패기를 잃고 절망조차 남아 있지 않은 것을 의미한다고 해석할 수 있다.
② '반신(半身) 물에 잠기고 반신 바람에 불리'는 것은 폐어가 물속에서도 뭍에서도 호흡하는 물고기라는 점과 관련되어, 현일이 낙관과 비관의 두 가지 정반대의 생각을 번갈아 가며 살아온 것을 의미한다.
③ 현일은 자기의 철학의 지식을 끄집어내어 인생의 발전을 명상해 볼 때 폐어가 물위로 떠올라 '청징한 공기'를 호흡하듯이 상쾌함을 느끼고 패기도 느껴졌다고 하였다. 따라서 '청징한 공기'를 호흡하는 것은 현일이 더 깊은 절망감에 빠져드는 것이 아니라 반대로 패기를 지니게 되는 것과 관련된다.
④ 현일은 죽어 가는 자신의 현실에 절망을 느끼면서 '그것이 오직 자기의 세계라면 참고 사는 때까지 살아가리라'라고 생각하다가, 또 견딜 수가 없을 때는 '아직 남은 마음의 탄력으로 또 상쾌한 명상으로 떠올라' 본다고 하였다. 즉 현일은 현실을 견딜 수가 없을 때 '마음의 탄력'으로 떠오르는 것이므로, 이것이 현실에 대한 욕망을 내려놓고 심적 안정 상태에 이른 것을 의미한다고 볼 수는 없다.
⑤ 현일은 죽어 가는 자신을 생각할 때 '깊은 바닷속으로 빠져 들어가는 듯한 절망을 느낄밖에 없었다'고 하였다. 한편 '철학의 지식'을 끄집어내는 것은 현일에게 인생의 발전을 명상해 보게 하여 패기를 느끼게 하는 것이므로, '깊은 바닷속'으로 들어가는 것이 현일이 '철학의 지식'을 끄집어내는 것을 의미한다고 볼 수는 없다.

8. ③ 외적 준거에 따라 감상하기

① ㉠은 실생활에 나서기가 두려워 할 수만 있으면 학창 생활을 오래 해 보려 한다는 병수의 말을 듣고 젊은이로서 의지와 패기를 가져 볼 수는 없느냐고 말한 부분으로, 현일이 현실을 회피하려는 병수의 태도에 안타까움을 드러낸 것으로 볼 수 있다.
② ㉡은 젊은이로서 의지와 패기를 가져 보라는 현일의 말을 듣고 보인 반응으로, '의지나 패기는, 오히려 선생의 신병과 정신적 타격의 반동'이라는 것에서 냉소적 인식이 드러나고 있다.
❸ 현일은 자신의 생명에 위협을 느낄 때마다 지금까지 노력하고 정진하며 살아온 일생에 허무함을 느끼고 사회인으로서 무엇을 해 보겠다는 희망도 사라졌는데, 그러한 자기의 감정과 본능을 이론적으로 극복하려는 심정으로 학생들에게 더욱 의지와 패기를 강조했던 것인지도 모른다고 생각한다. 즉 ㉢에서 현일이 '아픈 타격'을 느낀 것은 그러한 자신의 처지와 심리에 대한 반성 때문이며, ㉢이 현일이 사회인으로서의 책임 의식을 강화하기 위한 일을 계획하는 데 병수의 말이 영향을 주었음을 드러낸다고 볼 수는 없다.
④ ㉣에서 현일은 자신은 건강이나 교육자로서나 절망적인 상황이지만, 병수 같은 젊은 사람들에게는 의지와 패기가 필요하지 않겠느냐고 말하고 있다. 〈보기〉를 참고할 때 이는 자신과 병수를 구분하여 병수와 같은 젊은 세대가 더 나은 삶을 살았으면 하는 바람을 드러낸 것으로 이해할 수 있다.
⑤ 도영이 피를 토하자 병수는 그의 피를 닦아 주려 했는데, 이때 현일은 병수에게 저리 가라고 소리를 지르며 자신이 도영을 안고 도영의 얼굴을 닦아 주면서 "이런 더러운 피에 왜 손을 적시려나……"라고 말한다. ㉤에서 병수는 현일이 했던 이 말을 떠올리며 자신을 염려해 주는 현일을 이해하려는 태도를 보이고 있다.

【9~12】 최인훈, '크리스마스 캐럴 5'

작품해설

연작 소설 '크리스마스 캐럴' 다섯 편 중 한 작품으로, 야간 통행금지가 있었던 시대를 배경으로 한국 사회의 억압적인 사회 현실을 그린 소설이다. 주인공 '나'는 밤이면 겨드랑이에 통증을 느끼고 정체불명의 파마늘이 돋아나 괴로워하다가 집 밖에 나가면 증상이 나아짐을 알게 된다. 치료를 위해 거리로 나가야 하는 시간이 통행 제한 시간과 겹치자 몰래 밤 산책을 다니던 '나'는 점점 스스로에게 산책의 성격이 변질됨을 느끼고, 어느 날 겨드랑이에 작은 날개가 돋아난 것을 보게 된다. '나'의 겨드랑이에 돋은 파마늘이 주는 통증은 자유에 대한 요구를, 밤 산책은 자유를 위한 실천을 의미하는 것으로, 나아가 산책의 성격이 변질된 것은 자유를 향한 의지가 심화된 것을 의미한다고 볼 수 있다.

- **갈래** : 단편 소설, 연작 소설
- **성격** : 상징적, 현실 비판적
- **시점** : 1인칭 주인공 시점
- **주제** : 억압적 시대 상황 속 자유의 가능성과 한계

9. ⑤ 서술상 특징 파악하기

① '겨드랑에 생긴 이변'으로 인한 사건이 시간의 흐름에 따라 제시되고 있으며, 시간의 순서를 뒤바꾼 부분은 나타나지 않는다.
② '나'의 겨드랑이에 파마늘이 돋은 사건과 관련된 상황을 순차적으로 드러내고 있을 뿐 유사한 사건을 반복해서 제시했다고 볼 수는 없으며, 서술의 초점이 분산되고 있는 것도 아니다.
③ 이 글의 서술자는 주인공인 '나'로 일관되게 나타나며, 장면에 따라 서술자를 달리하고 있지 않다.
④ 이 글에는 '나'의 공간의 이동에 따른 경험이 나타나 있으나, 이를 다른 인물의 시선을 통해 서술하고 있지는 않다.
❺ '그런 일이 있은 지 한 달쯤 지나니 내 겨드랑에 생긴 이변의 전모가 대강 드러났다.', '그때부터 나의 괴로움은 비롯되었다.', '나는 견디다 못해 담을 넘어서 밖으로 나가 보았다. 그랬더니 참으로 이상한 일도 다 있었다.' 등에서 밤이면 '나'의 겨드랑이에 파마늘이 돋는 사건과 그에 대한 '나'의 내적 반응을 '나'의 목소리를 통해 제시하고 있음을 알 수 있다.

10. ④ 작품의 내용 파악하기

① 의사는 '나에게 전혀 이상이 없다고 잘라 말했'는데, 이는 의사가 진단하는 '그 시간에는 내 겨드랑은 멀쩡했기 때문'이라고 한 것을 통해 '나'의 증상이 의사 앞에서는 나타나지 않았음을 알 수 있다.
② '나'는 밤이면 겨드랑이에 파마늘이 돋았는데, 겨드랑이의 통증이 '방에 있으면 쑤시고 밖에 나가면 씻은 듯'하여 '제집이면서 꼭 도적놈처럼 뜰의 어느 구석에 숨어서 밤을 지'냈다고 하였다.
③ '나'는 겨드랑이의 통증이 '방에 있으면 쑤시고 밖에 나가면 씻은 듯하였지만, '뜰에 나와 있어도 가끔 뜨끔거리고 손을 대 보면 미열이 있'었다고 하였다. 즉 고통이 '뜰'에서는 '방'에서보다 덜하지만 완전히 사라지지는 않은 것이다.
❹ '나'는 관청에서 정한 통행 제한 규칙을 따르면 '내 겨드랑은 요절이 나고 나는 죽을는지도 모른다.'라며 고민한다. 즉 자신이 겨드랑이에 파마늘이 돋아 산책을 해야 하는 시간과 통행 제한 시간이 겹쳐 고민한 것이지, '시민'이 정한 규칙을 준수해야 하는 '페어플레이'를 지키지 못하게 되어 고민한 것은 아니다.
⑤ '나'는 밤 산책 중에 경관을 만나자 얼른 몸을 숨기고, 그 순간의 자신의 행동을 '혁명가'와 '간첩'과 비교해 보며 자신의 행동을 스스로 이해해 보려고 했다.

11. ③ 배경의 기능 파악하기

① ㉠은 경관을 피해 몸을 숨긴 공간일 뿐 정신적 안정을 위한 공간이라고 볼 수 없으며, ㉡은 신체의 이상을 확인하는 공간일 뿐 신체적 회복을 위한 공간이라고 볼 수 없다.
② ㉠은 통행 제한 시간이라는 제도를 어긴 상황에서 몸을 숨기는 공간일 뿐 윤리적인 이유로 몸을 숨기는 공간이라고 볼 수 없고, ㉡에 몸을 숨긴 것 또한 정치적 이유와는 관계없다.
❸ ㉠ '은신처'는 '나'가 통행 제한 시간에 밤 산책을 하던 중 경관을 만나자 몸을 숨긴 공간이므로, 타인의 출현으로 인해 몸을 감춘 공간이다. 이와 달리 ㉡ '바위 틈'은 '나'가 겨드랑이에 나타난 현상을 확인하기 위해 스스로 몸을 숨긴 공간이다.
④ ㉠, ㉡ 모두 일시적으로 사용한 공간일 뿐, 반복적으로 사용하는 공간으로는 볼 수 없다.
⑤ ㉠, ㉡에서 모두 '나'가 과거의 자신을 긍정하는 모습은 나타나지 않았다.

12. ③ 외적 준거에 따라 감상하기

① 이 글의 '나'는 밤이면 겨드랑이에 돋아나는 파마늘로 인한 통증을 치료하기 위해 밤 산책을 하려 하지만, 통행 제한으로 인해 산책의 자유가 제한된 상황에서 갈등을 겪는다. 〈보기〉를 참고할 때 이와 같은 상황은 이

동의 자유에 대한 억압만이 아니라 자유가 억압되는 상황 자체에 대한 문제를 드러낸다고 볼 수 있다.

② 이 글에서 '나'는 겨드랑이의 파마늘이 주는 통증이 거리에 나가면 사라진다는 것을 알고 통행 제한 시간이라는 억압 속에서 몰래 밤 산책을 한다. 〈보기〉에서 '나'의 겨드랑이에 돋은 정체불명의 파마늘이 주는 통증은 자유에 대한 요구를 의미한다고 한 것을 참고할 때, 파마늘이 돋아 통행 제한 시간의 밤 산책이 필요한 것은 억압적 상황 속에서 자유가 절박하게 요구되는 것으로 볼 수 있으며, 파마늘이 돋을 때의 통증은 자유를 얻기 위해 필요한 고통이라고 해석할 수 있다.

❸ '나'는 처음에는 겨드랑이의 통증을 치료한다는 '공리적인' 목적으로 산책에 나섰는데, 지금은 반드시 그런 것은 아니라고 하며 산책의 성격이 변질되었다고 한다. 〈보기〉에서 밤 산책이 자유를 위한 실천을 의미한다고 한 것을 참고할 때, 공리적인 목적이었던 산책의 성격이 변질되었다는 것은 '나'에게 치료 행위였던 산책이 자유를 위한 실천으로 바뀌었음을 나타낸 것으로 볼 수 있다. 이를 자유의 필요성이 망각되어 자유를 위한 실천의 목적이 훼손되는 문제점에 대한 비판으로 보는 것은 적절하지 않다.

④ 이 글에서 '나'는 겨드랑이에 돋은 파마늘로 인한 통증을 치료하고자 몰래 밤 산책을 하다가 산책의 성격이 변질됨을 느끼면서 겨드랑이에 작은 날개가 돋은 것을 보게 된다. 즉, 산책을 거듭하다가 겨드랑이의 파마늘이 날개로 바뀐 것은 〈보기〉에서 언급한, 처음에는 명료하지 않고 미약했던 자유를 향한 의지가 심화되는 모습을 나타낸 것으로 볼 수 있다.

⑤ '나'는 여러 차례의 산책을 한 끝에 겨드랑이에 '날개'가 돋았는데, 그 날개는 귓바퀴가 말을 안 듣는 것처럼 '나'의 뜻대로 움직이지 않아서 부끄러움을 느낀다. 〈보기〉에서 '나'가 자유를 위한 실천인 밤 산책을 거듭하면서 자유를 향한 의지가 심화되는 과정에서 문제점 또한 생겼다고 한 것을 참고할 때, '날개'가 '나'의 의지를 따르지 않는 것에 대한 '나'의 부끄러움은 자유를 의지대로 실현하기 어려웠던 한계에 대한 인식으로 볼 수 있다.

Day 02

본문 010쪽

1. ②	2. ②	3. ⑤	4. ④	5. ③
6. ①	7. ③	8. ⑤	9. ①	10. ④
11. ③	12. ③			

【1~4】 윤흥길, '양'

작품해설

6.25 전쟁으로 인한 비극을 한 가정의 불행과 연관 지어 형상화된 작품이다. '양'이라는 제목은 전쟁 상황에서 아무런 죄 없는 아이가 많은 사람의 이기심 때문에 희생양 역할을 하였다는 의미를 담고 있다. 서술자 '나'는 8살 정도 되는 소년으로, 마을 사람들과 어머니, 아버지, 윤봉이의 행동과 말을 전달하고 있다. 아버지를 제외한 '나'의 가족은 막내 윤봉이가 모든 불행의 원인이라고 생각한다. 윤봉이는 만 2살이 되어도 '맘마'라는 말밖에 하지 못해 바보 취급을 당했으나 특별한 재주를 가졌다며 인공 치하에서 정치적으로 이용당했다. 이야기의 결말에서 윤봉이는 결국 홍역에 걸려 제대로 약 한 번 못 쓰다가 아버지가 노무자로 전쟁터에 끌려가던 날, '나'의 등에 업힌 채 죽게 된다.

- **갈래** : 단편 소설
- **성격** : 현실 비판적, 회상적, 비극적
- **시점** : 1인칭 관찰자 시점
- **주제** : 어린아이를 희생양으로 삼는 어른들의 이기심 비판

1. ② 서술상의 특징 파악하기

❷ 이 작품은 작품 속 등장인물이 인물들의 말과 행동을 독자에게 전달해 주는 1인칭 관찰자 시점으로 서술되고 있다. 특히 이 작품에서는 어린아이가 서술자가 됨으로써 상황의 의미를 분석해 내지 못하여, 독자가 인물들의 심리나 성격을 추측하여 판단하게 한다.

2. ② 작품의 내용 파악하기

① 세상이 바뀐 후에도 여전히 윤봉이가 인민 군가를 부르는 모습을 보고 마을 아낙네들은 어머니에게 우려하는 마음을 전하는데, 이러한 충고를 들은 어머니는 윤봉이가 군가를 부르려고 하면 손바닥으로 입을 틀어막아 저지하고 있다.

❷ 윤봉이는 세상이 뒤바뀐 이유를 알지 못했기 때문에 자신을 귀애해 주던 인민군 병사가 왜 갑자기 마을을 떠나버렸는지 이해하지 못했다.

③ 가족들은 호랑이 사건 이후부터 윤봉이의 인기가 대단해진 것에 놀랐고, 윤봉이에 대한 사람들의 극성스러운 모습이 이해가 가지 않는다고 하였다.

④ 곰배정씨네는 인공 치하에서 혹독한 탄압을 받았는데, 세상이 바뀌면서 곰배정씨네가 마을 사람들에게 보복할 수도 있는 입장이 된 것이다. 따라서 인민군이 떠난 후 곰배정씨네가 마을 사람들에게 보복당할 것을 짐작했다는 것은 적절하지 않다.

⑤ 가족들은 윤봉이가 인민 군가를 부를까 봐 집 안에서만 놀게 했지만, 윤봉이는 때와 장소를 가리지 않고 인민 군가를 불렀다. 따라서 윤봉이는 가족들이 자신을 집에서 놀게 한 이유를 알지 못했다.

3. ⑤ 인물의 심리 파악하기

❺ 아버지는 윤봉이가 근심될 때마다 곡마단에서 재주를 부리는 곰 이야기를 했다고 하였다. 어린애를 방패막이로 삼아 자기들이 인민군을 환영하고 공산당에 적극적으로 동조한다는 사실을 은근히 드러내려 하는 동네 사람들의 불순한 저의를 아버지는 이미 알고 있었기에 곰이 되어가는 윤봉이를 보며 슬퍼하고 분개하였다.

4. ④ 외적 준거에 따라 작품 감상하기

① 〈보기〉에서 소속력이 약한 계층에서 희생양을 찾아 이용한다고 한 것을 볼 때 마을 사람들은 윤봉이가 '어쩌지 못할 바보의 상태'이기 때문에 희생양의 대상으로 삼았음을 알 수 있다.

② 〈보기〉에서 사람들이 위기에서 벗어나기 위해 희생양을 찾아 이용한다고 한 것을 볼 때 마을 사람들은 윤봉이를 '방패막이'로 삼아 인민군을 환영하고 공산당에 적극 동조한다는 사실을 은근히 드러내려 했음을 알 수 있다.

③ 마을 사람들은 세상이 뒤바뀌었는데도 이를 이해하지 못하고 여전히 인민군가를 부르는 윤봉이를 '위태위태한 명물'로 여기고, 윤봉이의 재주가 이번에는 마을에 위기를 가져올 것이라는 불안감을 느끼며 윤봉이를 피하기 시작했음을 알 수 있다.

❹ 가족들에게는 윤봉이가 난생처음 사람들로부터 관심의 대상이 되었던 '찬란한 기억'을 다른 것으로 채워 줄 적당한 선물이 없었다. 그러나 그것이 인민군 치하에서 가족들이 이익을 얻는 계기로 작용한 것은 아니다.

⑤ 〈보기〉에서 희생양에게 위기의 책임을 지운다고 한 것을 볼 때 가족들은 인민군가를 부르는 윤봉이 때문에 아버지의 신상에 문제가 생겼다며 윤봉이에게 '불행을 불러들인 흉물'이라고 책임을 돌리고 있음을 알 수 있다.

【5~8】 채만식, '미스터 방'

작품해설

해방 직후 미군정 시대에 신기료장수였던 방삼복이 미군 장교의 통역이 된 모습을 통해 혼란한 시대상을 풍자한 소설이다. 미군 장교의 통역으로 권세를 잡자 사람들의 청탁을 받으며 거만하게 구는 방삼복과, 일제 강점기 때 친일파로 부를 누리다가 그것을 빼앗기고 반성 없이 복수를 하려는 백 주사를 통해 당대의 부정적 인간상을 그리고 있다.

- **갈래** : 단편 소설, 세태 소설
- **성격** : 풍자적, 현실 비판적
- **배경** : 광복 직후 서울
- **시점** : 전지적 작가 시점
- **주제** : 광복 직후 혼란한 사회상과 부정적 인간상에 대한 풍자

5. ③ 작품의 세부 내용 이해하기

① 방삼복이 아내나 백 주사와 나누는 대화에서, 상대에게 자기 업무를 떠넘기는 모습은 보이지 않는다.

② 방삼복이 질문에 대꾸하지 않아 대화 상대가 같은 질문을 반복하는 모습은 나타나지 않는다. 방삼복은 아내가 "정종으루 가져와요?"라고 질문하자 "증종 따근허게 데와."라고 답하고 있다.

❸ 방삼복은 백 주사 앞에서 아내가 전해 준 각봉투를 뜯어보고는 '겨우 돈 만 원'을 두고 갔다며 봉투를 두고 간 서 주사를 강하게 비난하고 위협한다. 즉 자신의 말 한마디면 미군 헌병이 움직이고, '죽을 놈이 살아나구, 살 놈이 죽구 허는 줄' 모른다는 말로 함께 있는 백 주사에게 자신의 위세를 드러내고 있다.
④ 방삼복은 서양 사람과 같이 타고 있던 자동차에서 내린 뒤 백 주사를 보고 알은체하며 백 주사를 자신의 집으로 데려왔다. 방삼복이 동승자에게 자신의 인맥을 과시하는 모습은 나타나지 않는다.
⑤ 방삼복은 백 주사를 알아보고 인사를 한 뒤 백 주사가 "자네가, 저, 저, 방, 방……."이라고 하자 "네, 삼복입니다."라고 대답한다. 그리고 자신의 변한 모습에 놀라워하는 백 주사에게 "허, 살 때가 됐답니다."라고 답하고 있으므로 상대에 대한 열등감을 감추고 있다고 볼 수는 없다.

6. ① 인물의 특성 파악하기

❶ ㉠은 방삼복이 '엠피', 즉 미군 헌병을 통해 상대방에게 위협을 가하려는 태도로 미군에 기대어 사익을 추구하는 방삼복의 면모를 보여 준다. ㉡은 일제 강점기에 백선봉이 순사로 일하며 부를 축재했다는 내용이다. 따라서 ㉠과 ㉡은 각각 미군, 일제라는 외세에 기대어 사익을 추구하는 인물의 부정적 모습을 보여 준다고 할 수 있다.
② ㉠에 나타난 미군과 방삼복의 권력 관계나, ㉡에 나타난 일본과 백선봉의 권력 관계가 일시적으로 역전된 모습은 드러나지 않는다.
③ ㉠에는 방삼복이 사회적으로 위세를 누리는 모습이, ㉡에는 백선봉이 순사로 부를 쌓는 모습이 나타날 뿐 두 인물이 몰락하는 모습은 나타나지 않는다.
④ ㉠에는 방삼복이 권력과 가깝다고 여기는 태도가 드러날 뿐 조바심은 드러나지 않으며, ㉡에는 백선봉이 권력을 누리는 모습이 나타날 뿐 좌절감은 드러나지 않는다.
⑤ ㉠에서는 말 한마디면 미군 헌병을 움직일 수 있다고 생각하는, 자신의 권위에 대한 방삼복의 확신이 드러난다고 볼 수 있다. ㉡에서 백선봉의 권위는 추락하지 않은 상태로, 추락한 권위를 회복할 수 있다는 백선봉의 자신감이 드러나고 있지 않다.

7. ③ 구절에 나타난 인물의 심리와 처지 이해하기

① ⓐ는 빼앗긴 재물을 되찾으려 궁리를 했지만 아무런 묘책이 없었다는 내용으로, 스스로는 문제 해결이 불가능한 백 주사의 답답한 처지를 보여 주고 있다.
② ⓑ는 백 주사가 방삼복이 자신의 집으로 가자며 잡아끄는 대로 끌려 왔다는 의미이다. 백 주사는 길바닥에서 신기료장수를 하던 방삼복이 신사의 모습으로 변모한 것을 보고 놀라던 상태에서 엉겁결에 방삼복의 말을 따른 것으로, 얼떨떨한 상태라고 할 수 있다.
❸ ⓒ는 방삼복이 '의표하며, 집하며, 식모에 침모에 계집 하인까지 부리면서 사는 것하며, 신수가 훤히 트여 가지고, 말도 제법 의젓하여진 것 같은 것'에 대한 백 주사의 심리이다. 백 주사는 방삼복의 언행에 '무엄스럽게 굴어, 심히 불쾌'해하고 있으므로, 그가 방삼복의 모습에 고향 사람에 대한 자부심을 갖게 되었다고 볼 수는 없다.
④ ⓓ는 백 주사가 '옛날의 영화가 꿈이 되고, 일조에 몰락하여 가뜩이나 초상집 개처럼 초라한' 자신의 모습과 출세한 방삼복의 모습을 비교하면서 주눅이 든 모습으로 볼 수 있다.
⑤ ⓔ에서 백 주사는 방삼복이 무엄스럽게 굴어 불쾌한 나머지 자리를 털고 일어설 생각이 몇 번이나 났지만, 큰 세도를 부리는 것이 분명한 것을 보고 도움을 받을 수 있을 듯해 참고 있다. 이는 방삼복에 대한 반감과 그에게 도움을 받을 수 있다는 기대감이 뒤섞여 있음을 보여 준다.

8. ⑤ 외적 준거에 따라 작품 감상하기

① [A]에서는 '남들은 주린 창자를 졸라맬 때' 백선봉은 광에 정백미가 쌓여 있고 고기와 생선을 끼니마다 상에 올렸다고 비교하여 서술하고 있다. 이러한 서술은 독자가 일제 강점기에 순사로 부를 쌓은 백선봉을 비판적으로 바라보게 하는 효과가 있다.
② [B]에서는 '군중'이 백선봉의 집을 습격하였을 때 나온 물건들을 하나씩 나열하고 있다. 이는 <보기>에서 언급한 '세부 항목을 하나씩 나열하여 장면의 분위기를 고조하고 정서를 확장하는 서술 방법'으로, 백선봉이 부정하게 모은 물건을 목격한 '군중'의 놀람과 분노를 드러내고 있다.
③ [C]에서 '있었더란다'는 누군가에게 들은 것을 전하는 표현인데, 이어진 '만 원어치 여편네의 패물과, ~ 고 만두고 말이었다.'에서 서술자는 '군중'의 시선으로 초점화하여 상황을 제시하고 있다. 이를 통해 독자는 '군중'의 입장에서 상황을 바라보게 된다.
④ [D]에서는 백 주사가 팔 할이 넘는 도지를 받고 고리대금을 하며 사람들을 착취해 왔음을 '동네 사람'의 시선으로 초점화하여 서술함으로써 그러한 만행이 백 주사네가 습격을 당한 빌미로 느껴지게 하고 있다.
❺ [E]에는 백 주사 '가족'의 몰락을 보여 주는 사건들이 나타나 있는데, '백 주사는 서울로 각기 피신하여~'는 백 주사의 시선으로 초점화된 부분으로 볼 수 없으므로 백 주사의 시선으로 일관되게 초점화하였다는 것은 적절하지 않다.

왜 많이 틀렸을까?
이 문제는 문학 영역에서 가장 오답률이 높았어. <보기>에서 설명한 '초점화'에 대한 이해와 서술상 특징의 효과를 실제 지문과 연결하여 이해하는 것이 어려웠던 듯해. 일반적으로 초점화는 누가 서술의 기능을 담당하고 있는가에 관한 것으로, 초점 화자는 서사에서 시점을 가지고 있는 사람을 말해. 서술자가 외부에 있더라도 특정 등장인물의 시점, 입장에서 사건을 전달할 수 있는데 이때 초점화가 이루어졌다고 보는 것이지. <보기>에 따르면 이 작품에서 [C]의 장면은 군중의 시선으로, [D]의 장면은 동네 사람들의 시선으로 초점화되어 서술되고 있는 것으로 볼 수 있어. 그런데 [E]에서 '백 주사는 서울로 각기 피신하여~'는 외부 서술자의 시각에서 사건을 전달하고 있으므로 백 주사의 시선으로 초점화되었다고 볼 수 없는 거야.

【9~12】 최인호, '견습 환자'

작품해설
병원을 배경으로 기계적인 일상에 매몰된 인물의 모습을 그린 소설이다. 병원에 입원한 환자인 '나'는 공동체의 시스템에 길들여져 웃지 않는 모습으로 움직이는 간호사들과 의사들을 관찰하고, 입장을 바꾸어 그들의 상황을 치료해 보려 한다. 병실의 문패를 바꾸어 다는 것으로 시스템을 교란하려 했지만 그 시도에 실패한 '나'는 공동체에 길들여진 인간에 대한 연민을 드러낸다. 제목의 '견습'은 학업이나 실무를 배워 익히는 일로, '견습 환자'는 치료의 주체가 되고자 한 '나'의 치료 대상을 의미한다.
- **갈래** : 현대 소설, 단편 소설
- **성격** : 성찰적, 비판적
- **배경** : 병원
- **시점** : 1인칭 주인공 시점
- **구성**
  - 발단: '나'는 갑작스러운 고열로 병원에 입원하여 늑막염이라는 진단을 받고 입원 생활을 한다.
  - 전개: '나'는 간호사들과 의사들을 관찰하다가 그들의 얼굴에서 웃음을 발견한 적이 없다는 사실을 깨닫는다.
  - 위기: '나'는 의사들을 웃겨 보리라 마음먹은 뒤 여러 시도를 하지만 실패하고, 퇴원하기로 한 날이 다가오자 그들을 아직 웃기지 못했다는 불안과 초조를 느낀다.
  - 절정: 퇴원 전날 밤 '나'는 밤새 병동의 문패들을 모두 바꿔 달지만 '나'의 기대와 달리 다음 날도 병동은 달라지지 않는다.
  - 결말: '나'는 퇴원을 하는 길에 멀리서 '나'가 웃기려 하던 젊은 인턴이 아름다운 여인과 대화를 나누며 웃는 듯한 모습을 보며 감격한다.
- **주제** : 기계적 일상에 매몰된 인간에 대한 연민

어휘풀이
- **부산스럽다** 보기에 급하게 서두르거나 시끄럽게 떠들어 어수선한 데가 있다.
- **기민하다(機敏--)** 눈치가 빠르고 동작이 날쌔다.
- **미안수(美顔水)** 피부에 수분을 주어 피부 표면을 다듬는 화장수. 알코올 성분이 많다.
- **전락하다(轉落--)** 나쁜 상태나 타락한 상태에 빠지다.
- **소인(素因)** 근본이 되는 까닭.
- **반추하다(反芻--)** 한번 삼킨 먹이를 다시 게워 내어 씹다. 소나 염소 따위와 같이 소화가 힘든 섬유소가 많이 들어 있는 식물을 먹는 포유류에서 볼 수 있는 행동이다.

9. ① 서술상 특징 파악하기

❶ [A]에서는 '간호원들은 병실과 병실 사이를 부산스레 헤매고', '의사들은 ~ 기민한 동작으로 층계를 오르내리고 있었다.'와 같이 인물의 행동을 묘사함으로써 사람들이 분주하게 오가는 병동의 분위기를 드러내고 있다.
② [B]에서는 '갖게 되었고', '애를 썼다', '기울이게 되었다'와 같이 과거형으로 서술하고 있으며 상황에 대한 '나'의 태도가 드러날 뿐 다양한 인물의 시각을 드러내고 있지는 않다.
③ 이 글은 1인칭 주인공 시점으로, [A]와 [B] 모두 이야기 내부의 서술자 '나'가 '나'의 생각과 심리를 제시하고 있다.
④ [A]에서는 병동이라는 공간적 배경에서 인물들이 이동하는 모습을 묘사하고 있을 뿐 공간의 이동은 드러나 있지 않으며, [B]에는 시간의 역전이 드러나 있지 않다.
⑤ [A]에서는 상황과 그에 대한 '나'의 생각과 심리가 드러나고 있을 뿐 전해 들은 이야기를 전달하고 있지는

않다. [B]에서는 '그들이 무엇을 원하고 있는가를 알아내려 애를' 쓰는 '나'의 심리와 태도가 드러날 뿐 직접 경험한 일을 서술하는 방식으로 사건을 제시하고 있지는 않다.

10. ④ 작품의 세부 내용 이해하기

① '나'는 언젠가 외국 잡지에서 잘 인쇄된 화장품 광고를 보았는데, 그 광고에는 잘생긴 남자가 최면술을 거는 듯한 매혹적인 웃음을 띠고 있었다고 한 것에서 알 수 있다.
② '나'는 '그날 밤' 병동에 있는 문패를 바꿔 버리는 작업에 '거의 온밤을 새워야 했을 정도'였으며, 층계를 수십 번 오르내려 피로와 추위 끝에 둔한 통증을 느꼈다고 한 것에서 알 수 있다.
③ '나'가 병동에 있는 문패를 바꿔 버린 '다음 날', '간호원들은 언제나 그러하듯 잰걸음으로 복도를 뛰어다니고 있었'다고 한 것에서 알 수 있다.
❹ '오전 아홉 시'에 회진을 온 우두머리 의사는 '나'에게 "오늘 퇴원이시죠?"라고 물으며 예정된 퇴원을 확인했으므로, '나'에게 퇴원을 제안했다는 것은 적절하지 않다.
⑤ 젊은 인턴이 '나'에게 '어젯밤' "굉장히 장난꾸러기 소질을 지닌 도둑놈이 들었"다고 하며 "뭐 잃으신 물건은 없는지요?"라고 물은 것에서 알 수 있다.

11. ③ 소재의 의미 파악하기

① ㉠ '안이한 먹이로의 길'은 반복으로 터득한 먹이를 얻는 길이고, '충분한 포식을 즐길 수 있는' 것은 '새로운 미로'이므로 적절하지 않다.
② '나'는 '나'의 인턴이 ㉡ '새로운 방황의 길'로 떠나 주기를 기원하며 '뛰어라, 미로에 빠진 나의 투사여.'라고 생각하지만 젊은 인턴이 스스로 투사가 되기로 다짐했다고 볼 수는 없다.
❸ '나'는 '견고한 미로 속에 쥐 대신 그 젊은 인턴을 삽입해 보자고 생각'하며 병동의 문패를 바꿔 달았고, 이를 통해 인턴이 ㉡ '새로운 방황의 길'로 떠나 주기를 기원하며 '뛰어라, 미로에 빠진 나의 투사여.'라고 생각한다. 미로에 빠진 실험용 쥐에 대한 '나'의 인식으로 보아, 젊은 인턴이 미로에 빠졌다는 것은 ㉡을 통해 안이한 길이 아닌 '충분한 포식을 즐길 수 있는 새로운' 기회를 얻게 되었음을 의미한다.
④ ㉠ '안이한 먹이로의 길'은 반복으로 터득한 먹이를 얻는 길이므로, 쥐에게 있어 선호하는 목표가 부재한 미로라고 할 수 있다. 그러나 ㉡ '새로운 방황의 길'이 젊은 인턴에게 선호하는 목표가 뚜렷한 길이라고 볼 수는 없다.
⑤ ㉠ '안이한 먹이로의 길'은 반복으로 터득한 먹이를 얻는 길이므로 익숙한 먹이를 위해 아직 학습되지 않은 것이라고 할 수 없다. 또한 ㉡ '새로운 방황의 길'은 '나'가 젊은 인턴이 떠나 주기를 바란 길이지 젊은 인턴이 낯선 세계를 경험하기 위해 선택한 길로 볼 수 없다.

12. ③ 외적 준거에 따라 작품 감상하기

① '나'는 1 병동과 2 병동의 '문패를 모조리 바꿔' 버림으로써 '병동 전체가 달라'질 것이라고 기대하는데, 이는 공동체의 시스템을 교란하려는 시도라 볼 수 있다.
② '나'는 '병원 의사들'을 보며 '미안수 선전 광고에 나올 만한 사내들'이 '미소를 결여'함으로써 '무표정한 히포크라테스의 모델로 아깝게 전락'해 버린 듯 보였다고 하였는데, 이는 감정이 제거된 인간에 대한 연민을 드러낸 것으로 볼 수 있다.
❸ '나'가 '유쾌한 마음'으로 잠들며 자신이 '해산일을 앞둔' '만삭의 여인이 된 셈'이라고 여기는 것은 문패를 바꿔 달며 자신의 문 앞에 '해산일을 앞둔 여인의 문패'를 걸어 두었기 때문으로, 이를 통해 인물의 역할이 치료의 대상으로 전도되고 있음이 드러난다고 볼 수는 없다. 〈보기〉에서 말한 '치료의 대상이 치료의 주체가 되는 인물 간의 역할 전도 방식'은 입원 환자인 '나'가 치료의 주체가 되고자 한 것을 의미한다.
④ '나'는 '미소를 결여'한 '병원 의사들'이 '일 초의 주저함도 없이 내장을 자르고, 뼈를 긁을 수 있는 권위를 보여 주는 모델로서 만족하고 있는 듯'하다고 생각한다. 이러한 의사들의 모습은 기계적 일상에 매몰되어 감정이 제거된 모습이라고 볼 수 있다.
⑤ '나'는 시스템을 교란시키기 위해 병동의 문패를 바꿔 단 뒤 '병동 전체가 달라질 것을 의심치 않았'는데, 다음 날 달라진 것은 아무것도 없고 자신이 '기를 쓰며 가까스로 바꾸어 놓았던 병실 문패가 제각기 제자리에 놓여 있는 것'을 보게 된다. 그리고 이에 대해 '고등 동물'인 그들이 스스로 '미로를 제거할 줄 알게 사육된 것'이라고 인식한다. 이는 통제된 공동체에 길들여진 '그들'에 의해 자신의 시도가 실패했다고 여기는 것으로 볼 수 있다.

어휘풀이
- **매몰되다(埋沒--)** 보이지 아니하게 파묻히다.
- **전도(顚倒)** 차례, 위치, 이치, 가치관 따위가 뒤바뀌어 원래와 달리 거꾸로 됨. 또는 그렇게 만듦.
- **교란하다(攪亂--)** 마음이나 상황 따위를 뒤흔들어서 어지럽고 혼란하게 하다.

Day 03 본문 016쪽

1. ⑤ 2. ④ 3. ② 4. ④ 5. ④
6. ③ 7. ⑤ 8. ⑤ 9. ③ 10. ③
11. ⑤ 12. ③

【1~4】 김원우, '무기질 청년'

작품해설

점점 물신화되어가는 세상에 대한 비판적 시선이 담긴 작품이다. 평범한 직장인인 '나'가 우연히 읽게 된 청년 이만집의 일기를 통해 당대의 사회와 문화에 대해 성찰하는 내용을 담고 있다. 일기의 내용과 그것을 읽는 '나'의 논평을 번갈아 제시하면서 이만집의 사고와 행동, 그에 대한 '나'의 견해를 보여 주는 것이 서사의 큰 틀을 이루고 있다. 작가는 이만집과 '나'의 목소리를 빌려 양심이 멀어져 가는 세태를 비판하고, 물질적으로 무능하지만 속물적인 삶을 거부하는 이만집 같은 청년이야말로 별것 아닌 것 같지만 생명에 꼭 필요한 무기질 같은 존재라고 높이 평가하면서 바람직한 삶의 자세에 관해 이야기한다.

- **갈래** : 현대 소설, 액자 소설, 세태 소설, 풍속 소설
- **성격** : 세태 비판적, 냉소적, 관찰적
- **시점** : 1인칭 관찰자 시점
- **주제** : 무기력한 개인의 삶과 의식을 통해 본 삶의 불투명성
- **특징**
  - 액자 소설로 내부 이야기와 외부 이야기가 번갈아 가며 서술되는 방식을 취함.
  - 내부 이야기는 외부 이야기의 '나'가 제시한 이만집의 일기로, 외부 이야기는 주로 내부 이야기의 인물들과 사건에 대해 외부 이야기의 '나'가 제시한 소감과 비평으로 이루어짐.
  - 사회적 통념에 대한 비판적 의식을 드러냄.
  - 정직한 삶에 대한 긍정적인 인식을 이만집이라는 인물을 통해 드러냄.

1. ⑤ 주요 인물 이해하기

① 이만집은 '아버지의 학력이란 전연 무용지물이었'다고 평가하고 있으므로, 아버지의 학력이 아버지의 삶에 기여했다고 생각했다는 진술은 적절하지 않다.
② 이만집은 아버지가 '아들의 장래에 대해 안타까워하는 내색도 자제'한다고 하였으므로, 아버지가 이만집에게 경집이 형의 장래에 대한 걱정을 토로했다는 진술은 적절하지 않다.
③ 이만집의 아버지는 '부정 사건에 연루되어 혼자 죄를 덮어쓰고 공무원 직에서 파면당한 양반인 것 같다'고 추측한 것을 볼 때, 그가 부정 사건에 연루되었음에도 공무원 직을 계속해서 수행하고 있다는 진술은 적절하지 않다.
④ 이만집은 아버지를 만난 후 '아버지도 무능하지만 나는 얼마나 더 무력한가!'라고 말한다. 이를 볼 때 이만집이 자신을 아버지보다 더 유능하다고 여겼다는 진술은 적절하지 않다.
❺ 이만집은 아버지가 일하고 있는 염색 공장으로 찾아

가 경집이 형이 차 사고를 낸 일과 그와 관련한 일들을 집안의 가장인 아버지에게 알리고 있다.

2. ④ 작품의 표현 방식 이해하기

① ㉠에서 양심과 교육의 상관성을 들어 많이 배울수록 양심을 찾기 힘들어진다고 하며 사람들의 속물적 태도를 비판하고 있다.
② ㉡은 어떠한 사건이나 자극에도 반응하지 않는 아버지의 무력한 삶의 태도를 '풍뎅이'에 비유하고 있다.
③ 이만집은 아버지의 삶의 태도를 본 후 아버지에 대한 인식의 변화를 겪게 되는데, 그것을 ㉢에서 '적잖은 수확'이라고 표현하고 있다. 즉 아버지를 향한 미움과 사랑의 감정이 손바닥과 손등과 같이 떼려야 뗄 수 없는 관계에 있었던 것임을 깨닫게 된 것이다.
❹ ㉣은 셋째 형수가 이만집이 공부를 이유로 취직할 생각을 하지 않는 점을 못마땅하게 생각하며 그를 비꼬기 위해 한 말이다. 그러므로 이만집의 태도 변화를 예상하며 현실적 대안을 제시하고 있다고 볼 수 없다.
⑤ ㉤은 돈만 밝히는 셋째 형님 내외의 속물적인 태도를 비난하는 이만집의 냉소적 심리에서 비롯된 말이다.

3. ② 소재의 기능 이해하기

① '비망록'에 인물 간의 심화되는 갈등을 해결할 수 있는 실마리는 드러나지 않는다.
❷ 이 작품은 일종의 액자 소설로 내부 이야기와 외부 이야기가 번갈아 제시되는 구조로 되어 있는데 이만집의 일기, 즉 '비망록'은 내부 이야기가 되고, 일기 내용에 대한 '나'의 논평이 외부 이야기를 이룬다. 외부 이야기의 서술자인 '나'는 이만집의 일기를 통해 속물적 인간과 병든 사회에 대해 성찰한다. 그러므로 특정 인물의 기록인 비망록이 '나'가 사회 현실의 문제점을 살펴보게 하고 있다는 진술은 적절하다.
③ '비망록'에 계절의 변화에 따라 사건이 변화하는 양상은 드러나지 않는다.
④ '비망록'은 동시적 사건들을 병치하고 있지 않다.
⑤ '비망록'에 여러 감각을 사용한 배경 묘사는 드러나지 않으며, 특정 인물에게 도래할 비극적 사건을 제시하고 있지도 않다.

4. ④ 외적 준거를 통해 작품 감상하기

① ⓐ(이만집)가 '아버지'를 이해하고 '측은하게 생각'한 것과 관련하여, 외부 이야기의 서술자 ⓑ는 ⓐ에 대해 '눈물이 메마르지 않은 듯하다'며 인물의 성격을 짐작하고 있다.
② ⓐ가 '셋째 형'을 '돈 많이 좋아'한다고 한 것을 바탕으로, 서술자 ⓑ는 '셋째 형'에 대해 그 자신의 '재주와 처세술'로 산다고 판단하고 있다.
③ ⓐ가 '아버지'를 '어떤 일에도 속수무책'인 사람으로 평가한 것과 관련하여, 서술자 ⓑ는 '아버지'에 대해 '해를 끼칠 사람들'에 해당되지 않을 것이라는 견해를 나타내고 있다.
❹ ⓐ가 자신의 일기에서 '어느 구석에도 어머니에 대한 언급'을 하지 않은 점을 근거로 서술자 ⓑ는 그의 어머니가 일찍 타계하셨을 것으로 짐작한다. 그리고 어머니를 일찍 여읜 사람들은 대체로 정서가 삭막하기 마련인데 ⓐ는 그렇지 않다고 평가한다. 그런데 '늘 피해 의식에 시달'린다는 표현은 외부 이야기의 서술자 ⓑ가 ⓐ의 아버지와 만형에 대해 언급한 것으로, ⓐ의 성격에 대한 진술과는 무관하므로 적절하지 않다.
⑤ ⓐ가 '아버지'를 '어떤 신고나 불행도, 심지어 굶주림까지도 말없이 수용'한다고 말한 것과 관련하여, 서술자 ⓑ는 '아버지'에 대해 '생래부터 착한 심성으로 고생을 낙 삼고 살 양반'이라는 견해를 나타내고 있다.

【5~8】 윤흥길, '매우 잘생긴 우산 하나'

지문해설

소시민의 전형인 주인공이 우연히 우산을 통해 권력을 휘두를 수 있는 기회를 갖게 된다. 주인공 김달채는 자신이 지닌 우산의 케이스의 모양이 무전기와 유사하다는 것을 깨닫고, 자신을 대하는 사람들의 태도를 관찰하게 된다. 가짜 권력에 불과한 우산이 주는 권력을 맛본 주인공은 그 권력을 행사하기 위해 생활 양상을 변화시키며 사람들의 이목을 끌고 싶어한다. 그러나 이 권력은 오래가지 못하며, 자신의 권력이 더 이상 통용되지 않는다는 것을 알자, 김달채는 자신감을 상실하며 비굴한 모습을 보인다. 1980년대를 작품의 배경으로 삼아 권력에 대한 소시민의 모습을 풍자를 통해 표현하고 있다.

■ **주제** : 권력 앞에서 변하는 소시민적 태도에 대한 풍자

5. ④ 서술상의 특징 파악하기

① [A]는 주인공 김달채 씨를 '그'라고 지칭하며 김달채 씨가 우산을 갖고 다니며 생긴 새로운 습관과 그의 행동을 자세하게 묘사하고 있다. 따라서 중심인물이 알지 못하는 사건을 제시해 긴장감을 조성하고 있다는 설명은 적절하지 않다.
② [A]를 통해 김달채 씨가 퇴근 후에 길거리를 배회하며 지하철, 버스, 공중변소, 포장마차 안, 백화점, 정류장을 돌아다니며 '우산의 존재를 알리기 위해 갖가지 수단과 방법을 다 동원'하고 있으며 이에 대하여 긴장과 전율을 느끼고 있음을 확인할 수 있다. 그러나 공간의 이동에 따른 인물의 내면 변화가 회상을 통해 제시된 부분은 없다.
③ [A]에는 김달채 씨가 밤늦도록 지하철, 버스, 공중변소, 포장마차 안, 백화점, 정류장 등을 배회하고 있으며 이때 마주치는 여러 사람들을 상대로 '상대방이 우산임자인 자기를 어떻게 대우하는지 반응'을 확인하는 모습이 드러나 있다. 그러나 이를 두고 사건에 대해 서로 다른 관점을 드러낸다고 볼 수는 없다.
❹ [A]에는 김달채 씨가 거리를 배회하며 마주치는 다양한 사람들에게 우산의 존재를 알리기 위해 애쓰고 있는 모습이 드러난다. 김달채 씨는 사지도 않을 물건을 흥정하거나, 행인에게 담뱃불을 빌리거나 경찰관에게 길을 묻는 시늉을 하는 행위들을 하며 상대방이 우산의 임자인 자기를 어떻게 대우하는지를 확인하고 있으므로 적절한 설명이다.
⑤ [A]의 김달채 씨는 길거리에서 마주치는 다양한 사람들을 상대로 자신이 우산의 임자임을 알아차리게 하기 위해 애쓰고 있다. 이에 대하여 '긴장과 전율이 넘치는 뻐근한 나날들'이라고 묘사되고 있으나, 이를 두고 인물의 행동을 서술하여 점진적으로 심화되는 갈등을 묘사하였다고는 볼 수 없다.

6. ③ 작품의 내용 이해하기

❸ 김달채는 우산을 들고 다니며 사람들의 반응을 살피는 것을 즐기게 되고, 새로 생긴 그 취미에 점점 빠져들게 된다. 그 결과 근처에서 무슨 일이 벌어지고 있다고 생각하자, '다른 행인들이 종종걸음으로 달아나는 방향'과는 반대로 시위 현장으로 향하게 되며 흥분과 기대감을 갖는다.

7. ⑤ 소재의 기능 파악하기

① 김달채가 친구에게 받은 ㉠을 갖고 다니자, 사람들이 ㉠을 ㉡으로 인식하고 있다는 것을 차츰 알게 된다. 진짜 무전기에 익숙한 일부 사람들을 제외한 서민들은 ㉠을 ㉡으로 인식하고, 김달채에게 공연히 겁을 집어먹고 저자세로 굴게 되며 이를 깨달은 김달채는 자신이 우산의 주인임을 알아차리게 하는 것에 의미를 두게 된다.
② 김달채는 ㉠을 들고 다니며, 노골적으로 손에 쥐고 보여 줄 때보다 케이스의 끝부분만 감질나게 보여 주는 편이 오히려 사람들을 놀라게 하는 데 훨씬 더 효과적이라는 것을 알게 된다.
③ '진짜 무전기에 익숙한 일부 극소수의 사람들'은 김달채가 갖고 있는 ㉠의 실체를 알고 있기 때문에, ㉡을 가진 사람으로 보이려는 김달채의 의도가 실현되지 않는다
④ 김달채가 갖고 다니는 ㉠을 보고 '거개의 시민들'은 ㉠을 ㉡으로 오해하고, 그 물건을 갖고 다니는 김달채가 대단하고 특별한 권위를 지닌 사람이라고 여긴다.
❺ '사복 차림의 청년'은 진짜 무전기의 모습을 알고 있다. 따라서 김달채가 ㉠을 과시하며 ㉡처럼 보이게 하려고 해도 '그런 물건 따위는 애당초 거들떠볼 생심조차 하지 않'고 있으며, 김달채를 특별한 사람으로 대우하지 않는다. 따라서 '사복 차림의 청년'이 ㉡에 익숙하여 ㉠을 이용하려는 김달채의 의도를 알아챘다는 설명은 적절하지 않다.

8. ⑤ 외적 준거에 따른 작품 감상하기

❺ 김달채는 자신의 우산을 앞세우며 '나 이런 사람이오'라고 과시하지만, 비표를 단 청년은 전혀 관심을 보이지 않으며 '당신도 저 차에 같이 타고 싶어? 여러 소리 말고 빨리 집에나 들어가 봐요!'라며 단호하게 말한다. 이에 김달채는 자신의 우산이 청년에게 전혀 영향력을 끼치지 못한다는 것을 깨닫고 '맥없이' 돌아서고 있다. 이는 〈보기〉에서 허구적 권력 표지를 통해 타인의 승인을 받았던 인물이 승인을 거부하는 타인 앞에서는 소시민적 면모를 드러내는 상황과 관련이 있다. 그러나 김달채가 학생들과 맺은 유대 관계를 단절하여 기득권을 지키려 한다는 설명은 적절하지 않다.

【9~12】 김승옥, '차나 한잔'

지문해설

1960년대를 배경으로 작품 활동을 열심히는 하지만 인기는 그다지 없는 젊은 만화가가 주인공이다. 그는 가정에서는 아내에게 존경받고 싶고, 만화를 연재하는 신문사에서는 인정을 받고 싶으나 현실은 그렇지 않다. 그는 만화를 연재하던 신문사에서 해고 소식을 듣게 되고, 연재를 부탁하러 여기저기 연

락해보지만 반응은 냉담하기만 하다. 그는 '차나 한 잔'이라는 표현이 실은 허울뿐인 인정을 뜻한다고 개탄하며, 물질적이고 개인주의적 성향이 짙어지는 도시의 모습에 대하여 고독감과 좌절감을 느끼고 있다.

■ **주제** : 소시민의 생계 유지의 어려움과 도시의 비애

9. ③ 서술상의 특징 파악하기

① [A]는 자신이 만화 연재를 부탁하러 갔던 상황에 대한 것으로, 다방에서 문화부장이 자신에게 했던 말과 그에 대한 자신의 의견을 중심으로 설명하고 있다. 그러나 빈번하게 장면을 전환하여 긴박한 분위기를 조성하는 부분은 드러나지 않는다.

② [A]는 자신의 만화 연재를 거절하던 문화부장과 있었던 일에 대한 회상으로, 과거 장면을 삽입하여 갈등 해소의 실마리를 제시한 부분은 없다.

❸ [A]에서 '그'와 '문화부장'이 했던 대화와 그에 대한 '그'의 내적 독백이 드러난다. '사람 웃기는 방법의 몇 가지 패턴을 안다고 곧 만화가가 되는 것이 아니다'라는 문화부장의 충고와 그에 대응하는 '날 무척 무안하게 해줬었지'라는 '그'의 내적 독백이 드러난다. 또한 '자기네 사장이 얼른 뒈져달라는 기도를 하라던'이라는 문화부장의 표현과 '난 참 면목이 없어서 혼났지'라는 '그'의 내적 독백이 제시되고 있으므로 적절한 설명이다.

④ [A]는 만화 연재를 부탁하는 '그'와 그 부탁을 거절하는 '문화부장'의 대화가 드러난다. '문화부장'의 만화 연재 거절에 대하여 '나'는 무안함을 느끼나 겉으로 표현한 적이 없으며, 단지 그 상황을 '김선생님'에게 요약하여 전달하며 자신의 견해를 덧붙이고 있을뿐이다. 따라서 대화를 통하여 상황에 대한 인물 간의 시각 차이를 드러내고 있다고 볼 수 없다.

⑤ [A]는 '그'가 '문화부장'에게 만화 연재를 부탁하였으나 거절당한 사건에 대한 요약과, '그'가 '김선생님'에게 '차나 한잔'은 '일종의 추파'라고 정의하는 것에 대한 장면이다. 따라서 동시에 일어난 두 사건을 병치하여 인물 간의 갈등을 부각하고 있다는 설명은 적절하지 않다.

10. ③ 인물의 심리 파악하기

① 편집국에 도착한 '그'에게 문화부장은 오늘치 만화를 줄 것을 요구하고, 자신이 해고될 것을 예감한 '그'는 만화를 그려오지 않았다고 대답한다. 그 말을 들은 문화부장은 놀라지 않고 오히려 그에게 '차나 한잔 하러 가실까요?'라고 권하는 것으로 보아, '그'의 해고를 이미 알고 있었으며 '그'의 만화를 형식적으로 요구하고 있음을 알 수 있다.

② '그'는 편집국에 도착하여 심부름하는 계집애의 표정이 평소와는 미묘하게 다른 것, 데스크 앞에 앉아 있던 기자들이 유별나게 반갑게 인사하는 것을 통해 자신의 해고를 짐작하게 되며 오늘치 만화를 요구하는 '문화부장'에게 만화를 그려오지 않았다고 말하게 된다.

❸ '문화부장'은 오늘치 만화를 요구하나, 편집국으로 찾아온 '그'는 만화를 그려오지 않았다고 대답한다. 이에 대하여 '문화부장'이 '그럼 알고 계셨군요'라고 대답하고, 이는 '그'가 이미 자신이 해고당할 것임을 알고 있었음을 뜻한다.

④ '그'는 자신이 해고당한 상황을 '김선생님'에게 전달하며 서글픈 심정을 토로하고 있다. 이에 대하여 '김선생님'은 '기다리면 또 뭐가 생길 테지'라며 '그'를 위로하고 있다.

⑤ '그'는 자신이 연재하던 만화의 등장인물 '아톰X군'을 술상에 그리며 '차나 한잔 하실까?'라고 언급한다. 이는 직장에서 '그'를 해고하던 문화부장이 자주 하던 '차나 한잔 하러 가실까요'이라는 제안과 유사한 것으로 더 이상 '아톰X군'을 그리지 않으려는 마음이 드러난다.

11. ⑤ 인물 간의 관계 파악하기

① ⓐ는 '그'의 만화가 독자들에게 인기가 없었음을 언급한다. 따라서 ⓐ가 해고 상황을 국장의 탓으로 돌려 책임을 회피한다는 설명은 적절하지 않다.

② ⓑ는 '그'가 만화 연재를 부탁하러 갔던 회사의 문화부장으로, '그'에게 '사람 웃기는 방법의 몇 가지 패턴을 안다고 곧 만화가가 되는 것이 아니다'라는 조언과 함께 만화 연재를 거절한다. 따라서 ⓑ가 만화가의 자질에 대해 말하며 '그'의 행동 변화를 유도한다는 설명은 적절하지 않다.

③ ⓐ는 '그'에게 먼저 '차나 한잔 하러 가실까요?'라고 권하였다. 이에 비해 ⓑ는 '그'가 먼저 찾아가 만화 연재를 부탁한 사람으로, ⓑ에게는 '그'가 먼저 차를 마시자고 권하였다. 따라서 '그'에게 먼저 차를 마시자고 권한 것은 ⓐ이다.

④ ⓐ는 '저는 이형을 두둔했습니다만'라며 '그'의 능력을 인정하였다는 점을 언급하나, 단 '독자들이 자꾸 투서를……'이라며 해고의 이유는 독자들에게 인기가 없었다는 것을 들고 있다. 이에 비해 ⓑ는 '사람 웃기는 방법의 몇 가지 패턴을 안다고 곧 만화가가 되는 것이 아니다'라고 '그'에게 조언하며 '그'의 만화 연재 부탁을 거절한다. 따라서 ⓐ와 ⓑ 모두가 '그'의 능력을 인정한다는 설명은 잘못 되었다.

❺ ⓐ는 '그'에게 더 이상 만화를 연재할 수 없음을 통보하고 있고, ⓑ는 '그'가 부탁한 만화 연재를 거절하고 있다. 이렇게 '그'에게 거절의 의사를 밝히며 마시는 '차나 한잔'에 대하여 '회색빛 도시의 따뜻한 비극'이라고 표현하는 것으로 보아 ⓐ와의 만남과 ⓑ와의 만남은 모두 '그'에게 부정적 감정을 유발하고 있음을 알 수 있다.

12. ③ 외적 준거에 따른 작품 감상하기

① '그'는 편집국 안에서 마주친 심부름하는 '계집애'가 자신에 대한 연민의 표정을 보낸 것을 통해, 자신이 곧 해고당할 것이라는 예측을 하고 '분노보다도 오히려 전신에서 맥이 빠져나가는 것'을 느끼고 있다. 이를 통해 〈보기〉에서 언급한 만화가가 겪는 하루의 사건을 통해 1960년대를 살아가는 소시민의 생계에 대한 불안과 비애를 드러낸다.

② '그'는 문화부장이 자신을 해고하던 상황을 떠올리며 '너는 미역국이다, 이거죠'라며 비유적으로 표현하고 있다.

❸ '그'는 자신의 해고를 고하기 위해 문화부장이 '차나 한잔'이라고 언급한 상황에 대하여 '새로운 우연이 다가온다는 징조다. 헤헤, 이건 낙관적이죠, 김선생님?'이라고 표현하고 있다. 이는 자신이 만화를 연재할 새로운 기회가 오지 않을 것에 대한 반어적인 표현으로 〈보기〉에서 작가가 인물의 상황과 심리를 우회적으로 드러내기 위해 비유적 표현, 모순 형용 등을 활용한 것과 관련 있다. 이를 '그'의 기대가 드러났다고 보기는 어렵다.

④ '그'는 자신을 해고시키는 문화부장이 '차나 한잔'하자며 인정을 베푸는 상황에 대하여 '이 회색빛 도시의 따뜻한 비극'이며 '동양적인 특히 한국적인 미담'이라고 비꼬고 있다. 이는 〈보기〉의 만화를 충실히 연재함에도 불구하고 결국 해고를 당한 만화가의 심리를 우회적으로 드러내기 위해 모순 형용을 활용한 것과 연관 있다.

⑤ '그'는 자신이 해고당한 후, 술을 마시다가 엎질러진 술을 찍어서 자신이 연재하던 만화의 '아톰X군'의 얼굴을 그리게 된다. 다 그린 후 '아톰X군'의 얼굴을 술을 찍어서 지우며 '이제 난…… 힘이 없단 말야'라고 중얼거리며 자신이 해결할 수 없는 상황에 대한 무력감을 드러낸 것으로 볼 수 있다.

Day 04 본문 021쪽

1. ② 2. ④ 3. ① 4. ⑤ 5. ①
6. ⑤ 7. ④ 8. ⑤ 9. ① 10. ④
11. ⑤ 12. ④

【1~4】 홍성원, '무사와 악사'

지문해설

일제 강점기부터 1950년까지를 시간적 배경으로 '김기범'이라는 한 인물의 행적을 서술자 '나'의 회상과 추적을 통해 그린 소설이다. 김기범은 어린 시절부터 뛰어난 재능과 기이한 행동을 보인 인물로 부정적인 시대 현실 속에서 계속해서 모순된 행보를 드러냈다. 김기범은 자신과 대립했지만 서로 사랑했다고 믿는 친구 오일규와 자신의 관계를 '무사'와 '악사'에 비유했는데, 세상이 혼탁할 때는 나타나지 않다가 편안할 때만 칼을 뽑아 정의롭고 도덕적인 인물인 체하며 명성과 지위를 얻는 인물이 '무사'이고, 그러한 무사의 옆에 기생하며 다만 그의 행위들을 칭송함으로써 배고프지 않게 살아가는 인물이 '악사'라는 것이다. 제시된 장면은 기범이 일규의 장례식 후에 절망을 드러내는 부분과, '나'가 일규의 죽음 이후 깊은 산골에 은둔했던 기범의 마지막 행적에 대해 듣는 부분이다.

- **성격** : 우의적, 비판적
- **배경** : 일제 강점기 ~ 1950년대
- **등장인물**
  - '나' : 서술자. 노년의 화가. '기범'의 친구로 그의 죽음 이후 그의 지난 삶을 회상하며 마지막 행적을 좇는다.
  - 기범 : 영리하고 독특한 성격으로, 기이하면서도 모순된 행동을 보인 인물. 일규의 죽음 이후 시골에서 은둔하다가 죽음을 맞음.
- **구성**
  - 발단 : '나'는 친구 기범의 죽음을 전해듣고 그와의 마지막 만남을 떠올리고, 다른 연고를 찾을 수 없는 그의 장례를 치러 준다.
  - 전개 : '나'는 그의 고향을 찾아가며 그와 처음 만났던 소학교 시절 목격했던 그의 총명함과 기행을 회상한다.
  - 위기 : 기범은 일제 강점기부터 해방 이후까지 기회주의적인 한편 유연한 행보를 보이며 이중성격자, 사기꾼, 배신자라는 말을 들었다.
  - 절정 : 사회적 지위와 명성을 얻고 있던 친구 일규가 죽었을 때, 그를 배신하고 절교했던 기범은 절망을 드러내며 일규는 무사이고 자신은 그 무사를 칭송하며 살아가는 악사였다고 말한다.
  - 결말 : 일규의 죽음 이후 자취를 감추었던 기범은 시골에서 도인의 삶을 살다 십 년 후 교통사고로 사망한다.
- **주제** : 지식인의 부정적인 삶의 방식에 대한 비판

어휘풀이

- **궤변(詭辯)** 상대편을 이론으로 이기기 위하여 상대편의 사고(思考)를 혼란시키거나 감정을 격앙시켜 거짓을 참인 것처럼 꾸며 대는 논법.
- **자구책(自救策)** 스스로를 구원하기 위한 방책.
- **요설(饒舌)** 쓸데없이 말을 많이 함.
- **동위(同位)** 1. 같은 위치. 2. 같은 지위나 등급.

1. ② 서술상 특징 파악하기

① '나'가 기범의 삶의 태도와 행동에 대해 주관적으로 평가하고 있으므로, 객관적인 서술이라고 볼 수 없다.
❷ 이 글의 서술자는 이야기 내부의 '나'로, [A]에서 '나'는 '세상을 항상 역(逆)으로만 바라보던 그의 난해성', '그는 악과 선 중 아무것도 믿지 않았고 ~ 믿을 것이 없다는 사실뿐이었다.'와 같이 기범에 대한 평가를 관념적으로 서술하고 있다.
③, ④, ⑤ 이야기 외부의 서술자가 아닌 내부에 있는 서술자 '나'의 회상과 대화, 심리가 드러나 있다.

2. ④ 구절의 의미 파악하기

① ㉠ 앞에서 '나'는 기범이 잔을 던지고 미친 듯이 웃기 시작하자 '너무나 돌연한 웃음이어서' 꽤나 놀랐는데, ㉠ 뒤에서 '그의 눈에서 번쩍이는 눈물을 보았기 때문에' ㉠과 같이 긴장하는 반응을 보인 것이다.
② ㉡ 앞에서 '뭔가 세상에 죄를 짓구 숨어 사는 분이 아닌가' 했다고 한 것으로 보아, ㉡에서 '더구나' 머리를 깎고 수염까지 길렀다고 한 것은 인물에 대한 의심스러운 생각이 외모 때문에 가중되었음을 보여 준다.
③ ㉢에서는 '모두 썩어라, 철저히 썩어라'라는 기범의 관점에 대해 '그분이 세상을 보는 이상한 눈'이라고 말함으로써, 기범의 세상에 대한 관점이 일반적으로 수긍하기 어려운 것이라는 생각을 드러내고 있다.
❹ '나'는 기범이 아끼던 친구가 갑자기 세상을 떠나 충격을 받고 깊은 산골에 들어오게 된 것 같다는 말을 듣고, 기범이 오일규의 장례식 후에 했던 '요설들'을 떠올리며 '그때 이미 세상을 등질 결심을 했는지'도 모른다고 생각한다. ㉣에서는 기범이 실제로 그 얼마 후에 '내 앞에서 깨끗이 사라져 버'렸음을 떠올리고 있는데, 기범이 사라지겠다고 약속을 하고 그것을 실행에 옮긴 것은 아니며 '나'가 그에 대해 놀라움을 드러낸 것이라고 볼 수도 없다.
⑤ ㉤에서는 기범이 '앞으로는 미련하게 살밖에 없노라'고 말한 것에 대해 '미련하다고 말씀하시는 건 ~ 착한 일을 뜻하시는 것'이라고 하여 '미련함'의 숨은 뜻에 대한 우호적인 해석을 보여 주고 있다.

3. ① 작품 내용 이해하기

❶ ⓐ는 남들과는 다른, 세상에 대한 기범만의 관점을 의미한다. '나'는 임 씨에게서 기범의 '묘한 철학'이 어떤 것이었는지 듣고 난 뒤, '그것이 기범을 이해하는 어떤 열쇠가 아닌가'라고 여기며, '그의 온갖 기행과 궤변들이 어지러운 혼란 속에서 그제야 언뜻 한 가닥의 질서 위에 어렴풋이 늘어서는' 것 같다고 생각한다. 따라서 ⓐ에 대한 '나'의 이해가 기범에 대한 인식 전환을 가져왔다고 볼 수 있다.
② ⓐ에 대한 이야기를 꺼낸 것은 '저'이며, '저'가 기범에 대해 오해하고 있다거나 '나'가 기범에 대한 오해를 풀려고 했다고는 볼 수 없다.
③ ⓑ는 과거 기범이 했던 말들로, '저'의 이야기를 듣고 '나'가 떠올린 것일 뿐 '저'가 그에 대해 알게 된 모습은 나타나 있지 않다.
④ '저'는 기범이 남과 달리 ⓐ를 지니고 있었다고 하며 기범의 세상을 보는 관점이 독특했다고 말하고 있을 뿐, ⓐ로 인해 기범을 오해했다고 볼 수는 없다.
⑤ '저'가 '나'에게 "전 그분의 과거를 몰라서 어떻게 달라졌는지는 잘 모릅니다. 허지만 이곳에 오신 후로는 그분은 거의 남을 위해서만 사셨습니다."라고 말한다. 즉 '저'는 기범이 베푼 선행에 대해서만 알고 있을 뿐 기범이 어떤 변화를 보인 것인지는 알지 못한다.

4. ⑤ 외적 준거에 따라 작품 감상하기

① 〈보기〉에서는 이 작품에 나타난 기범의 행동은 일규를 동일시하려는 상대로 의식한 데서 비롯한 것으로 볼 수 있다고 하였다. 또한 동일시하려는 상대가 부재하게 된 상황에서는 마음의 상처를 입게 된다고 언급하고 있다. 이러한 관점에서 볼 때 기범이 일규의 죽음에 충격을 받고 '세상 살 재미가 없어졌다'라고 말한 것은 동일시하려던 상대가 부재하게 된 상황에서 마음의 상처를 입은 것으로 볼 수 있다.
② 〈보기〉에서는 자신과 동일시하려는 대상에게 외면받으면 마음의 상처를 입고, 외면당하지 않았다고 자신의 처지를 합리화하기도 한다고 하였다. 이를 바탕으로 할 때 기범이 자신을 '발길로 걷어찼'던 일규와 '서로 사랑했'다고 말한 것은, 자신이 동일시하려던 상대인 일규에게 외면당했던 것을 합리화하려는 의도로 볼 수 있다.
③ 〈보기〉에서는 사람들은 존경하거나 사랑하는 사람과 자신을 동일시하려는 경향이 있으며, 이를 통해 심리적 위안을 얻는다고 하였다. 이러한 관점에서 볼 때 기범이 '울적할 때마다' 일규를 떠올리며 삶의 '재미와 기쁨'을 얻었다는 것이 동일시의 결과라면, 기범은 동일시하려는 대상인 일규를 통해 심리적 위안을 얻었다고 볼 수 있다.
④ 〈보기〉에서는 동일시하려는 상대가 부재하게 된 상황에서는 관심을 다른 데로 돌려 그 상황에서 아예 벗어나고자 하기도 한다고 하였다. 이러한 관점에서 볼 때 기범이 깊은 산골에 정착하게 된 계기가 일규의 죽음이라면, 이는 동일시하려던 상대인 일규가 사라진 상황에서 벗어나고자 시도한 것으로 볼 수 있다.
❺ 〈보기〉에서는 사람들은 존경하거나 사랑하는 사람과 자신을 동일시하려는 경향이 있으며, 기범의 행동은 일규를 동일시하려는 상대로 의식한 데서 비롯한 것으로 볼 수 있다고 하였다. 이러한 관점에서 볼 때 기범이 일규의 장례식 후에 "네깐 게 뭘 안다구 감히 일규를 입에 올리냐?", "나는 그놈을 입에 올릴 자격이 없다."라고 한 것은 동일시의 대상인 일규에 대한 존경심의 표현으로 볼 수 있다. 그런데 기범이 믿은 '사람만이 지닌 이상한 초능력'은 '사람은 온갖 악행에도 불구하고 자기 스스로를 송두리째 포기하지는 않는다는 것'으로, 기범의 세상에 대한 독특한 관점을 보여 줄 뿐 동일시를 통한 성취감과는 관련이 없다.

【5~8】 조정래, '동맥'

작품해설

1970년대에 급격한 산업화가 진행되면서 도시에 노동자의 유입이 많아지던 시기를 시간적 배경으로 하고 있다. 인권이라는 개념이 미비할 때, 오로지 돈을 벌기 위해 올라온 어린 여공들이 겪는 사회의 부조리함과 그 안에서 고통받고 황폐해져가는 모습을 형상화하고 있다. 공장에서 일하는 여공들은 오로지 목돈을 만들기 위해 힘든 작업 과정을 견디고 원금을 회사에 맡긴 채 이자를 불리고 있었으나, 정

부 정책의 일환으로 여공들이 맡긴 원금은 몇 년이나 묶여있게 된다. 이에 목돈을 벌어 각자의 희망을 실현하고자 했던 여공들은 생활은 큰 타격을 받고 더욱 비참해진다.
■ **주제** : 산업화로 인한 공장 노동자들의 비참한 삶

5. ① 서술상의 특징 파악하기

❶ ㉠과 ㉡은 주인공들의 마음 속에 걱정이 가득하고 불안이 드리우고 있음을 '먹구름이 끼고 비가 내렸다.'라고 표현한다. 이때 ㉠은 각자 바쁘게 일손을 놀리면서도 마음에 불안이 가득한 '그들 셋'의 내면을 표현한 것이고, ㉡은 공장 직원들이 회사에 맡긴 원금을 사 년째 되는 해부터 찾게 된다는 통보를 들은 후 느껴지는 암울한 분위기를 표현한 것이다.
② ㉠과 ㉡에는 반어적 기법이 사용되지 않았으며, ㉠과 ㉡은 모두 인물들의 우울하고 무거운 정서를 부각하고 있다.
③ ㉠은 '내렸다'('내리었다'의 준말), ㉡은 '시작했다'('시작하였다'의 준말) 라는 어미로 문장을 마무리하고 있는데, 모두 '-었-/-였-'이라는 과거 시제 선어말 어미를 활용하고 있다. 따라서 ㉠과 ㉡이 현재형 어미를 활용한다는 설명은 적절하지 않다.
④ ㉠과 ㉡은 인물들이 처한 암울한 상황을 '먹구름이 끼고 비가 내렸다'라는 감각적인 비유를 통하여 표현하고 있다. 따라서 ㉠이 인물들이 처한 상황을 생생하게 전달하고 있다는 설명은 적절하지만, ㉡이 사건 해결의 단서를 제공하고 있다는 설명은 적절하지 않다.
⑤ ㉠과 ㉡은 인물들의 상황을 '먹구름이 끼고 비가 내렸다'와 같이 감각적인 표현을 통하여 설명하고 있으므로 어느 정도의 과장이 들어있다고 진술하는 것도 가능하다. 그러나 ㉠이 인물들의 외적 갈등을 심화시키거나, ㉡이 인물들의 내적 갈등이 해소되었음을 제시하였다고 보는 것은 적절하지 않다.

6. ⑤ 인물들의 정서 이해하기

① 분옥이는 삼 년에 걸쳐 애써 모은 오만 오천 원이 떼어먹힌다고 생각이 드니 '식칼을 물고 엎어져 죽는 한이 있어도' 그것만은 안 된다고 생각하며 '가슴을 와득와득 쥐어뜯고 싶었다'고 표현하고 있으므로 적절한 설명이다.
② 분옥은 칠만 원이 모이면 미용 학원에 등록하고 '어엿한 미용사'가 되어 '단골을 잡고 고정적인 월급에 후한 팁을 받아 차곡차곡 모아 독립'을 하는 꿈을 가진 인물로, 그러한 생각을 할 때면 정신은 아물아물해지며 몸이 붕붕 뜨는 것이 타 보지 못한 비행기 타는 맛과 같이 설렘을 느낀다고 하였다.
③ 봉자는 고향을 떠나서 이 년 동안 어렵게 모은 삼만 원을 회사에 넣어 이자를 받고 있었는데, 그 돈이 회사에 떼이게 생기자 '여름인데도 마음은 꼭 겨울 새벽의 텅 빈 들녘처럼 허허'한 마음을 느끼고 있다.
④ 길순이는 고향에 있는 어머니와 두 동생을 부양하기 위해 공장에서도 '지옥탕'이라고 불리는 험한 일을 하며 사 년간 돈을 모았으나, 그 돈을 떼이게 된 상황에서 길순이는 깊은 슬픔을 느끼며 '자꾸 눈시울이 매워져서 한 사코 눈길을 천장으로 올'리고 있다.
❺ 경리과장은 공장 직원들은 모아두고 '앞으로 삼 년을 기다리며 사채 법정 이자를 받고 사년째 되는 해부터 원금을 찾게 되'는 상황에 대하여 '법 앞에서 어쩔 수 없는 일'이라고 합리화하고 있다. 여공들은 경리과장의 연설을 들은 직후에는 '아무 동요가 없었'다고 하였고, 작업 총반장 '허씨'의 보충 설명을 들은 다음에야 상황을 이해하고 '무너지는 가슴을 힘겹게 붙안아야 했다'고 하였다. 따라서 경리과장의 말이 끝나자마자 자신들의 처지를 확실하게 알게 되었다는 설명은 적절하지 않다.

7. ④ 작품의 세부 내용 이해하기

① 여공들이 맡긴 돈 모두를 결재를 맡을 때는 총무부장 한 사람 이름으로 하였고, 경리과에서 여공들이 맡긴 원금에 대한 이자를 분배할 때는 개인 카드를 비치하여 활용하였으므로 적절하지 않다.
② 경리과장은 여공들이 맡긴 일인당 원금을 평균 오만 원으로 잡고 계산하면, 도합 팔백오십여만 원이므로 적절하지 않다.
③ 경리과장은 법에 따른다면 여공들이 맡긴 돈에 대한 사채 법정 이자는 삼 년동안 받고, 사년째 되는 해부터 원금을 찾게 된다고 밝히었다.
❹ 여공들이 맡긴 팔백오십여만 원의 명의가 법적으로 총무부장 이름으로 되어 있으며, 이번 사채 동결 조치로 인해 삼 년 거치 오 년 상환에 걸리게 되었다고 경리과장이 밝히고 있다.
⑤ 사채 동결 이전 여공들은 경리과에 개인 카드를 비치하고 매달 각자가 낸 원금에 맞는 이자를 배분 받아왔다.

8. ⑤ 외적 준거에 따라 작품 감상하기

① 분옥이는 칠만 원을 모아 미용 학원에 다니며 기술을 익혀 '미장원 마담'이 되는 것이 유일한 희망이지만 회사에 맡겨 둔 돈이 떼이게 생기면서 그 희망은 무너진다.
② 봉자는 이 년 전 새벽에 고향집을 도망쳐 나오며 고된 서울 생활에 절망감을 느낀다. 그 절망감은 돈벌이로 이어지고 돈을 벌기 전에는 고향으로 돌아가지 않겠다고 다짐한다. 5만원을 모으면 고향에 돌아가리라고 다짐했으나, 현재 모은 3만원을 당장 받을 수 없게 되자 '집을 뛰쳐나온 변명의 구실'이 사라짐을 느끼며 절망한다.
③ 사장이 내놓은 이자는 사 부 오리인데, 총무부장과 경리과장이 이자를 오 리씩 해 먹으며 여공들의 원금을 횡령했다는 소문이 공장에 퍼진다. 이 사실을 뒤늦게 알게 된 사장은 그 모든 원금이 총무부장 이름으로 되어 있어 그 돈으로 인해 장기간 이익을 볼 것을 기대하며 횡령의 주동자인 총무부장과 경리과장을 용서했다고 하였다. 이를 통해 사장과 공장의 관리 세력이 노동자들의 피해를 외면하고 있음을 알 수 있다.
④ 여공들이 회사에 맡긴 돈은 정부가 내세운 사채 자금에 관한 정책에 따라, 삼 년을 기다리며 사채 법정 이자를 받고 사 년째 되는 해부터 원금을 찾게 된다. 이에 회사를 믿고 돈을 맡긴 여공들은 생활에 크나큰 타격을 받는다.
❺ 길순이는 지옥탕에서 일하는 것을 자처하며, 더 높은 임금을 받고 싶었으나 회사 측에서는 인건비 낭비를 막기 위해 길순이에게 조만간 신선놀이라고 불리는 업무를 할 것을 지시하였다. 따라서 길순이가 바랐던 긍정적인 미래의 도래를 짐작할 수 있다는 것은 잘못된 설명이다.

【9~12】 은희경, '새의 선물'

지문해설

열두 살 소녀가 어른의 세계를 관찰하며 성장하는 과정을 그린 성장 소설이다. 일찍 세상을 떠난 엄마에 대한 근원적인 상처를 깊숙이 지니고 있는 주인공 '나'는 세상이 결코 자신에게 호의적이지 않다고 느낀다. 남에게 관찰당하는 걸 싫어하는 진희는 누구보다 일찍 나를 숨기는 방법을 터득한다. 그것은 남에게 '보여지는 나'와 나 자신이 '바라보는 나'로 분리하는 것이다. 어린아이답지 않은 시선으로 주변 사람들의 삶을 예리하게 관찰하는데, 그 과정에서 어른들의 가식적인 세계를 드러내며 삶에 대한 '나'의 냉소적인 시각을 보여 준다. 이 작품은 한 소녀가 자신의 내적 상처를 딛고 성장해 가는 과정을 그리고 있다.
■ **갈래** : 현대 소설, 성장 소설, 세태 소설, 장편 소설
■ **성격** : 회고적, 냉소적
■ **배경**
① 시간 : 1960~1970년대
② 공간 : 남도의 소읍
■ **시점** : 1인칭 관찰자 시점
■ **주제** : 열두 살 소녀가 바라본 어른들의 삶과 자신의 성장기
■ **특징** : 어린아이의 시선으로 어른들의 세계를 바라봄.

9. ① 서술상의 특징 파악하기

❶ [A]는 이형렬이 보낸 편지 내용이고 [B]는 이모가 쓴 편지 내용이다. 모두 서술자인 '나'가 '내용을 간추려 본다면 대강 이런 이야기였다.'라고 하며 편지의 내용을 전하고 있다. 그런데 [A]와 달리 [B]는 간추린 편지의 내용에 서술자가 알고 있는 관련 내용을 덧붙이고 있음을 알 수 있다. 이는 이모가 자신을 포장하려고 쓴 내용에 서술자의 생각을 덧붙인 것으로, 편지를 쓴 이모의 가식적 모습을 드러내는 것으로 볼 수 있다.
② [B]만 서술자가 편지의 내용에 대해 의문을 제기하는 방식으로 서술되어 있다.
③ [B]는 서술자가 편지의 내용에 대해 논평을 곁들이는 방식이 나타나지만 [A]에서는 찾을 수 없다.
④ [A]와 [B] 모두 편지 속에 숨겨진 비밀을 서술자가 하나씩 밝혀 가는 방식은 나타나지 않는다.
⑤ [A]와 [B]는 모두 서술자가 간추려 전달하는 방식으로 서술하고 있다. 따라서 [A]는 서술자가 과거에 본 편지 내용을 회상하는 방식이 아니며, [B]도 서술자가 현재 편지를 읽어 가는 방식으로 서술하고 있지 않다.

10. ④ 작품 내용 이해하기

① '나'는 남들이 엄마 이야기를 하는 것이라고 짐작되면 남에게 그것을 눈치채이기 싫어서 짐짓 고개를 숙여 버리곤 했다.
② '나'는 이형렬의 편지가 짧으면서도 어려운 단어나 비유법이 없어서 읽기에 편하다고 느꼈다.
③ 할머니의 초저녁잠은 깊었기 때문에 이모는 할머니의 눈을 피해 마음껏 금지된 편지를 쓸 수 있었다.
❹ 이모의 편지를 보면, 자신의 이상적인 남성형을 변함없이 자신을 아껴 주는 진실한 남성이라고 밝히고 있

다. 하지만 이형렬의 사진을 보고 그의 외모가 자신의 이상형에 가깝다는 것을 편지에 솔직하게 표현하지는 않았다.
⑤ 이모는 편지에 감성적이고 애틋한 표현이 많아진다 싶을 무렵부터 편지에 쓰인 맞춤법이나 표현에 대해 '나'에게 자문을 거의 구하지 않았다.

11. ⑤ 외적 준거를 통해 작품 감상하기

① '누구보다 일찍 나를 숨기는 방법'을 터득했다고 한 것은, '나'가 남에게 관찰당하는 것을 싫어했기 때문에 자신의 내면을 감추기 위해 노력해 온 결과로 볼 수 있을 것이다.
② '남의 시선으로부터 강요를 당하고 수모를 받는'다고 느끼는 것은, 내적 상처를 지닌 '나'는 자신을 둘러싼 세계가 결코 호의적이지 않다고 느끼며 주변 세계를 부정적으로 인식하고 있다고 볼 수 있을 것이다.
③ '어른들의 비밀'을 털어놓는 데 '빚진 마음'이 없다고 한 것은, '나'가 자신의 행위를 부도덕한 것이 아니라고 여기는 냉소적인 태도를 지녔기 때문일 것이다.
④ 이모의 편지에 대해 '형식적 포장을 극복'했다고 평가하며 '이형렬과의 관계'가 깊어졌으리라고 짐작한 것은, '나'의 아이답지 않은 시선으로 어른의 세계를 관찰했음을 보여 주는 대목으로 볼 수 있다.
❺ '이모의 비밀'을 '혓바닥 밑에 감추고 있는 셈'이라고 한 것은 '나'가 발설할 수도 있지만 이모의 비밀을 알면서도 숨기고 있다는 의미로 볼 수 있다. 이를 두고 '나'가 어른과 서로의 비밀을 공유하고 있다는 의미로 이해하는 것은 적절하지 않다. 또한 어른과의 비밀을 공유하는 것이 자기를 방어하는 수단이 될 수 있다는 것도 〈보기〉의 내용과는 맞지 않으므로 적절하지 않다.

12. ④ 인물의 성격과 심리 이해하기

❹ '나'는 남들 앞에서 나를 숨기는 방법을 터득하여, 남에게 '보여지는 나'와 나 자신이 '바라보는 나'로 분리하여 살아가고 있다. 이렇게 나를 두 개로 분리시킴으로써 나는 사람들의 눈에 노출되지 않고 나 자신으로 그대로 지켜지는 것이라고 생각한다. 한때는 나를 두 개로 분리시키는 일은 나쁜 일일지도 모른다고 생각한 적이 있었다. 그렇지만 나의 분리법은 '위선'이 아니라 '작위'였으며, 작위는 위선보다 훨씬 복잡한 감정이지만 엄밀한 의미에서 부도덕한 일은 아니므로 심리적 부담감에서 벗어나게 된다.

참고자료

'새의 선물'의 전체 줄거리
'나(진희)'는 여섯 살 때 엄마를 잃고 시골에서 외할머니와 함께 살아간다. 열두 살의 '나'는 삼촌이 다락방에 숨겨 둔 성인 잡지를 읽는 것이 취미이다. '나'의 이모는 경자 이모의 소개로 알게 된 군인 이형렬과 펜팔을 시작하고 연애까지 하게 된다. 삼촌은 휴교령이 내려지자 허석이라는 친구와 함께 내려오고, '나'는 그에게 호감을 느끼지만 그는 '나'의 이모에게 관심을 가진다. 한편 이모는 이형렬에게 잘 보이고 싶은 마음에 쌍꺼풀 수술을 하는데, 그 때문에 이형렬의 면회를 못 가게 되고 이모 대신 면회를 간 경자 이모는 이형렬과 연인 관계로 발전한다. 실연으로 인한 이모의 아픔이 정리될 즈음 허석이 다시 내려오고 이모와 다정한 사이가 된다. 이모 대신 유지 공장에 취직했던 경자 이모는 공장에 불이 나 죽게 되고 이모는 한동안 슬픔에서 벗어나지 못한다. 허석이 떠나고 한참 뒤 이모는 임신 중절 수술을 하고, 그날 '나'는 존재를 모르고 살았던 아버지를 만나 할머니와 이모 곁을 떠난다.

Day 05 본문 027쪽

1. ②	2. ①	3. ①	4. ④	5. ③
6. ⑤	7. ②	8. ④	9. ⑤	10. ②
11. ③	12. ④			

【1~4】 서영은, '사막을 건너는 법'

작품해설
월남전을 경험한 주인공은 집으로 돌아온 후 인생에 대한 극심한 공허와 허무함에 시달린다. 우연히 아들이 전쟁에서 받아왔다는 훈장을 잃어버리고 열심히 찾는 노인을 보고 그에게 삶의 허무함을 깨닫게 해주겠다고 다짐한 후, 자신이 받은 훈장을 노인에게 전달하지만, 노인은 냉랭한 반응을 보일 뿐이다. 주인공 '나'는 삶과 죽음의 경계가 난무하는 전쟁터를 경험한 후 세상을 마치 사막처럼 느끼며 무기력에 빠져 있으며, 훈장을 찾던 노인은 이미 이 세계가 황량한 사막과 같다는 것을 깨닫고 현실을 거짓으로 꾸며 내며 허무를 극복하는 수단으로 삼고 있다. 이 소설은 인간의 실존주의적인 본질을 다루고 있으며 인생의 목적과 삶의 가치에 대한 질문을 던지고 있다.
■ **주제** : 삶의 허무에 대한 고찰과 허무를 극복하려는 인간의 노력

1. ② 서술상의 특징 파악하기

① [A]는 내가 D 고지에서 전투 중인 ○○ 연대 근처까지 물을 실어주려고 이동할 때 겪었던 일을 그때의 대화를 중심으로 회상하고 있다. 그러나 [B]는 '나'의 시선에 들어온 노인의 행동과 표정을 중심으로 묘사하고 있으므로 시간의 흐름에 따라 사건을 서술하였다는 설명은 적절하지 않다. 또한 [A]와 [B]는 인물들이 처한 상황을 객관적으로 전달한다고 보기 어렵다.
❷ [A]의 한병장은 나에게 '~나?', '~군', '~지', 나는 한병장에게 '~습니다' 등의 구어체를 활용하여 대화하는 장면을 생생하게 나타낸다. 또한 [B]는 '나'의 시선에 비친 '노인'이 짐을 내리고 물웅덩이로 쪽으로 가는 모습과 표정을 '~ㄴ다', '~다' 등의 현재형 시제를 활용하여 표현하고 있으므로 적절한 설명이다.
③ [A]는 ○○ 연대 근처까지 물을 실어다 주기 위해 나와 한병장이 밤중에 급수차를 몰아 T를 떠나는 차 안에서 나눈 대화를 통해 인물들의 사고 방식을 엿볼 수 있다. 따라서 [A]가 공간 이동 중이라는 진술은 일부 맞지만, 공간 이동에 따라 일어나는 사건을 다룬 것은 아니다. [B]에는 '노인도 피곤하고 지친 모습이긴 하나 끈질긴 어떤 힘이 그의 전신에서 면면히 솟아 나오고 있는 듯하다' 등의 표현처럼 '나'가 노인을 관찰하고 느낀 바를 묘사하고 있다. 따라서 [B]는 공간에 대한 묘사를 통해 인물들의 외적 갈등을 심화되는 부분은 없다.
④ [A]는 '나'와 '한병장'의 대화가 나타나지만, 이를 통해 갈등이 해소되는 과정은 찾을 수 없다. [B]는 노인이 개를 데리고 물웅덩이 쪽으로 가서 무언가를 찾는 행동을 반복하는 것에 대한 묘사가 나타나 있다. 그 모습을 목격한 '나'는 '무엇이 노인에게 저토록 소중하게 여겨진단 말인가'라며 호기심이 증폭될 뿐, 인물들의 반복되는 행동을 제시하여 갈등이 해소되는 과정은 찾을 수 없다.

⑤ [A]에는 나와 한병장이 타고 있는 차의 엔진이 고장 나서 몇 시간이나 지체하게 되었고, 그로 인해 앞으로 위험이 닥칠 수도 있다는 것을 중심인물인 '나'의 진술을 통해 알 수 있다. 한편 [B]는 '나'의 눈에 비친 노인의 행동과 표정을 묘사할 뿐, 주변 인물의 말을 제시한 부분은 없으므로 주변 인물의 말을 제시하여 사건들의 인과 관계를 드러내고 있다는 설명은 잘못 되었다.

2. ① 작품의 내용 파악하기

❶ '나'는 전쟁이 끝나고 고국으로 돌아온 후 '나의 안에 있는 긴박감에 비해서 밖은 너무도 무의미하고 태평스럽고 어쩌면 패덕스럽기까지 했다.'라며 일상에서 무력감을 느낀다. 이에 자신이 느끼는 긴장감에 대하여 숨김없이 말하기 위하여 연인인 '나미'를 만나 D 고지에서 전투 중인 ○○ 연대 근처까지 물을 실어 주며 겪었던 일을 '나미'에게 전달한다.

② '나'는 ○○ 연대 근처까지 물을 실어다 주라는 명령을 받았으며, 음료수가 떨어져서 갈증과 싸우고 있는 것은 '나'가 아니라 D 고지에서 전투 중인 연대원들이라고 하였다.

③ '나'와 '한병장'이 타고 있는 차를 타고 운행 중 엔진이 고장나 몇 시간을 지체하였다고 하였다. 만약에 적의 정찰 비행에 발견되면 공중 사격을 받을 우려가 있다고 하였을 뿐 어둠을 밝히는 헤드라이트로 인해 적의 정찰 비행에 발견되어 공격받는 상황은 나타나지 않는다.

④ '한병장'은 본인은 제대하면 곧장 결혼할 계획이라고 밝히며, 제대는 석 달 남았다고 이야기한다. 따라서 임무 수행 중에 결혼할 계획을 밝힌 것은 '나'가 아닌 '한병장'이다.

⑤ '나'는 전장에서 귀환한 후 모든 사물과 사람들로부터 차단된 듯 한 느낌을 받았으며, 자신이 느끼고 있는 권태와 긴장감에 대하여 누군가에게 말해보려고 애썼으나, 자신을 이해하는 사람은 아무도 없었다고 하였다.

3. ① 소재의 기능과 의미 파악하기

❶ '노인'은 매일같이 어떤 물건을 찾고 있으며 그 장소 또한 '어제와 거의 같은 장소'이며, 피곤하고 지친 모습임에도 불구하고 '끈질긴 어떤 힘'이 솟아 나오는 듯 그 '물건'을 찾기 위해 노력 중이다. 따라서 '나'가 '노인'의 변화된 모습을 통해 ⓑ를 찾는 '노인'의 행위가 중단될 것임을 예감한다는 설명은 적절하지 않다.

② '나'는 노인이 나타나기를 기다리고 있으며, ⓑ의 정체를 알게 되면 노인의 집요하고도 숙연한 태도와 잃어버린 물건 사이의 상관관계를 밝힐 수 있을 것이라고 예상하고 있다.

③ 노인이 ⓑ를 찾기 위해 애쓰는 모습을 유심히 지켜본 '나'는 노인에 대하여 마치 '끈질긴 어떤 힘이 그의 전신에서 면면히 솟아 나오고 있는 듯'하다라고 표현한 것으로 보아 '나'는 '노인'이 ⓑ를 가치 있는 대상으로 여기고 있다고 판단 한다.

④ '나'는 전쟁터에서 집에 도착한 첫 순간에 '베일에 가린 듯이 모든 사물, 모든 사람들로부터 차단된 나'를 느꼈다고 표현하였다. '나'는 아직도 전쟁터라는 관념 속에서 살고 있으나, '나'를 둘러싼 현실은 '무의미하고 태평스럽고 어떠면 패덕스럽기까지'한 것에 커다란 무력감을 느끼고 있다.

⑤ '나'는 모든 사물, 모든 사람들로부터 차단된 듯한 자신을 느꼈다고 하였으므로, ⓐ로부터 소외된 상태에 놓인 것이 적절하다. 한편 '노인'은 ⓑ를 찾기 위해 매일같이 노력하고 있으므로 ⓑ를 상실한 상태에 있다고 볼 수 있다.

4. ④ 외적 준거에 따른 작품 감상하기

① '나'는 전쟁터에서 자신의 집으로 돌아온 첫날 편안함이나 익숙함을 느끼는 것이 아니라, 오히려 자신의 몸에 밴 '전쟁 냄새'를 지각하였다고 한다. 이는 〈보기〉에서 제시된 전쟁이라는 과거의 경험을 후각화하여 상징적으로 표현한 것에 해당한다.

② '나'는 전쟁터에서 '집'으로 돌아와 편안함이나 아늑함을 느끼는 것이 아니라 오히려 '이상한 비현실감'을 강하게 느낀다. 집으로 돌아와 들리는 두부 장수 종소리, 유행가 소리를 듣고 '너무도 무의미하고 태평스럽고 어쩌면 패덕스럽기까지 했다'라고 인식하는 것으로 보아 〈보기〉에 제시된 청각을 통해 현실에 대한 타인과의 인식 차이를 확인할 수 있다.

③ '나'는 전쟁터에서 ○○ 연대 근처까지 물을 갖다 주는 임무를 수행 중에 헤드라이트의 반경 속에 비친 '돌에 묻은 티', '풀포기에 매달려 잠자는 벌레 따위' 등이 생생히 보이는 듯 하고, '내 심장에 맞닿아 있는 듯한' 느낌을 받았다고 하였다. 이는 〈보기〉에 제시된 시각을 통해서 긴장 상태에서 극대화된 감각 체험을 보여주는 것에 해당한다.

❹ '나'는 전쟁터에서 임무를 수행하면서 유리창에 부딪혀 죽는 나방을 보고도 '아무것도 신기할 것이 없지'라고 느낀다. 이는 삶과 죽음의 경계가 오가는 전쟁터에서 '혈관 속을 움직이는 피의 선회마저 느낄 듯한 이 비상한 감각'을 경험한 것과 연관지어 설명할 수 있으며, 이를 전쟁의 실상을 깨달음으로써 체념적 현실 인식을 갖게 되었다고 보기는 어렵다.

⑤ '노인'은 무언가를 찾기 위해 물웅덩이에 오는 것을 포기하지 않으며, 전쟁을 겪으며 삶의 허무를 강하게 느끼는 '나'는 '노인'의 끈질긴 행위를 보고 '방 안을 오락가락'하며 믿을 수 없다는 태도를 보인다. 이는 〈보기〉에 언급된 체념 상태를 흔드는 사건을 주시하면서 생기는 번민을 행동을 통해 제시한 것에 해당된다.

[5~8] 박태원, '소설가 구보 씨의 일일'

작품해설

구보는 동경 유학을 마치고 와서 일자리를 구하지 못하고 글을 쓰는 지식인이다. 그는 특별히 하는 일 없이 거리를 배회하는데, 이때 느끼는 구보의 사고 과정이 이 소설의 주된 흐름이다. 이는 여정에 따른 구성방법으로 일반적인 소설의 구성 단계와는 다른 면모를 보인다. '천변길-종로 네거리-화신상회-전차 안-조선은행 앞-다방-거리-경성역 대합실-조선은행 앞-다방-거리-술집-카페-종로 네거리-집'에 따르는 전개로 앞뒤 사건의 개연성, 필연성을 보이지 않은 채 현재와 과거 그리고 현실과 망상이 수시로 교차된다. 이렇듯 의식의 흐름에 따른 회상을 기록하는 기법을 통해 당대 무기력한 지식인의 일상과 예술과 생활고의 대립을 효과적으로 묘사하고 있다.

- **갈래** : 심리소설, 세태 소설
- **성격** : 사색적, 자전적
- **배경**
  - 시간 : 1930년대 식민지 시대
  - 공간 : 서울
- **시점** : 전지적 작가 시점(1인칭 작가 시점과 유사)
- **등장인물의 성격**
  - 구보 : 무명작가이며 반복되는 일상에서 무기력함을 느끼며 생활의 목적이나 행복을 발견하지 못한다.
  - 어머니 : 유학까지 다녀온 아들이 제대로 된 직업이 없는 것을 이해하지 못한다.
- **작품의 구성**
  - 발단 : 구보는 천변길을 걷다가 거리 위에서 두통을 느낀다. 우연히 화신상회 백화점을 들어가 어떤 부부를 보고 자신의 앞날과 행복의 본질에 대한 고민을 하게 된다.
  - 전개 : 작년 여름에 맞선을 본 여인이 전차에 오르는 것을 보고, 학창 시절 짝사랑했던 추억을 떠올린다. 구보는 잠시 행복과 돈과 그리고 여자의 관계를 고민하게 된다.
  - 위기 : 거리를 걷다가 태평동에서 옛 친구를 우연히 마주치나 자신의 초라한 행색을 보고 친구는 지나쳐 버린다.
  - 절정 : 경성역으로 향한 구보는 병자, 아낙네 등을 관찰하나 이내 고독감을 느끼고 광화문 거리로 향한다.
  - 결말 : 구보는 새벽 2시의 밤길을 걸어오며 앞날에 대한 상념에 젖는다.
- **주제** : 식민지 시대의 무기력한 지식인의 모습

5. ③ 작품의 내용을 세부적으로 이해하기

① 구보가 세 여학생에게 항의하는 장면은 없었으며 '처녀들은 어느 틈엔가 그의 시야에서 사라졌다'라고만 하였다.

② 어머니는 상대방이 치마에 대한 칭찬이라도 하면 어머니는 자신의 아들이 해 준 것이라며, 서슴지 않고 자랑한다고 하였다. 그러나 어머니가 일갓집 주인 아낙네에게 아들의 직업에 대해서 언급하지 않았으므로, 어머니가 일갓집 주인 아낙네에게 아들의 직업을 조심스럽게 자랑하였다는 설명은 적절하지 않다.

❸ 구보는 아홉 살 때에 '춘향전'을 읽고 싶어 남몰래 안잠자기에게 그 방법에 대하여 문의하였으며, 안잠자기는 '세책집'에 가면 어떤 책이든 있으며 일 전이면 한 권을 빌려올 수 있다는 것을 알려주었다.

④ 구보는 어머니에게 '지금 세상에서 월급자리 얻기가 얼마나 힘든 것인가를 말한다'고 하였으므로, 어머니에게 구보가 마음만 먹으면 언제든지 월급쟁이가 될 수 있다고한 설명은 적절하지 않다.

⑤ 구보가 준 돈으로 어머니와 맏며느리는 치마를 해 입었다고 하였다.

6. ⑤ 작품의 서술상 특징 이해하기

① [A]는 아들에게 잔소리를 하는 어머니의 심정과 그에 반응하는 아들의 표정을 전지적 작가 시점에서 서술하고 있으므로, [A]가 어머니를 서술자로 하여 자신의 행동과 심리를 제시하고 있다는 설명은 적절하지 않다.

② [B]는 집을 나와 천변 길을 걸어가며 어머니와의 일을 회상하는 구보의 심정을 전지적 작가 시점에서 서술하고 있다.

③ [A]와 [B]는 모두 이야기 외부에 존재하는 전지적 작

가 시점을 통해 인물의 상황과 심리를 설명하고 있으며, [A]와 [B] 모두 전지적 시점을 통해 갈등 상황을 부각한다고 볼 수 없다.

❺ [A]는 어머니가 구보에게 말을 걸면 '아들은 언제든 불쾌한 표정을 지었'으며, 이는 '어머니의 마음을 아프게 한다'고 하였다. 따라서 어머니 입장에서 느끼는 바를 이야기 외부의 서술자가 서술하고 있는 것이다. [B]는 구보가 어머니와의 일을 떠올리며 '대답은 역시 해야만 하였었다고' 후회하며 '구보는 어머니의 외로워할 때의 표정을 눈앞에 그려 본다'고 하였으므로 구보의 입장에서 바라본 사건을 이야기 외부의 서술자가 전달하고 있으므로 가장 적절하다.

7. ② 인물의 심리를 이해하기

① 아들이 가끔이나마 글을 써서 돈을 벌게 되었을 때, 아들은 어머니에게 '뭐 잡수시구 싶으신 거 없에요'라고 묻고 어머니를 위해 무언가를 해 주려고 노력하였으며, 어머니는 자신을 위하는 구보의 마음 씀씀이에 뿌듯해 하고 있다.

❷ 구보는 어머니에게 치마 두 감의 가격을 묻고 '갑자기 엄숙한 얼굴을 한다'라고 하였고, 글을 써서 버는 돈은 '결코 대단한 액수의 것이 아니'라고 서술된 것으로 보아, ㉡처럼 이야기한 것은 어머니를 안심시키기 위한 것에 가깝다. 따라서 ㉡을 두고 구보가 앞으로 가족들에게 가장 노릇을 할 수 있게 된 것에 대한 만족감이라는 설명은 적절하지 않다.

③ 치마 두 감의 가격을 들은 아들의 얼굴이 갑자기 엄숙해지며 돈을 내놓자, 어머니는 그 돈을 받기를 잠시 망설이는 것으로 보아 어머니는 구보가 힘들게 벌어 온 돈을 받는 것에 대하여 부담감을 느낀다고 할 수 있다.

④ 어머니는 다른 사람들이 보통학교 혹은 고등학교만 졸업하고도 '회사에서 관청에서 일들만 잘하고 있는 것을 알고'있기에 동경 유학까지 다녀온 자신의 아들이 직장을 구하기 어렵다는 사실을 납득하기 어렵다.

⑤ 구보는 집을 나와 딱히 갈 곳을 정하지 않은 채 천변길을 따라 걷고 있으며 다리 모퉁이에 이르러 걸음을 멈춘 것은, 앞으로 어디로 향해야 할 것인가를 망설이는 태도에서 비롯된 것이다.

8. ④ 외적 준거를 통해 작품을 감상하기

① 구보는 가끔 '글을 팔아 몇 푼의 돈'을 벌 수 있으나, 그 돈은 '밤을 새우'면서 글을 써서 번 돈으로 '대단한 액수의 것이 아니'라고 하였다. 이를 통해 구보의 소설가로서의 삶이 경제적으로 안정되지 못함을 알 수 있다.

② 구보가 창작을 위해 모데로노로지오를 게을리한 지가 이미 오래라며 서소문정 방면이라도 답사할 것을 고민하는 것으로 보아 소설가로서의 정체성을 성찰하고 있음을 알 수 있다.

③ 구보는 여름 한낮에 거리를 걸으며 현기증과 함께 신경 쇠약을 느낀다. 그는 '이 머리를 가져, 이 몸을 가져, 대체 얼마만 한 일을 나는 하겠단 말인고'라고 탄식하는 것으로 보아 사회적, 경제적으로도 무기력한 구보의 모습을 짐작할 수 있다.

❹ 구보는 사람들이 저마다 바쁘게 움직이며 목적 의식이 있는 생활을 하는 것을 바라보며, 자신도 본업인 소설 쓰기를 위하여 서소문정 방면이라도 답사할 것을 고민한다. 그러나 이내 구보는 '격렬한 두통'과 전신의 '피로'를 느낀다. 이는 삶의 방향성을 잃은 구보의 권태로움과 무기력함과 관련된 것으로, 창작을 억압하는 일제 강점기 상황에 대한 구보의 비판 의식이라고 볼 수 없다.

⑤ 구보는 현재의 쇠약한 건강 상태와 신경 상태는 바로, 소년 시대에 '밤을 새워 읽던 소설책들'로 인한 것이라고 여기고 있으며 이를 통해 구보가 어린 시절부터 문학에 심취하였음을 알 수 있다.

【9~12】 이기영, '고향'

작품해설

'고향'은 일제 강점기의 착취와 그로 인한 농촌의 황폐화, 몰락한 농민의 노동자로의 각성, 빈농과 노동자들의 투쟁 모습 등을 사실적으로 그려 낸 작품이다. 봉건 사회의 잔재를 지닌 채 식민지 자본주의에 침식되어 가는 농촌의 현실을 배경으로 벌어지는 노동자의 소외 현상과 경제적 불평등으로 인한 절대적 빈곤의 현실을 구체적이고 생생하게 그려 내고 있다. 또한 동경 유학을 마치고 귀향한 김희준을 통해 패배주의에 젖어있는 농민 의식에 대해 문제를 제기하며 계몽과 각성을 모색하는 과정을 사실적으로 형상화하고 있다. 제시문은 희준을 중심으로 한 소작농들이 안승학에게 소작료를 감면해 줄 것을 요구하지만 거절당하는 장면이다.

- **갈래** : 장편 소설
- **성격** : 사실적, 계몽적, 사회주의적
- **배경**
  - ① 시간 : 일제 강점기(1920년대)
  - ② 공간 : 농촌 마을 '원터'
- **주 시점** : 전지적 작가 시점
- **주제** : 일제 강점기 농촌 현실과 이를 극복해 나가는 농민 의식의 성장

9. ⑤ 서술상의 특징 이해하기

① 안승학에 대한 정서적 반응을 제시한 부분은 없다.

② 안승학의 과거에 대해 서술하고 있지만, 그에 대한 성찰적 태도를 드러내고 있는 부분은 없다.

③ 안승학에 대해 병렬적으로 서술하거나, 반복적으로 정보를 제시하고 있지는 않다.

④ 안승학에 대해 묘사적으로 서술하거나, 단계적으로 정보를 제시하고 있지는 않다.

❺ 안승학이 이 고을 이전에 살던 형편을 포함하여 그가 어떻게 이 고을로 들어오게 되었는지를 요약적으로 제시하여 그에 대한 정보를 개괄적으로 서술하고 있다.

10. ② 작품 내용 이해하기

① 사람들은 우편소가 새로 생긴 것을 보고 그게 무엇인지 몰라서 겁을 잔뜩 집어먹고 있었으며, 우편소와 전봇대에 귀신을 잡아넣어서 그런 소리가 난다고 하였다. 이를 볼 때 새로운 문물의 도입이 사람들의 의식을 혼란스럽게 하는 상황이 나타나고 있음을 알 수 있다.

❷ 안승학은 사람들 앞에서 실제로 엽서에 자기 집 주소와 이름을 써서 우체통 안으로 집어넣으면 저녁때 집으로 배달된다는 것을 보여 준다. 이는 안승학이 사람들 앞에서 똑똑한 체를 하고 있는 것이지 사람들의 생활 방식이 변해야 함을 알려준 것으로 볼 수 없다.

③ 사람들은 우편소가 새로 생겼지만 그것이 무엇인지 몰라 귀신을 연상했지만 새로운 문물의 이용 방법을 알고 있는 안승학은 사람들 앞에서 그것의 사용 방법을 보여 준다. 이러한 모습을 통해 새로운 문물의 이용 방법을 알고 있는 인물과 그렇지 못한 사람들 간에 문물에 대한 이해의 차이가 있음이 드러나고 있다.

④ 안승학의 집에 엽서가 실제로 도착한 모습을 보자 사람들은 '참, 조홧속이다!'라고 소리를 지른다. 이는 새로운 세상의 도래에 대한 사람들의 정서적 충격을 직접적으로 표현한 것이다.

⑤ 우편소와 전봇대에서 나는 소리를 귀신의 소리로 생각하는 사람들의 반응을 통해 당시 낯선 문물이 도입될 당시의 문화적인 환경을 보여 주고 있다.

11. ③ 작품의 세부 내용 이해하기

① 주인의 허락도 없이 집에 들어왔냐며 안승학이 위엄스럽게 말했으나 김선달이 "아무도 없는데 누구보고 말하랍니까? 대문 기둥에다 대고 말씀하랍시오."라고 말하는 데서 비아냥거리는 태도를 확인할 수 있다.

② 희준이가 정식으로 '요구 조건'의 이행을 요청하자 안승학은 "못 들어주겠어!" "암!"이라고 하며 직접적으로 거부 의사를 표출하고 있다.

❸ 희준은 요구 조건을 들어줄 것인지 아닌지를 확인하고 있을 뿐이지, 들어주지 않을 때 벌어질 일을 경고하고 있는 부분은 없다.

④ 희준 일행은 안승학에게 요구 조건을 들어주겠냐고 물어보았으나 안승학은 단호하게 거절 의사를 밝히며 대화는 절충점을 찾지 못하고 있다. 따라서 '안승학'과 '다섯 사람' 간의 갈등 양상이 긴장된 분위기를 자아내고 있음을 알 수 있다.

⑤ 희준 일행은 "지난번에도 왔다가 코만 떼우고 갔"다면서 "정녕코 요구 조건을 못 들어주"겠다는 것인지 물어보며 확답을 받기 원한다. 이에 안승학은 다섯 사람의 갑작스러운 방문에 불안을 느끼고 있음을 알 수 있다.

12. ④ 외적 준거를 바탕으로 작품 감상하기

① 안승학은 이십 년 전만 해도 찌그러진 오막살이에서 콩나물죽으로 연명하던 처지였으나 지금은 수백 석 추수를 하고 서울 사는 민판서 집 시음이 되어 살고 있다. 이러한 안승학의 모습은 〈보기〉에서 언급한, 소작제와 같은 전근대적 토지 제도에 편승하여 사회적 지위가 상승한 인물형에 해당한다고 이해할 수 있다.

② 안승학은 경부선이 개통한 직후 목판차를 맨 처음으로 타고 서울을 가보았다는 것을 자랑하는 인물이다. 안승학은 가진 것 하나 없었지만 근대 문물이 유입되는 사회적 환경 속에서 발 빠르게 변모해 갈 수 있었던 인물형을 보여 준다.

③ 목판차를 맨 처음으로 타 보고서 자만하는 안승학은 〈보기〉에서 언급한, 근대 문물을 체험해 보지 못한 사람들에게 자신이 체험한 것을 앞세워 과시하는 인물형을 보여 준다.

❹ 안승학은 사람들의 요구 조건을 들어주지 않고 일방적으로 명령만 하며 자신의 이익만을 추구하기 때문에 그 지위를 인정받지 못하는 인물이다. 그렇기에 자신의 집에 몰려든 다섯 사람 앞에서 위엄스럽게 하대하면서도 호령할 용기를 내지 못한다. 불안감에 호령할 용기를 내지 못한 것이 반감을 드러낸 것은 아니므로 적절한 감상이 아니다.

⑤ 사람들의 요구 조건을 한마디로 거절하면서 '피차의

물질상 손해'를 강조하며 일방적으로 사람들에게 '나락을 베'라는 안승학의 모습은, 〈보기〉에서 언급한 다른 사람의 이익보다 사적인 이익을 우선시하는 인물형을 보여 준다.

참고자료

고향(이기영)의 전체 줄거리

동경 유학생이던 김희준은 고향으로 돌아와 농민 지도자로서 사람들을 이끌며 마름인 안승학과 대결한다. 안승학은 부를 축적한 마름으로, 첩인 숙자와 함께 살고 있다. 안승학은 딸 갑숙을 시집보내려고 하다가 갑숙과 경호의 관계를 알고 앓아눕는다. 구장집 머슴 곽 첨지의 아들인 경호의 신분이 미천했기 때문이다. 이에 갑숙은 가출하여 공장의 직공으로 취직하고 경호도 집을 나와 공장에 취직한다. 수재로 집이 무너지고 농사를 망친 소작인들이 김희준을 중심으로 안승학에게 소작료를 감면해 줄 것을 요구하나, 안승학은 이를 거부한다. 이때 공장에서 갑숙을 중심으로 한 노동 쟁의가 벌어지며 김희준이 이를 돕는다. 이에 갑숙은 소작인들을 괴롭히는 아버지 안승학에게 반대하여 김희준과 힘을 모으며, 농민들은 끝내 안승학의 양보를 얻어 낸다.

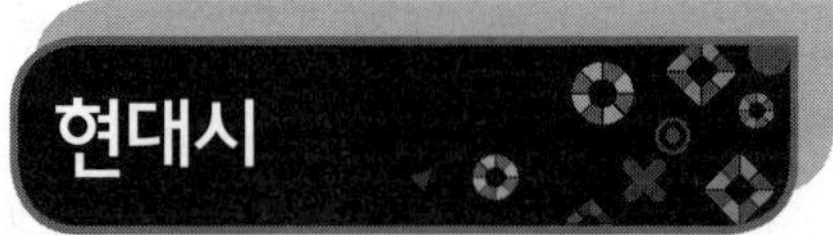

현대시

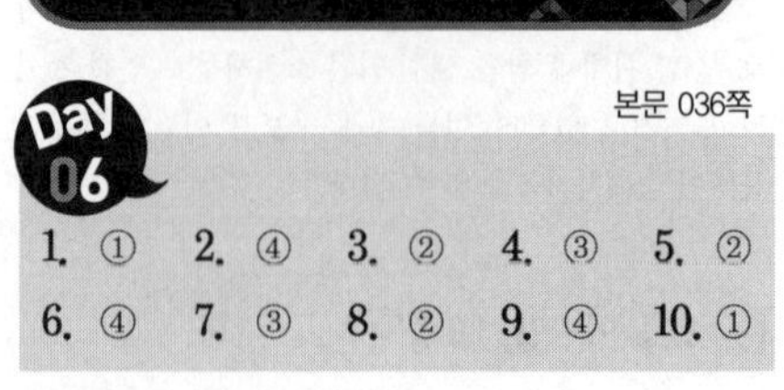

Day 06

본문 036쪽

1. ①	2. ④	3. ②	4. ③	5. ②
6. ④	7. ③	8. ②	9. ④	10. ①

【1~4】 (가) 유치환, '채전(菜田)'

작품해설

채전에서 자라는 생명체들의 조화로움과 충만한 생명력에 자족하는 태도를 노래한 시이다. 한여름의 채전은 갖가지 채소들이 제각기 타고난 바탕과 생김새로 자라고 영글어 생명의 기쁨과 만물의 조화가 있는 공간이자, 이 '지극히 범속한 것들'이 주변 사물의 축복 속에 '충족한 빛나는 생명의 양상'을 이루는 공간이다. 이러한 채전의 모습을 감각적으로 묘사하며 예찬하는 한편 명령적 어조와 반복을 통해 의도를 강조하고 있다.

- **갈래** : 자유시, 서정시, 산문시
- **성격** : 감각적, 예찬적
- **제재** : 한여름 채전(채소밭)
- **주제** : 채전의 생명체의 조화로운 성장과 충만한 생명력

(나) 나희덕, '음지의 꽃'

작품해설

인간의 욕망에 의한 생명 파괴의 현실을 드러내며 자연의 강인한 생명력을 노래한 시이다. '참나무 떼'가 벌목의 슬픔 속에서 서로에게 기댄 채 겨울을 나는 상황에서, 참나무 떼의 상처에서 피어나 고통을 멈추게 하고 참나무의 몸을 채워 주는 '버섯'의 생명력을 예찬하고 있다. '음지의 꽃'은 부정적 현실 속에서 황홀하게 피어난 버섯을 의미한다.

- **갈래** : 자유시, 서정시
- **성격** : 비유적, 예찬적, 비판적
- **제재** : 참나무 떼에서 피어난 버섯
- **주제** : 인간에 의한 자연 파괴와 자연의 강인한 생명력

1. ① 작품 간의 공통점 파악하기

❶ (가)의 화자는 가지, 고추, 오이, 토란, 박, 호박 등의 채소들이 '제각기 타고난 바탕과 생김새로' 자라고 영글어 '목숨의 유열과 천지와의 화합'이 있는 공간인 채전을 긍정적으로 인식하며 예찬하고 있다. 또한 (나)에서는 벌목으로 썩어 가는 참나무 떼의 상처에서 피어나 강인한 생명력을 보여 주는 버섯을 '황홀한 음지의 꽃이여'라고 부르며 예찬적 태도를 드러내고 있다.

② (가)에서 화자는 채전의 채소들을 긍정적으로 바라보고 있으며 비관적 태도는 드러나지 않는다. 한편 (나)에서는 벌목으로 썩어 가는 참나무 떼에서 버섯이 피어나 강인한 생명력으로 상처를 덮는 모습이 나타나므로, 주어진 현실에 순응하는 모습을 통해 비관적 태도를 암시한다고 볼 수 없다.

③ (가)는 한여름 채전에서 채소들이 자라는 모습을 통해 생명의 기쁨과 조화를 드러내며 예찬하고 있고, (나)는 썩어 가는 참나무 떼에서 피어난 버섯을 통해 강인한 생명력을 예찬하고 있다. 따라서 (가)와 (나) 모두 풍경을 관조적으로 응시하는 시선으로 중심 제재의 외적 아름다움을 표현하고 있다고 볼 수 없다.

④ (가)에서는 채전에서 자라는 채소들과 그것을 둘러싼 주변 사물들에 대해 말하고 있을 뿐 인간의 행위에 대한 관점은 나타나지 않는다. (나)에서는 '벌목의 슬픔', '패역의 골짜기' 등에서 인간의 자연 파괴 행위에 대한 비판적 관점이 드러나므로 인간의 행위에 대한 우호적 관점과 거리가 멀다.

⑤ (가)에는 채전에 대한 긍정적, 예찬적 인식이 나타날 뿐 부정적 인식은 드러나지 않는다. 한편 (나)의 '벌목의 슬픔으로 서 있는 이 땅', '패역의 골짜기' 등에는 장소에 대한 부정적 인식이 드러나는데, 이를 심화하여 중심 제재인 버섯과의 정서적 거리를 부각하고 있다고 볼 수는 없다.

2. ④ 표현상 특징 파악하기

① (가)는 1연과 2연에서 ㉠ '가 보아라'가 반복되는 한편 2연의 마지막에서는 '와서 보아라'로 변주되면서, '한여름 채전'에서 겪을 수 있는 경험의 소중함을 느끼게 하려는 화자의 의도가 부각되고 있다.

② ㉡ '지극히'는 '지극히 범속한 것들의 지극히 충족한 빛나는 생명의 양상'에서 수식어로 반복됨으로써 '범속한 것들', 즉 한여름 채전의 채소들에서 충족한 느낌을 받고 있음을 강조하고 있다.

③ ㉢ '과분하지 말라'는 '말라'라는 부정 명령형 표현을 사용하여 분수에 넘치지 말 것을 말하고 있는데, 이는 이어진 구절에 나타난 '주어진 대로' '스스로를 족할 줄을 알'아야 한다는 인식을 제시한 것으로 볼 수 있다.

❹ ㉣ '많은 손님들'은 앞 구절에 나타난 나비, 풍뎅이, 잠자리, 바람, 그늘, 비, 햇볕 등을 인격화한 표현이다. 그런데 이 '손님들'은 채전의 '지극히 범속한 것들'에게 '극진한 축복과 은혜'를 주는 존재이므로, ㉣이 '극진한 축복과 은혜'와 대비되는 화자의 시선을 반영하고 있다는 설명은 적절하지 않다.

⑤ ㉤ '빛나는 생명의 양상'은 '생명의 양상'이라는 관념을 시각화한 표현으로, '목숨의 유열과 천지와의 화합'이 이루어진 한여름 채전의 채소들에 대한 화자의 생각을 보여 주고 있다.

3. ② 시상 전개 과정 이해하기

① [A]에서 참나무가 벌목으로 썩어 가는 모습과 [B]에서 바람에 흔들리는 나무의 모습은 주기적으로 되풀이되는 과정 속에 있는 모습이 아니므로 순환적 관계로 볼 수 없다.

❷ [B]에서 참나무의 상태에 변화를 가져온 움직임은 높은 곳에서 참나무를 흔드는 바람이다. 이 바람으로 인해 [C]에서 잠자던 홀씨들이 일어나 버섯들이 피어나게 되었으므로, [B]에 나타난 움직임은 [C]에서 나타난 상황과 순차적 관계를 형성한다고 할 수 있다.

③ [C]에는 참나무의 상처에서 버섯이 피어나는 모습이 나타나고, [D]에서는 버섯의 생명력이 참나무의 고통을 멈추게 한다고 말하고 있다. 따라서 [C]의 순간은 [D]의 과정과 대립적 관계가 아니라 인과적 관계로 볼 수 있다.

④ [D]에서는 참나무의 상처에 버섯이 피어나 참나무의 고통이 멈추게 되었음이 나타나고, [E]에는 낙엽이 산비탈을 구르고 바람이 골짜기를 떠도는 상황이 나타난다. [D]에서 일어난 변화가 [E]의 상황에 영향을 미치는 것은 아니므로 이는 인과적 관계로 볼 수 없다.
⑤ [E]에 나타난 참나무 주변에 존재하는 사물들, 즉 낙엽과 바람은 참나무의 몸을 덮을 길 없는 대상이므로, [F]에서 나무를 채워 주는 존재로 제시된 '버섯'과 동질적 존재로 볼 수 없다.

4. ③ 외적 준거에 따라 감상하기

① (가)에는 '한여름'에 채전에서 갖가지 채소들이 영글어 가는 모습이 묘사되어 있으므로, '한여름'은 생명체들의 풍요로움을 감각적으로 드러내는 시간적 배경이라고 할 수 있다. (나)에서는 '겨울'에 벌목으로 썩어 가는 참나무의 상처마다 버섯이 피어나 고통을 멈추게 하고 있으므로, '겨울'은 생명 파괴의 현실을 이겨 내는 시간적 배경이라고 볼 수 있다.
② (가)의 '울타리'는 갖가지 채소들이 자라고 나비, 풍뎅이, 잠자리 등이 찾아오는 채전의 경계이므로 만물이 함께 살아가는 공간을 드러내는 경계라고 할 수 있다. (나)의 '골짜기'는 참나무 떼가 벌목으로 인해 썩어 가며 서 있는 땅이므로 '벌목'이라는 인간의 욕망이 투영된 장소라고 할 수 있다.
❸ (가)에서 '울타리엔 덤불을 이룬 넌출 사이로 반질반질 윤기 도는 크고 작은 박이며 호박들'은 채전의 울타리에서 어우러져 자라는 박과 호박들의 모습을 묘사한 구절로, 이때 '길게 뻗어 나가 늘어진 식물의 줄기'인 '넌출'이 생명체들이 현실의 삶에 자족하게 되는 계기를 드러내고 있지는 않다. 또한 (나)의 '홀씨'는 참나무의 상처마다 버섯이 피어나게 만든 것이므로 공존하던 생명체들이 흩어지게 되는 계기라고 볼 수 없다.
④ (가)에서 '그늘'은 채전을 지나가며 그곳의 '지극히 범속한 것들'에게 '축복과 은혜'를 주는 존재로서, 만물이 성장을 이루어 가는 배경으로서의 의미를 함축하고 있다. (나)에서 '음지'는 버섯이 피어난 곳으로, 버섯의 강인한 생명력을 통해 현실의 고통을 극복하는 장소로서의 의미를 함축한다고 볼 수 있다.
⑤ (가)의 '비'는 채전에서 자라는 채소들에게 '축복과 은혜'를 주어 '빛나는 생명의 양상'을 보이게 하는 존재이므로 생명의 충만함과 조화로움을 갖게 하는 대상이라고 할 수 있다. (나)의 '소나기'는 '후드득 피어나'는 버섯의 생명력을 빗댄 표현이므로 황폐화된 현실에 생명력을 환기하는 대상이라고 할 수 있다.

【5~7】 (가) 이용악, '고향아 꽃은 피지 못했다'

작품해설

일제 강점기에 고향을 떠나 떠돌던 유이민의 삶을 형상화한 시로, 고향에서도 타향에서도 정착하지 못하는 삶의 모습이 드러나 있다. 화자는 고향에서 마음을 잡지 못하고 낯선 타향으로 떠나지만 타향에서 힘겨운 삶을 살며 고향에 대한 그리움을 느낀다. 그러나 그리움으로 돌아온 고향은 화자의 생각과 거리가 있었기에 다시 고향을 떠나려 하며 슬픔을 느낀다. 고향을 '너'로 지칭하며 호명하는 한편 고향이 화자에게 건넨 말을 인용하거나 화자가 고향에게 말을 건네는 방식을 인용하여 화자의 내면을 드러내고 있으며, 감각적, 비유적 표현을 통해 시적 상황을 생생하게 드러내고 있다.
- **갈래** : 자유시, 서정시
- **성격** : 비극적, 감각적, 비유적
- **제재** : 일제 강점하 유이민의 삶
- **주제** : 어디에도 정착하지 못하는 유이민의 비극적인 삶

(나) 신경림, '어머니와 할머니의 실루엣'

작품해설

자신이 태어나 자란 곳을 떠나 떠돌던 화자가 다시 자신의 근원으로 회귀하고자 하는 마음을 그린 시이다. '어려서', '조금 자라서', '소년 시절'에 화자가 경험한 세계가 점점 확장되어 왔음을 나타냄으로써 화자의 성장을 그린 뒤, 화자가 바깥세상에 나와 유랑하며 즐거움을 느끼다가 다시 '어머니'와 '할머니'만이 세상의 전부이던 때로 되돌아가고자 하는 의식을 보이는 과정을 형상화하고 있다.
- **갈래** : 자유시, 서정시
- **성격** : 성찰적
- **제재** : '나'의 성장과 회귀
- **주제** : '나'의 성장 과정과 모성적 세계로의 회귀

5. ② 표현상 특징 파악하기

① [A]에서 '하얀 박꽃'과 '당콩 너울'은 여름의 계절감을 느끼게 하는 이미지인데, 이를 '무너진 돌담'이 주는 황량한 분위기와 결부하여 안타까움을 느끼는 화자의 정서를 부각하고 있다.
❷ [B]에서 '등잔불은 / 밤마다 밤새도록 꺼지고 싶지 않었지'에서 화자가 자신의 심정을 '등잔불'에 투영하였다고 볼 수 있다. 그러나 '도망하고 싶던 너의 아들', '가슴 한구석이 늘 차그웠길래'로 보아 화자가 시적 공간에 친밀감을 느끼려 했다는 것은 적절하지 않다. '너'는 '고향'으로, 화자는 고향에서 떠나고 싶은 마음에 가슴 한 구석이 늘 차가웠다고 볼 수 있다.
③ [C]에서는 고향이 '나의 아들', 즉 '나'에게 건넨 말을 직접 인용 형식으로 제시한 부분으로, '까치 둥주리 있는 아까시아', '배암장어 구워 먹던 물방앗간', '새잡이 하던 버들방천' 등 그리움을 환기하는 고향의 모습을 제시하고 있다.
④ [D]에서는 그리던 고향에 돌아왔지만 버들방천도 물방앗간도 보고 싶지 않은 화자의 내면을 '가시덤불'과 '싸늘한 바람'이라는 자연물에 비유함으로써, 고향에 대한 기대감이 사라진 화자의 마음을 드러내고 있다.
⑤ [E]에서 '다시 너의 품을 떠날려는 내 귀에 / 한마디 아까운 말도 속삭이지 말아다오'는 화자가 '너', 즉 고향에 말을 건네는 방식을 활용해 고향을 떠날 결심을 드러낸 부분으로 고향에 미련을 두지 않으려는 화자의 태도를 드러내고 있다.

6. ④ 작품 종합적으로 감상하기

① '칠흑 같은 어둠'은 화자가 칸델라불 밑에서 놀던 어린 시절의 바깥 풍경이고, '휘황한 불빛'은 화자가 전등불 밑에서 보낸 소년 시절에 보게 된 가겟방의 불빛이다. 따라서 두 이미지의 대비가 화자의 내면과 외부 세계 사이에 조성되는 긴장감을 드러내고 있다고 볼 수는 없다.
② '주정하는 험상궂은 금점꾼들'과 '셈이 늦는다고 몰려와 생떼를 쓰는 그 아내들'의 모습이 정겨운 공동체의 모습이라고 볼 수는 없다.
③ 화자는 세상을 떠돌며 많은 것을 보고 많은 것을 들었으므로, '멀리 다닐수록'이 '많이 보고 들을수록'과 연결되며 이동 범위의 확대가 인식의 확장을 가져왔음을 드러냈다고 볼 수 있다.
❹ '램프불 밑에서 자랐다'는 젊은 어머니와 주름진 할머니가 전부였던 '나'의 어린 시절, '칸델라불 밑에서 놀았다'는 '험상궂은 금점꾼들'과 그 '아내들'의 모습을 보았던 조금 자란 시절, '전등불 밑에서 보냈다'는 '가설극장의 화려한 간판'과 '가겟방의 휘황한 불빛'을 보고 세상이 넓다고 알았던 소년 시절과 연결된다. 즉, '램프불 밑에서 자랐다', '칸델라불 밑에서 놀았다', '전등불 밑에서 보냈다'의 변화를 통해 화자가 성장하며 경험한 세계가 확장되어 왔음을 나타내고 있다.
⑤ '나'는 어린 시절 젊은 어머니와 주름진 할머니를 보며 '그것이 세상의 전부라고 믿었'는데, 자라나 넓은 세상을 이곳저곳 떠돌면서 많은 것을 보고 듣다가 다시 어머니와 할머니의 실루엣만을 망막에 떠올리며 '다시 이것이 / 세상의 전부가 되었다'고 말하고 있다. 이는 화자가 자신의 근원으로 회귀하고자 하는 의식을 보여 주는 것으로, 화자가 기억하는 어릴 적 공간의 이미지가 달라졌음을 나타내는 것은 아니다.

7. ③ 외적 준거에 따라 작품 감상하기

① (가)에서 화자는 고향을 떠나 힘겨운 삶을 살다 그리움으로 고향에 돌아왔지만, 되돌아온 고향이 자신이 생각했던 것과 거리가 있음을 깨닫고 다시 고향을 떠나기로 하며 슬픔을 느낀다. 다시 고향을 떠나기로 한 화자가 '고향아 / 꽃은 피지 못했다'고 말하는 것은, 되돌아온 고향이 화자가 생각했던 고향과 거리가 있었음을 나타낸 것으로 이해할 수 있다.
② (나)에서 화자는 대처로 나와 세상 이곳저곳을 떠돌며 많은 것을 보고 들은 끝에, 시야가 차츰 좁아져 '내 망막'에 '어머니'와 '할머니'의 '실루엣만 남았다'고 하고 있다. 이는 바깥세상이 주는 재미에 빠져 있던 화자가 자신을 낳아 주고 길러 준 근원인 모성적 세계를 그리워하게 된 것을 의미한다.
❸ (가)의 '마음의 불꽃'은 고향에서 '도망하고 싶던' 화자가 고향을 떠나 멀리 낯선 곳으로 가면서 거느렸던 것이므로, 고향을 떠나면서 느꼈던 아픔을 의미한다고 볼 수 없다. 또한 (나)의 '새파란 불꽃을 뿜는 불'은 화자가 어린 시절 '칸델라불' 밑에서 놀면서 보았던 금점꾼들과 그 아내들의 모습을 돋움새겼던 것으로, 고향을 떠나고자 하는 열망과는 관련이 없다.
④ (가)의 '내 곳곳을 헤매어 살길 어두울 때'는 고향을 떠나 힘겨운 삶을 살던 화자의 모습을 나타낸 것이며, (나)의 '이곳 저곳 떠도는 즐거움'은 화자가 자라서 대처로 나와 이곳저곳을 떠돌면서 느꼈던 재미를 나타낸 것이다.
⑤ (가)의 '너의 부름이 귀에 담기어짐'은 고향을 떠나 지내던 화자가 고향이 자신을 부르는 힘, 즉 고향에 대한 그리움에 이끌리는 모습이며, (나)의 '내 시야는 차츰 좁아져'는 고향을 떠나 이곳저곳을 떠돌던 화자가 자신이 태어나고 자란 공간, 즉 구심점이 되는 세계로 돌아가고자 하는 의식을 갖게 되었음을 보여 주는 부분이다.

【8~10】 (가) 신동엽, '향아'

작품해설

물질문명의 허위와 가식에서 벗어나 순수하고 건강한 농촌 공동체가 존재했던 과거의 삶으로 돌아가자고 노래한 시이다. 문명의 허위에 물들지 않은 순수한 '향'이라는 청자를 설정하여 '옛날'로 돌아가자는 권유를 반복적으로 드러내고 있다. 화자가 지향하는 '오래지 않은 옛날'은 아름다운 자연과 '전설같은 풍속'이 존재하며 '아침처럼 빛나'고 '병들지 않은' 고향으로, 소박하면서 순수하고, 건강한 생명력이 넘치는 공간이다. 이러한 과거의 공간과 '무지갯빛 허울의 눈부심'이 가득하고, '기생충의 생리와 허식'이 존재하는 현재의 공간을 대비하여 주제 의식을 강조하고 있으며, 청유형 어미를 반복하여 화자의 의지를 드러내고 있다.

- **갈래** : 산문시, 서정시
- **성격** : 의지적, 문명 비판적
- **어조** : 의지와 소망이 드러나는 청유형 어조
- **주제** : 물질문명의 허위에서 벗어나 순수한 과거로 돌아가고 싶은 바람

(나) 기형도, '전문가'

작품해설

권력자에게 자유를 빼앗기는 어리석은 대중의 모습을 우화적으로 형상화한 시이다. 골목의 아이들이 '그'의 집 유리 담장이 어두운 골목의 실체를 은폐하는 장치라는 점과 '그'가 기만적인 방법으로 자신들을 길들이고 있다는 점을 모른 채 길들여져 결국 자유를 빼앗기는 모습을 그리고 있다. '그'는 권력자, '아이들'은 우매한 대중, '유리 담장'은 기만적 통치를 위해 사용한 환영을 상징하며, 이 시의 제목인 '전문가'는 권력자들이 이러한 기만적인 통치술에 매우 능통하다는 점을 우회적으로 드러낸 것으로 볼 수 있다.

- **갈래** : 자유시, 서정시
- **성격** : 우화적, 상징적, 비판적
- **어조** : 관찰한 내용을 전달하는 객관적 어조
- **주제** : 권력자의 기만적 통치술에 이용당하는 우매한 대중의 모습

8. ② 표현상 특징 파악하기

① (가)에서 화자는 '오래지 않은 옛날'의 고향 풍경을 묘사하고 있으므로 과거를 회상하고 있다고 볼 수 있다. 그러나 현실에 대해 비판적 태도를 보이며 '옛날', '전설같은 풍속', '우리들의 고향'으로 돌아가자고 말하고 있으므로 현실을 관망하고 있다고 볼 수는 없다.
❷ (나)에는 '그'가 이사 온 후 골목에서 벌어진 사건이 전개되고 있다. '그'가 이사 온 집의 담장들이 모두 유리로 되어 있어 골목에서 놀고 있는 아이들이 그 유리 담장을 박살냈고, '그'가 이를 이해해 주자 유리 담장이 매일같이 깨어졌으며 얼마 후 동네 아이들이 모두 충실한 '그'의 부하가 되었다는 것이다. (나)는 이와 같은 상징성을 띤 사건을 통해 권력자의 기만적인 통치술과 그에 이용당하는 어리석은 군중의 모습을 드러내고 있다.
③ (가)의 '수수럭', '미끈덩'은 소리나 모양을 나타내는 말로 볼 수 있지만 이를 통해 상상 세계의 경이로움을 나타낸 것은 아니다. (나)에서는 음성 상징어가 사용된 부분을 찾을 수 없으며, 상상 세계 또한 드러나지 않는다.
④ (가)에서는 '돌아가자'라는 시구가 반복되고 '가자', '가자꾸나'와 같이 변주되면서 이를 통해 시적 분위기를 고조하고 있다. 그러나 (나)에는 동일한 시구의 반복과 변주가 나타나 있지 않다.
⑤ (가)에서는 화자가 시적 청자인 '향'에게 '옛날로 가자'라며 자신이 바라는 바를 청유형 어조로 전하고 있을 뿐 위로하는 어조는 나타나지 않는다. 또한 (나)의 화자는 관찰자의 입장에서 골목에서 벌어졌던 사건을 전달하고 있을 뿐 충고하는 어조로 말을 건네고 있지는 않다.

9. ④ 배경 및 소재의 기능 파악하기

① ㉠은 '향'에게 함께 돌아가자고 말하는 곳으로, '향'에게 귀환이 금지된 공간이라고 볼 근거는 없다. 한편 ㉡은 '아이들'이 '일렬로' 서서 벽돌을 나르는 공간으로, '그'의 부하가 된 '아이들'의 이탈이 금지된 공간으로 볼 수 있다.
② ㉠은 '향'과 함께 돌아가 본성을 되찾고자 하는 공간일 뿐, '향'이 자기반성을 수행하는 공간이라고 볼 수는 없다. 한편 ㉡은 '아이들'이 '일렬로' 서서 벽돌을 나르는 공간으로, '그'의 명령을 수행하는 공간으로 볼 수 있다.
③ ㉠은 '철따라 푸짐히 두레를 먹던' 과거의 공간이므로 낯선 공간이라고 볼 수 없다. ㉡은 '일렬로' 선 아이들이 '묵묵히' 벽돌을 나르는 공간이므로 '아이들'의 개성이 박탈당한 상실의 공간이라고 할 수 있다.
❹ ㉠은 화자가 돌아가고자 하는 '우리들의 고향'으로, '호미와 바구니를 든 환한 얼굴'을 볼 수 있고, '철따라 푸짐히 두레를 먹던' 곳이며, '명절밤 비단치마를 나부끼며 떼지어 춤추던' 곳이다. 따라서 ㉠은 노동과 놀이가 공존하던 공간이라고 할 수 있다. ㉡은 '아이들'이 놀다가 잠깐의 실수로 유리 담장을 깨뜨렸던 공간인데, 유리 담장이 매일같이 깨어지고 시일이 지난 후 동네의 모든 아이들은 '그'의 부하가 되어 일렬로 서서 벽돌을 나르게 되었다. 따라서 ㉡은 아이들의 놀이가 사라지고 노동만 남은 공간이라고 할 수 있다.
⑤ ㉠은 화자가 '향'과 함께 돌아가기를 바라는 곳이므로 '향'과 화자의 우호적 관계가 드러나는 공간이라고 할 수 있다. 그러나 ㉡은 '아이들'이 '그'의 부하가 되어 굴종하는 공간이므로 '아이들'과 '그'의 상생 관계가 드러난다고 볼 수 없다.

10. ① 외적 준거에 따라 감상하기

❶ '그 미개지'는 '소박한 목숨을 가꾸기 위하여 맨발을 벗고 콩바심을 하던' 순수하고 건강한 공간으로, '차라리 그 미개지에로 가자'라는 화자의 권유는 <보기>에서 언급한 공동체가 농경 문화의 전통에 바탕을 두고 건강한 생명력과 순수성을 회복하기를 소망하는 의식을 담고 있다고 볼 수 있다. 그러나 이를 통해 공동체의 터전을 확장하려는 의식이 나타난다고 볼 수는 없다.
② (나)에서 '그'의 집 담장에 세워진 유리들은 '풍성한 햇빛을 복사해'냈는데, 어느 날 '그'가 유리 담장을 떼어내자 그 골목은 '가장 햇빛이 안 드는 곳'임이 판명되었다. <보기>에서 (나)가 환영을 통해 대중의 이성을 마비시키는 통치술에 대한 비판 의식을 담고 있다고 한 것을 참고할 때, 이러한 판명은 '유리 담장'이 대중을 기만하는 환영의 장치였음을 보여 준다고 할 수 있다.
③ (가)에서 '미끈덩한 기생충의 생리와 허식에 인이 배기기 전'으로 돌아가자고 한 것으로 보아, '기생충의 생리'는 '철따라 푸짐히 두레를 먹던' 자족적인 농경문화 전통에 반하는 문명의 병폐를 보여 준다고 할 수 있다. (나)에서 '주장하는 아이'는 '견고한 송판으로 담을 쌓'자고 말한 이로, 그가 추방당한 것은 다른 생각을 용납하지 않는 획일적으로 통제된 사회의 모습을 보여 준다.
④ (가)에서 '얼굴 생김새 맞지 않는 발돋움의 흉낼랑 그만 내자'라고 한 것으로 보아, '발돋움의 흉내'를 낸다는 것은 물질문명의 허위와 병폐에 물들어 가는 모습을 나타낸 것으로 볼 수 있다. (나)에서 아이들이 유리창을 깬 뒤 '그'에게 용서받고 '곧 즐거워했다'는 것은, 숨은 의도를 파악하지 못하고 그의 술수에 길들여지고 있는 모습을 나타낸 것으로 볼 수 있다.
⑤ (가)에서 '달이 뜨는 명절밤 비단치마를 나부끼며 떼지어 춤추던' 모습은 농경 문화 속에서 어울리며 살아가는, 건강한 생명력이 있는 공동체의 모습을 나타낸 것으로 볼 수 있다. (나)에서 '충실한 그의 부하'가 된 아이들이 '일렬로' 서서 '묵묵히' 벽돌을 나르는 모습은 권력의 기만적 통치술에 넘어가 권력에 종속된 대중의 모습을 나타낸 것으로 볼 수 있다.

Day 07 본문 041쪽

1. ① 2. ② 3. ④ 4. ② 5. ④
6. ⑤ 7. ③ 8. ② 9. ③ 10. ③
11. ④

【1~3】 (가) 백석, '남신의주 유동 박시봉방'

작품해설

떠도는 삶을 살아가는 상실감과 외로움, 그 극복 과정을 드러낸 작품으로 제목의 뜻은 '남신의주 유동에 사는 박시봉 씨 집에서'이다. 이는 당시 편지 봉투의 발신인 주소에 흔히 쓰던 형식이다. 1행부터 8행까지는 가족들과 헤어져 객지에서 외로이 떠돌다 누추한 거처를 마련하게 된 화자의 외로운 처지와 고단한 행적을 보여 준다. 이어서 9행부터는 화자가 방 안에서 여러 날 동안 자신이 살아온 삶을 되새기며 자신을 성찰하는 모습을 보여 준다. 그러다가 자기 안에 깃든 내면 의지를 '굳고 정한 갈매나무'에 견주어 떠올림으로써 앞으로 자신이 가져야 할 삶의 태도를 드러내고 있다.

- **갈래** : 자유시, 서정시
- **성격** : 독백적, 반성적, 의지적
- **제재** : 유랑하는 삶
- **주제** : 무기력한 삶에 대한 반성과 새로운 삶에 대한 의지
- **특징**
  - 토속적 소재가 등장하며 평안도 사투리를 구사함.
  - 편지의 형식을 빌려 자신의 근황을 드러냄.
  - 산문적 서술 형태이나 쉼표를 통해 내재율을 획득함.

(나) 김수영, '그 방을 생각하며'

작품해설

4·19혁명으로 독재 정권이 타도되고 시민들은 그 기쁨에 취해 있었으나 얼마 지나지 않아 군부에 의한 쿠데타가 일어나면서 다시 독재 정권이 자리 잡게 된다. 이 시는 1960년 10월경에 지어진 작품으로, 4·19혁명의 실패와 좌절에 대한 화자의 내면 심리를 중심으로 전개되고 있다. 혁명의 실패는 화자의 가슴을 메마르게 하고 혁명의 구호와 노래도 헛소리처럼 느끼게 한다. 화자는 실망의 무거움을 오히려 가벼움으로 삼으려는 역설적인 발상을 통해 좌절감에서 비켜서고 싶어 한다. 그러나 그 좌절감에서 쉽게 벗어나지 못하며 자신에 대한 냉소와 서글픔을 노래한다.

- **갈래** : 현대시
- **성격** : 현실 참여적, 상징적, 비판적, 성찰적
- **주제** : 혁명 실패에 대한 탄식과 기대와 희망
- **특징** : 유사한 구절을 반복하여 주제의식을 강화함.
- **구성**
  - 1연: 혁명의 실패와 방을 바꾼 '나'
  - 2연: 과거의 열정을 잃고 메말라 버린 가슴
  - 3연: 실망의 가벼움을 재산으로 삼을 줄 알게 됨.
  - 4~6연: 혁명에 대한 의지와 기대감

1. ① 표현상 특징 파악하기

❶ (가)는 '내 가슴이 꽉 메어 올 적이며', '내 눈에 뜨거운 것이 핑 괴일 적이며' 등과 같이 유사한 형태의 문장을 반복하고 있다. 한편 (나)는 '혁명은 안 되고 나는 방만 바꾸어 버렸다'와 '혁명은 안 되고 나는 방만 바꾸었지만' 등과 같이 유사한 형태의 문장을 반복하고 있다. 따라서 (가)와 (나)는 모두 유사한 문장 형태를 반복하여 시적 의미를 강조하고 있다.

② (가)와 (나) 모두 추측을 나타내는 표현을 활용하여 대상의 양면성을 부각하고 있는 부분을 찾을 수 없다.

③ (나)의 '이제 나는 무엇인지 모르게 기쁘고 나의 가슴은 이유 없이 풍성하다'에서 반어적인 표현을 사용하고 있지만 (가)에서는 반어적 표현을 확인할 수 없다.

④ (가)와 (나) 모두 계절감이 드러난 시어를 활용하여 화자가 처한 상황을 강조하고 있지 않다.

⑤ (가)는 편지 형식을 빌려 화자의 근황을 드러내고 있다.

2. ② 시어의 함축적 의미 파악하기

① (가)에서 '꽉'과 '핑'을 통해 화자가 자신에 대해 느끼는 답답함, 울분 등의 심정을 부각하고 있다.

❷ (가)에서 '내 어지러운 마음에는 슬픔이며, 한탄이며, 가라앉을 것은 차츰 앙금이 되어 가라앉고'는 여러 날이 지나는 동안 화자의 마음속에 있던 슬픔과 한탄 등이 가라앉고 진정되어 간다는 것을 의미한다. 따라서 '앙금'이 되어 '가라앉'는 것으로 제시한 것이 화자의 내적 갈등이 심화되는 양상을 드러낸다는 설명은 적절하지 않다.

③ (가)에서 '쌀랑쌀랑'을 반복적으로 사용한 것은 화자가 느꼈던 감각이 연상 작용으로 이어지고 있음을 드러낸다.

④ (나)에서 '싸우라'와 '일하라'를 각각 '헛소리'와 연결한 것은 혁명의 실패로 인해 이러한 외침을 공허하게 느끼게 된 화자의 인식을 드러내고 있다.

⑤ (나)에서 '쓰디쓴'을 '달콤한'과 대비하여 자신이 지향해 온 것과 괴리된 현실에 대한 화자의 좌절감을 부각하고 있다.

3. ④ 외적 준거에 따라 작품 감상하기

① (가)에서 화자가 세를 들게 된 '쥔을 붙인' 방을 '습내 나는 춥고, 누긋한 방'이라고 하며 화자가 처한 현실이 초라하고 힘겹다는 것을 보여 준다.

② (가)에서 화자는 '문밖에 나가지도' 않고 '내 슬픔이며 어리석음이며'를 '쌔김질'하고 있는데, 이러한 화자의 모습은 화자가 방 안에서 자신의 삶에 대한 생각을 되새기고 있는 것으로 형상화된다. 따라서 이때 방은 자신에 대한 생각을 되새기는 공간임을 알 수 있다.

③ (나)의 '모든 노래를 그 방에 함께 남기고 왔을 게다'에서 '모든 노래'는 혁명을 상징하는 것으로, '그 방에 함께 남기고 왔을 게다'라고 표현하며 혁명의 실패로 인해 좌절감에 빠진 화자의 심정을 드러내고 있다.

❹ (가)의 화자는 자신의 힘과 능력보다 '더 크고, 높은 것'이 있음을 깨닫게 되며 인식의 전환을 맞이하게 된다. '더 크고, 높은 것'은 화자가 '나를 마음대로 굴려 가는 것'으로 인식하고 있다. 그러므로 화자 자신을 '더 크고, 높은 것'과 동일시한다는 설명은 적절하지 않다.

⑤ (가)는 화자가 방에서 외로움과 추위를 참고 견디는 '굳고 정한 갈매나무'를 생각했다고 함으로써, (나)는 화자가 방을 바꾼 후 '실망의 가벼움을 재산으로 삼을 줄 안다'라고 함으로써 화자가 지니게 된 삶의 태도를 드러내고 있다.

【4~7】 (가) 오장환, '종가'

작품해설

퇴락한 종가의 모습과 그에 얽힌 상처를 구체적인 이미지를 통해 그려 낸 산문시이다. '종가'는 '족보로 보아 한 문중에서 맏이로만 이어 온 큰집'으로 '신주'를 모시며 '제삿날'이면 많은 구성원들이 모여드는 곳이다. 이 시의 '종가'는 과거 동네 백성들 위에 군림하며 횡포를 부렸고 지금도 동네 사람들에게는 그때의 이미지가 남아 있다. 그러나 현재 종가는 과거의 위세를 잃고 가족 구성원들은 분열되었으며 종갓집 영감님은 살기 위해 고리대금을 하고 있다. 이 시는 이를 통해 피폐해진 종가의 현실을 드러내면서 종가에 대한 부정적인 시선을 담아내고 있다.

- **갈래** : 산문시, 서정시
- **성격** : 산문적, 비판적, 감각적
- **어조** : 비판적
- **구성**
  - 돌담으로 ~ 살고 있었다 : 검은 기와집 종가의 모습
  - 충충한 울 ~ 이종 오빠 : 가족 구성원들이 분열된 상황과 어수선한 제사 분위기
  - 한참 쩡쩡 ~ 마을의 풍설 : 동네 백성들 위에 군림했던 종가의 과거와 지금도 남아 있는 풍설
  - 종가에 사는 ~ 살아 나간다 : 고리대금을 하며 살아가는 현재 종갓집 영감님
- **주제** : 퇴락한 종가의 모습과 봉건 질서의 몰락
- **중요 시어 및 시구 풀이**
  - 돌담으로 튼튼히 가려 놓은 집 안엔 검은 기와집 종가 : 종가의 폐쇄적이고 암울한 분위기
  - 오래인 동안 ~ 날름히 올라앉는다 : 종가에서 무기처럼 아끼는 '신주들'은 종가의 위계, 권위를 상징함. 종가가 내세우는 권위에 대한 풍자적 태도가 드러남.
  - 한참 쩡쩡 울리던 옛날에는 ~ 주릿대를 앵기었다고 : 과거 동네 백성들 위에 군림하며 횡포를 부리던 종가의 모습을 구체적 이야기와 감각적 표현을 통해 제시함.
  - 지금도 종가 ~ 마을의 풍설 : 지금도 마을 사람들 사이에 과거 종가의 횡포로 인한 부정적 인상이 남아 있음을 나타냄. '웅웅거리다'는 '센 바람이 나뭇가지 따위에 부딪치는 소리가 자꾸 나다.'라는 의미.
  - 종갓집 영감님은 ~ 고리대금을 하여 살아 나간다 : '고리대금'은 부당하게 비싼 이자를 받는 돈놀이로, 작인들에게 고리대금을 하는 종갓집 영감님의 모습을 통해 현재 퇴락한 종가의 현실과 그에 대한 부정적인 태도가 드러남.

같은작가 다른기출

2015학년도 수능 B형 '고향 앞에서'

(나) 최두석, '노래와 이야기'

작품해설

시를 이루는 '노래'와 '이야기'의 관계를 통해 시가 지향해야 하는 바를 드러낸 시론 성격의 시이다. 화자는 '노래'는 '심장'에, '이야기'는 '뇌수'에 박히는 것이라고 말하며 처용설화와 처용가를 통해 그 성격을 드러낸다. 그리고 오늘날 '시'에는 '노래'의 성격이 남아 있지 않음에 아쉬움을 드러내면서 '노래'로 인해 상처가 깊어지기도 하기에 그 처방으로 '이야기'가 필요하다고 보고 '뇌수와 심장이 가장 긴밀히 결합되기를 바란다'고 한다. 즉 화자는 시인으로서 '노래'와 '이야기'가 조화를 이루는 시를 지향하고 있는 것이다.

- **갈래** : 자유시, 서정시
- **성격** : 사색적, 시론적
- **어조** : 사색적 어조
- **구성**
  - 1행 : 노래는 심장에, 이야기는 뇌수에 박힘.
  - 2~7행 : 처용설화에서 드러나는 노래와 이야기의 서로 다른 힘
  - 8~11행 : 시집에 악보가 사라진 시대에 노래하고 싶은 시인의 시 짓기
  - 12~15행 : 이야기로 시를 쓰며 뇌수와 심장이 긴밀히 결합되기를 소망함.
- **주제** : 노래와 이야기가 조화를 이루는 시에 대한 지향
- **중요 시어 및 시구 풀이**
  - 노래는 심장에, 이야기는 뇌수에 박힌다 : '노래'와 '이야기'의 성격에 대한 인식을 밝힘. '심장'은 감성, '뇌수'는 이성을 의미하는 것으로 볼 수 있음.
  - 처용이 밤늦게 ~ 건드리지 못한다 : 귀신을 꿇어 엎드리게 한 노래의 힘과 노래에서 분리된 가사의 한계가 드러남.
  - 이제 아무도 ~ 골라 넣는다 : 시에 노래의 성격이 약화된 상황에서 시에 노래가 주는 감동을 불어넣고 싶은 시인의 모습이 나타남.
  - 상처는 노래에 쉬이 덧나 / 다스리는 처방은 이야기일 뿐 : 노래는 감정적이어서 상처를 깊어지게 하기에 그 한계를 다스리기 위해 이야기가 필요하다는 의미
  - 뇌수와 심장이 가장 긴밀히 결합되길 바란다 : 이야기와 노래가 긴말하게 결합된 시를 쓰고 싶은 소망이 드러남.

같은작가 다른기출

2012학년도 9월 모의평가 '노래와 이야기'
2014학년도 예비 수능 B형 '성에꽃'
2015학년도 수능 B형 '낡은 집'

4. ② 화자의 태도 및 정서 파악하기

❷ 화자는 '오래인 동안 이 집의 광영을 지키어 주는 신주들'은 '곰팡이가 나도록' 방치되지만 '제삿날이면 갑자기 높아 제상 위에 날름히 올라앉는다'고 말하고 있다. '신주들'은 '종가에서는 무기처럼 아끼'는 것으로 종가의 위계, 권위를 상징하는데 그것이 평소에는 방치되다가 제삿날 '갑자기 높아'져 제상 위에 올라간다고 하는 것을 통해 종가가 내세우는 권위에 대한 풍자적 태도가 드러나고 있다.

5. ④ 시어, 시구의 의미와 기능 파악하기

①, ② [A]에서는 '노래'가 귀신을 꿇어 엎드리게 한 것과 달리 '목청을 떼어 내고 남은 가사'는 '머리카락 하나 건드리지 못한다'고 말하고 있다. 이것은 '노래'가 분리되었을 때의 '가사'의 모습이므로 '노래'와 '가사'의 융합이 가져온 결과라거나 '노래'와 '이야기'가 결합되었을 때의 모습이라고 볼 수 없다.

③ [B]는 '노래하고 싶은 시인'이 '말'에 '심장의 박동', 즉 '노래'를 불어넣는 모습을 나타낸 것으로, 시인의 '말'에 '이야기'가 연결된 상황을 표현한 것은 아니다.

❹ [B]에는 '이제 아무도 시집에 악보를 그리지 않는' 상황에서 '노래하고 싶은 시인'의 모습이 나타나 있다. (나)에서 '노래'는 '심장'에 박히는 것이며, '귀신을 꿇어 엎드리게' 하는 힘이 있는 것으로 그려져 있다. 따라서 '노래하고 싶은 시인'이 '말' 속에 '심장의 박동'을 골라 넣는 것은, '노래'의 성격이 약화된 '말'에 '노래'가 지닌 힘을 불어넣으려는 것으로 볼 수 있다.

⑤ [A]는 '가사'에서 '노래'가 분리된 상황을 나타내므로 '이야기'의 도입이 지닌 한계와는 거리가 멀다. 또한 [B]는 시에 '노래'의 성격이 약화된 상황이 나타날 뿐 '노래'의 회복이 지닌 의의는 나타나 있지 않다.

왜 많이 틀렸을까?

이 문제는 (나)에 나타난 '노래'와 '이야기'의 관계와 화자가 쓰고 싶은 '시'의 모습을 이해할 것을 요구했어. [A]와 [B]에 대한 이해를 묻고 있지만, 전체적으로 이에 대해 파악하는 것이 필요했지. ③번 선택지를 고른 학생들이 비교적 많았는데, 뒤에 '이야기로 하필 시를 쓰며'와 같은 시구를 보고 헷갈렸던 것 같아. 하지만 시인이 '노래하고 싶은'이라고 한 것이나, '심장의 박동을 골라 넣는다고 한 것을 연결 지어 해석하면 [B]는 '말'과 '이야기'가 연결되는 것이 아니라 '말'에 '노래'의 힘을 불어넣는 것을 나타낸 것으로 이해할 수 있어.

6. ⑤ 표현상 특징과 내용 이해하기

❺ (가)에서는 '옛날에' 종가가 동네 백성들에게 횡포를 부리던 모습을 드러낸 뒤, '지금도' '달걀귀신이 융융거린다는 마을의 풍설'이 있다고 하여 과거 횡포를 부리던 종가에 대한 부정적 인상이 여전히 남아 있음을 드러내고 있다. (나)에서는 '이제 아무도 시집에 악보를 그리지 않는다'고 하여 오늘날의 '시'에 '노래'의 성격이 약화되었음을 드러내고 있으므로, '이제'를 통해 시의 영속성을 강조한다고 볼 수 없다.

7. ③ 외적 준거에 따라 작품 감상하기

① (가)에서는 '오조 할어미와 ~ 한데 얼리어 닝닝거린다', '손꾸락을 빨며 구경하는 이종 언니 이종 오빠' 등에서 종가 구성원들의 행동을 현재 시제로 표현하고 있는데, 〈보기〉에서 이는 종가의 이야기와 현재의 상황이 연결되도록 하려는 의도임을 알 수 있다.

② (가)에서는 과거 종가가 '동네 백성들'을 '모말굴림도 시키고 주릿대를 앵기었다'고 진술하고, 지금도 '종가 뒤란'에 '달걀귀신이 융융거린다는 마을의 풍설'이 있다고 하여 '동네 사람들'이 종가로 인해 받은 상처를 보여줌으로써 종가의 부정적 측면을 드러내고 있다.

❸ (나)에서 '격정의 상처는 노래에 쉬이 덧'난다는 것은, 〈보기〉에서 언급한 감정의 과잉으로 상처가 오히려 깊어지기도 하는 노래의 한계를 나타낸 것으로 볼 수 있다. 시에서 노래의 성격이 분리된 결과는 '목청을 떼어 내고 남은 가사'의 모습에서 드러난다.

④ (나)에서는 '상처는 노래에 쉬이 덧나 / 다스리는 처방은 이야기'라는 인식을 드러낸 뒤 이야기로 시를 쓰며 '뇌수와 심장이 가장 긴밀히 결합되길 바란다.'고 함으로써 시에 이야기가 필요하다는 생각을 담아내고 있다.

⑤ 〈보기〉를 통해 (가)는 종가에 대한 화자의 경험과 종가와 연관된 사람들의 상처를 이야기한 산문시이고, (나)는 '시'에는 노래의 한계를 극복하기 위해 '이야기'가 요구된다는 점을 강조하여, '이야기'가 두드러진 시를 짓는 까닭을 제시한 시임을 알 수 있다.

【8~11】 (가) 이육사, '황혼'

작품해설

'골방'과 '밀실'이라는 시어의 대조적 의미를 활용하며 자아와 세계의 합일을 추구하고 있는 작품이다. 시적 화자는 5월의 어느날 골방의 커튼을 걷으며 황혼에 물든 바다와 갈매기를 보게 된다. 황혼이 연약하고 가련한 존재인 '별들, 수녀들, 수인들, 행상대, 토인들'을 포용하기를 희망하고 외로운 존재인 인간에 대한 연민을 새삼 다시 느끼게 된다. 황혼의 포용적인 이미지를 감각적으로 표현하며, 사랑과 평온의 시간을 누리게 되길 희망하는 화자의 심정이 독백조로 나타나 있다.

- **주제** : 황혼의 이미지를 통하여 인류애를 추구함.

(나) 김종길, '바다에서'

작품해설

과거에서 현재로 시상을 전개하며 자신의 지난날을 회상함과 동시에 현재 처해 있는 현실을 수용하며 앞으로 다가올 미래의 역경에 대비하며 앞으로의 의지를 다지고 있는 시적 화자의 태도가 드러나는 작품이다. '바다'와 '하늘'의 대비를 통하여 화자가 지향하는 삶의 세계를 선명하게 형상화하고 있다. 거친 파도 앞에서 괴로워하는 '나'는 마치 '소년'처럼 울음을 참고 있으나, 강한 파도에도 굴하지 않고 고난 속에서 홀로인 자신을 자각하고 나약했던 과거와 결별을 고하고 있다. 결국 '나의 하늘'로 대표되는 화자의 이상향을 꿈꾸며 슬픔을 극복하는 모습이 두드러진다.

- **주제** : 역경 속에서도 이상을 추구하는 화자의 의지.

8. ② 표현상의 특징 파악하기

① (가)와 (나) 모두 수미상관 기법이 사용되지 않았다.

❷ (가)에는 '황혼아 네 부드러운 손을 힘껏 내밀라', '내 뜨거운 입술을 맘대로 맞추어보련다', '황혼아 네 부드러운 품안에'에서 (나)에는 '차운 물보라가'에서 촉각적 심상을 활용하여 시적 대상의 속성을 구체적으로 형상화하고 있다.

③ (가)의 1연에 '인간은 얼마나 외로운 것이냐', 3연에 '그들의 심장이 얼마나 떨고 있을까'라는 자조적인 물음

의 형식이 드러나지만 이에 대한 답은 제시되지 않았다. 또한 (나)에는 묻고 답하는 형식의 표현이 사용되지 않았으므로 적절하지 않은 설명이다.
④ (가)의 '바다의 흰갈매기', '저-푸른 커-튼을'처럼 색채어를 사용하여 시상을 구체화하고 있으나, (나)에서는 색채어를 사용한 부분이 없다.
⑤ (가)와 (나) 모두 반어적 표현을 통해 현실에 대한 비판 의식을 드러낸 부분은 없다.

9. ③ 작품의 내용 파악하기

① [A]에서 시적 화자는 '바다의 흰갈매기'를 보며 '인간은 얼마나 외로운 것이냐'라고 토로하고 있으므로 적절한 설명이다.
② [B]에서 '황혼'을 마치 인격이 있는 존재에 빗대어 '네 부드러운 손'에 '내 뜨거운 입술'을 마음껏 맞추겠다고 표현한다. 이어서 황혼이 감싸고 있는 모든 존재를 '모-든 것'이라 칭하며 그것에 자신의 애정을 담아 '나의 입술을 보내게 해다오'라고 표현하고 있으므로 적절한 설명이다.
❸ [C]의 '의지할 가지 없는 그들'이란 '별들', '수녀들', '수인들'을 가리키는 것으로, 그들이 처한 상황에 연민을 표현하며 '그들'에게 '나의 입술을 보내게 해다오'라고 언급하고 있다. 따라서 '의지할 가지 없'이 '떨고 있는' 존재들이 '별들', '수녀들', '수인들'에게 위로 받기를 바라는 마음을 보여 주고 있다는 설명은 적절하지 않다.
④ [D]에서 '낙타 탄 행상대', '활 쏘는 인디언'과 같은 대상을 지칭하며, 황혼의 '네 부드러운 품안에 안기는 동안'만이라도 '나의 타는 입술에 맡겨다오'라고 호소하며 그들에 대한 관심과 애정을 표현하고 있다.
⑤ [E]의 화자는 '오월의 골방'을 아늑하다고 느끼면서도 '저-푸른 커-튼'을 걷어 '황혼'을 맞이하는 상황을 그리며 내일에 대한 기대를 표현하고 있다.

10. ③ 시상 전개 방식 파악하기

① 화자가 '차운 물보라'가 자신의 이마를 적실 때마다 '소년처럼 울음을 참았다'라는 과거형으로 표현한 것으로 보아, 시련을 겪었던 과거의 경험을 떠올리고 있다고 볼 수 있다.
② 화자는 '부서지는 파도' 속에서 혼란을 겪으면서도 '나는 바다와 더불어 홀로이니라'라고 표현하고 있으며, 현재형으로 표현하고 있으므로 적절한 설명이다.
❸ 화자는 '감상의 물거품'으로 '자폭의 잔을 채우던 옛날'과의 이별을 고하며 이를 '아득히 띄워보내고'라고 표현하고 있다. 따라서 또한 '원몸을 내어맡'기며 바다와 맞서는 것을 과거의 자신에 대한 미련이 남아 있어서라고 보는 것은 적절하지 않고 오히려 긍정적인 미래로 나아가고자 하는 모습이라 할 수 있다.
④ '자폭의 잔'이란 화자가 체념과 도피로 일관하며 진정한 자아를 깨닫지 못한 과거의 자신의 모습을 표현한 것으로, 이를 두고 '이제 아득히 띄워보내고'라고 표현한 것으로 보아 '옛날'이라는 부정적 과거가 현재의 자신과 단절되기를 바라고 있음을 짐작할 수 있다.
⑤ 화자는 자신이 느끼는 '슬픔'의 깊이와 크기가 '바다만 하'더라도 후회하지 않고 '나의 하늘'을 꿈꿀 것을 다짐하고 있으므로, 미래의 삶을 지향하고 있다는 설명은 적절하다.

11. ④ 외적 준거에 따른 작품 감상하기

① (가)의 화자는 자신의 '골방의 커-튼을 걷고' 그 사이로 들어오는 '황혼'을 '정성된 맘'으로 맞이한다고 하였다. 〈보기〉에서 '골방'은 화자가 머무르고 있는 고립된 공간, '황혼'은 만물을 포용할 수 있는 개방된 공간이라고 하였으므로 이를 통해 '커-튼을 걷'는 행위는 골방 안과 골방 밖 세계라는 대립적 공간이 연결될 수 있음을 알 수 있다.
② (가)에서 골방 안에 있는 화자는 골방 밖에 존재하는 '반짝이는 별들', '그윽한 수녀들', '많은 수인들', '낙타 탄 행상대', '활 쏘는 인디언'등의 존재를 언급한다. '황혼'에게 '네 품안에 안긴 모-든 것'에 '네 부드러운 손'을 내밀라는 표현을 통하여 그들에게 황혼의 포용성이 전해지기를 바라고 있음을 알 수 있다.
③ (가)의 화자는 골방의 밖에 존재하는 황혼을 부르며 '네 부드러운 손을 힘껏 내밀라', '네 품안에 안긴 모-든 것에 나의 입술을 보내게 해다오'와 같은 자신의 바람을 전달하고 있다. 즉, 〈보기〉에 제시된 '만물을 포용할 수 있는 황혼'을 통해 골방 안이라는 고립된 공간의 한계를 넘어서고자 함을 알 수 있다.
❹ 〈보기〉에서 (나)의 '바다'는 부정적 속성을, '하늘'은 긍정적 속성을 지니고 있으며 '바다'와 '하늘'의 대비를 통하여 화자의 내면 상황을 선명하게 드러낸다고 하였다. 이를 토대로 살펴보면 (나)의 '천인의 깊이'의 바다는 끝을 알 수 없는 깊이의 고난과 갈등을 상징하고, 그 속에서도 '나'는 '꽃처럼 황홀한 순간'을 마련하며 자신이 꿈꾸던 이상을 이루기 위하여 노력하고 있으며 '나의 하늘'이 바로 화자가 꿈꾸는 지향점이다. 따라서 화자가 '천인의 깊이'의 바다를 '꿈꾸'어야 할 하늘로 인식을 전환하며 내면의 슬픔을 극복하고 있다는 설명은 적절하지 않다.
⑤ (나)의 첫 번째 연에서 화자는 '차운 물보라'가 '이마를 적실 때'마다 마치 소년처럼 '울음을 참'아내며 버텼으나, 다섯 번째 연에서 '천인의 깊이 위'에서도 오히려 '꽃처럼 황홀한 순간을 마련'하며 화자가 지향하는 하늘을 향해 적극적으로 나아가려는 모습을 보이고 있다.

Day 08

본문 046쪽

1. ④	2. ⑤	3. ②	4. ②	5. ①
6. ②	7. ②	8. ①	9. ③	10. ②
11. ⑤				

[1~3] (가) 김기림, '연륜'

작품해설

지난 삶을 성찰하고 반성하며 앞으로 열정적인 삶을 살겠다는 다짐을 드러낸 시이다. 화자는 자신의 지난 '서른 나문 해'가 뜻을 제대로 이루지 못한 '초라한 경력'이라고 표현하며, 그러한 지난날을 '육지'에 막은 다음 이상적인 공간인 '섬'으로 가 열정적인 삶을 살겠다는 의지를 드러내고 있다. 제목의 '연륜'은 나무의 나이테를 이르는 말로 여러 해 동안 쌓은 경험에 의하여 이루어진 숙련의 정도를 뜻하는데, 이 시에서는 뜻을 이루지 못하고 굳어진 삶을 의미하며 화자가 단절하고자 하는 대상으로 나타난다.

- **갈래** : 자유시, 서정시
- **성격** : 감각적, 반성적, 의지적
- **어조** : 독백적, 의지적 어조
- **구성**
  - 1연 : 초라한 지난 삶
  - 2연 : 뜻을 이루지 못한 채 쌓인 연륜
  - 3연 : 이상적 공간인 섬으로 가고자 함.
  - 4연 : 이상적 공간인 섬의 모습
  - 5연 : 과거와 단절하고 열렬한 삶을 살고자 함.
- **주제** : 열정적인 삶을 살겠다는 의지
- **중요 시어 및 시구 풀이**
  - 무너지는 꽃 이파리처럼 ~ 서른 나문 해 : 자신의 지난 삶을 초라하게 인식함.
  - 산호 핀 바다 바다에 나려앉은 섬으로 가자 : '섬'은 이상적 공간으로, 화자가 과거와 결별하고 열렬히 살기 위해 향하고자 하는 곳임.
  - 초라한 경력을 육지에 막은 다음 ~ 연륜마저 끊어버리고 : '초라한 경력'은 자신의 지난 삶에 대한 인식을 보여 주는 표현으로, 그러한 과거를 '육지'에 막아 단절하고 뜻을 펴지 못한 채 쌓인 연륜마저 끊어버리겠다는 의지가 드러남.
  - 불꽃처럼 열렬히 살리라 : 열렬한 삶에 대한 의지

같은작가 다른기출

2004학년도 9월 모의 평가 '길'
2006학년도 6월 모의 평가 '바다와 나비'
2019학년도 6월 모의 평가 '주을온천행'

(나) 김광규, '대장간의 유혹'

작품해설

대비되는 시어를 통해 무가치하고 개성이 없는 삶에 대한 반성과 가치 있는 삶에 대한 소망을 드러낸 시이다. '플라스틱 물건'은 무가치하고 개성이 없는 존재를, 이와 대비되는 '시퍼런 무쇠낫'과 '꼬부랑 호미'는 정성과 노력을 통해 이루어진 가치 있는 존재를 의미한다. 이러한 존재가 탄생하는 '털보네 대장간'은 화자를 새롭게 태어나게 할 수 있는 공간으로, 제목 '대장간의 유혹'은 무기력하고 일회적인 삶 속에서 치열함을 통해 일구어 낸 가치 있는 존재가 되기를 소망하는 심정을 담고 있다.

- **갈래** : 자유시, 서정시
- **성격** : 비판적, 의지적
- **어조** : 독백적, 의지적
- **구성**
  - 1~6행 : 스스로가 일회적이고 무가치한 존재처럼 느껴지는 회의감
  - 7~8행 : 털보네 대장간에 찾아가고 싶은 마음
  - 10~18행 : 치열한 과정을 통해 가치 있는 존재가 되는 삶에 대한 열망
  - 19행~25행 : 지난 삶에 대한 반성과 참된 삶의 추구
- **주제** : 지난 삶에 대한 반성과 가치 있는 삶의 소망
- **중요 시어 및 시구 풀이**
  - 플라스틱 물건 : 획일적으로 대량 생산되어 일회적으로 쓰이고 버려지는 물건으로 소모적이고 개성이 없는 삶을 의미
  - 털보네 대장간 : 도시화·산업화로 인해 사라진 공간이자 화자가 자신의 무가치한 삶을 바꿀 수 있는 공간
  - 시우쇠처럼 달구고 / 모루위에서 벼리고 / 숫돌로 갈아 : 담금질과 단련의 과정. 치열한 자기 성찰의 과정을 나타냄.
  - 시퍼런 무쇠 낫, 꼬부랑 호미 : 노력과 정성으로 이루어진 가치 있고, 개성적인 존재. '플라스틱 물건'과 대비를 이룸.
  - 똥덩이 : 무가치하고 쓸모없는 존재. '플라스틱 물건'과 의미가 통함.

같은작가 다른기출

2005학년도 9월 모의 평가 '때'
2018학년도 수능 '묘비명'

1. ④ 표현상 특징 파악하기

① (가)의 마지막 연에서 '~ 다음', '-고'를 통해 과정이 드러난다고 볼 수 있지만 과정을 나타내는 시어들을 나열하여 시간의 급박한 흐름을 드러내고 있는 것은 아니다.
② (가)는 '구름같이 피려던 뜻', '갈매기처럼 꼬리 떨며' 등에서 자연물에 빗대어 화자의 모습을 나타내고 있다. 그러나 (나)에서는 화자 자신이 '플라스틱 물건처럼' 느껴지면 버스에서 뛰어내리고 싶다거나, '시우쇠처럼 나를 달구고', '꼬부랑 호미가 되어 / 소나무 자루에서 송진을 흘리면서' 걸려 있고 싶다고 하고 있을 뿐, 자연물에 빗대어 화자의 움직임을 나타낸 부분은 찾을 수 없다.
③ (가)는 '비취빛 하늘 아래 피는 꽃', '눈빛 파도'에서 색채어를 활용하여 섬의 분위기를 드러내고 있다. 한편 (나)는 '시퍼런 무쇠 낫'에서 색채어를 활용하고 있는데 이를 통해 담금질을 한 뒤 숫돌에 갈아 낫을 만드는 대장간의 분위기가 드러난다고 볼 수도 있다.
❹ (가)는 '무너지는 꽃 이파리처럼 / 휘날려 발 아래 깔리는 / 서른 나문 해'에서 하강적 이미지의 시어를 활용하여 자신의 지난 '서른 나문 해'가 초라하고 보잘것없다는 인식을 드러내고 있다. 또한 (나)는 '아득한 나락으로 떨어져 내리는 / 똥덩이처럼 느껴질 때'에서 하강적 이미지의 시어를 활용하여 자신을 무가치하고 쓸모없게 느끼는 태도를 드러내고 있다.
⑤ (가)와 (나) 모두 독백적인 어조로 성찰을 드러낸 시로, 표면에 청자가 드러나 있지는 않다. (가)에서 '섬으로 가자'와 같이 청유형으로 표현한 것은 자신과 대화하듯 표현한 것이다.

2. ⑤ 시구의 의미와 기능 파악하기

① (가)에서는 '초라한 경력'을 육지에 막고 연륜마저 끊어버린 뒤 '불꽃처럼 열렬히 살리라'라고 말하고 있다. 따라서 '열렬히'는 지난 삶과 단절하고 열정적인 삶을 살겠다는 적극적인 태도를 나타낸 것으로 볼 수 있다.
② (나)에서는 '플라스틱 물건'은 '제 손으로 만들지 않고 / 한꺼번에 싸게 사서' 쓰다 버리는 것, '꼬부랑 호미'는 '땀 흘리며 두들겨 하나씩 만들어 낸' 것으로 나타나고 있다. 따라서 '한꺼번에'와 '하나씩'의 대비는 플라스틱 물건과 다른 호미의 개별적 존재로서의 고유성을 부각한다고 볼 수 있다.
③ (나)의 화자는 '지금까지 살아온 인생이 / 온통 부끄러워지고'에서 '온통'이라는 표현을 통해 자신의 지난 삶 전반을 성찰하는 태도를 강조하고 있다.
④ (가)는 '구름같이 피려던 뜻은 날로 굳어'에서 피려던 뜻이 굳어지는 부정적 상황이 '날로' 심화됨을 드러내고 있다. 또한 (나)는 '플라스틱 물건처럼 느껴질 때 / 당장 버스에서 뛰어내리고 싶다'에서 '당장'을 통해 자신이 플라스틱 물건처럼 느껴지는 당면한 상황에서 벗어나고 싶은 절박함을 강조하고 있다.
❺ (가)에서는 '나도 또한 불꽃처럼 열렬히 살리라'라고 하여 '불꽃'처럼 열렬한 태도로 살겠다는 의지를 강조하고 있다. 즉 '또한'은 불꽃이라는 긍정적 존재와 화자의 동질성을 추구하는 표현으로 볼 수 있다. 그런데 (나)의 '마구 쓰다가 / 망가지면 내다 버리는 / 플라스틱 물건'에서 '마구'는 부정적으로 취급되는 대상인 플라스틱 물건의 속성을 강조하는 표현인데, 화자는 자신이 '플라스틱 물건처럼 느껴'진다고 말하고 있으므로 '마구'를 통해 부정적으로 취급되는 대상과 화자 간의 차별성을 부각한다고 볼 수는 없다.

3. ② 외적 준거에 따라 감상하기

① 〈보기〉에서 (가)의 화자는 축적된 인생 경험에서 결핍을 발견하고 경험을 재해석한다고 한 것을 참고할 때, (가)의 화자가 자신의 지나온 '서른 나문 해'를 '초라한 경력'이라고 표현한 것은 자신의 지난 삶을 변변치 않은 것으로 재해석한 것으로 볼 수 있다.
❷ (가)의 화자는 '구름같이 피려던 뜻'이 날로 굳어 이루어진 '주름 잡히는 연륜'을 끊어버리고 '불꽃'처럼 열렬히 살겠다는 의지를 드러내고 있다. '연륜'에는 결핍된 속성이 있기에 화자는 '연륜'을 끊어버림으로써 결핍에서 벗어나 '불꽃'처럼 열정적으로 살고자 하는 것이다. 즉 화자는 '연륜'을 끊고 '불꽃'의 태도를 추구하려 하고 있을 뿐 '불꽃'을 '연륜'에 결핍된 속성을 끊을 수 있는 수단으로 본 것은 아니다.
③ 〈보기〉에서 (나)는 현대인이 추구하는 편리함에서 결핍을 발견한 화자가 결핍된 상황에서 벗어나려는 의지를 보인다고 하였다. (나)의 화자는 자신이 한꺼번에 싸게 사서 마구 쓰다가 버리는 '플라스틱 물건'처럼 느껴질 때, 땀 흘리며 두들겨 물건을 하나씩 만들어 내는 '털보네 대장간'을 '찾아가고 싶다'고 말한다. 따라서 '털보네 대장간'은 일상에서 결핍된 가치를 찾고자 하는 열망이 투영된 공간으로 볼 수 있다.
④ (나)에서 화자는 자신이 '똥덩이'처럼 무가치하게 느껴질 때, '가던 길을 멈추고' '어딘가 걸려 있고 싶다'고 말한다. 이는 '털보네 대장간'에 찾아가 '꼬부랑 호미'가 되어 '대장간 벽에 걸리고 싶다'고 한 것과 연결해 볼 때 화자가 추구하는 가치를 표상하는 사물의 상태가 되고 싶다고 함으로써 결핍에서 벗어나고자 하는 의지를 드러낸 것으로 볼 수 있다.
⑤ (가)에서 화자는 '초라한 경력'을 '육지'에 막은 다음 '연륜'마저 끊어버리고 열렬히 살겠다고 말하고 있다. 따라서 '육지'는 화자가 결핍을 느끼는 공간으로 새로운 삶을 위해 단절하고자 하는 공간이라고 볼 수 있다. 또한 (나)에서 화자는 자신이 '플라스틱 물건'처럼 느껴질 때 '버스'에서 뛰어내리고 싶고, '털보네 대장간'을 찾아가고 싶다고 말하고 있다. 따라서 이때 '버스'라는 일상적 공간은 벗어나고 싶은 결핍을 느끼는 공간으로 재해석되었다고 볼 수 있다.

오H 많이 틀렸을까?

이 문제는 〈보기〉의 설명과 선지의 표현이 다소 관념적이고 애매하여 정답률이 낮은 문제였어. 오답인 ⑤번을 선택한 비율이 매우 높았는데, 아무래도 (나)에서 '버스'를 결핍을 느끼는 공간이라고 해석하기 어려웠던 것 같아. 하지만 〈보기〉에서 (나)에 대해 설명한 내용을 바탕으로 한다면, '버스'의 의미를 심화해서 해석할 수 있어. 반대로 정답인 ②번은 〈보기〉의 내용이나 시의 내용에서 벗어난 확대 해석이라서 적절하지 않아. '불꽃'에 '연륜'에 결핍된 속성을 끊을 수 있는 수단이라는 의미가 있다는 해석은, 〈보기〉나 시의 내용을 통해 이끌어 낼 수 없거든. 무엇을 근거로 삼아야 하는지, 과대 해석은 아닌지 잘 살피며 선지를 점검하도록 하자.

【4~7】 (가) 유치환, '경이(驚異)는 이렇게 나의 신변에 있었도다'

작품해설

학교에서 돌아오지 않는 아이를 기다리는 시적 화자의 관찰로 시는 시작된다. 저녁에 집 근처에서 아이를 기다리며 접하는 초생달 뜨는 풍경은 마치 '꿈' 같고, 밖에서 보는 자신의 보금자리는 더욱 아늑해 보인다. 이렇듯 평범한 듯 보이는 일상이 새삼스러워 보이고, 인간의 유한함과 우주의 무궁함이 대비되며 의미있게 다가오는 것을 통하여 일상의 소중함을 형상화 하고 있다. 또한 '보오얀 초생달', '화안히 불밝힌' 과 같은 색채감이 드러나는 시어를 활용하며 달밤의 정경을 표현하고 있다.

- **주제** : 일상에서 접할 수 있는 경이로움

(나) 김승희, '달걀 속의 생(生) 2'

작품해설

냉장고 속에 나란히 놓여 있는 달걀을 보며 화자는 과거에 봤던 병아리를 떠올린다. 병아리들은 싸구려 마분지 상자에 놓여 있는 처지와 상관없이 생명력 있게 움직이고 있으며 이는 삶에 대한 희망을 잃은 채 살아가는 자신의 모습과 대비된다. 차가운 냉장고 안에서 '온순히' 꽂혀 있는 달걀의 모습과 자신의 무기력한 모습을 동일시하게 된 화자는 일상에서 느끼는 절망을 응시하며, '희망의 온도'에 대한 생각에 잠기게 된다. 이처럼 화자는 냉장고 속의 달걀과 길거리에서 팔려 나가는 병아리라는 소재를 통하여, 일상에 순응한 채 생명력을 잃고 살아가는

현대인의 모습을 그려내고 있다.
■ **주제** : 절망적인 현실에 대한 초연한 삶의 태도

4. ② 표현상 특징 파악하기

① (가)에는 '우리 집으로 가자'에서 '~자'라는 청유형 어미를 통해 주변에서 발견할 수 있는 경이로움에 대한 주제 의식을 강조하고 있지만 (나)에는 청유형 어미가 나타나지 않았다.
❷ (가)는 '북두성좌'라는 시어를 반복하며 인간의 유한함과 우주의 무한함을 효과적으로 대비시키고 있고, (나)는 '마분지곽 속에서'와 '마분지곽 위로', '살아서 즐겁다고'와 '살아서 불행하다고'와 같이 각 연마다 연달아 이어지는 행에 같은 시어를 반복하며 삶에 대한 화자의 성찰을 드러내고 있으므로 적절한 설명이다.
③ (가)는 '~가자'라는 청유형 동사로 시상을 마무리하고 있고, (나)는 '~같지'라는 형용사로 마무리하고 있다. 따라서 명사로 시상을 마무리하여 시적 여운을 드러내고 있다는 설명은 적절하지 않다.
④ (가)와 (나) 모두 수미상관의 방식을 사용하지 않았다.
⑤ (가)에는 촉각적 심상의 대비가 드러난 부분이 없다. 반면에 (나)에서는 '차고 희고 순결한 것들', '차가운 냉장칸', '추운 달걀들의', '따스한 품속에'처럼 촉각적 심상의 대비를 통해 냉혹한 현실을 효과적으로 표현하고 있다.

5. ① 시어의 의미 파악하기

❶ ㉠ 앞에 제시되어 있는 '북두성좌의 그 찬란한 보국(譜局)'이라는 구절로 미루어 보아 '북두성좌'는 가정과 그 구성원을 지켜주는 존재임을 알 수 있다. 따라서 '북두성좌'가 '화자 가족의 불행을 초래하는 주체로 형상화되어 있'다는 설명은 적절하지 않다.
② ㉡의 앞 구절에는 가족의 단란을 지탱해주는 존재가 '먼 천상(天上)'에 존재한다고 묘사되어 있다. 또한 '천상'은 인간의 유한함과 우주의 무궁함을 연결해주는 공간에 해당한다.
③ 시적 화자는 배가 고파 냉장고를 열었음에도 '그것들'을 쉽게 먹을 수는 없겠다는 심정을 ㉢의 표현을 통해 강조하고 있다.
④ 시적 화자는 냉장고 속의 달걀을 보면서 자신이 예전에 보았던 '노란 병아리들'을 떠올린다. 초라한 행색의 아주머니가 팔고 있던 그 병아리들은 볼품없는 마분지곽에서 생명력을 내보이며 ㉣처럼 기어오르고 있다고 하였으므로, '노란 것들'은 생명력이 느껴지는 행동을 하는 주체로 형상화하였다고 볼 수 있다.
⑤ ㉤같이 팔려온 주체는 '달걀들'이며 이들은 책정된 '희망소비자 가격'보다도 낮은 가격으로 팔려왔으며, 시적 화자는 그러한 '달걀들'과 자신의 처지에서 동질감을 느끼며 '나도 역시 여권이 분실된 사람'이라고 표현하고 있다. 따라서 이를 통해 '너희들'은 금전적으로 평가 절하된 존재로 형상화되고 있음을 알 수 있다.

6. ② 소재의 기능 파악하기

① (가)의 '우리집'은 화자가 긍정적으로 인식하고 있는 공간이며, 안락한 생활을 영위할 수 있는 보금자리임을 알 수 있다. 따라서 A가 현실에서 외면하고자 하는 공간이라는 설명은 적절하지 않다. (나)의 '냉장고'는 생명으로 잉태되지 못한 '달걀들'이 있는 공간으로, 이를 보고 화자가 처한 현실에 생명력과 희망이 부재함을 느끼고 있으므로 이를 두고 '이상 실현의 어려움을 인식하는 근거'라고 보는 것은 적절하지 않다.
❷ (가)의 우리집은 날이 저물도록 학교에서 돌아오지 않는 아이를 기다리는 공간, '느릅나무 그늘'이 환하게 불을 밝힌 장소, '북두성좌가 지켜 있는' 안정감 있는 장소로 그려지고 있다. 따라서 화자가 '가족과 함께 회귀하고자 하는 공간'으로 활용된 소재에 해당한다. 또한 (나)의 '냉장고'는 '달걀 한 줄'이 가지런하고 '온순히' 꽂혀 있는 장소로 화자는 '달걀 한 줄'과 자신의 처지를 동일시하고 있으므로 적절한 설명이다.
③ (가)의 '우리집'은 가족들의 보금자리이며 화자가 안정감을 느끼는 공간에 해당하므로, '타인의 능력을 발견하게 되는 공간'이라는 설명은 적절하지 않다. 한편 (나)의 '냉장고'는 '교외선을 타고 갈곳없이 방황하던 무렵'의 과거 일을 떠올리게 하는 매개이므로, '자신의 미래를 계획하게 되는 계기'라는 설명 역시 적절하지 않다.
④ (가)의 '우리집'은 가족들의 안식처에 해당하는 곳으로, '세대교체를 통한 변화를 추구하는 공간'이라는 설명은 적절하지 않다. 또한 (나)의 '냉장고'는 화자가 자신의 냉혹한 현실을 깨닫게 하는 공간이므로 적절하지 않은 설명이다.
⑤ (가)의 '우리집'은 가족들의 행복을 지켜주는 공간에 해당할 뿐, '과거의 전통적 질서를 유지하려는 공간'이라고 볼 수 없다. (나)의 '냉장고'는 화자가 그 안의 달걀들을 보고 '살아서 불행하다고 늘상 암송하고 있던' 자신의 모습을 돌아보게 되는 계기에 해당한다. 따라서 '현재의 행복한 삶을 지속하려는 동기'라고 보는 것은 적절하지 않다.

7. ② 외적 준거에 따라 작품 감상하기

① 〈보기〉에서 시적 대상은 시적 화자가 아닌 존재로, 청자로 설정하거나 시적 화자와 동일시되기도 한다고 하였다. 따라서 (가)에서는 날이 저물도록 학교에서 돌아오지 않는 아이를 두고 '아이야'라고 칭하며 어서 돌아와 집으로 가자고 하는 것으로 보아 시적 대상은 '아이'이며 청자로 설정되어 있는 것을 알 수 있다. 한편 (나)에서 '너희들'이란 차가운 냉장고 안에 싼 값에 팔려온 '달걀들'이며 '달걀들'은 시적 대상이자 청자로 설정되어 있음을 알 수 있으므로 적절하다.
❷ (가)에서 '나'는 학교에서 아직 돌아오지 않은 아이를 기다리며 '저녁 한길'로 '나가'서 기다리게 된다. 이를 통해 시적 화자는 '나'임을 알 수 있으며 '나'의 눈에 비친 '거리 끝'은 초생달 빛이 비치는 장소에 해당한다. 〈보기〉에서 시적 대상은 보통 '시적 화자가 아닌 존재'를 뜻한다고 하였으므로 '거리 끝' 역시 시적 대상의 범주에 포함될 수도 있다. 그러나 시적 대상인 '거리 끝'과 시적 화자가 동일시되어 있다는 설명은 잘못 되었다. 한편 (나)의 시적 화자는 '나'는 차가운 냉장고 안에 놓여 있는 달걀들을 보며 '나는 여태 부화를 기다리고 있던 중'일지도 모른다고 생각하며 시적 대상인 '달걀들'과 시적 화자를 동일시하고 있으므로 적절한 설명이다.
③ (가)의 화자는 '보오얀'이라는 시각적 표현을 통해 '초생달'을 감각적으로 표현하였고, (나)에서는 냉장고 속의 '달걀들의 속삭임소리'를 통해 마치 그들이 '엄마 엄마 안아줘요'라고 이야기하는 것 같다는 시적 화자의 주관적 의식을 표현하고 있다.
④ 〈보기〉에서 시적 상황이란 시적 화자나 시적 대상과 같은 존재들에 의해 형성되는 맥락이라고 하였다. (가)는 시적 화자가 날이 '저물도록' '돌아오지 않'는 '아이'를 기다리고 있는 것을 통해 아이가 아직 학교에서 돌아오지 않은 시적 상황임을 알 수 있다. 또한 (나)의 시적 화자는 '차가운 냉장칸 맨 윗줄'에 놓여 있는 달걀들을 보며, 부화 가능성이 없는 달걀 껍질 속의 흰자와 노른자위는 어떤 꿈을 꾸고 있을지 궁금해 한다. 뒤에 이어지는 '중풍으로 쓰러진 아버지'와 '입원비 걱정을 하'는 '우리'를 통해 '형제들'이 '가난'하다는 시적 화자가 현재 처한 상황을 확인할 수 있다.
⑤ 〈보기〉에서 시적 상황이란 시적 화자나 시적 대상과 같은 존재들에 의해 형성되는 맥락이라고 하였다. (가)에서는 '인간'은 유한하고 '수유한 영위에' 놓여 있는 존재이며, 이는 '우주의 무궁함'과 대비되며 일상 속에서 발견할 수 있는 경이로움에 대한 주제 의식을 구체화시키고 있다. 또한 (나)는 '마분지곽 속'에서 '바글바글' 움직이는 '병아리들'의 '살아서 즐겁다'는 모습과, '살아서 불행하다고' 느끼는 나의 모습과 대비되며 시의 맥락을 형성하고 있으므로 적절하다.

【8~11】 (가) 김남조, '설목(雪木)'

지문해설

이별을 겪은 화자가 내면의 슬픔과 자신의 사랑에 대한 인식을 드러내고 있는 작품이다. 사랑하던 사람은 이제 떠나고 없지만, 화자는 여전히 정성스럽게 사랑을 간직하고 키워 가는 자신의 마음을 한 그루 '설목'을 가꾸는 것에 빗대어 표현하고 있다. 즉 눈을 맞으면서도 한자리에서 추위를 견디며 서 있는 나무의 모습을 형상화하여 '이 나무를 닮고' '이 마음을 닮은' '내 사랑의 표지'라고 하며 이별의 슬픔과 자신의 사랑에 대한 인식을 드러내고 있다. 이렇듯 화자의 마음속에서 가꾸어 온 설목은 상대방에 대한 절대적이고 순결한 사랑을 표상하고 있다. 이 시는 영원하고 순결한 사랑에 대한 정신적 지향을 형상화하고 있다.

- **갈래** : 자유시, 서정시
- **제재** : 설목
- **주제** : 영원하고 순결한 사랑에 대한 정신적 지향
- **특징** : 독백의 방식으로 시상을 전개
- **구성**
  - 1연 : 상대방에 대한 사랑을 간직하고 키워 가는 화자의 태도
  - 2연 : 이별을 원하지 않았던 화자의 마음
  - 3연 : 어떤 시련에서도 지키고 싶은 사랑에 대한 화자의 지향
  - 4연 : 상대방에 대한 화자의 절대적인 사랑

(나) 김광섭, '겨울날'

작품해설

어머니의 갑작스러운 죽음과 함께 찾아온 삶의 시련 속에서도 희망을 잃지 않으려는 자세와 죽음에 대한 인식을 드러내고 있는 작품이다. 화자는 어머니의 부재를 실감하면서 가족의 구심점을 잃은 안타까운 마음과 삶의 고단함을 드러내고 있다. 겨울바람에 휘몰리듯 경제적인 궁핍함과 삶의 무게를 짊어지고 살아가지만 희망을 잃지 않으려는 태도를 보인다. 이처럼 '눈과 얼음에 덮인 대지(大地)의 하루'를 넘기며 힘겹게 살아가는 화자에게는 '어느 날

목 없는 아침이 또 왈칵 달려들면' '친구들의 손 한 번 잡지도 못하고' 갈 것이라는, 죽음이 부지불식간에 닥쳐올지도 모른다는 두려움이 내재해 있다. 말 한마디 남기지 못하고 떠나간 어머니의 죽음이 그러했듯이 인간은 운명적인 죽음 앞에서는 한없이 무기력할 수밖에 없다는 죽음에 대한 인식을 드러내고 있다.

- **갈래** : 자유시, 서정시
- **성격** : 감정적
- **제재** : 겨울, 어머니
- **주제** : 어머니를 잃은 슬픔과 삶의 고단함, 그리고 죽음에 대한 무력감
- **특징**
  - 의태어를 사용하여 시적 상황을 드러내고 있다.('총총히', '뱅뱅', '어정어정', '왈칵' 등)
  - 독백의 방식으로 시상을 전개하고 있다.

8. ① 표현상 특징 파악하기

❶ (나)에서는 '총총히', '뱅뱅', '어정어정', '왈칵' 등의 의태어를 사용하여 시적 상황을 생동감 있게 드러내고 있다. 그러나 (가)에서는 사물이나 사람의 모양이나 태도·행동 등을 묘사한 단어가 사용되지 않았다.
② (가)와 (나) 모두 스스로에게 묻는 질문을 활용하여 주제 의식을 강조하고 있는 표현은 찾을 수 없으므로 적절하지 않다.
③ (가)에서는 마지막에 '당신'이라는 대상이 언급되고 있지만 청자의 반응이 구체적으로 드러나지 않으므로 독백의 방식으로 시상을 전개하고 있다고 볼 수 있다. 한편 (나)에서는 두 명의 화자가 등장하여 대화의 방식을 통해 시상을 전개하고 있다고 볼 수 없다.
④ 점층법은 말하고자 하는 내용의 비중이나 강도를 점차 높이거나 넓혀 그 뜻을 강조하는 표현 기법으로, 작고 약하고 좁은 것에서 크고 강하고 넓은 것으로 표현을 확대해가는 것을 말한다. 그런데 (가)와 (나)에서는 모두 점층적 표현을 확인할 수 없고 대상의 역동성을 드러내고 있지도 않다.
⑤ (가)와 (나)에서 시간의 흐름이 나타난다고 하더라도 그에 따른 세태 변화를 드러내고 있다고 이해하는 것은 적절하지 않다.

9. ③ 시구의 의미 이해하기

① (가)와 (나)에서는 계절의 이미지를 활용하여 화자의 상황과 심리를 표현하고 있다고 이해할 수 있다. 즉 가을에서 겨울로 넘어갈 때 만물이 쇠락한다는 계절의 특성과 연관 지어 감상해 본다면, (가)에서 '사랑하노라던 사람 떠나고 없'는 가을날, '시냇물마저 여위는' 것은 화자의 쓸쓸한 처지와 조응한다고 볼 수 있다.
② 겨울은 세상이 얼어붙어 기척도 없이 고요한 계절이라는 특성과 연관 지어 감상해 본다면, (가)의 '물방울 소리 하나 들리지 않는' 것은 적막한 분위기를 드러낸 것으로 볼 수 있다.
❸ (나)에서 '말 한마디 못하고 갈라진'은 어머니의 갑작스러운 죽음을 탄식하고 있는 구절로 어머니와 이별하게 된 화자의 안타까운 마음을 드러내고 있다. 이를 두고 화자가 성찰을 통해 내적 성숙을 이루고 있다고 이해하는 것은 적절하지 않다.
④ 겨울 뒤에 봄이 오는 계절의 순환과 관련하여 감상해 본다면, (나)의 '얼음을 녹이며' '봄'을 '찾는 것'은 어머니의 부재라는 어려움 속에서도 꿈과 희망을 잃지 않으려는 화자의 태도를 드러낸 것으로 볼 수 있다.
⑤ 겨울이 가장 추운 계절임을 고려한다면, (나)의 '눈과 얼음에 덮인 대지의 하루를 넘어서는' 것은 현실적인 고난과 고통을 견뎌내는 화자의 모습을 의미한다고 볼 수 있다.

10. ② 외적 준거를 통해 작품 감상하기

① 〈보기〉에서 '설목'은 상대방에 대한 절대적 사랑을 표상하는 것이라고 하였다. 이에 따라 (가)에서 '나의 마음 속'에 '한 그루 설목을 가꾸어 왔'다는 것은, 상대방에 대한 사랑을 간직하고 키워 가는 화자의 태도를 드러내는 것으로 볼 수 있다.
❷ (가)에서 화자는 '미워하면서 나를 미워하면서 / 내 옆에 남아줌이 더욱 백 배는 / 고맙고 복되었을 것'이라고 이별을 원하지 않았던 화자의 간절한 마음을 드러내며 떠나간 상대방에 대해 미련을 보인다. 이를 두고 이별의 슬픔을 정신적으로 승화하려는 자세로 이해하는 것은 적절하지 않다.
③ '나뭇가지'가 '사철 고드름'을 달고도 위로 뻗는 모습으로 '설목'을 형상화한 것은, 어떤 고난의 상황에서도 사랑을 지키고자 하는 화자의 정신적 지향을 형상화한 것으로 볼 수 있다.
④ '백엽보다도 희고 손 시린' 나무의 모습을 '내 사랑의 표지'라고 한 것은, 상대방을 향한 화자의 순결하고 순수한 사랑을 표상하는 것으로 볼 수 있다.
⑤ 화자가 '당신'을 부르며 '불씨 한 줌 머금고 죽어도 좋'겠다는 것은, 화자 내면의 절대적인 사랑을 표상하는 것으로 볼 수 있다.

11. ⑤ 시구의 의미 이해하기

① ㉠을 통해 겨울나기를 준비해야 할 시기에 터전을 떠나야 하는 화자의 불안하고 근심 어린 마음과 짊어져야 할 삶의 무게를 드러내고 있다.
② ㉡을 통해 지켜오던 삶의 터전을 잃고 낯선 곳을 향해 떠나야 하는 화자의 상황을 드러내고 있다.
③ ㉢을 통해 갑작스럽게 어머니의 죽음을 맞은 화자의 허망한 심정과 상실감을 드러내고 있다.
④ ㉣을 통해 나무라는 근원에서 나온 낙엽을 형제들에 비유하며, 가족들이 함께 모일 수 있는 구심점이 사라졌음을 드러내고 있다.
❺ ㉤은 화자의 어머니가 갑작스럽게 떠나갔듯이 어느 날 '또 왈칵' 화자가 주변 친구들과 이별하게 될 수도 있다고 생각하고 있는 것이다.

Day 09 본문 051쪽

1. ⑤	2. ②	3. ④	4. ⑤	5. ②
6. ①	7. ③	8. ④	9. ⑤	

【1~3】(가) 이용악, '그리움'

작품해설

함박눈이 내리는 모습을 보고 북쪽에 두고 온 고향을 그리워하는 화자의 모습이 섬세하게 그려져 있다. 잉크마저 얼어붙는 추위 속에서도 함박눈은 '복된' 것으로 인식하는데 이는 자신의 고향에도 내리던 '눈'이기 때문이다. 따라서 '눈'은 축복의 의미이자 그리움의 매개이다.

- **주제** : '눈'을 보고 떠올린 고향에 대한 그리움

(나) 이시영 '마음의 고향2—그 언덕'

작품해설

화자는 객지로 나와 생활을 하면서도 늘 유년 시절의 고향을 마음 속에 간직하고 있다. 고향은 '그곳'으로 불리고 있는데, 이 모습은 평화롭고도 즐거운 추억이 넘치는 공간으로 형상화되어 있다. 선명하고 생생한 이미지를 사용하며 고향에 대한 감각적인 표현과 참신한 표현이 돋보이는 작품이다.

- **주제** : 유년 시절의 고향에 대한 아름다운 추억

1. ⑤ 표현상의 특징 파악하기

① (가)의 화자는 '북쪽'에 두고 온 가족을 그리워하며, 내리는 '눈'을 보며 가족을 떠올리고 있다. 눈이 '오는가'에서 '쏟아져 내리는가'라고 표현한 것은 함박눈이 내리는 것을 강조하기 위한 것으로, 대상에 대한 화자의 거부감을 드러낸다고 볼 수 없다.
② '돌아간'은 '험한 벼랑을 굽이굽이' 지나가는 화물차의 모습을, '달리는'은 '백무선 철길'위를 밤새어 지나가는 화물차의 모습을 표현한 것으로, '돌아간'과 '달리는'의 대응을 활용하여 두 대상 간에 조성되는 긴장감을 묘사하고 있지는 않다.
③ '철길'은 화물차가 지나가는 이동 통로이며, '화물차의 검은 지붕'은 '느릿느릿 밤새어 달리는 화물차의 모습에 대한 시각적 표현이다. 따라서 '철길'에서 '화물차의 검은 지붕'으로 묘사의 초점을 이동한 것이 정적인 이미지를 강화하였다고 보는 것은 적절하지 않다.
④ '잉크병이 얼어드는 이러한 밤'이라는 표현으로 보아 화자가 위치한 시적 공간은 매우 춥다는 것을 알 수 있다. '이러한 밤'에 잠을 깨어 '그리운 곳'에 있는 사랑하는 가족을 그리워하고 있으므로, 이를 두고 화자가 처한 현실의 변화 가능성을 암시하고 있다고 볼 수 없다.
❺ 추운 밤, '잉크병 얼어드는 이러한 밤'에 화자는 잠에서 깨어 '차마' 그리운 곳인 자신의 가족과 고향에 대한 그리움을 드러내고 있다. 화자의 그리움과 안타까움이 '어쩌자고'라는 표현을 통해 드러나고 있으므로 적절한 설명이다.

2. ② 시어의 의미와 기능 파악하기

① 화자는 유년 시절의 '그곳'이 자꾸 잊히지 않는다고

표현하며 그곳은 '수수알이 꽝꽝' 여무는 가을이었을지도, '깨꽃이 하얗게 부서지는' 여름날이었을지도 모르겠다고 표현하고 있다. 화자는 자신의 고향을 평화롭고 생명력이 넘치는 곳으로 추억하고 있으므로 ㉠을 활용하여 유년의 화자가 경험한 가을이 단단한 결실을 맺는 시간임을 부각하고 있다고 이해할 수 있다.
❷ 화자가 추억하는 '그곳'은 '물길이 옆구리를 들이받아' 황토가 드러난 곳이고, 냇가에서 가재를 쫓고 있었던 곳이라고 하였다. 그 물소리가 마치 '나를 부르는 소리 같기도 하고'라고 표현한 것일 뿐, 누군가 자신을 부르는 소리를 물소리로 느낀 경험을 부각시킨 것이라고 보는 것은 적절하지 않다.
③ 화자는 어린 시절을 추억하며 자연을 만끽하다가 고개를 들면 '푸르던 하늘'이 눈에 들어온다고 하였다. 이에 대해 '아'라는 감탄사와 함께 유년의 화자에게 순간적 감동을 느끼게 한 맑고 푸른 하늘의 색채를 '청청히'라고 표현하고 있다.
④ 갑자기 무서운 생각이 들더라도, '두런두런 논실댁의 목소리'가 들려오고, 밭 가장자리에 퍼지던 영자 영숙이 순임이의 청랑한 웃음소리가 울려퍼지는 것을 듣고 나면 평온해지던 유년 시절의 화자가 표현되어 있다. 특히 ㉣은 이웃들이 밝게 웃는 모습에 대한 묘사에 해당한다.
⑤ 화자는 가을의 들판은 '푸른 하늘'과 어울려 그 익는 냄새나 모양을 '또랑또랑'하다고 하였다. 이는 '왜 그곳이 자꾸 안 잊히는지 몰라'에서 보듯이 유년의 화자에게 곡식이 익어 가는 들녘의 인상이 선명하게 지각되었음을 나타낸다.

3. ④ 외적 준거에 따른 작품 감상하기

① (가)의 화자는 쏟아지는 '함박눈'을 보면서 '너를 남기고 온 작은 마을'을 떠올리고 자신의 '북쪽' 국경 지역의 고향을 떠올리며 그리워하고, (나)의 화자는 유년 시절의 고향을 떠올리며 '햇빛'을 받은 '깨꽃'에서 연상되는 여름의 이미지와 중첩시킨다.
② (가)의 화자가 그리워하는 그 고향은 '험한 벼랑'을 굽이굽이 돌아가야 하며, '산과 산 사이'의 어딘가에 위치한 곳이다. 이를 통해 산촌 마을의 고향의 척박함과 궁벽함을 엿볼 수 있다. (나)의 화자가 추억하는 고향은 냇가에 '소고삐'를 풀어놓고 '가재를 쫓'을 수 있는 순박하고 평화로운 공간임을 알 수 있다.
③ (가)의 화자는 손에 닿지 않는 머나먼 '작은 마을'에 '남기고 온 너'를 떠올리며 그 작은 마을에도 '복된 눈'이 내리는지에 대하여 되뇌이고 있다. (나)는 '허리 굵은 논실댁', 그의 딸인 '영자 영숙이 순임이'의 이름을 떠올리며 고향에서 함께 살아가던 이웃의 정겨움을 기억한다.
❹ <보기>에서 이용악의 시에 등장하는 고향은 척박한 국경 지역이지만 언젠가 돌아가야 할 근원적 공간으로 그려진다고 하였다. 이에 비추어 보면 쏟아지는 '눈'을 보며 자신의 '작은 마을'에도 '복된 눈 내리는가'라며 고향에 대한 그리움과 귀환에 대한 기대를 품고 있다. 이에 비해 <보기>에서 이시영의 시에서 고향은 지금은 상실했지만 기억 속에서 계속 되살아나는 공간으로 그려진다고 하였다. 따라서 '무엇'이 '부르는 것 같'았던 언덕은 화자의 추억 속에서 잊히지 않는 공간이 되었을 뿐, 고향으로의 귀환에 대한 기대를 드러낸다고 볼 수 없다.
⑤ (가)의 화자에게 고향은 당장은 갈 수 없지만 늘 그리워하는 근원적 공간이다. 고향에 대한 그리움은 추운 밤에 잠을 깨어서 떠올릴 정도의 공간이며 '차마 그리운 곳'이다. (나)의 화자에게 '그곳'은 마치 '나를 부르는 것' 같이 느껴질 정도로 추억 속에 깊이 자리한 공간으로 '자꾸 안 잊히는지'라는 표현을 통하여 고향에 대한 변함없는 애정을 드러내고 있다.

【4~6】 (가) 김수영, '사령'

작품해설

'죽은 영혼'이라는 제목에서 연상할 수 있듯이 자유를 억압하는 세력에 대해 저항하지 못하는 자신의 영혼을 부정하면서 자신이 살고 있는 현실까지도 답답함을 호소하며 부정하는 내용을 담고 있다. 화자가 파악하는 현실은 자유와 정의가 상실된, 책으로만 위장된 거짓된 세계이다. 이러한 현실 세계의 부도덕성을 깊이 인식하고 있으면서도 행동화하지 못하고 무기력할 수밖에 없는 자신에 대한 자책과 분노는 결국 현실과 자기 자신 모두를 부정하는 데까지 나아간다. 거짓된 현실 세계 속으로 뛰어들어 자유와 정의를 부르짖겠다고 다짐해 보기도 하지만, 그 행동은 필연적으로 죽음을 수반하는 것임을 아는 화자는 다만 '어제도 오늘도 내일도 마음에 들지 않어라'라며 절망할 뿐이다. 그러므로 화자는 '나의 영은 죽어 있는 것이 아니냐'라는 솔직한 자기 반성의 모습을 반복, 강조함으로써 자신을 포함한 지식인 모두의 타협적 행동을 준엄하게 추궁함은 물론, 나아가 그들에게 실천적 행동을 촉구하고 있다.

- **갈래** : 현대시, 자유시
- **성격** : 주지적, 비판적
- **제재** : 부도덕한 현실과 지식인의 죽은 영혼
- **어조** : 자유와 정의가 실종된 상황에서 침묵을 지키는 자아를 반성하는 자성적 어조
- **특징**
  ① 일상적 어휘와 독백체 진술을 사용
  ② 추상적 대상을 의인화
- **구성** – 수미쌍관
  • 제1연 : 활자로만 존재하는 자유와 죽어 있는 나의 영혼
  • 제2연 : 침묵만 지키고 있는 자아에 대한 반성
  • 제3연 : 고요한 현실에 대한 불만
  • 제4연 : 현재와 미래에 대한 불만
  • 제5연 : 죽어 있는 자아에 대한 자괴감(自愧感)
- **주제** : 무기력하고 안일한 자신의 삶에 대한 자기반성

같은작가 다른기출

1994학년도 대수능 '폭포'
2003학년도 9월 모의 수능 '눈'
2008학년도 대수능 '사령'
2013학년도 대수능 '폭포'
2017학년도 대수능 '구름의 파수병'

(나) 김혜순, '한강물 얼고, 눈이 내린 날'

작품해설

화자는 눈이 내린 날 한강물이 얼어붙어 강물에 붙들린 배를 바라보고 있다. 이렇듯 모든 것을 얼어붙게 하는 현실, 즉 강물의 흐름을 방해하는 강추위로 모든 것이 얼어붙어 버린 상황을 자유로운 의사소통이 제한되어 개인이 자신의 말을 표현할 수 없는 경직된 사회의 모습과 연결시켜 현실을 냉소적으로 비판하고 있다. 화자는 한강물이 얼어붙어 움직이지 못하는 배들을 비웃으며, 말이 자유롭게 쓰이지 못하고 개인의 언어 사용이 제한된 상황을 '얼어붙은 하늘 사이로 붙박힌 말들을'이라고 형상화하고 있다.

- **갈래** : 현대시, 자유시
- **성격** : 냉소적, 비판적
- **주제** : 자유로운 의사소통이 제한된 경직된 사회에 대한 비판
- **특징**
  ① 음성 상징어를 사용하여 생동감을 살림.
  ② 화자가 구경을 통해 시적 상황과 정서를 드러냄.
  ③ 행간 걸림, 도치법 등을 사용함.

4. ⑤ 작품 감상의 적절성 파악하기

① 시간적 표현의 열거는 나타나지 않으므로 적절하지 않다.
② 활자에 대한 호칭을 '벗'에서 '그대'로 전환하여 사용하고 있는 것은 맞지만, 시적 대상인 활자에 대한 화자의 경외감, 즉 공경하면서 두려워하는 감정을 표현하고 있지는 않다.
③ '이 황혼도 저 돌벽', '저 고요함도 이 고요함도' 등의 원근을 나타내는 지시어를 사용하여 화자의 시선에 포착된 대상의 부정적인 상황을 표현하고 있다. 여기서는 대상의 움직임을 표현하고 있다고 보기 어렵다.
④ '나의 영은 죽어 있는 것이 아니냐'에서 의문의 형식으로 종결하여 시적 대상에 대한 화자의 반성적 인식을 나타내고 있다. 이를 화자의 깨달음이 부정되고 있다고 이해하는 것은 적절하지 않다.
❺ '나의 영은 죽어 있는 것이 아니냐, 마음에 들지 않아라'라는 구절을 반복하여, 화자는 책이 말하는 자유에 공감하나 실천하지 못하고 있는 상황에 대해서 비판적이고 자조적인 태도와 불만이 심화되는 과정을 드러내고 있다. 따라서 동일한 구절을 반복하여, 시적 상황에 대한 화자의 부정적 정서가 심화되는 과정을 드러내고 있음을 확인할 수 있다.

5. ② 시어와 시구의 의미 파악하기

① 화자가 강이 얼었을 때 '붙들린 배'들의 모습을 구경하면서 이를 억압적이고 경직된 상황에서 말의 사용이 제한되는 현실과 연결하면서 시를 전개하게 되었음을 알 수 있다. 따라서 ㉠이 시상 전개의 계기가 되었다.
❷ ㉡의 '아니야'는 배가 훈련을 받고 있다는 추측을 부정하는 표현이다. 하지만 배가 움직일 수 없는 상황이 배의 내부적 원인이 아니라 외부의 힘에 기인하고 있음이 여러 대목에서 드러나고 있다. 즉 '한강물 얼고, 눈이 내린 날', '발등까지 딱딱하게 얼었대' '눈이 덮은 날' 등에서 강한 추위가 지속되는 상황임을 드러내고 있다.
③ '우리는 강물 위에 서서 일렬로 늘어선 배들을 비웃느라 시시덕거렸다.'에서 대상에 대한 냉소를 드러내는 모습으로 이해할 수 있다.
④ '한강물 흐르지 못해 눈이 덮은 날'의 상황은 외부적 힘이 강물의 자연스러운 흐름을 방해하고 있는 것으로 볼 수 있다.
⑤ 강추위가 지속되는 현재의 상황을 '꽝꽝꽝'이라는 음성 상징어를 사용하여 감각적으로 표현하여, 모든 것을 얼어붙게 하는 현실의 상황이 견고하다는 점을 강조하고 있다.

6. ① 외적 준거를 바탕으로 작품 감상하기

❶ (가)에서 '나의 영'에 대해 '우스워라'라고 자조한 것은 〈보기〉에 따르면 의사소통의 여지가 축소된 상황에서 경직된 사회에 대응하지 못하는 자신의 성찰을 드러낸다고 볼 수 있다. 자신의 참여만으로 의사소통의 장을 활성화할 수 없다는 성찰을 드러낸다고 이해하는 것은 적절하지 않다.

② (나)에서 '우리'가 '언 강물' 위에서 비웃는 모습이나 '빙그르르' 뒹구는 장면은 〈보기〉에 따르면 언어 사용이 제한된 상황에서 말을 대체할 수 있는 웃음이나 몸짓과 같은 또 다른 의사소통의 방법을 모색함을 드러낸다고 볼 수 있다.

③ (가)의 '하늘 아래' '고요함'이 있는 공간과 (나)의 '언 강물과 언 하늘이 맞붙은 사이로' '배'와 '말'이 숨죽이고 있는 공간은 모두 의사소통이 자유롭지 못한 경직된 사회가 배경이 됨을 알 수 있다.

④ (가)에서 '활자'만 '간간이 자유를 말'하고 (나)에서는 '날아가지 못하는 말들'의 모습에서 의사소통의 장이 위축된 상황과 언어 사용이 제한되어 있는 상황이 드러남을 알 수 있다.

⑤ (가)에서는 '마음에 들지 않아'를 반복하며 의사소통이 활발하지 못한 부정적 상황에 대한 우려를 드러내고 있다. 그리고 (나)에서 의사소통을 방해하는 환경을 강물이 얼어 '배'를 '저어가지 못'하는 상황과 '날아가지 못하는 말'로 표현하고 있다.

【7~9】 (가) 조지훈, '산상(山上)의 노래'

작품해설

광복 직후 광복을 맞은 감격과 미래의 과제를 모색하는 태도를 형상화한 시이다. 1연에서 광복을 기다리던 세월을 형상화한 뒤, 2~6연에서는 광복을 맞이한 기쁨과 변화한 세상에 대한 기대를 드러내고, 마지막 7연에서는 새로운 시대의 과제를 모색하는 태도를 드러내고 있다. 대조적 의미의 표현과 1연의 시행이 7연에서 반복, 변주되면서 시적 상황과 화자의 정서를 드러내는 한편, 다양한 감각적 이미지와 비유적 표현으로 주제 의식을 형상화하고 있다.

- **갈래** : 자유시, 서정시
- **성격** : 성찰적, 지사적
- **어조** : 희망적인 어조
- **구성**
  - 1연 : 광복을 염원하는 간절한 심정
  - 2연 : 광복의 아침을 맞이한 감격
  - 3연 : 광복을 맞은 민족의 현실
  - 4연 : 변화된 세상과 앞날에 대한 기대
  - 5연 : 훼손되었던 생명력의 회복
  - 6연 : 평화롭고 조화로운 세계
  - 7연 : 광복된 조국의 미래에 대한 염원
- **제재** : 조국의 광복
- **주제** : 광복의 기쁨과 민족의 미래에 대한 모색
- **중요 시구 및 시어 풀이**
  - 낡은 고목 : 생명력이 고갈된 존재로 국권을 상실한 조국의 상황을 의미
  - 긴 밤 : 어두운 현실이 오래도록 지속됨.
  - 무엇을 간구하며 울어 왔는가 : '무엇'은 조국 광복을 가리키며 '간구하다'는 '간절히 바라다.'의 의미로 광복을 절실하게 염원하던 화자의 모습이 드러남.
  - 시월상달 : '시월'을 예스럽게 이르는 말. 햇곡식을 신에게 드리기에 가장 좋은 달이라는 뜻에서 온 말
  - 메마른 입술에 피가 돌아 : 훼손되었던 민족적 생명력을 회복하는 모습
  - 맑은 바람 속에 옷자락을 날리며 : 1연의 '낡은 고목 속에 못 박힌 듯 기대어'와 대비되어 부정적 현실이 해소되었음을 드러냄.
  - 무엇을 기다리며 노래하는가 : 1연의 3행이 변주되어 광복된 조국의 미래에 대한 염원이 드러남.

같은작가 다른기출

2005학년도 9월 모의 평가 '마음의 태양'
2010학년도 수능 '승무'
2014학년도 수능 B형 '파초우'
2018학년도 6월 모의 평가 '고풍 의상'

(나) 손택수, '나무의 수사학 1'

작품해설

도심 속 나무의 모습을 통해 도시의 삶에 적응하지 못하는 현대인의 모습을 형상화한 시이다. '도시의 이주민'으로 살아가는 화자는 도로변의 시끄러운 가로등 곁에서 고통을 참으며 꽃을 피운 가로수의 모습을 보며 치욕을 읽어 낸다. 이는 나무를 보며 도시에 제대로 적응하지 못하고 힘겹게 살아가는 현대인의 모습을 떠올리고 동질감을 느꼈기 때문이다. 단정적 어조를 사용하는 한편 나무를 의인화하여 화자의 정서와 주제 의식을 효과적으로 드러내고 있다.

- **갈래** : 자유시, 서정시
- **성격** : 비판적
- **어조** : 단정적 어조
- **구성**
  - 1~3행 : 도심 속 나무에 꽃이 핌.
  - 4~10행 : 도시의 이주민으로 살아가는 화자의 태도
  - 11~16행 : 도심 속 나무의 괴로운 현실
  - 17~20행 : 도로변 가로등 곁에서 꽃을 피운 나무의 치욕
- **제재** : 도심 속 가로수
- **주제** : 도시에 적응하지 못하고 힘겹게 살아가는 도시 이주민의 모습
- **중요 시구 및 시어 풀이**
  - 꽃이 피었다, / 도시가 나무에게 / 반어법을 가르친 것이다 : 도시의 나무가 꽃을 피운 것이 고통스러운 현실에 대한 반어법이라는 인식이 드러남.
  - 도시의 이주민 : 화자의 처지가 드러남.
  - 들뜬 뿌리 : 도시의 이주민인 화자가 도시의 나무에게 느끼는 동질감이 반영됨.
  - 내성이 생긴 이파리 : '내성'은 '환경 조건의 변화에 견딜 수 있는 생물의 성질'로, 나무가 도시에 적응하면서 생긴 성질을 의미함.
  - 도로변 시끄러운 가로등 곁 : 나무가 처한 현실로, 꽃을 피우며 참아내는 삭막한 도시 환경을 보여 줌.
  - 신경증과 불면증에 시달리며 : 나무를 의인화하여 나무가 도시에 적응하기 위해 견뎌 내야 하는 고통을 드러냄.
  - 치욕으로 푸르다 : 삭막한 도시 환경 속에서도 꽃을 피워 내야 하는 나무의 상황을 비판적으로 드러냄.

7. ③ 표현상 특징 이해하기

① (가)에는 '긴 밤'과 '이 아침'이라는 시간의 변화와 '시월상달'이라는 계절감이 드러난 표현은 나타나지만 계절의 변화나 그에 따라 달라지는 주변 풍경은 나타나지 않는다. (나) 또한 '도로변', '가로등 곁'이라는 공간적 배경이 드러날 뿐 공간의 이동에 따른 풍경 변화는 나타나지 않는다.

② (가)는 '높으디높은 산마루', '떠오르는 햇살' 등에서 자연의 모습을 시각적 이미지로 형상화하고 있으나 이를 통해 화자의 상황이나 정서를 드러내고 있을 뿐 자연의 위대함을 드러내고 있는 것은 아니다. (나)는 '나비와 벌이 / 붕붕거린다는 것', '아삭아삭 / 뜯어 먹는다는 것'에서 청각적 이미지가 드러나고 있으나 이는 나무가 처한 괴로운 상황을 보여 주는 것일 뿐 자연에 대한 두려움을 표현하고 있는 것은 아니다.

❸ (가)는 '나래 떨던 샛별아 숨으라.', '향기로운 싸릿순을 사양하라.' 등에서 명령형 어조를 활용하여 대상(샛별, 사슴과 토끼)의 행동을 유도하고 있다. 또한 (나)는 '반어법을 가르친 것이다.' '그가 견딜 수 없는 건 ~ 뜯어 먹는다는 것', '치욕으로 푸르다'와 같은 단정적 어조를 통해 도시에 제대로 뿌리박지 못한 나무의 처지를 드러냄으로써 도시에서 힘겹게 살아가는 도시 이주민의 모습을 형상화하고 있다.

④ (가)는 '나래 떨던 샛별아'에서 인격화된 사물을 청자로 설정하고 있으나, (나)는 '나무'를 '그가 견딜 수 없는 건'과 같이 의인화하고 있으나 나무를 청자로 설정한 것은 아니다.

⑤ (가)에는 도치된 표현은 나타나지 않으며, (나)에는 '참을 수 없다 나무는'에서 도치법이 활용되었으나 이를 통해 화자가 처한 부정적 현실에 대한 극복 의지를 강조한 것은 아니다.

어휘풀이

- **단정적(斷定的)** 딱 잘라서 판단하고 결정하는 것.
- **도치(倒置)** 문장 안에서 정상적인 어순 따위를 뒤바꿈. 흔히 말하는 사람이 강조하려는 말을 문장의 앞쪽에 내세움.

8. ④ 시구의 의미 이해하기

① [A]의 '높으디 높은 산마루'에서 화자를 울게 한 문제는 '낡은 고목', '긴 밤'에서 짐작할 수 있는 생명력 상실과 부정적 상황에서 비롯된 것이라고 볼 수 있다. 이와 달리 [B]의 '여기 높으디 높은 산마루'에서 기다리는 것은 '메마른 입술에 피'가 돌아 생명력이 회복된 '아침'의 상황이다. 따라서 [A]에서 화자를 울게 한 '무엇'과, [B]에서 화자가 기다리는 '무엇'은 서로 다른 대상이다.

② [A]에서는 '못 박힌 듯 기대어' 울고 있으므로 못 박힌 듯 기댄 자세는 고통을 드러내는 것으로 볼 수 있고, [B]에서는 '맑은 바람' 속에서 '옷자락을 날리며' 무언가를 기다리고 있으므로 옷자락을 날리며 서 있는 자세는 미래에 대한 기대를 드러낸다고 볼 수 있다.

③ [A]의 '긴 밤'은 화자가 홀로 '무엇을 간구하며 울어' 온 부정적인 상황인데, 2연의 '이 아침' 이후 변화된 상

황이 드러난다. [B]에서는 화자가 '맑은 바람' 속에 홀로 서서 '무엇을 기다리며 노래'하고 있으므로, 결국 [A]의 부정적 상황은 '이 아침' 이후 [B]의 희망적인 새로운 상황으로 변화했다고 할 수 있다.

❹ [A]의 '무엇'은 화자가 '홀로 긴 밤을' 울면서 '간구'한 것으로 과거 부정적 상황에서 화자가 염원했던 것이다. 그리고 [B]에서 화자가 기다리는 '무엇'은 [A]에서 '간구'하던 '무엇'이 이루어진 후, 즉 생명력이 회복된 이후 미래에 대해 기대하는 것이다. 화자는 [A]에서 [B]로 이행되는 과정에서 '어둠 속에 나래 떨던 샛별아 숨으라', '사슴과 토끼는 / 한 포기 향기로운 싸릿순을 사양하라.' 라고 말하는데 이때 '샛별'은 어둠 속에서 고통받던 대상, '향기로운 싸릿순'은 서로 '사양'해야 하는 대상일 뿐 화자의 지향점이라고 볼 수는 없다.

⑤ [A]에서 화자가 '간구'하는 것은 '낡은 고목'의 생명력이 상실된 현실이 회복되는 것이므로, 2연에서 '시들은 핏줄의 구비구비', '사늘한 가슴의 한복판'까지 생명력이 회복되는 것이라고 말할 수 있다. 또한 [B]의 '노래'는 5연에서 '메마른 입술에 피가 돌아' '피리의 / 가락을 더듬'은 후에 부르는 것이므로 생명력이 회복된 이후의 소망을 표출한 것이라 할 수 있다.

9. ⑤ 외적 준거에 따라 작품 감상하기

① 〈보기〉에서 '도시의 이주민'인 화자는 '도시에 제대로 뿌리박지 못하면서도 도시 환경에 적응하여 꽃을 피우는 나무'에서 치욕을 읽어 내고 동질감을 느낀다고 하고 있다. 이를 바탕으로 할 때 '악착같이 들뜬 뿌리라도 내리'려고 하는 화자의 모습은 나무의 상황에 대한 화자의 동질감을 반영한 것이라고 할 수 있다.

② 〈보기〉에서 나무가 '도시에 제대로 뿌리박지 못하면서도 도시 환경에 적응하여' 꽃을 피웠다고 한 것을 바탕으로 할 때, '내성이 생긴 이파리'는 나무가 도시에 적응하면서 지니게 된 성질을 보여 준다고 할 수 있다.

③, ④ 〈보기〉에서 나무가 '삭막한 도시 환경에도 불구하고 고통을 참아 내며' 꽃을 피웠다고 한 것을 바탕으로 할 때, '시끄러운 가로등 곁'은 나무가 꽃을 피우며 참아 내야 할 삭막한 도시 환경, '신경증과 불면증'은 나무가 도시에 적응하기 위해 견뎌 내야 할 고통을 의미한다고 할 수 있다.

❺ 〈보기〉에서 '도시의 가로수는 나무의 푸름이나 아름다운 꽃조차도 도구적 가치에 의해서 평가된다.'고 한 것을 바탕으로 할 때, '치욕으로 푸르다'는 삭막한 도시 환경 속에서 제대로 뿌리박지 못한 채 고통을 참으며 꽃을 피워 낸 나무의 상황을 비판적으로 드러낸 것으로 볼 수 있다. 나무가 도구적 가치로 평가받아 그 환경에 적응하지 못하는 것을 비판하고 있는 것은 아니다.

Day 10

본문 056쪽

1. ④ 2. ② 3. ④ 4. ② 5. ③
6. ④ 7. ⑤ 8. ① 9. ④

【1~3】 (가) 윤동주, '바람이 불어'

작품해설

화자는 바람이 부는 곳에서 자신의 괴로움을 성찰하고 있다. 그 괴로움에는 이유가 명확하게 없으나 시대를 슬퍼한 일도, 누군가를 절실히 사랑해 본 일도 없는 것이 명시되어 있다. 바람과 강물은 계속 움직이며 방향성을 갖는데 비해, 화자의 발은 언덕과 반석 위에 위치해 있을 뿐이라는 것에 괴로움을 느낀다. 시대상을 고려해 보았을 때 현실에 저항할 수 없는 지식인에 대한 자기 반성이 드러나 있는 작품이다.

[놓치지 말자!]

- **갈래** : 서정시, 자유시
- **성격** : 자아 성찰적
- **어조** : 반성적
- **제재** : 바람
- **주제** : 자신의 삶에 대한 번민과 성찰
- **중요 시구 및 시어 풀이**
  - 바람이 어디로부터~가는 것일까: 바람은 유동적인 존재로 움직이는 모습은 보이지 않는다. 바람을 느끼는 화자는 자신의 현재 모습에 대한 반성을 하게 된다.
  - 내 발이 반석 위에 섰다: 주변은 변하는데 자신은 그대로인 현실을 돌아본다.

같은작가 다른기출

2010학년도 수능 '자화상'
1997학년도 수능 '별 헤는 밤'
1994학년도 수능 '서시'

(나) 김기택, '새'

작품해설

화자는 자유롭게 날 수 있는 창공이 있는데도 날개를 펴서 나는 것을 시도하지 않는 새의 모습과, 본성을 잃어버린 인간의 모습에서 공통점을 발견한다. 새는 부지런히 걸을수록 하늘을 나는 법을 잃어버리며 새장의 삶이 익숙해지면서 본성은 희미해진다. 현대인도 일상적인 현실에 안주하며 자아의 참된 모습을 잃어갈 뿐이다.

[놓치지 말자!]

- **갈래** : 자유시, 현대시
- **성격** : 비판적, 사색적
- **어조** : 관조적
- **제재** : 새
- **주제** : 본성을 잃어버린 존재의 매몰된 삶
- **중요 시구 및 시어 풀이**
  - 매번 머리를 부딪치고 날개를 상하고 나야 보이는 : 일상을 벗어나고자 하지만 실패함.
  - 닭처럼 날개가 귀찮아질 때까지 걷는다 : 일상을 영위하며 자유를 잃어버린 모습.
  - 최첨단 신소재의 부드러운 질감을 음미하려는 듯 :현실에 함몰된 새의 모습과 '공기'를 인공적인 느낌으로 표현함.

같은작가 다른기출

2015학년도 수능 '풀벌레들의 작은 귀를 생각함'

1. ④ 시어의 의미 파악하기

① 화자는 바람이 부는 것을 느끼며 '내 괴로움에는 이유가 없다'라고 하였다. 즉 현실에 순응할 수 밖에 없는 자신의 태도에 괴로움과 번민을 느끼고 있으므로, 자신이 처한 현실에 순응하려는 화자의 태도를 강조한다는 설명은 적절하지 않다.

② '내 괴로움에는 이유가 없을까'라는 표현은 자조적 물음으로 현실에 안주하는 자신의 모습에서 고통을 느끼고 있는 것으로, 화자의 정신적 고통에 타당한 이유가 없다고 단정한다고 볼 수 없다.

③ 화자는 열정적으로 누군가를 '사랑한 일'도 없으며 시대의 아픔을 '슬퍼한 일'도 없음을 떠올리고 시대적 고민을 치열하게 해 본 적 없는 자신에 대해 반성적 태도를 보이고 있을 뿐, 화자의 개인적 불행이 시대에 대한 무관심의 원인임을 암시한다고 볼 수 없다.

❹ '내 괴로움에는 이유가 없다', '단 한 여자를 사랑한 일도 없다', '시대를 슬퍼한 일도 없다'에서 '없다'라는 시어를 반복하여 현실에 저항하지 못하는 소극적인 태도에 대한 화자의 반성적 자세를 드러낸다.

⑤ '강물'과 '바람'은 유동적인 존재로 움직이는데 비하여 자신은 현실에 발을 담근 채 정지해 있는 모습을 '흐르는데'와 '섰다'의 대비를 통해 드러낼 뿐, 변함없는 자연에서 깨달음을 얻으려는 태도로 볼 수 없다.

2. ② 소재의 기능 파악하기

① '바람'은 눈에 보이지 않는 존재로 바람이 불자, 화자는 지금껏 현실에 안주하며 '시대를 슬퍼한 일도 없다'라고 느끼는 것으로 보아 '바람'이 계기가 되어 '괴로움'을 느끼고 있다고 보는 것이 적절하다.

❷ '바람이 자꾸 부는데'도 자신의 발은 '반석 위에' 꼼짝 않고 서 있을 뿐이라는 표현을 통해 자신의 처지에 대한 반성이 드러날 뿐, '바람'의 속성을 활용해 '내 발'을 '반석 위'로 이끄는 힘을 보여 주고 있다고 볼 수 없다.

③ '공기'는 자유롭게 움직이며 창살 사이를 이동하지만 창공을 날아다녀야 하는 새는 '살랑거리며 날개를 굳게 다리에 매달아 놓'는다고 하였다. '공기'의 속성이 '새'가 처한 상황을 부각하고 있으며 이는 날아야 하는 본성을 잊은 채 현실의 무게에 짓눌려 있는 현대인의 모습에 대한 성찰이기도 하다.

④ '새'는 자신의 '날개'로 자유롭게 날 수 있으나 '공기'의 힘을 이용하지 않고 오직 자신의 다리에 의지하여 짐승처럼 걷고 있다. 이는 자유를 잊은 채 현실에 매몰되어 있는 사람들의 모습을 표현한 것이다.

⑤ '바람'은 '창살 사이'를 자유롭게 드나들고 있으나, '새'가 자신의 날개를 인식하지도 못한 채 마치 '벽'을 쪼듯이 '공기'를 쪼아보는 행위를 통해 나는 법을 잊어버린 새의 존재에 대한 느낌을 강조한다.

3. ④ 작품을 주체적으로 수용하기

① '새'는 창살 사이를 자유롭게 날 수 있음에도 불구하고 두 발을 이용해 걷는 모습을 보인다. 이는 일상의 안온함에 자유를 잃어버린 현대인의 모습과도 상통한다.
② '창살'은 바깥의 공기와 풍경을 보여 줄 정도의 간격이며 '새'는 '창살' 밖으로 나가서 날아갈 시도를 하지 않는다. 이처럼 '창살'은 자유를 억압하는 소재이며 새로운 시도를 하지 않고 안정을 추구하는 삶의 태도를 표방하고 있다.
③ '새'는 본래 날개로 날 수 있음에도 날개의 존재는 잊은 채 부지런히 걷는 것을 택한다. 이는 '일상에 충실할수록 잠재된 힘과 본질을 잃어 가는 아이러니'에 해당한다고 볼 수 있다.
❹ 새장 문이 열려도 새장 밖으로 날아갈 생각을 하지 못하고 모이를 향해 달려가듯이 걷는 새는 자신의 본질을 잃어버린 상황임을 알 수 있다. 따라서 자신의 본질에 충실하다 보니 오히려 자유를 상실하게 되는 상황이라는 설명은 잘못되었다.
⑤ 공기를 마치 '최첨단 신소재의 부드러운 질감'으로 여기고 음미하는 새의 모습에서 일상에 안주하려는 현대인의 모습을 찾아볼 수 있다.

참고자료

1. 시어의 이미지와 심상

심상이란 시어(詩語)에 의해 마음 속에 그려지는 구체적 사물의 영상이나 느낌 또는 그것으로부터 느끼는 감각적인 인상을 뜻한다. 이때 특정한 시어를 읽고 그에 관련된 영상을 떠올릴 때, 개인이 지니고 있는 배경지식이 다르기 때문에 똑같은 시어에 의한 심상일지라도 독자에 따라서 그려지는 영상(마음 속에 그려지는 영상)은 다르게 나타날 수 있다.

2. 시적 표현의 특징

1) 반어(irony) : 표현된 말과 속뜻(의도)이 상반되는 말하기의 방식으로 필자의 생각이나 주장과는 반대로 표현하며 재치와 풍자, 해학적인 효과도 얻을 수 있다.
   ㉮ 먼 훗날 당신이 찾으시면 / 그 때에 내 말이 '잊었노라' // 당신이 속으로 나무라면 / '무척 그리다가 잊었노라.' // 그래도 당신이 나무라면 / 믿기지 않아서 '잊었노라.' // 오늘도 어제도 아니 잊고 / 먼 훗날 그 때에 '잊었노라.' (김소월, '먼 후일') : 속마음은 결코 잊지 못하고 또한 잊지 않았음에도 불구하고 겉으로는 '잊었노라.'라고 말하고 있으므로 반어에 해당한다.
2) 역설(paradox) : 겉으로는 모순되고 이치에 맞지 않지만 인생의 깊은 진실을 담고 있는 표현을 가리킨다.
   ㉮ 아아, 님은 갔지마는 나는 님을 보내지 아니하얐습니다. (한용운, '님의 침묵') : 현실적으로는 님이 떠나갔지만, 자신의 의지를 통해 자신의 마음속에서는 님을 보내지 않고 영원히 기억하겠다고 다짐하고 있다.
3) 애매성 : 한 단어 속에 겉으로 드러난 뜻 외에 은근히 다른 뜻 · 태도 · 감정들을 표현하는 방법이다.
   ㉮ 강냉이가 익걸랑 / 함께 와 자셔도 좋소. / 왜 사냐건 / 웃지요. (김상용, '남으로 창을 내겠소') : '웃지요' 안에는 여러 가지 함축적 의미가 포함되어 있다.
4) 시적 자유(시적 허용) : 우리말의 일반적인 어법이나 문법을 어김으로써 표현의 맛을 살리려는 기법이다.
   ㉮ 어머니 / 당신은 그 먼 나라를 알으십니까? (신석정, '그 먼 나라를 알으십니까') : '아십니까?'의 시적 허용이다.
5) 감정이입(感情移入) : 시적 대상에 시적 자아의 정서(느낌)가 옮겨져 그러하다고 느끼는 시적 감정이다. 이때 시적 화자의 정서나 사상을 나타내 주는 역할을 하는 대상물을 객관적 상관물이라고 한다.
   ㉮ 초롱에 불빛, 지친 밤 하늘 / 굽이굽이 은핫물 목이 젖은 새 / 차마 아니 솟는 가락 눈이 감겨서 / 제 피에 취한 새가 귀촉도 운다. / 그대 하늘 끝 호올로 가신 님아.(서정주, '귀촉도') : 떠난 임에 대한 시적 화자의 간절한 그리움이 귀촉도에 전이되어 표현되며 객관적 상관물은 '새'이다.
6) 비유와 상징 : 비유란 표현하려는 사물(원관념)을 다른 사물(보조관념)에 빗대어 표현함으로써 구체적인 연상 작용을 일으키는 표현 기법이다. 그 방법에는 직유법 · 은유법 · 의인법 등이 있다. 상징은 어느 감각적 대상이 다른 대상을 표시하거나, 본래의 고유한 의미에서 다른 의미를 제시할 때 쓰는 표현 기법으로, 상징에서는 원관념을 파악하기가 어렵다.
   ㉮ 바람이 파도를 밀어 올리듯이 / 그렇게 나를 밀어 올려 다오. / 향단아 (서정주, '추천사') : '~듯이'를 활용하였다.
   ㉮ 언제 한번은 불고야 말 독사의 혀같이 징그러운 바람이여. 너도 이미 아는 모진 겨우살이를 또 한번 겪으라는가. 아무런 죄도 없이 피어난 꽃은 시방의 자리에서 얼마를 더 살아야 하는가 아름다운 길은 이뿐인가. (박봉우, '휴전선') : '바람'은 동족상잔의 비극을, '꽃'은 우리 겨레를 상징한다.

【4~6】 (가) 김영랑, '청명'

작품해설

가을 아침을 배경으로 자연과 일체감을 느끼는 화자의 만족감이 드러나 있는 시이다. 온 몸으로 청명을 느끼는 화자는 생명력이 넘치는 자연과 더불어 생활하며 '청명에 포근 취어진 내 마음'에 무한한 감동을 느낀다.

[놓치지 말자!]

- **갈래** : 자유시, 서정시
- **성격** : 감각적, 예찬적
- **어조** : 묘사적
- **구성** : 청명에 대한 감상과 예찬
- **제재** : 가을 하늘
- **주제** : 자연의 아름다움
- **중요 시어 및 시구 풀이**
  - 청명(淸明): 날씨나 소리가 맑고 깨끗함.
  - 호르 호르르 호르르르: '청명'을 들이마시는 소리를 표현한 것으로, 시의 경쾌한 분위기를 강조한다.

같은작가 다른기출
2003학년도 대수능 '내 마음 아실 이'

(나) 고재종, '초록 바람의 전언'

작품해설

봄날의 아름다운 풍경을 '초록바람'이 마치 소식을 전달하듯 표현한 작품이다. 산과 강을 거쳐 자유롭게 다니는 바람의 시선으로 시상을 전개하였으며, 자연물끼리 서로 화답하고 어울리는 모습과 보리밭의 여인이 나무와 교감하는 모습을 통해 봄날의 생동감을 감각적으로 형상화하였다.

[놓치지 말자!]

- **갈래** : 자유시, 서정시
- **성격** : 회화적, 묘사적
- **어조** : 예찬적
- **구성** : 바람의 이동에 따른 묘사
- **제재** : 봄날의 풍경
- **주제** : 봄날의 생명력과 아름다움
- **중요 시어 및 시구 풀이**
  - 강물 위에 짤랑짤랑 구슬알을 쏟아냈다 하자: 나뭇잎에서 떨어지는 빗방울의 모습을 감각적으로 표현함.
  - 고개를 끄덕끄덕, 무언가 일별을 보냈다 하자: 여인이 허리를 펴고 나무를 응시하는 모습을 표현함.

4. ② 작품 간의 공통점 파악하기

① (가)는 '취어진 청명을 마시며 거닐면'에서 '~면'이라는 가정의 진술을 활용하며 가을 하늘과 하나되는 상황을 표현하고 있으나 이를 통해 현실과 이상의 거리감을 드러내고 있지는 않다. (나)는 가정의 진술을 활용한 부분이 나타나지 않는다.
❷ (가)의 '감각의 낯익은 고향을 찾았노라', '평생 못 떠날 내 집을 들었노라' 등에서 '-노라'라는 종결 어미를 반복하고, (나)에서 '~달려갔다 하자', '~쏟아냈다 하자', '~보냈다 하자'와 같이 '-하자'라는 어미를 반복하며 리듬감을 얻고 있다.
③ (가)와 (나) 모두 화자의 시선이 화자 내면에서 외부 세계로 이동하는 방식으로 시상을 전개하고 있지 않다.
④ (가)는 가을 아침에 대한 단상을 자연물을 통해 표현하고 있을 뿐, 여정에 따른 공간의 이동은 나타나지 않는다. (나)는 '뒷동산 청솔잎을 빗질해주던 바람'이 '푸른 햇살 요동치는 강변'을 거쳐 '보리밭'과 '마을의 정자나무'를 향해 가는 모습을 전개하고 있을 뿐 계절의 흐름에 따른 대상의 변화를 통해 풍경을 묘사하는 부분은 없다.
⑤ (가)는 종교적 관념에 대한 사색을 바탕으로 표현한 부분은 나타나지 않고, (나)는 '봄'이라는 자연을 중심으로 시상을 전개하고 있으나, 일상생활에서 깨달은 바를 통해 주제를 구체화하고 있다고 볼 수는 없다.

5. ③ 시의 본질적 특성 이해하기

① ㉠은 '호르르'라는 음성 상징어를 활용하여 가을 아침의 청량함과 아름다운 풍경에 대한 인상을 표현하고

있다.
② ㉡은 가을 햇살이 쏟아지는 모습을 '청명'이 '으리으리한 관'을 쓴다고 표현하여 햇발이 내리쬐는 순간의 아름다운 모습을 시각적으로 표현하고 있다.
❸ ㉢은 맑은 가을 하늘을 보며 감상에 잠긴 화자의 마음을 '감각의 낯익은 고향'이라고 표현하여 화자가 느끼는 포근함과 따뜻함을 나타내고 있으므로, 지나가는 가을에 대한 아쉬움을 드러내고 있다고 볼 수 없다.
④ ㉣은 바람이 '푸른 햇살 요동치는 강변' 쪽으로 불고 있는 모습을 역동적이고 감각적으로 표현한 것이다.
⑤ ㉤은 청청한 날의 정경에 대한 화자의 만족감을 '아무려면 어떤가'로 제시하며 시적 상황에 대한 정서를 집약적으로 드러내고 있다.

6. ④ 외적 준거를 바탕으로 작품 감상하기

① (가)의 화자는 가을 하늘을 보며 느낀 감상을 '온 살결 터럭 끝'과 '눈'과 '입'으로 삼아 온몸으로 느낀다고 하였으므로 인간과 자연 간의 교감을 나타내고, (나)에서 '바람'이 '뒷동산 청솔잎을 빗질'하듯이 이동하는 장면을 통해 〈보기〉의 자연과 자연 간의 교감을 드러낸다.
② (가)의 화자가 자연물 속에서 '수풀의 정'과 '벌레의 예지'를 '알 수 있다'고 하는 것과 (나)에서 '솔나무'가 '무어라' 하고 '미루나무'가 '알았다'고 하는 것을 통해 구성원들이 하나가 되어 소통하는 조화로운 생태계의 모습을 보여 준다.
③ (가)에서 화자가 '수풀'과 '벌레'의 소리를 듣고 '나도 이 아침 청명의 가장 고읍지 못한 노래꾼'이 된다고 한 것을 통해 자연과 시적 화자 간의 유대감을 알 수 있고, (나)에서 '솔나무의 속삭임'을 '바람'이 '미루나무'에게 전하고, 이를 '여인'도 '정자나무'에게 전하는 것을 통해 역시 자연과 인간 간의 유대감을 드러내고 있다.
❹ (가)에서 화자가 '동백 한 알'이 떨어지는 모습에서 '하늘'의 '별살'을 떠올린 것은 〈보기〉에서 존재 간에 교감하며 유대감을 느끼고, 나아가 서로 영향을 주고받는 순환의 관계로 인식하는 것과 일치한다. (나)에서 화자가 '잎새'의 흔들림에서 반짝이는 '구슬알'을 떠올린 것은 자연물 간의 조화로운 어울림과 관련 있다. 따라서 이들을 생명의 탄생을 계기로 순환하는 생태계의 질서로 보는 것은 적절하지 않다.
⑤ (가)에서 자연을 '온 소리의 앞 소리'와 '온 빛깔의 비롯'이라고 표현한 것을 통해 자연은 온 우주의 근원적 존재임을 나타내고, (나)에서 '오월'에 '산'과 '마을'이 '한 초록으로 짙어' 간다고 표현한 것은 인간과 자연이 별개가 아니라 결국 하나의 존재로 생태 공동체를 이루는 것을 표현한 것이다.

【7~9】 (가) 김광균, '추일서정'

작품해설

도시적인 정취를 느낄 수 있는 시어가 많이 등장하는 시이다. 또한 다양한 시적 기교를 활용하여 가을의 쓸쓸하고도 황량한 풍경을 효과적으로 표현한다. 회화적 이미지를 주로 사용하여 감각적 표현이 두드러지는 것 역시 이 시의 특징으로 가을날의 쓸쓸함 속에 삶에 대한 허무함, 고독감을 드러내고 있다.

[놓치지 말자!]

- **갈래** : 자유시, 서정시, 서사시
- **성격** : 회화적, 애상적, 감각적
- **어조** : 회상적, 묘사적
- **구성** : 쓸쓸하고 적막한 가을 풍경 – 가을 풍경에서 느껴지는 고독감
- **제재** : 가을날의 풍경
- **주제** : 도시의 황량한 가을 풍경과 쓸쓸함
- **중요 시어 및 시구 풀이**
  - 낙엽은 폴-란드 망명정부의 지폐: 낙엽을 더 이상 가치가 없는 망명정부의 지폐에 빗대어 황폐한 정서를 느끼게 한다.
  - 공장의 지붕은 흰 이빨을 드러낸다: 도시의 쓸쓸하고 적막한 사물을 제시하며 빠르게 도시화가 되고 있는 현대의 모습을 나타낸다.

같은작가 다른기출

2014학년도 6월 모의 수능 '와사등'
2011학년도 6월 모의 수능 '수철리'
2008학년도 대수능 '와사등'
2000학년도 대수능 '외인촌'

(나) 오규원, 하늘과 돌멩이

작품해설

시적 화자가 사물에 대해 독특한 시각을 갖고 있는 작품이다. 우리가 흔히 알고 있는 사물의 이미지 대신 고정관념을 깨고 새로운 시각으로 주변의 사물들에게 의미를 부여하는데, '담쟁이덩굴, 새, 들찔레, 하늘, 모래' 등으로 시선을 이동하며 대상들의 모습을 시각화시켜 표현한다.

[놓치지 말자!]

- **갈래** : 자유시, 서정시
- **성격** : 개성적, 묘사적
- **어조** : 회화적, 사색적
- **구성** : 시선의 이동에 따른 묘사
- **제재** : 주변의 자연물에 대한 새로운 시각
- **주제** : 고정관념을 버리고 사물을 새롭게 보는 눈
- **중요 시어 및 시구 풀이**
  - 담쟁이덩굴이 가벼운 공기에 업혀: 담쟁이는 벽에 붙어서 자란다는 일반적인 인식을 깨고 새로운 시각으로 표현하여 참신함을 더한다.
  - 새가 푸른 하늘에 눌려 납작하게 날고 있다: 흔히 '새'하면 떠올리는 자유로운 이미지가 아닌 새가 하늘에 눌려 납작하게 날고 있다는 발상을 하고 있다.
  - 들찔레가 길 밖에서 하얀 꽃을 버리며: 꽃잎이 수동적인 존재가 아닌 능동적인 존재라고 보고 있다.

7. ⑤ 작품의 표현기법 파악하기

① 수미상관 기법이란 시작 부분과 끝 부분을 유사한 형식으로 구사하여 안정감과 통일감을 주는 것으로, (가)에는 사용되지 않았다.
② (가)에 사용한 문장은 주로 현재형을 사용하였으나, 시간의 흐름을 드러내고 있는 부분은 없다.
③ (가)는 도시적인 정취를 느낄 수 있는 시어를 사용하여 가을 도시의 쓸쓸함을 표현하고 있을뿐, 의도적으로 변형한 시어를 통해 현실 극복 의지를 드러낸 부분은 없다.
④ (가)에 추측을 나타내는 표현을 통해 대상에 대한 회의감을 드러낸 부분은 없다.
❺ 자연물을 인공물에 빗대어(낙엽-폴란드 망명정부의 지폐, 길-한 줄기 구겨진 넥타이, 구름-세로팡지로 만든 구름) 가을 도시의 황량한 풍경과 그에 대한 고독한 화자의 인상을 드러낸다.

8. ① 시어의 의미 파악하기

❶ '업혀'는 '사람이나 동물 따위가 다른 사람이나 동물의 등에 매달려 붙어 있게 되다'라는 뜻으로, 다른 존재의 뒤에서 의존적인 역할을 한다는 뜻을 지니고 있으므로 담쟁이덩굴이 공기를 누르며 수직 상승하는 강인한 존재라고 볼 수 없다.
② '눌려'는 '물체의 전체 면이나 부분에 힘이나 무게가 가해지다'는 뜻이므로 새는 하늘의 무게를 견디며 나는 것으로 볼 수 있다.
③ '버리며'는 '가지거나 지니고 있을 필요가 없는 물건을 내던지거나 쏟거나 하다'는 뜻이므로 꽃이 스스로 꽃잎을 떨어뜨리는 것으로 볼 수 있다.
④ '얹힌다'는 '위에 올려져 놓이다'는 뜻으로 하늘은 길에 가깝게 내려와 돌멩이 위에 닿는 존재로 볼 수 있다.
⑤ '들어올려'는 모래를 바위 밑에 깔려 있는 수동적인 존재가 아니라 자신의 힘으로 바위를 지탱할 수 있는 능동적인 존재로 볼 수 있다.

9. ④ 시의 이미지의 활용 평가하기

① '망명정부의 지폐'는 더 이상 가치가 없는 것을 뜻하는데, '낙엽' 역시 쓸쓸한 가을의 정취와 함께 무상감을 드러낸다고 볼 수 있다.
② 허공에 '돌팔매'를 던지는 외로운 화자의 모습과, 그 '돌팔매'가 '고독한 반원'을 그리며 땅으로 떨어지는 이미지는 외로움의 정서를 더욱 부각시킨다고 볼 수 있다.
③ '들찔레'의 꽃잎이 외부의 힘에 의해 떨어지는 것이 아닌 꽃의 자유의지에 따라 꽃잎을 떨어뜨리는 것처럼 묘사하였으므로 '빈자리'를 의도적으로 만들어 비어 있는 공간의 이미지를 떠올리고 있다.
❹ '길'을 '구겨진 넥타이'의 이미지와 연결하여 초라하고 빈곤한 이미지를 표현하였고, 시적 화자가 도시에서 느끼는 소외감과 연결지을 수 있다. 그러나 '길 밖'과 '길 한켠'이 대상들 간의 거리감을 드러낸다고 볼 수는 없다.
⑤ (가)의 '허공'은 돌팔매를 외롭게 던져도 '고독한 반원'을 긋고 떨어지는 장소로 '황량한 생각'이 들게 하고, (나)의 '담쟁이덩굴'은 공기에 '업혀' 허공에서 허공으로 이동하는 것을 표현하고 있으므로 '허공'을 감각적인 경험의 대상으로 묘사하고 있다.

고전 산문

Day 11

본문 064쪽

1. ④ 2. ③ 3. ③ 4. ⑤ 5. ①
6. ④ 7. ⑤ 8. ⑤ 9. ④ 10. ②
11. ③ 12. ④

【1~4】 조위한, '최척전'

작품해설

임진왜란과 정유재란 등 조선 시대의 역사적 사건을 배경으로 최척과 옥영 일가의 이별과 재회를 그린 소설이다. 작품의 전반부에는 최척과 옥영이 혼인하는 과정이 그려져 있고, 후반부에는 전쟁으로 인해 가족이 이별했다가 재회하는 과정이 반복되고 있으며, 이를 통해 당대 민중들이 전쟁으로 겪게 된 고통을 사실적으로 드러내고 있다. 제시된 장면은 최척과 옥영이 혼인을 하고 아들을 얻어 화목하게 살던 시절과, 전란으로 이별했던 두 사람이 타국인 안남에서 극적으로 재회한 상황이다.

- **갈래** : 전쟁 소설, 애정 소설
- **성격** : 사실적, 우연적, 불교적
- **배경** : 시간-조선 시대
  공간-남원, 일본, 중국, 안남(베트남)
- **시점** : 전지적 작가 시점
- **주제** : 전쟁으로 인한 가족의 이산과 재회

1. ④ 서술상의 특징 파악하기

① 옥영이 최척의 피리 소리를 듣고 "이처럼 맑은 정경을 대하니 도저히 참을 수가 없군요."라고 하며 절구 한 수를 읊었다. 즉 삽입된 시는 최척의 피리 소리를 들은 옥영의 감흥을 드러내고 있을 뿐, 이를 통해 인물 간의 갈등이 구체화되는 상황을 드러내고 있지는 않다.
② '시집에 온 옥영은 소매를 걷고 머리를 빗어 올린 채 손수 물을 긷고 절구질을 했으며'에 인물의 행위가 연속적으로 나열되어 있는데 이는 시집을 온 옥영의 태도를 보여 줄 뿐, 신분의 변화 과정을 드러내고 있지는 않다.
③ 시집을 온 옥영의 행실을 들은 이웃 사람들은 '양홍의 처나 포선의 아내도 이보다 낫지 않을 것'이라며 칭찬했다. 즉 주변 사람들은 사례를 근거로 인물에 대해 긍정적으로 평가했을 뿐, 상반된 평가를 내리고 있지는 않다.
❹ '어느 봄날 밤'의 풍경을 '어둠이 깊어 갈 무렵 미풍이 잠깐 일며 밝은 달이 환하게 비쳤으며, 바람에 날리던 꽃잎이 옷에 떨어져 그윽한 향기가 코끝에 스며들었다.'라고 감각적으로 묘사함으로써, 이를 배경으로 최척이 피리를 연주하고 옥영은 절구를 읊는 상황의 낭만적 분위기를 부각하고 있다.
⑤ 전란으로 가족들과 이별한 최척과 옥영은 안남에서 극적으로 재회하였는데, 최척이 "그때 아버지와 장모님은 어찌 되었소?"라고 묻자 옥영이 "정신이 없어 서로 잃어버렸으니, 제가 두 분의 안위를 어떻게 알겠습니까?"라고 대답한 것에서 전란으로 헤어진 다른 가족들의 행선지를 알지 못하는 상황이 드러나고 있다.

2. ③ 인물의 심리, 태도 파악하기

① 최척과 옥영이 재회하는 모습을 구경하던 양국의 뱃사람들은 처음에는 두 사람이 친척이나 잘 아는 친구인 줄로만 생각했다가 뒤에 그들이 부부 사이라는 것을 알고는 "이상하고 기이한 일이로다! ~ 이런 일은 옛날에도 들어 보지 못하였다."라고 하며 놀라워했다.
② 최척은 강둑을 내려가 일본인 배로 가서는 어젯밤 시를 읊던 사람을 만나고 싶다고 하면서 자신이 조선 사람으로 멀리 다른 나라를 떠도는 처지라고 밝히고, '고국 사람을 만나는 것이 어찌 그저 기쁘기만 한 일이겠'냐는 심정을 드러냈다.
❸ '어느 봄날 밤' 옥영이 최척의 피리 연주를 듣고 절구를 한 수 읊자, 최척은 '애초에 자기 아내가 이리 시를 잘 읊는 줄 모르고 있던 터라 놀라 감탄'했다. 따라서 최척이 옥영의 시에 대한 재능을 결혼 전에 알고 있었는데 모른 척하고 있었다고는 볼 수 없다.
④ 시집에 온 옥영이 '시아버지를 봉양하고 ~ 성의와 예의를 두루 갖췄다'는 것을 통해 옥영이 가정의 구성원들을 정성스러운 마음으로 대했음을 알 수 있다. 또한 최척은 '결혼 후 구하는 것이 뜻대로 되어 재산이 점차 넉넉히 불었'다고 한 것에서 옥영이 시집온 후 최척의 집안이 점차 부유해졌음을 알 수 있다.
⑤ 혼례를 마친 후 최척이 아내와 장모를 모시고 집으로 돌아오자 '친척들이 축하하여 온 집안에 기쁨이 넘쳤'다고 한 것으로 보아 친척들이 최척의 결혼을 경사로 받아들였음을 알 수 있다. 또한 옥영이 가정의 구성원들을 정성스럽게 대하는 것을 들은 이웃 사람들이 '양홍의 처나 포선의 아내도 이보다 낫지 않을 것'이라고 옥영의 행실을 칭찬했음을 확인할 수 있다.

3. ③ 사건의 전개 양상 파악하기

① ㉠ '매월 초하루'는 후사가 없는 것을 염려한 최척 부부가 만복사에 올라 부처께 기도를 올리는 날로, 이때 인물의 심리적 갈등이 발생했다고 볼 수 없다. 또한 ㉢ '그달'은 옥영이 아이를 잉태하여 후사에 대한 염려에서 벗어난 때이므로 심리적 갈등이 심화된 시간으로 볼 수 없다.
② ㉢ '그달'은 옥영이 아이를 잉태함으로써 후사에 대한 염려에서 벗어난 때이므로 심리적 갈등에서 벗어난 시간으로 볼 수 있으나, 이때 인물의 성격 변화가 드러나고 있지는 않다. 또한 ㉤ '어느 봄날 밤'은 옥영이 최척의 피리 연주를 듣고 절구 한 수를 읊고, 최척이 옥영의 시 읊는 실력에 놀라 감탄한 때로, 인물의 감흥이 드러날 뿐 인물의 성격 변화가 드러나지는 않는다.
❸ ㉣의 '매양 꽃 피는 아침과 달 뜬 밤'이면 최척은 아내 곁에서 피리를 불곤 했다고 하였으므로 ㉣은 피리를 부는 최척의 행위가 반복적으로 일어나는 시간의 표지이다. ㉤ '어느 봄날 밤'은 최척이 피리를 분 날 중 하나로 최척의 피리 연주를 듣고 옥영이 절구 한 수를 읊은 때이므로 ㉤ 중 한 시점을 특정하는 시간의 표지이다.
④ ㉡ '정월 초하루'는 최척 부부가 만복사에 올라 부처께 기도를 올렸던 ㉠ '매월 초하루' 중 하루에 해당한다. 그러나 ㉤ '어느 봄날 밤'은 옥영이 최척의 피리 연주를 듣고 절구 한 수를 읊은 때일 뿐, ㉠에서부터 이어진 기도를 올리는 행위와는 관련이 없다.
⑤ ㉡ '정월 초하루'는 후사에 대한 염려로 만복사 부처께 기도를 올리던 날 중 하나로 옥영의 꿈에서 만복사 부처가 아이를 점지해 준 날이고, ㉢ '그달'은 옥영이 아이를 잉태한 때이므로 ㉡과 ㉢은 인물의 소망이 실현되어 가는 과정에 포함되는 시간이라고 할 수 있다. 그러나 ㉤ '어느 봄날 밤'에 인물의 소망이 좌절된 모습은 드러나지 않는다.

4. ⑤ 외적 준거를 바탕으로 감상하기

① 최척과 옥영은 후사가 없는 것을 염려해 만복사에 올라 부처께 기도를 올렸고, 그러던 중 옥영의 꿈에 만복사의 부처가 나타나 사내아이를 점지해 주었다. 이후 옥영은 실제로 잉태하여 아들을 낳았으므로, 옥영의 꿈에 나타난 '만복사의 부처'는 옥영의 현실적인 걱정을 해결하는 데 도움을 주는 신이한 존재로 볼 수 있다.
② 옥영의 꿈에 나타난 만복사의 부처는 옥영에게 사내아이를 점지해 주면서 태어난 아이에게 특이한 징표가 있을 것이라고 예언했고, 이후 옥영이 잉태하여 낳은 아들의 등에는 어린아이 손바닥만 한 '붉은 점'이 있었다. 따라서 '붉은 점'은 '사내아이'의 출생과 관련한 예언이 이루어졌음을 보여 주는 특이한 증거로 볼 수 있다.
③ 최척은 명나라 배를 타고 다니다 안남(베트남)에 이르렀고, 그곳에서 일본인 배를 찾아가 조선말로 어젯밤 시를 읊던 사람이 조선 사람이 아니냐고 물으며 고국 사람을 만나고 싶다고 말한다. 이는 공간적 배경이 조선뿐 아니라 다른 나라로 확장되었기 때문에 나타난 사건이다.
④ 옥영은 어젯밤 들은 '피리 소리'가 조선의 곡조인 데다 평소 들었던 것과 너무 흡사했기에 남편 생각에 감회가 일어 시를 읊게 되었고, 이를 들은 최척은 시를 읊던 사람을 찾아 일본인 배에 왔다. 이로 인해 이별했던 최척과 옥영이 극적으로 재회했으므로, '피리 소리'는 이별 상황이라는 문제가 해결되는 계기가 되는 소재로 볼 수 있다.
❺ 안남에서 극적으로 재회한 최척과 옥영은 '서로 마주하고 놀라 소리를 지르며 끌어안고 백사장을 뒹굴었'고, '눈에서는 눈물이 다하자 피가 흘러내려 서로를 볼 수도 없을 지경'이 되었다. 눈에 눈물이 다하자 피가 흘러내렸다는 것은 이별 상황이 해소된 기쁨을 과장되게 표현한 것일 뿐, 또 다른 문제 확인에 따른 인물의 불안감과는 관련이 없다.

【5~8】 작자 미상, '장풍운전'

작품해설

장풍운이라는 영웅적 인물의 고난과 그 극복 과정을 그린 영웅 소설이다. 부모와 헤어져 조력자의 도움으로 성장한 풍운이 다시 시련을 만나 부인과도 헤어졌다가, 장원 급제 후 전쟁에서 큰 공을 세운 뒤 가족들과 재회하고 가문의 번영을 이루는 내용이 전개된다. 제시된 장면은 풍운(원수)이 서번과 서달을 물리친 뒤 헤어졌던 어머니와 아내, 아버지와 극적으로 상봉하는 부분으로 인물 간의 대화를 통해 서사가 압축적으로 제시되며 풍운에게 주어진 증표가 극적인 기능을 하고 있다.

- **갈래** : 영웅 소설, 군담 소설
- **성격** : 영웅적, 일대기적
- **배경** : 중국, 송나라
- **시점** : 전지적 작가 시점
- **주제** : 고난과 역경을 극복한 장풍운의 활약상

어휘풀이

- **의탁하다(依託--)** 어떤 것에 몸이나 마음을 의지하여 맡기다.
- **신표(信標)** 뒷날에 보고 증거가 되게 하기 위하여 서로 주고받는 물건.
- **사환(使喚)** 관청이나 회사, 가게 따위에서 잔심부름을 시키기 위하여 고용한 사람.
- **천행(天幸)** 하늘이 준 큰 행운.
- **감복하다(感服--)** 감동하여 충심으로 탄복하다.
- **남가일몽(南柯一夢)** 꿈과 같이 헛된 한때의 부귀영화를 이르는 말.
- **선풍도골(仙風道骨)** 신선의 풍채와 도인의 골격이란 뜻으로, 남달리 뛰어나고 고아(高雅)한 풍채를 이르는 말.
- **하관(下官)** 아래 직위에 있는 벼슬아치가 상관에 대하여 자기를 낮추어 이르는 말.
- **불초자(不肖子)** 아들이 부모를 상대하여 자기를 낮추어 이르는 일인칭 대명사.

5. ① 작품 내용 파악하기

❶ 부남 태수가 원수에게 자신의 내력을 말한 부분에서, 그가 과거에 부인 양씨와 아들을 두고 가달을 치러 나갔다가 가달을 평정하고 돌아와서는 부남 태수를 제수받았는데, 고향에 들렀더니 집이 비어 있어 사방으로 찾았으나 부인과 아들의 종적을 알지 못한 채 홀로 부남에 부임했다고 밝히고 있다.
② 양 씨는 낭자가 절에 의탁하고자 할 때 그 모습과 사정이 자신과 비슷하여 그와 스승과 제자가 되었는데, 이후 낭자가 낭군의 신표라며 풍운의 옷을 가지고 있는 것을 보고 자신의 며느리임을 알게 되었다고 했다.
③ 원수는 도적에게 잡혀 가다가 중간에 버려져 의탁할 곳이 없어졌는데, 이때 마침 낭자의 부친이 데려다가 길러 주었다고 했다.
④ 원수는 서주의 왕 상서 댁에 의탁하여 사환으로 지내다가 상서의 명으로 황성에 갔을 때 천행으로 과거를 보았다고 했다. 따라서 과거 시험을 보기 위해 왕 상서 댁에 의탁한 것은 아니다.
⑤ 부남 태수는 원수의 거동을 자세히 살펴보고는 선풍도골이어서 천상의 선관이 하강한 듯하다고 생각하다가 원수가 장도를 만지며 슬퍼하는 모습에 풍운이 생각나 흐느꼈을 뿐, 원수가 자신과 닮은 점이 많다고 판단하지는 않았다.

6. ④ 외적 준거에 따라 작품 감상하기

① [A]에서 원수의 모친(부인 양씨)은 절에서 만난 낭자가 자신이 지은 원수(풍운)의 옷을 낭군의 신표로 가지고 있는 것을 보고 자신의 며느리임을 알게 되었다고 했다. 그리고 [B]에서 원수는 모친과 헤어진 뒤 도적에게 버려졌을 때 낭자의 부친이 데려다 길러 주고 낭자와 부부의 연을 맺어 주었다는 사연을 밝히고 있다.
② [A]에서 모친은 '네 부친이 절강의 장 도사에게 관상을 보'인 것을 언급했는데, [D]에서 부친이 늦게 얻은 아들이 단명할까 봐 염려가 되어 절강의 도사에게 관상을 보았다고 밝힌 것에서 관상을 본 이유가 드러난다.
③ 원수는 [B]에서 장원 급제한 뒤 한림학사를 지냈다고 했고, [C]에서는 이후 대사마 대원수가 되어 전장에 나가 공을 세웠음이 드러난다. <보기>를 참고할 때 이는 주인공이 입신양명하고 큰 공적을 세운 것으로, 이후 가문의 번영을 가져올 것임을 알 수 있다.
❹ [B]에서 원수는 도적에게 버려져 의탁할 곳이 없을 때 낭자의 부친인 통판의 도움을 받았고, 이후 다시 걸식하며 다니다가 서주의 왕 상서 댁에 의탁하게 되었다고 했으므로 부친과 이별한 후 조력자들을 만났음을 알 수 있다. 그러나 [D]에서 원수의 부친은 가달을 평정한 공으로 천자에게 부남 태수를 제수받았다고 했을 뿐 조력자를 만난 것은 아니다.
⑤ [D]에서 가달의 침략으로 난리가 났을 때 부친이 출전한 것을 계기로 원수가 가족과 헤어지게 된 것이 드러나고, [C]에서 원수가 서번과 서달의 침략으로 전장에 나가 공을 세우고 돌아가는 길에 꿈에 나타난 도사의 말에 따라 단원사에 들러 모친, 낭자와 재회하게 되었음이 드러난다. 이를 통해 전쟁은 원수가 가족과 헤어지는 계기가 된 한편 가족과 재회하는 노정에 오르는 데 영향을 미쳤음을 알 수 있다.

7. ⑤ 소재의 기능 이해하기

① 원수는 ㉠ '장도'를 만지며 슬퍼하는 듯한 모습을 보였고, 부남 태수는 그 모습을 보며 풍운이 생각나 흐느꼈다. 즉 ㉠은 두 인물의 슬픔의 정서와 관련되지만 이를 통해 인물들이 연민의 정서를 주고받고 있지는 않다.
② 원수는 ㉡ '생년월일시를 써 둔 유서'를 부남 태수에게 보여줌으로써 자신이 풍운임을 밝히는데, 인물들이 서로 갈등하고 있었던 것은 아니므로 이것이 인물 간의 갈등을 해소하려는 의지를 나타낸다고 볼 수는 없다.
③ ㉠과 ㉡은 모두 부남 태수가 풍운에게 남긴 증표로 비현실적인 성격을 지니고 있지는 않다.
④ ㉠과 ㉡은 모두 부남 태수가 절강의 도사에게 관상을 보았을 때 아들이 열 살 이전에 부모와 이별할 것이라는 말을 듣고, 혹시 이별하더라도 서로 잊지 않기 위해 원수에게 남긴 증표이다. 즉 둘 다 미래에 대한 예언과 관련이 있으나 이것이 미래에 인물에게 일어날 일을 예고하는 것이라고 볼 수는 없다.
❺ 부남 태수는 원수가 ㉠ '장도'를 가지고 있는 것을 보고 이를 자세히 살펴본 뒤 장도가 자신이 장인에게 받은 것임을 확인하고, 자신의 아들이 어릴 때 부모와 이별할 것이라는 말을 듣고는 장도를 아들에게 채우고 ㉡ '생년월일시를 써 둔 유서'를 써 비단 주머니에 넣어 두었다고 밝힌다. 이에 이야기를 들은 원수는 바로 그 주머니에서 ㉡을 꺼내어 태수에게 주며 자신이 아들 풍운이라고 말한다. 즉 ㉠과 ㉡은 모두 태수와 원수가 부자 관계임을 확인하는 증표가 되고 있다.

8. ⑤ 인물에 대해 이해하기

① ⓐ는 원수가 장원 급제하여 한림학사를 제수받은 이후 조력자인 왕 상서, 원천의 딸을 각각 부인과 후궁으로 맞았다는 이야기를 전해들은 모친과 낭자의 반응으로, '더욱 즐거워하였다'는 것을 통해 원수의 행적을 긍정적으로 여기는 태도가 드러난다.
② ⓑ는 원수가 천자의 명으로 출전하여 서번과 서달을 물리친 뒤 황성으로 돌아가는 길에 꿈에 나타난 도사의 말에 따라 단원사로 오게 되었다는 이야기를 들은 모친과 낭자의 반응으로, '황제의 은혜에 감사드리고 도사의 신기함에 감복하였다'는 것을 통해 황제와 도사에게 고마워했음을 알 수 있다.
③ ⓒ는 원수가 꿈속에 나타난 도사의 말을 듣고 보인 반응으로, '도사의 영감과 신기함은 탄복할 만하였'다고 한 것을 통해 도사를 신뢰함을 알 수 있다.
④ ⓓ는 원수가 장도를 만지면서 슬퍼하는 듯한 모습을 본 부남 태수의 반응으로, '문득 풍운이 생각나 흐느끼며' 풍운의 모습을 그려 보는 것에서 아들에 대한 그리움이 드러난다.
❺ ⓔ는 원수가 가지고 있던 장도를 살펴본 부남 태수의 반응으로, 부남 태수가 장도가 자신이 풍운에게 준 것임을 확신하고 보인 태도일 뿐 원수를 자신의 아들로 확신하고 보인 반응은 아니다. 이후 원수가 생년월일시를 써 둔 유서를 태수에게 보여 주며 자신이 아들 풍운임을 밝힌 후에 태수는 유서를 보고 자신의 친필을 확인하고 있다.

【9~12】 작자 미상, '정수정전'

작품해설

조선 후기의 여성 영웅 소설로, 여성 영웅 정수정의 고난과 그 극복 과정을 일대기적으로 다루고 있다. 정수정은 가정에 어려움이 닥치자 남장을 하고 사회에 나아가 공을 세운다. 이때 남장은 정수정이 당대 여성에게 주어진 사회적 한계를 뛰어넘어 남성과 경쟁할 수 있게 하는 매개인데, 이후 정수정은 남장 사실이 드러나고도 영웅적 능력으로 인해 황제로부터 인정받아 대원수로 활약한다. 이처럼 주인공 정수정은 가부장제하에서 억압받던 당대 여성들과 달리 과감하게 남성 세계에 뛰어들어 공을 세우고 남편, 시어머니와 대등한 위치에 섬으로써 기존의 순종적인 아내, 며느리 상에서 벗어나 있는 한편, 대원수가 되어 아버지의 원수를 갚는 면에서는 효녀의 면모를 보이고 있다.

- **갈래** : 영웅 소설, 군담 소설
- **성격** : 영웅적, 일대기적
- **배경** : 중국 송나라
- **시점** : 전지적 작가 시점
- **주제** : 고난과 역경을 극복하고 능력을 펼쳐나가는 정수정의 활약상

어휘풀이

- **소인(小人)** 도량이 좁고 간사한 사람.
- **만조백관(滿朝百官)** 조정의 모든 벼슬아치.
- **중관(中官)** 1. 조선 시대에, 내시부에 속하여 임금의 시중을 들거나 숙직 따위의 일을 맡아보던 남자. 2. 조정에서 근무하는 벼슬아치를, 지방의 벼슬아치에 상대하여 이르는 말.
- **참언(讒言)** 거짓으로 꾸며서 남을 헐뜯어 윗사람에게 고하여 바침. 또는 그런 말.
- **만호(萬戶)** 조선 시대에, 각 도(道)의 여러 진(鎭)에 배치한 종사품의 무관 벼슬.
- **적거(謫居)** 귀양살이를 하고 있음.
- **영결(永訣)** 죽은 사람과 산 사람이 서로 영원히 헤어짐.
- **장계(狀啓)** 왕명을 받고 지방에 나가 있는 신하가 자기 관하(管下)의 중요한 일을 왕에게 보고하던 일. 또는 그런 문서.
- **창황망조(蒼黃罔措)** 너무 급하여 어찌할 수가 없음.
- **모해(謀害)** 꾀를 써서 남을 해침.
- **문초(問招)** 죄나 잘못을 따져 묻거나 심문함.
- **첩서(捷書)** 싸움에서 승리한 것을 보고하는 글.
- **궐하(闕下)** 대궐 아래라는 뜻으로, 임금의 앞을 이르는 말.

9. ④ 인물의 심리와 태도 파악하기

① 황제는 정 상서가 병이 있어 황제의 탄생일 조회에 불참한 상황에서 자신이 총애하던 진량이 정 상서에 대해 간악한 사람이며 요사이 수상하였다고 모함하자, 이를 듣고 놀라 정 상서를 처벌하려 하였다.
② 황제가 진량의 말을 듣고 정 상서를 처벌하려 하자, 중관이 "정 상서의 죄 명백함이 없으니 어찌 벌로 다스리오리까?"라고 말한 것에서 알 수 있다.
③ 정 상서가 자신을 귀양 보내기로 했다는 황명을 전해 듣고 "소인의 참언을 입어 이제 귀양을 가니 어찌 애달프지 않으리오."라고 말한 것에서 알 수 있다.
❹ 한복은 진량의 귀양지로 가 그를 결박하여 오라는 대원수의 명을 듣고, 바로 그에 따라 진량을 결박하여 본진으로 돌아왔다. 이후 대원수가 진량의 죄상을 문초한 뒤 무사에게 진량을 벨 것을 명하였으므로, 진량의 죄를 묻고 처벌을 내린 것은 한복이 아니라 대원수이다.
⑤ 장연이 호왕에게 승리하고 돌아와 모친인 태부인에게 전후사연을 고하자, 태부인은 "전쟁터에서 부인에게 욕을 보고 돌아올 줄 어찌 알았으리오."라며 통분한다. 이에 원 부인과 공주는 "정수정 벼슬이 높으니 능히 제어치 못할 것이요, 저 사람 또한 대의를 알아 삼가 화목할 것이니 이제는 노하지 마소서."라고 말하며 태 부인을 진정시켰다.

10. ② 구절의 의미와 기능 파악하기

① 진량이 정 상서를 해할 기회를 노리고 있는 상황에서 정 상서가 황제의 탄생일 조회에 병 때문에 참석하지 못하는 일이 생기자, 진량은 이를 이용하여 "오늘 조회에 불참하오니 반드시 무슨 생각 있는 줄 아나이다."라며 정 상서를 모함한다. 즉 ㉠으로 인해 진량에게 정 상서를 모함할 기회가 생긴 것이다.
❷ ㉡은 정 상서가 중관으로부터 자신이 귀양을 가게 되었다는 비보를 듣고 눈물을 흘리는 상황에서, 사관이 귀양을 갈 행장을 차릴 것을 재촉하는 말이다. ㉡을 들은 정 상서가 이를 통해 비보가 전해질 것을 짐작하게 된 것은 아니다.
③ ㉢은 정 상서의 귀양지인 절강에서 온 사람이 전한 말로, 정 상서가 지난달에 세상을 떠났다는 소식을 담고 있다. 이에 ㉢을 들은 부인과 정수정은 충격에 혼절하고 만다.
④ ㉣의 승리를 거둔 대원수, 즉 정수정이 돌아오자 황제는 그를 치하하고 좌각로 평북후에 봉하였다. 따라서 ㉣로 인해 정수정이 황제로부터 노고에 대한 보답을 받게 된다고 할 수 있다.
⑤ 정수정은 '전쟁에서 장연 징계한 일로 심사 답답'해 하고 있다가, 기주 시녀가 보낸 ㉤의 태부인의 서찰을 보고는 기뻐 즉시 회답하여 보내고 다음 날 행장을 차려 기주로 향한다. 즉 ㉤으로 인해 정수정이 장연을 징계한 일에 대한 걱정을 덜고 기주로 떠날 채비를 하게 된 것이다.

11. ③ 소재의 기능 파악하기

①, ② '장계'는 왕명을 받고 지방에 나가 있는 신하가 자기 관하(管下)의 중요한 일을 왕에게 보고하던 문서로, ⓐ는 정 상서의 귀양지인 절강의 만호가 정 상서의 죽음을 황제에게 보고하기 위해 작성한 것이며, 따라서 황제와의 갈등을 해결하기 위한 목적과도 관련이 없다.
❸ '첩서'는 싸움에서 승리한 것을 보고하는 글이다. ⓑ는 호왕과의 싸움에서 승리한 대원수, 즉 정수정이 이를 황제에게 보고하기 위해 작성한 것이다.
④ 대원수는 ⓑ를 올려 승전을 알린 뒤 대군을 지휘하여 황제가 있는 경사로 가 황제를 만난다. 대원수가 황제를 직접 만나는 것을 피하려는 모습은 나타나 있지 않다.
⑤ 절강 만호는 ⓐ를 올려 정 상서가 죽었다는 소식을 황제에게 보고한 뒤, 부인에게도 이 소식을 전하였다. 또한 대원수는 ⓑ를 통해 호왕에게 승리했다는 소식을 알렸고, 이에 황제 백관이 함께 경사에 온 대원수를 맞아 치하하였다. 따라서 ⓐ와 ⓑ에 담긴 소식은 모두 황제 외의 사람들에게도 알려졌음을 알 수 있다.

12. ④ 외적 준거를 바탕으로 감상하기

① 대원수, 즉 정수정은 한복에게 "진량의 귀양지가 여기서 얼마나 되는가?"라고 물은 뒤 진량을 결박하여 오라고 명한다. 진량은 정수정의 아버지인 정 상서를 모함하여 귀양을 보냄으로써 죽음에 이르게 한 인물이므로, 이러한 정수정의 말에는 진량을 잡아 아버지의 한을 풀어 주려는 효녀로서의 면모가 드러난다고 볼 수 있다.
② 정수정은 붙잡혀 온 진량에게 부친을 모해하던 죄상을 문초한 뒤 그의 목을 베게 하고 제상을 차려 부친께 제사를 지낸다. 이는 부친의 원수인 진량을 처벌하여 원수를 갚고 부친의 넋을 위로하는 모습으로, 효녀로서의 소임을 수행한 것으로 볼 수 있다.
③ 태부인은 대원수로 출정한 정수정의 부하로서 중군장으로 함께한 아들 장연이 돌아와서 한 말을 듣고, "전쟁터에서 부인에게 욕을 보고 돌아올 줄 어찌 알았으리오."라며 통분한다. 이는 정수정이 장연을 부하로서 징계한 일을 듣고, 정수정이 아내의 역할보다 대원수의 역할을 중시한 것에 대해 못마땅해한 것으로 볼 수 있다.
❹ 〈보기〉에서 정수정은 국가적 위기를 해결하는 영웅이자 부녀자로서의 덕목을 지녀야 하는 장씨 가문의 여성으로서 주어진 상황과 조건에 따라 역할 사이에서 갈등하기도 한다고 한 것을 참고할 때, 정수정이 장연을 징계한 일로 답답해한 것은 이러한 갈등을 보여 주는 부분으로 볼 수 있다. 즉 정수정이 답답해하는 모습은 국가적 영웅의 역할과 며느리로서의 역할 사이에서 갈등하는 모습을 보여 줄 뿐, 국가적 영웅으로 돌아가고 싶어 함을 보여 준다고 볼 수 없다.
⑤ 정수정은 기주로 갈 때 '홍군 취삼으로 봉관 적의에 명월패 차고 수십 시녀를 거느'리고 한복의 호위를 받는 등 국가적 영웅의 면모를 유지하는 한편, 기주에 도착해서는 태부인을 대할 때 예를 다하고 지성으로 섬기는 등 며느리로서의 역할을 수행하는 모습을 보였다.

Day 12 본문 070쪽

1. ⑤	2. ①	3. ④	4. ①	5. ④
6. ③	7. ④	8. ⑤	9. ③	10. ①
11. ⑤	12. ④			

【1~4】 작자 미상, '진성운전'

작품해설

명나라를 배경으로 한 진성운전은 진성운의 영웅적 일대기를 다루고 있는 고전 소설이다. 주인공 진성운은 일찍이 가족과 헤어지며 불행한 어린 시절을 보내며 고난을 겪는다. 하지만 좌절하기보다는 능력을 키워 위기에 처한 나라를 구하며 부마(임금의 사위)가 된다. 아버지는 간신의 흉계에 빠져 억울하게 죽었는데, 진성운은 아버지의 원수이자 나라를 배신한 적대자를 징계하기도 한다. 이 작품은 진성운을 비롯한 네 명의 영웅이 함께 효행과 충절로써 아버지의 원수를 갚고 나라를 위험에서 구하며 천자를 보필한다는 전형적인 유교적 명분을 주제로 하고 있다.

- **갈래** : 고전 소설
- **성격** : 영웅적, 일대기적, 비현실적(전기적)
- **시점** : 전지적 작가 시점
- **주제** : 진성운의 영웅적 행적과 효와 충절

1. ⑤ 서술상의 특징 파악하기

① 시간의 역전이 드러나는 대목은 찾을 수 없다.
② 외양 묘사를 통해 인물의 성격 변화를 드러낸 대목은 찾을 수 없다.
③ 꿈과 현실의 교차가 드러난 대목은 찾을 수 없다.
④ 이 이야기는 전지적 작가 시점으로 서술되고 있다. 서술 시점의 변화를 보이고 있지 않다.
❺ 진성운은 어린 시절 헤어졌던 성희와 재회하며 통곡하고, 연향 또한 반가운 마음에 함께 통곡한다. 이러한 상황을 '산천과 초목이 함께 슬퍼하는 듯하였다'라고 표현하는 부분에서 서술자가 개입하여 상황에 대해 주관적으로 평가를 드러내고 있다.

2. ① 작품의 내용 이해하기

❶ 윤승지 댁이 야간도주를 했다는 말을 들은 진성운은 '분명히 태후 유경만의 해를 입었'다고 말하며 윤승지 댁의 불행이 유경만 때문이라고 확신하고 있다.
② 주점 사람은 진성운에게 진상서에 대한 소식을 전하고 있을 뿐, 진성운이 중원으로 향하던 목적을 알고 있는 것은 아니다.
③ 강남골 하인은 진성운에게 '하인들이 진상서의 아들을 결박하여 가지고 방금 물을 건너갔다'고 하며 진상서 아들의 행방을 알려 주었다. 이를 볼 때 강남골 하인이 진상서의 아들인 진성운을 알아본 것이 아님을 알 수 있다.
④ 적진에 포위된 호원은 성운이 나타나자 깜짝 놀라며 반겼다. 뒤이어 순경이 나타나자 더욱 반가워하며 "어찌 그리 더디 오는가?"라고 하였는데, 이는 자신을 구하러 온 친구에 대한 반가움의 표현일 뿐, 순경에게 책임을 물은 것이라고 볼 수 없다.

⑤ 월성덕은 진성운과 순경이 연나라 군졸들을 함몰시키는 것을 보고 '무슨 면목으로 고국에 돌아가겠는가?' 라고 탄식하며 연나라 군대가 패배했다는 사실을 인정하였다.

3. ④ 외적 준거에 따라 작품 감상하기

① 진성운과 순경이 연나라 군사를 함몰시키는 것을 통해 외적의 침입을 물리치며 전쟁을 승리로 이끄는 영웅들의 활약상을 확인할 수 있다.
② 성희가 자신을 구해 준 진성운이 자신이 어릴 적 헤어진 동생임을 알아보고 진성운과 함께 통곡하는 모습에서 진성운이 어릴 적 이산의 고통을 겪었음을 알 수 있다.
③ 연나라 군사를 물리친 진성운이 유경만을 잡아 그의 죄를 낱낱이 말하고 아버지의 원수를 갚겠다고 하는 것으로 보아, 진성운이 나라를 구하면서 개인적인 원한도 갚게 되었다고 할 수 있다.
❹ 진성운과 순경이 연나라 군사를 함몰시키는 모습을 본 유경만은 '갈 바를 모르고 앉아 탄식하'는데, 이는 자신의 처지가 난처해져서 어찌할 바를 모르는 상태를 나타낸 것이다. 이를 두고 진성운의 아버지인 진상서를 참소한 것을 후회하는 모습으로 이해하는 것은 적절하지 않다.
⑤ 적진에 둘러싸인 호원이 진성운을 반기며 살려 달라고 도움을 청하는 것을 통해 영웅들이 위험에 처하면 서로 도우며 국난을 함께 극복해 나갔음을 알 수 있다.

4. ① 서사적 기능 이해하기

❶ 성운은 학녹과 함께 중원을 향해 가던 도중, 주점 사람의 탄식하는 이야기를 듣게 되는데, 주점 사람이 말한 안타까운 사연의 인물을 좇아가게 되면서 진성운은 결국 위험에 처한 자신의 누이 성희를 구하게 된다.

[5~8] 작자 미상, '소현성록'

작품해설

중국 송나라를 배경으로 한 가정 소설로, 주인공 소현성이 세 부인을 얻으며 겪은 갈등과 그 해소 과정을 다루고 있다. 가문의 명예를 중시하는 양 부인(소현성의 어머니)과 어머니에 대한 소현성의 효심, 석 부인의 현숙함과 덕성 등을 통해 당시 가부장제에서 바람직하게 여겨지던 유교적 가치를 드러내고 있다. 제시된 부분은 소현성의 세 번째 부인인 여 부인이 투기로 인해 계략을 부려 석 부인, 화 부인을 모함하다 들통이 나 쫓겨나는 부분이다.

- **갈래** : 가정 소설
- **성격** : 유교적, 교훈적
- **주제** : 가부장제하 소현성 가족의 갈등과 해결
- **구성**
  - 발단: 송나라 때 소광의 부인 양씨는 두 딸을 낳은 뒤 유복자로 소현성을 낳는다. 월영과 교영이 혼인한 뒤 교영이 부정을 저지르자 양씨는 교영에게 사약을 주어 자결하게 한다.
  - 전개: 소현성은 과거에 장원급제한 뒤 지극한 효성으로 모친을 극진히 모시고 화 부인과 석 부인을 차례로 맞는다. 여색을 좋아하지 않는 소현성은 두 부인을 공평히 대해 화 부인의 투기로 인한 갈등이 누그러진다.
  - 위기: 예부상서인 소현성을 사위로 삼고자 한 여운이 황제를 움직여 소현성은 세 번째 부인을 맞는다. 여 부인이 석 부인, 화 부인으로 변신하여 소현성을 유혹하자 소현성은 노하여 석 부인을 친정으로 보내고 화 부인을 멀리한다.
  - 절정: 소현성이 여 부인의 음모를 알고 내쫓자 여운이 소현성을 모함하여 강주안찰사로 가게 하는데 그곳에서 소현성은 민심을 수습하고 적의 무리를 평정한다.
  - 결말: 소현성은 황제의 부름을 받아 상경한 뒤 승서가 되어 화 부인, 석 부인과 화목하게 산다.

5. ④ 서술상 특징 파악하기

① '녹운당에 이르니 희미한 달빛 아래 여씨가 난간에 엎드려'와 같이 배경과 함께 인물의 행동이 묘사된 부분은 있으나, 배경 묘사를 통해 인물의 성격 변화를 암시한 부분은 찾을 수 없다.
② '"알지 못하겠도다. ~ 임자를 찾아 주리라." 하고 스스로 혼잣말 하거늘'에서 계성이 독백하는 모습이 나타나 있지만, 독백을 반복하여 내적 갈등의 해결 과정을 드러낸 부분은 찾을 수 없다.
③ 시간의 흐름에 따라 서사가 진행되고 있을 뿐, 과거와 현재를 교차하는 부분은 찾을 수 없다.
❹ 이 글에는 여씨와 석씨, 여씨와 상서, 여씨와 양 부인 등의 갈등이 나타나 있다. 즉 여씨와 다른 인물들 간의 갈등 관계가 다면적으로 드러나고 있다.
⑤ 청운당, 녹운당, 취성전 등의 공간적 배경이 사건의 흐름에 따라 나타날 뿐, 두 공간에서 동시에 일어나는 사건을 병렬적으로 배치하고 있지는 않다.

6. ③ 작품 내용 파악하기

① 석파는 상서(소현성)의 서모로, 여씨, 석씨 등과 교류하는 한편 여씨가 화씨로 둔갑한 사건이 일어났을 때 상서의 부름에 따라 함께 실상을 밝히려 하는 등 집안 일에 관여하고 있다.
② 상서가 '전일 말한 사람이 있어도 전혀 믿지 않았더니 내 눈에 세 번 뵈니 비로소 그 말이 사실임을 알지라.'라고 한 것을 통해 상서가 남의 말의 진위를 직접 확인하여 판단함을 알 수 있다.
❸ 여씨는 상서가 화씨의 방을 엿들은 일에 대해 '부인은 다시 이 행동을 말고 과실을 고'치라며 책망하자 '크게 부끄러워'하였다.
④ 상서의 어머니인 양 부인은 집안의 큰 어른으로서 여씨가 저지른 일에 대해 듣고 '여씨를 내치고 계성과 미양 등을 엄히 다스리고 집안을 평정하'는 등 권위를 지니고 집안을 통솔한다.
⑤ 소씨는 여씨가 회면단 푼 물을 먹지 않으려 하자 "아니 먹는 죄 의심되도다."라며 나아가 우김질로 들이부음으로써 여씨를 압박하여 의혹을 해소하려 한다.

7. ④ 말하기 의도 파악하기

① ㉠은 석파가 "석 부인이 받는 총애를 여 부인에게 자랑하였나이다."라고 한 것에 대한 반응이므로 석파의 독선을 질책하는 말로 보기 어렵다. 또한 ㉡과 같은 거짓말에 대해 상서는 이미 실상을 알고 있는 상태이므로 ㉡이 상서의 오해를 증폭시킨다고 볼 수 없다.
② ㉠은 석파가 석씨에 대해 여씨에게 말한 것을 만류한 것으로 석파의 안전을 도모하려는 의도가 있다고 보기 어렵다. 또한 ㉡은 여씨가 자신의 행동에 대해 상서에게 거짓말을 한 것일 뿐 상서를 위험에 빠뜨리기 위한 말이라고 볼 수 없다.
③ ㉠은 석씨가 석파가 한 말에 대해 내키지 않아 당부하면서 한 말이므로 석파에 대한 호의를 표현하는 말로 볼 수 없다. 또한 ㉡은 여씨가 자신의 행동에 대해 상서를 속이기 위해 한 말일 뿐 상서에 대한 불신을 표현하고 있는 것은 아니다.
❹ ㉠은 석파가 "석 부인이 받는 총애를 여 부인에게 자랑하였나이다."라고 한 것에 대해 '내키지 않아 하며 당부'한 말로, 석파의 경솔함을 염려한 말로 볼 수 있다. 또한 ㉡은 상서가 "깊은 밤에 어디 갔더뇨?"라고 묻자 거짓으로 고한 말로, 상서의 의심을 피하기 위해 한 말로 볼 수 있다.
⑤ ㉠은 석파가 여씨에게 한 말을 듣고 염려를 드러낸 것으로, 석파에게 얻은 정보를 불신하는 말로 볼 수는 없다. 한편 여씨가 ㉡과 같이 거짓말을 한 것은 상서가 여씨의 행동을 알고 있는 것을 모르고 한 말로 볼 수 있다.

8. ⑤ 외적 준거를 바탕으로 감상하기

① 여씨는 '둘째 부인 석씨의 행실과 마음 씀이 매사 뛰어남을 보고 마음속에 불평'을 품고, 석씨의 글씨로 저주의 글을 쓴 것을 양 부인이 보게 만들어 석씨와 양 부인을 이간하려 한다. 이는 여씨가 상서의 총애를 놓고 석씨와의 경쟁 관계를 의식한 것에서 음모가 비롯된 것이라고 할 수 있다.
② 시녀 계성이 침상 아래를 쓸다가 '봉한 것'을 얻어 내어 의아해하는 듯한 혼잣말을 하자 양 부인은 그것을 수상히 여겨 가져오라 하고, 그것을 풀어본 뒤 석씨의 글씨로 된 흉악한 언사를 보게 된다. 앞서 여씨가 저주의 말을 꾸며 취성전을 범했다고 한 것으로 보아 이는 음모자인 여씨가 조력자인 시녀 계성을 통해 꾸민 일로, 상하 관계에 있는 음모자와 조력자에 의해 서사적 긴장이 고조되는 부분으로 볼 수 있다.
③ 양 부인은 흉악한 언사가 담긴 '그 글'을 불사른 뒤 시녀들에게 누설을 금지한다. 이를 통해 음모자인 여씨의 욕망 실현이 지연되고 있으므로 이때 서사적 긴장이 일시적으로 이완된다고 할 수 있다.
④ '여의개용단'을 먹고 화씨로 둔갑했던 여씨는 '회면단'을 먹고 본래 모습으로 돌아오게 된다. 이는 음모의 진행 과정에서 욕망의 실현을 위해 둔갑이라는 환상적 요소를 도입했던 것이 음모의 실체를 드러내는 도구가 된 것을 보여 준다.
❺ 상서는 여씨가 화씨의 방을 엿들은 일을 두고 '금수의 행동'이라고 책망하며 앞으로 과실을 고칠 것을 당부하고, 이후 양 부인은 여씨가 둔갑 등을 통해 음모를 꾸민 것을 밝혀낸 '어젯밤 일'을 듣고 여씨를 벌주어 내친다. 여씨가 양 부인에게 내쳐진 것은 한 음모가 실패한 뒤 다른 음모를 꾸몄다가 음모의 실체가 드러나게 되자 죄상에 따라 처벌을 받은 것이다. 즉 상서와 양 부인의 처분은 서로 다른 사건과 상황에 따라 처분을 내린 것이므로 처벌 방법을 두고 대립이 있었다고 볼 수는 없다.

【9~12】 작자 미상, '이태경전'

작품해설

이태경 부부의 효행담을 바탕으로 이태경의 애정 관계와 그 아들들의 활약을 그린 소설이다. 제시된 장면은 이태경 부부의 효행이 드러난 발단 부분이다. 이태경 부부는 가난하여 어머니의 초상을 제대로 치르기 어려운 상황에서 꿈에 나타난 아버지의 계시에 따라 오홍 대감을 찾아 그 집 노비가 되고, 뒤늦게 그들이 본래 진사 부부임을 알게 된 대감이 임금에게 사실을 고하자 임금이 진사 부부의 효성에 감동하여 재물을 내린다. 이를 통해 부모와 자식, 부부, 임금과 신하 사이에서 실천해야 할 윤리적 덕목을 기반으로 한 당대의 유교적 질서를 엿볼 수 있다.

- **갈래** : 영웅 소설
- **성격** : 유교적, 교훈적, 영웅적
- **구성**
  - 발단: 세종 때 소년 등과한 이태경은 가난한 형편에 홀어머니를 극진히 봉양하며 지내다 어머니가 돌아가신 뒤 장례를 치르기 위해 오홍 대감의 도움을 받고 신분을 숨긴 채 그 집 노비가 된다.
  - 전개: 진사 부부의 본래 신분을 알게 된 대감은 이 일을 임금에게 고하고, 승지로 기용된 이태경은 중국 사신의 눈에 들어 중국에 갔다가 가달국 이부상서에게 끌려가 그의 딸과 정을 통한 뒤 이별한다.
  - 위기: 이태경은 명나라 호상서를 구해 준 일로 그의 딸과 혼인하여 아들 둘을 둔 뒤 고국에 돌아와 병조판서가 된다.
  - 절정: 가달국이 명나라를 침공했을 때 가달국 대원수, 명나라 대원수, 조선의 구원병 대원수가 각각 이태경이 가달국 이부상서의 딸, 명나라 호부인, 본부인과 낳은 아들이었고 이를 확인한 삼국 원수는 평화롭게 화해한다.
  - 결말: 영의정에 오른 이태경은 아들 이연에게 그동안의 일을 듣고 가달국 부인, 명나라 호부인과 재회하여 기쁨을 나눈다.
- **제재** : 이태경 부부의 효행
- **주제** : 이태경의 효행과 그와 아들들의 영웅적인 면모

어휘풀이

- **상고(詳考)** 꼼꼼하게 따져서 검토하거나 참고함.
- **궁춘(窮春)** 묵은 곡식은 다 떨어지고 햇곡식은 아직 익지 아니하여 식량이 궁핍한 봄철의 때.
- **갱죽(羹粥)** 시래기 따위의 채소류를 넣고 멀겋게 끓인 죽.
- **부창부수(夫唱婦隨)** 남편이 주장하고 아내가 이에 잘 따름. 또는 부부 사이의 그런 도리.
- **삼종(三從)** 예전에, 여자가 따라야 할 세 가지 도리를 이르던 말. 어려서는 아버지를, 결혼해서는 남편을, 남편이 죽은 후에는 자식을 따라야 하였다.
- **염습제구(殮襲祭具)** 시신을 씻긴 뒤 수의를 갈아입히고 염포로 묶는 일과 제사에 쓰는 여러 가지 기구.
- **드난하다** 임시로 남의 집 행랑에 붙어 지내며 그 집의 일을 도와주다.
- **탑전(榻前)** 왕의 자리 앞.
- **칭탈(稱頉)** 무엇 때문이라고 핑계를 댐.
- **상달하다(上達—)** 윗사람에게 말이나 글로 여쭈어 알려 드리다.
- **수원수구(誰怨誰咎)** 누구를 원망하고 누구를 탓하겠냐는 뜻으로, 남을 원망하거나 탓할 것이 없음을 이르는 말.

9. ③ 서술상 특징 파악하기

① 이 글에 언어유희를 활용한 부분이나 인물의 성격을 비판한 부분은 나타나 있지 않다.
② 이 글에 인물을 희화화한 부분은 나타나지 않으며, 해학적 분위기를 형성한다고 볼 수도 없다.
❸ '하늘에 매겨진 수명을 어찌 인력으로 하겠는가.', '어느 노비가 있어서 죽반을 권하며 어느 일가친척이 있어서 초종례를 염려해 주겠는가.'에서 서술자가 개입하여 상황에 대한 판단을 드러내고 있다.
④ 대화를 통해 인물의 심리와 태도를 드러낸 부분은 있으나, 노래가 삽입된 부분은 찾을 수 없다.
⑤ 장면 전환을 나타내는 상투어는 '차설', '각설' 등으로, 이 글에서 이러한 표현이 활용된 부분은 찾을 수 없다.

어휘풀이

- **상투어(常套語)** 늘 써서 버릇이 되다시피 한 말.

10. ① 소재의 기능 파악하기

❶ '몽사'는 부부의 꿈에 진사(이태경)의 부친이 나타나 '집 안을 뒤져 보면 두 홉 양식이 있을 것'이고, '자하동 오홍 대감 댁을 찾아가면 자연히 구할 사람이 있을 것'이라고 한 것이다. 이에 따라 이태경 부부는 부엌에서 두 홉 양식을 발견해 죽을 지어 먹은 뒤 오홍 대감을 찾아가 도움을 얻었으므로, '몽사'는 꿈을 꾼 주체들에게 앞으로 일어날 일을 제시하고 있다고 할 수 있다.
② 꿈에서 이태경 부부의 출생 내력을 제시한 부분은 찾을 수 없다.
③ 꿈에서 부친은 이태경 부부에게 도움이 될 만한 말을 하고 있으나 이를 통해 부부가 자부심을 갖게 된다고 볼 수 없다.
④ 이 글에서 이태경 부부가 물아일체를 추구하는 모습은 나타나지 않으며 꿈의 내용도 그러한 모습과 관련이 없다.
⑤ 꿈을 꾼 주체는 이태경 부부로 함께 있으면서 같은 꿈을 꾸었으며, 이 둘이 꿈을 통해 서로의 생사 여부에 대한 징표를 얻게 되는 것은 아니다.

11. ⑤ 인물의 말하기 방식 파악하기

①, ② [A]에서는 자신들의 상황을 말하고 있을 뿐 상대를 비방하거나 격려하고 있지는 않으며, [B]에서는 자신의 잘못을 밝히고 있을 뿐 상대를 칭찬하거나 상대에게 용기를 북돋워 주고 있지 않다.
③ [A]에서 진사는 상대인 대감에게 자신을 노비로 팔려고 하고 있으므로 상대의 요청을 거절하고 있는 것은 아니며, [B]에서 대감은 상대인 임금이 모르는 자신의 잘못을 밝히고 있으므로 상대의 손해를 줄이기 위해 상대를 설득하고 있는 것이 아니다.
④ [A]에서 진사는 대감에게 실망감을 가지고 있는 상황이 아니므로 실망감을 우회적으로 말하고 있다고 볼 수 없고, [B]에서 대감은 임금을 원망하고 있는 상황이 아니므로 원망을 직설적으로 드러낸다고 볼 수 없다.
❺ [A]에서 진사는 어머니의 초상을 치를 돈을 구하기 위해 대감에게 자신의 신분이 '구대 진사 댁 비복'이라고 거짓으로 말하고 있고, [B]에서 대감은 임금이 "경의 말을 짐이 전혀 모르겠구나."라고 하자 그 의문을 해소하기 위해 태경을 몰라보고 노비로 몇 달 부린 사건의 내용을 밝히고 있다.

12. ④ 외적 준거에 따라 감상하기

① 진사는 '어떻게 해서든 살기 위해' 밭을 갈고 고기를 낚으며 노모를 지극히 봉양하였는데, 돈이 없어 '일신을 팔아서' '초종례'를 치러야 하는 상황이었으므로 궁핍으로 인해 부모 자식 사이의 도리를 지키는 것에 곤란을 겪고 있었음을 알 수 있다.
② 심씨가 '전라 감사의 귀한 여식'임에도 진사와 함께 남의 집 '방비'가 되겠다고 하는 것을 통해 자신의 본래 신분과 다른 신분이 되려 하는 모습을 확인할 수 있다.
③ 심씨가 '부창부수'는 '삼종의 떳떳한 바'이며, '가장이 곤욕을 당하면 그 아내인들 곤욕을 면하'겠느냐며 진사를 따라나서려 하는 것을 통해 부부 사이의 관계에서 유교적 질서를 지키려는 모습을 확인할 수 있다.
❹ 대감이 자신이 이태경을 노복으로 부린 사정을 구체적으로 밝히기에 앞서, 자신이 나이를 먹어 조정에 추잡한 일만 할 것이니 집으로 물러가겠다고 하자 임금은 그에 대해 "경이 무슨 추잡한 일이 있어 거짓 칭탈을 하는고?"라고 말한다. 즉 임금은 대감이 스스로 추잡한 일을 할 것이니 물러가겠다고 한 것을 거짓 핑계라고 보며 이유를 알고자 하고 있다. 이는 군신 간의 관계에서 경제적인 이유로 신하가 군왕에 대한 윤리적 덕목을 실천하지 않는 상황과는 관련이 없다.
⑤ 대감은 자신이 진사인 이태경을 몰라보고 몇 달 노복으로 부린 것을 죄라고 여기고 이를 조정에 전하여 국법을 바로잡으라고 고하고 있다. 이를 통해 양반과 노비를 엄격히 구분하는 신분 질서를 바람직하게 여기는 태도를 확인할 수 있다.

Day 13 본문 075쪽

1. ⑤ 2. ② 3. ③ 4. ① 5. ②
6. ① 7. ③ 8. ⑤ 9. ④ 10. ④
11. ③ 12. ④

[1~4] 작자 미상, '숙향전'

작품해설

'이화정기'라고도 불리는 조선 시대의 소설로, 국문본과 한문본이 함께 전해지고 있다. 주요 내용은 천상에서 죄를 지은 두 남녀가 지상의 인간으로 태어난 뒤 다시 만나 시련을 극복한 후 천상으로 다시 올라간다는 것이다. 작품의 여주인공 숙향은 김전의 외동딸로 태어난다. 본래 천상의 월궁선녀로, 죄를 지어 인간 세상에 내려온 인물이다. 어려서 부모를 잃고 갖은 고난과 위기에 처하지만 여러 신이한 도움으로 이를 극복하고, 마침내 행복한 삶을 누리다가 다시 천상으로 돌아간다. 남주인공인 이선은 숙향의 남편이 되는 인물로 숙향과 마찬가지로 천상에서 인간 세상으로 내려왔다. 지상에서 숙향과 가연을 맺고 행복한 삶을 누리다가 천상으로 돌아간다. 이 작품은 애정소설로 분류할 수 있으나, '출생-성장-만남-이별-재회-완성'으로 설명될 수 있는 숙향의 삶을 중심으로 사건이 전개되는 것을 볼 때 영웅의 일대기 구조와 유사한 특징을 보이고 있다.

- **갈래** : 고전 소설, 애정소설, 영웅소설
- **성격** : 비현실적, 전기적, 낭만적, 도교적
- **시점** : 전지적 작가 시점
- **주제** : 고난과 시련의 극복을 통한 운명적 사랑의 성취
- **특징**
  - 천상계와 지상계의 이원적 공간으로 설정되어 있음.
  - 영웅의 일대기 구조가 나타나고 있음.
  - 주인공인 숙향은 영웅적 모습이 나타나지 않고 있지만, '숙향이 고귀한 혈통 → 고아가 되는 난국 → 구출자를 만나 위기를 극복 → 행복하게 삶'이라는 영웅 소설의 구조를 갖고 있음.

1. ⑤ 글의 세부 내용 이해하기

① 마지막 부분에서 '부귀공명에 뜻이 없고, 오로지 소아만 생각하며 지'냈다는 내용을 통해 이선이 요지에 다녀온 후 숙향을 보고 싶어 했음을 알 수 있다.
② 할미 집에서 지내던 숙향은 청조가 날아와 울자 부모를 떠올리며 그리워한다. 청조가 '부모님이 저기 계시니, 저와 함께 가'자고 하자 숙향은 청조를 따라나서고 있다. 이를 통해 숙향이 부모와 만나고 싶은 마음에 청조를 따라갔음을 알 수 있다.
③ 숙향은 청조를 보고 '저 새도 나처럼 부모를 여의었는가? 어찌 혼자 우는가?' 하며 눈물을 흘리고 있다. 이를 통해 숙향이 청조에 자신의 처지를 투영하며 슬픔을 느꼈음을 알 수 있다.
④ 숙향은 서왕모의 집에 이르러 '너무 으리으리하여' 들어가지 못하고 문밖에서 주저하는 모습을 보인다. 이선 또한 '너무 으리으리하여 동서를 분별치 못'하겠다고 말하는 것을 볼 때, 두 인물 모두 서왕모 집의 규모에 압도되었다는 것을 알 수 있다.
❺ 부처가 이선에게 '서왕모가 요지에서 잔치하니, 그대도 나를 좇아 구경이나 하'자고 제안하니 이선이 매우 기뻐 부처를 따라 서왕모의 집에 가고 있다. 이를 볼 때 이선이 마음이 석연치 않음에도 서왕모의 잔치에 참석했다고 이해하는 것은 적절하지 않다.

2. ② 인물의 특징 이해하기

① '월궁항아'는 숙향이 겪은 과거 사건들의 원인을 규명하고 있지는 않다.
❷ '월궁항아'는 숙향을 보고 '인간 세상에서 고행을 얼마나 겪었는가?'라고 말하며 반기고 있고, 옥황상제에게 '소아가 네 번 죽을 액을 지나왔'다고 말하고 있다. 이를 통해 '월궁항아'가 숙향이 인간 세상에서 겪은 고행에 대해 알고 있다고 이해하는 것은 적절하다.
③ '월궁항아'는 숙향이 이선과 맺게 될 인연을 상제에게 설명하고 있지 않다.
④ '월궁항아'는 숙향에게 요지의 경치나 보고 가라고 권할 뿐, 요지에서 겪을 일을 숙향에게 미리 알려 주고 있지 않다.
⑤ '월궁항아'는 숙향이 태을선군을 이선으로 생각하도록 정보를 제공하고 있지 않다.

3. ③ 소재의 기능 이해하기

① 이선이 꿈에서 본 ⓑ '옥지환의 진주'가 꿈을 깬 후에 자신의 손에 쥐어져 있음을 본다. 따라서 꿈속에서 겪은 일을 실제 있었던 일로 믿는 증표가 되는 것은 ⓐ가 아니라 ⓑ이다.
② 숙향은 ⓐ '반도 두 개와 계화 한 가지'를 이선에게 가져다주며 부끄러움을 느끼며 돌아서는데, 이때 숙향의 손에 낀 ⓑ가 계화에 걸려 떨어져 또다시 부끄러움을 느끼고 있다. 따라서 ⓑ는 수줍음이 완화되는 계기를 제공하고 있다고 볼 수 없다.
❸ 부처가 준 ⓒ '대추 같은 과일'을 받아먹고 이선은 '전생에서 하던 일이 어제 같아, 모든 선관이 다 전의 친하던 벗'이었음을 알게 된다. 이를 통해 ⓒ가 인물로 하여금 자신이 접하게 되는 주변 인물들을 알아볼 수 있게 해 주고 있음을 알 수 있다.
④ ⓐ, ⓑ를 통해 선계에서의 숙향과 이선의 만남을 극적으로 형상화하고 있다. 그러나 이를 인물이 자신이 처한 상황의 어려움을 구체적으로 깨닫게 하고 있다고 보는 것은 적절하지 않다.
⑤ 꿈에서 깬 이선이 ⓑ가 손에 쥐어져 있는 것이 너무 신기해서 글을 지어 꿈속 숙향과의 일을 기록하게 만들고 있으나, ⓒ는 상대 인물과의 인연을 마음에 품게 만드는 기능을 하고 있지 않다.

4. ① 외적 준거를 통해 작품 감상하기

❶ 숙향과 이선은 각각 '3월 보름'에 할미 집 '초당'에서 '청조'를, '3월 보름'에 '대성사'에서 '부처'를 만나고 있다. 그런데 만남의 시간적 배경은 일치시키고 있으나 공간적 배경은 일치하지 않는다. 또한 인물들과 비현실적 존재들의 만남의 시·공간적 배경인 '3월 보름', '초당', '대성사'를 묘사하고 있지도 않기 때문에 적절하지 않다.
② 숙향은 '눈물을 흘리다 홀연 졸더니', 이선은 '잠깐 잠이' 든 후 비현실적 존재들에 이끌려 서왕모의 집에 이르렀다. 따라서 두 사람이 각자 잠드는 것을 서사적 장치로 활용하고 있음을 알 수 있다.
③ 숙향과 이선은 모두 '요지'에 이르러 화려한 누각을 보고 향내를 맡았다고 제시하고 있다. 이는 두 사람이 특정한 공간에서 각자 겪은 체험에 동일성이 있음을 나타낸다고 볼 수 있다.
④ 숙향은 환상 체험을 하면서 관찰자의 입장에서 상제가 이선에게 말하는 것을 보게 된다. 이는 이선이 체험하는 장면에서는 이선이 겪은 일로 서술되고 있음을 확인할 수 있다.
⑤ 숙향이 환상 체험을 하는 과정에서 옥황상제에 의해 현실 세계에서의 숙향의 수명, 자손, 복록 등이 정해지고 있다. 이러한 환상 체험을 통해 숙향이 앞으로 현실 세계에서 어떻게 살아가게 될 것인지 예고하고 있다는 것을 알 수 있다.

왜 많이 틀렸을까?

선택지 ④의 내용을 정확하게 이해하지 못한 학생들이 많았던 문제였어. 제시된 장면에서는 숙향과 이선이 겪은 사건을 각각 대응시키고 있는데, '요지'에서 숙향은 먼저 도착한 이선이 상제에게 질문을 받고 있는 장면을 목격하게 되지. '한 보살이 젊은 선관을 앞에 세우고 들어와 상제께 뵈오니, 상제 그 선관에게 이르시되, "태을아, 인간 재미 어떠하며, 소아를 만나 보았느냐?" 그 선관이 땅에 엎드려 무수히 사죄하더라.' 이 대목은 숙향이 관찰자 입장에서 바라보며 서술하고 있지. 그런데 이선이 환상 체험을 하고 있는 대목에서는 '선이 뒤를 따라 들어가 상제께 큰절을 하고 모든 선관들에게 차례로 인사하니, 다 반겨하더라. 상제 전교하시되, "태을아, 인간 재미 어떠하더냐? 네 소아를 만나보았느냐?"'와 같이 이선이 직접 겪은 일로 서술되고 있어. 그 차이점을 이제 발견할 수 있겠지?

[5~8] 작자 미상, '박태보전'

지문해설

조선 시대의 실존 인물인 박태보를 주인공으로, 박태보의 기개와 충절의 모습을 다룬 소설이다. 박태보는 자신의 안위보다 나라의 앞날을 염려하는 인물로 임금에게 직언을 한 결과 결국 죽음을 맞이한다. 박태보의 죽음에 나라와 충신들은 매우 슬퍼하고, 뒤늦게 주인공의 충언을 받아들인 임금은 그의 요청대로 중전을 복위시키고 박태보의 명예를 회복시킨다. 박태보가 임금에게 자신의 주장을 관철시키는 부분에서 가족의 관계와 국가를 대응시키며 설득력을 얻고 있다.

- **주제** : 죽음을 두려워하지 않는 충신 박태보의 삶

5. ② 작품의 내용 이해하기

① 태보가 궐문 밖으로 나와 기절한 후, 이어서 형옥으로 전송된다. 이튿날에 형조 판서가 직계를 올리니, 상(上)이 보시고 다시 '금부로 가두라'라는 명을 내렸음을 알 수 있다. 따라서 태보가 형옥에서 금부로 이송해 줄 것을 자청하였다는 설명은 적절하지 않다.
❷ 박태보의 부인은 꿈에서 남편을 만나 어떤 방으로 들어가게 된다. 그 방에서 '학발의관(鶴髮衣冠)을 갖춘 어린 제자 오륙 인'을 만나고 놀라서 꿈을 깬다. 또한 '부인이 놀라 깨달으니 남가일몽이라'라는 부분을 통해 부인이 꿈에서 남편을 만난 것임을 알 수 있다.

③ 대감은 자신의 집에서 아들의 하인을 통해 편지를 받게 되고, 이날 관서 노복을 등을 거느리고 과천으로 향한다. 이때 아들의 죽음을 크게 애통해하여 '초종례로 극진히 한 후에 채단으로 염습하고 도로 집으로 옮겨와 장사를 지내니'라고 하였으므로, 대감이 아들의 주검을 집으로 데려와 초종례를 극진히 지냈다는 설명은 적절하지 않다.
④ 상은 아이들이 부르는 노래를 듣고 그 아이들 이름을 묻고자 하였으나, 아이들이 달아나는지라 묻지 못하고 곧 환궁하였다.
⑤ 궐문 밖으로 나온 태보는 형옥으로 전송되었고, 형조 판서는 '마지못하여 위계를 갖추고 대강 직계(直啓)로 올렸'으며 이에 상이 다시 태보를 금부로 가두라는 명을 내렸다. 따라서 형조 판서는 상의 명령대로 태보에 대한 조사 결과를 자세히 보고했다는 설명은 적절하지 않다.

6. ① 배경의 기능 파악하기

❶ 궐문 밖으로 나온 태보가 전송된 곳이 형옥이고, 이곳에서 상(上)의 하교에 따라 다시 '금부'로 이송된다. 즉 임금의 명령으로 태보가 갇히게 된 곳이 '금부'이므로, '금부'가 임금이 권위를 실현하는 공간이라는 설명은 타당성이 있다. 그러나 '한 곳'은 임금이 민 중전을 내치고, 태보를 정배 후 산란한 몸과 마음을 달래기 위해 순행하는 곳으로, 임금이 자신의 권위를 내세우기 위한 공간과는 상반되는 개념이다.

7. ③ 인물의 성격 유형 이해하기

❸ [A]에서 제원들은 태보에게 '막중한 충을 몰랐으니 무슨 낯이 있으리오'라며 태보가 홀로 고난을 겪는 상황에 대해 '죄는 그대만 혼자 당하였으니 죄스럽고 민망하기 측량없노라'라며 위안과 칭송을 표현하고 있다. 또한 [B]에서 태보는 '하늘이 무너지고 땅이 꺼져도 변할 길이 없사오니'라며 죽어서라도 왕에게 충언을 하여 왕비를 다시 환궁하게 할 것을 다짐하고 있다. 따라서 [A]에서 제원들이 칭송하는 태보의 강직함은, [B]에서 소신을 지키겠다고 하는 태보의 다짐에서 확인할 수 있다.

8. ⑤ 외적 준거에 따른 작품 감상하기

① 태보의 부인은 꿈에서 남편을 만나게 되고, 꿈속의 태보는 '부인은 안심하소서'라며 '일후 상봉할 날'이 있을 것이라며, '학발의관(鶴髮衣冠)을 갖춘 어린 제자 오륙 인'이 자리한 방으로 인도한다. 이는 태보가 죽은 후에 임금이 성내 성외를 순행하다가 만난 '어떤 아이 오륙인'과 일치하며, 그 아이들이 부른 노래는 '충신을 무슨 일로 천 리 원정에 내치시며, 무슨 일로 민 중전은 외관에 내치시고 군의신충 없었으니 이 부자자효 쓸데없다'는 내용으로 임금에게 태보의 무고함을 암시하며 그의 충직함을 강조하는 역할을 한다. 이는 〈보기〉에 제시된 '가족과 국가에 윤리적 책무를 다하는 인물로 인정받음으로써 도덕적 영웅으로 고양'되는 것과 관련 있으며, 이를 통해 태보가 현실에서는 숭고한 뜻을 이루지 못하였으나, 윤리적 명분 면에서 인정받은 도덕적 영웅임을 나타내고 있다.
② 태보는 자신의 부모에게 보낸 편지에는 부모보다 먼저 죽는 자신의 불효에 대한 내용과 '국은을 또한 갚지 못하옵고 중로 고혼이 되어 구천에 돌아가는' 자신의 처지에 대한 내용이 실려 있다. 이는 앞서서 태보가 언급했던 '죽은 혼백이라도 궐내를 향하여 우리 주상 심하에 복지하여 주야로 간하여 왕비를 다시 환궁하게 하올 것'이라는 내용과 관련 깊은 것으로 〈보기〉의 임금의 부당함으로 드러나는 부도덕한 세계와의 대결에서 패배하여 숭고한 뜻을 이루지 못하는 내용과 일치한다.
③ 태보가 자신의 부모님께 보낸 편지에는 자신의 불효를 사죄하며, 부모보다 먼저 구천에 돌아가는 자식에 대한 걱정은 하지 말고 '말년 귀체를 안보하시다가 만세 후에 부자지정을 만분지일이나 바라나이다'라고 당부하고 있다. 이는 〈보기〉의 '그는 가족과 국가에 윤리적 책무를 다하는 인물'이라는 설명과 부합하며, 이를 통해 태보가 자신의 죽음을 앞두고서도 부모에 대한 윤리적 책임을 다하려 한 인물임을 알 수 있다.
④ 주상은 민 중전을 퇴출시키고, 태보를 정배 후 성내 성외를 순행하다가 '어떤 아이 오륙인'이 하는 노래를 우연히 듣게 된다. 그 노래는 '저 달은 밝다마는 우리 주상은 불명하야'와 같이 밝은 달의 속성과 임금의 불명함을 대비하고 있다. 또한 '국운이 말세 되어 백성도 못할 일을 국가에서 행하고 한심하고 가련하다'라는 가사와 더불어 백성들이 주상을 부도덕한 인물로 평가하여 신임하지 않았음을 짐작할 수 있다. 이는 〈보기〉의 '임금의 부당함으로 드러나는 부도덕한 세계'와도 일치한다.
❺ 태보가 죽은 후에 대한 상황이 '이때에 원근 제족과 만조백관이 다 조문 후에 장안 백성이 뉘 아니 낙루하리오', '이러구러 곡성이 진동하니 어찌 천신이 감동치 아니하리오', '장안 백성이 다 애연하며 구름 뫼듯 하더라'와 같이 편집자적 논평을 통해 드러난다. 그러나 이는 태보의 충성심에 대한 찬양이자 태보의 죽음에 대한 안타까움일 뿐, 태보가 기우는 국운을 회복한 영웅으로 추대되어 백성들의 지지를 받았다는 설명은 적절하지 않다.

【9~12】 작자 미상, '배비장전'

지문해설

위선적 인물인 배 비장을 통해 지배 계층의 허세를 풍자한 조선 후기의 판소리계 소설로 4·4조의 운문체나 해학적 표현 등 판소리 사설의 특징이 드러나 있다. 배 비장은 여자의 유혹에 넘어가지 않겠다며 홀로 깨끗한 척하다가 기생 애랑과 방자의 계교에 넘어가 애랑에게 빠진 뒤 망신을 당한다. 제시된 장면은 결말에서 배 비장이 망신을 당한 뒤 제주 목사를 따라 왔던 제주도에서 서울에서 돌아가려고 하는 부분이다.

- **갈래** : 판소리계 소설
- **성격** : 풍자적, 해학적
- **등장인물**
  - 배 비장 : 위선적인 태도를 보이다 허세를 폭로당하고 조롱받는 인물. 서울 양반이라는 우월감을 지니고 제주 사람들을 낮춰 보다가 그들의 도움을 받기 위해 자신의 태도를 돌아보는 과정을 통해 경직된 관념에 변화를 드러냄.
- **작품의 구성**
  - 발단 : 제주 목사를 따라 서울에서 제주도로 오게 된 배 비장은 제주 기생 애랑과 이별하며 우스운 모습을 보이는 정 비장을 비웃는다.
  - 전개 : 방자와 애랑은 배 비장의 위선을 깨뜨리고자 그를 유혹하려는 계교를 꾸민다.
  - 위기 : 배 비장은 애랑의 유혹에 넘어가 애랑에게 빠지고 애랑과 편지를 주고받다가 만나기로 한다.
  - 절정 : 방자가 시키는 대로 하며 애랑의 집을 찾아간 배 비장은 방자와 애랑의 계교에 빠져 궤 속에 들어가 갖은 수난을 당한다.
  - 결말 : 배 비장이 들어갔단 궤가 동헌으로 운반되어 그 안에서 바다에 빠진 줄 알았던 배 비장은 여러 사람들 앞에서 망신을 당한다.
- **제재** : 배 비장의 위선과 그로 인한 수난
- **주제** : 위선적 양반 계층에 대한 풍자와 조롱

어휘풀이

- **관속(官屬)** 지방 관아의 아전과 하인을 통틀어 이르던 말.
- **비장(裨將)** 조선 시대에, 감사(監司)·유수(留守)·병사(兵使)·수사(水使)·견외 사신(使臣)을 따라다니며 일을 돕던 무관 벼슬.
- **하대(下待)** 상대편에게 낮은 말을 씀.
- **말공대(-恭待)** 말로써 상대편을 잘 대접함.
- **비위(脾胃)** 어떤 것을 좋아하거나 싫어하는 성미. 또는 그러한 기분.
- **노형(老兄)** 처음 만났거나 그다지 가깝지 않은 남자 어른들 사이에서, 상대편을 높여 이르는 이인칭 대명사
- **행객(行客)** 자기 고장을 떠나 다른 곳에 잠시 머물거나 떠도는 사람.

9. ④ 작품의 내용 파악하기

① '계집'은 초면에 반말을 하는 배 비장에게 "무슨 양반이야. 품행이 좋아야 양반이지. 양반이면 남녀유별 예의염치도 모르고 남의 여인네 발가벗고 일하는 데 와서 말이 무슨 말이며", "초면에 반말이 무슨 반말이여?"라고 지적함으로써 양반답지 못한 태도를 비판하고 있다.
② 배 비장은 "성함은 뉘시오니까?"라는 '계집'의 질문에 "성명은 차차 아시지오마는"이라고 답을 피하며 자신의 정체를 숨기고 있다.
③ '계집'은 서울로 가는 배편을 묻는 배 비장에게 "가는 배 하나 있습니다. 그러나 그 배에서 행인을 잘 태울는지 모르겠소."라는 정보를 제공하고 있다.
❹ '사공'은 배를 좀 태워 달라는 배 비장에게 "부인 한 분이 혼자 빌려 가시는 터인즉, 사공의 임의로 다른 행객을 태울 수가 없습니다."라고 말하고 있다. 즉 자신의 임의로 다른 행객을 태울 수 없다고 말하고 있을 뿐, 이를 통해 낯선 인물에 대한 경계심을 드러내고 있지는 않다.
⑤ '사공'은 "부모 병환 급보를 듣고 급히 가는 길"이라는 배 비장의 사정을 듣고는 그를 불쌍히 여기며 "해 진 후에 다시 오시면, 부인 모르시게라도 슬며시 타고 가시게" 해 주겠다는 해결책을 제시하고 있다.

10. ④ 인물의 태도 파악하기

❹ ⓒ는 배 비장은 '계집'이 자신의 반말에 불쾌해하자, '사과나 하고 다시 물을 수밖에 없다.'라고 생각하여 말을 높여 "여보시오."라고 부르며 사과를 하는 표현이다. 따라서 ⓒ는 배 비장이 '계집'의 기분을 풀어 주기 위해 사용한 표현에 해당한다.
ⓔ는 배 비장은 뱃사공에게 반말을 했다가 사공이 비위

가 틀려 반말로 응대하자, 자신이 또 실수를 했다고 느끼고 어법을 고쳐 "노형"이라고 부르며 공손하게 말했다. 따라서 ⓔ는 배 비장이 사공의 기분을 풀어주기 위해 사용한 표현이라고 볼 수 있다.
ⓐ는 '계집'을 부르기 위해 한 말이다.
ⓑ는 "이 사람"은 대답을 하지 않는 '계집'을 가리키는 말로 '계집'의 기분을 상하게 했다.
ⓓ는 뱃사공을 찾으며 한 말로 사공은 이러한 반말에 불쾌함을 느꼈다.

11. ③ 소재의 기능 파악하기

❸ 배 비장은 제주도에서 서울로 가는 배를 찾다가 '조그마한 돛대 세운 배'에 가서 물어보라는 '계집'을 말을 듣고 그 배의 사공을 찾아간다. 그리고 사공이 '오늘 저녁 물에 떠'난다고 하자 그 배에 태워 달라고 부탁하고 있다. 따라서 '조그마한 돛대 세운 배'는 배 비장이 당일에 제주도를 떠나기 위해 타려는 대상임을 알 수 있다.

12. ④ 외적 준거에 따라 작품 감상하기

① 배 비장은 서울로 떠나는 배가 있는지 물어보려고 '계집'에게 말을 거는데, '계집'이 대답을 하지 않자 책망을 담아 "양반이 물으면 어찌하여 대답이 없노?"라고 말한다. 이는 자신이 서울 양반이라는 우월감을 갖고 있음을 보여 주는 태도로 볼 수 있다.
② 배 비장이 '계집'에게 반말을 한 것은 '지방이라고 한손 놓고 하대를' 한 것으로, 이는 자신이 서울 양반이라는 우월감에 제주도 사람을 낮춰 본 것으로 볼 수 있다.
③ 배 비장은 자신의 태도에 대해 지적하는 '계집'의 말에 '분한 마음'이 들어 다시 말싸움을 하고 싶지 않았지만, 서울로 가는 배에 대해 물을 사람이 없어 '사과나 하고 다시 물을 수밖에 없다.'고 생각한다. 이를 통해 배 비장이 '계집'에게 사과를 한 것은 도움을 받기 위해 불가피한 선택을 한 것임을 알 수 있다.
❹ 배 비장이 '계집'에게 "이 노릇을 어찌하여야 좋소?"라고 한 것은 서울로 가는 배가 어제저녁에 다 떠났다는 '계집'의 말에 대한 반응이다. 즉 자신이 타고 갈 배를 구하지 못해 안타까워하고 있는 것이지, 양반의 경직된 관념을 버리고 제주도 사람을 존중하는 방법이 무엇일지 고민하고 있는 것은 아니다.
⑤ 배 비장은 사공에게 반말로 어정쩡하게 말을 했다가 사공이 불쾌해하며 반말로 응수하자 "내가 그저 춘몽을 못 깨고 또 실수를 하였구나!"라고 생각한다. 이는 자신이 서울 양반이라는 우월감을 갖고 제주도 사람들을 낮춰 보던 배 비장이 자신의 태도를 돌아보는 모습이라 볼 수 있다.

본문 080쪽

1. ④ 2. ② 3. ⑤ 4. ① 5. ②
6. ① 7. ⑤ 8. ② 9. ③

【1~3】 작자 미상, '최고운전'

작품해설

역사적 인물인 최치원의 어린 시절의 일화를 통해 최치원의 영웅적 면모를 드러내는 작품이다. 최치원은 역사적 실존 인물이지만 작품에서는 허구성을 보이는 이야기들이 많이 삽입되어 있다. 특히 중국의 황제가 보낸 문제의 답을 맞추는 부분은 최치원의 신이함을 극적으로 보여주는 부분이다. 작품 속 최치원은 국내 뿐 아니라 중국에서도 글쓰기 실력을 인정받은 인물로 그려진다. 최치원의 영웅성과 지략과 기지를 강조함으로써 사대주의에 대한 비판적 인식을 은연 중에 보여주고 있다고도 볼 수 있다.
■ **주제** : 최치원의 영웅적 면모와 일대기

1. ④ 서술상의 특징 파악하기

① 최치원의 어린 시절의 이름이 '파경노'라고 불리게 된 연유를 밝히며, 이어서 파경노가 말들을 키우면서 일어난 일, 동산에 꽃과 나무를 무성하게 가꾼 일, 중국 황제가 신라 왕에게 보낸 석함 속의 물건을 알아내 시를 지을 것을 파경노에게 권유하는 일들을 시간 순서대로 엮어서 서술하고 있으므로 적절하지 않은 설명이다.
② 서술자의 개입이 드러난 부분은 없다.
③ 최치원의 어린 시절의 일화들을 나열하며 최치원의 영민함과 비범함을 보여주고 있을 뿐, 인물의 희화화를 통한 사건의 반전 효과를 나타낸 부분은 없다.
❹ 중국 황제가 신라 왕에게 석함을 보내, 그 안에 있는 물건을 알아내 시를 지어 올 것을 명령한다. 신라 왕은 나업에게 과업을 넘기게 되고, 나업은 석함을 안고 통곡한다. 해결하기 어려운 사건을 맡은 나업의 자초지종을 들은 파경노는, 나업의 딸 소저와 대화를 나누며 '거울 속에 비친 이가 반드시 그대 근심을 없애 줄 것이오.'라며 위로한다. 얼마 후 소저는 승상과 대화를 나누며 파경노가 석함 속의 물건을 알아내어 시를 지을 수 있을 것을 확신하나 승상은 이에 동의하지 않는다. 그러나 승상은 소저와의 대화를 통해 파경노를 설득할 것을 제안하고 있으므로 적절한 설명이다.
⑤ 꿈과 현실의 교차를 통해 앞으로의 사건을 암시하는 부분은 나타나지 않는다.

2. ② 소재의 기능 파악하기

① 승상의 딸이 재예가 빼어나다는 소식을 들은 아이는 거울을 고치는 장사라 속여 승상의 집 앞에 가서 거울을 고칠 것을 권한다. 이 말을 들은 소저가 거울을 꺼내 유모에게 주어 보내자 장사는 궁금했던 소저의 얼굴을 볼 수 있게 된다. 따라서 유모에게 주어 보낸 '거울'은 아이가 소저의 얼굴을 보게 되는 계기를 만들었다는 설명은 적절하다. 한편 아버지의 일과 관련하여 슬피 울던 소저는 '벽에 걸린 거울에 비친 그림자'를 보고 우연히 파경노가 꽃을 들고 서 있는 것을 엿보게 되고, 대화를 나누게 된다. 따라서 벽에 걸린 '거울'은 파경노가 소저에게 자신의 존재감을 드러내는 계기를 만들었다고 볼 수 있다.
❷ 아이가 일부러 깨뜨린 '거울'로 인하여 승상으로부터 '파경노'라는 이름을 얻어 승상의 노비로 들어가게 되는 계기가 된다. 그러나 승상 부인이 파경노의 비범함을 인지하고 그를 인정하게 되는 계기는, 천상의 선관들이 맡긴 말들이 파경노에게 다가와 그를 향해 머리 숙이며 늘어서는 것을 본 후의 일이다.
③ 파경노가 동산의 꽃과 나무를 무성하고 아름답게 가꾸자, 소저는 그 동산의 꽃을 보고 싶어 했으나 파경노를 마주치는 것이 부끄러워 오지 못한다고 하였다. 따라서 동산의 '꽃'은 소저가 보고 싶었으나 파경노로 인해 접근하기 어렵게 된 대상이라는 설명은 적절하다. 한편, 신라 왕에게 석함의 물건을 맞추라는 명을 들은 아버지의 소식에 소저는 슬피 울고 있었으며, 파경노는 꽃가지를 꺾어 소저에게 꽃을 전달하며 소저를 위로하고 있다. 따라서 파경노가 들고 서 있던 '꽃'은 소저에게 자신의 마음을 전달하기 위한 수단이라는 설명은 적절하다.
④ 동산에게 소저는 '꽃이 난간 앞에서 웃는데 소리는 들리지 않네'라는 시를 짓고, 파경노는 '새가 숲 아래서 우는데 눈물 보기 어렵네'라고 화답하며 소저와 교감한다. 한편 중국 황제가 보낸 석함 안의 물건을 알아내 시를 짓는 과제에 대하여, 소저는 파경노가 해결할 수 있다고 기대하고 있다.
⑤ 석함 속 물건에 대한 '시'를 지으라는 과업을 받은 나업은 석함을 안고 통곡하였으나, 그 소식을 들은 파경노는 자신이 소저의 근심을 없애 줄 수 있다고 말하고 있으므로 적절한 설명이다.

3. ⑤ 외적 준거에 따라 작품 감상하기

① 아이는 승상 나업의 딸을 보기 위하여 헌 옷으로 갈아 입고 자신을 거울 고치는 장사라 속이고 승상의 집 앞에서 거울을 고치라며 소리치고 결국 소저를 엿보는 것에 성공한다. 이는 〈보기〉에서 언급된 최치원의 치밀한 면모를 보여주는 사례라고 볼 수 있다.
② 파경노에게 천상의 선관들이 몰려와 말 먹일 꼴을 가져다 주고, 파경노는 그저 말들을 풀어놓고 누워만 있었음에도 날이 저물자 말들이 다가와 머리를 숙이며 늘어섰다고 한 것으로 보아 〈보기〉에 언급된 초월적 존재의 도움을 받는 인물임을 확인할 수 있다.
③ 파경노는 승상의 동산을 맡아 돌보게 되는데, 이때부터 동산의 화초가 조금도 시들지 않으며, 봉황이 쌍쌍이 날아와 꽃가지에 깃들었다고 하였다. 이는 〈보기〉에 제시된 최치원의 신이한 능력과 관련된 것이다.
④ 소저는 파경노가 가꾼 동산의 꽃을 보고 싶으나, 파경노와 마주치는 것이 부끄러워 오지 못한다고 하였다. 이를 들은 파경노는 노모를 만나러 간다는 핑계를 대고, 꽃 사이에 숨어 있다가 소저를 만난다. 이는 〈보기〉의 문제 해결의 국면에서 기지를 발휘하는 것이라 볼 수 있다.
❺ 승상은 파경노를 불러 석함 속의 물건을 알아내 시를 지으면 후한 상을 줄 것이라며 설득한다. 파경노 스스로는 시를 지을 능력이 있음을 확신하고 있으나, 자신이 궁극적으로 원하는 바를 이루기 위해 승상의 제안을 거절한다. 따라서 이를 두고 최치원이 스스로 국가의 과제를 해결하려는 인물이라고 판단하는 것은 적절하지 않다.

【4~6】 작자 미상, '반씨전(潘氏傳)'

작품해설

가문의 동서 지간의 세력 다툼과 장자의 자리를 차지하기 위한 형제와 장손의 갈등을 여러 가지 장치를 통해 구체화하고 있는 작품이다. 고전 소설에서 흔히 발견되는 비현실적이고 우연적인 요소들이 한층 강조되어 나타나는데, 죽은 양부인의 혼령과 선녀와 산신이 자주 등장하여 반씨와 위홍을 위기에서 구해준다. 가문 소설의 다양한 갈등 구조를 엿볼 수 있으며 권선징악적인 요소가 뚜렷하다는 것이 이 작품의 특징이다.

- **갈래** : 가정소설
- **성격** : 영웅적, 비현실적
- **배경**
  - 시간 : 송대
  - 공간 : 중국
- **시점** : 전지적 작가 시점
- **등장인물의 성격**
  - 위홍 : 가문의 장손으로, 자신의 지위를 되찾기 위해 노력하며 지략이 뛰어나다.
  - 위진 : 가문의 장자인 형이 없는 틈을 노려, 권력을 차지하기 위해 모략을 꾸민다.
  - 채씨 : 위진의 부인으로, 반씨와 위홍 모자를 곤경에 빠트리기 위해 애쓴다.
- **작품의 구성**
  - 발단 : 명나라 위씨가(魏氏家)의 양씨(楊氏)는 맏며느리인 반씨를 모함하는 채씨와 맹씨를 엄히 근신하도록 했다. 이에 채씨는 친정아버지 채봉(蔡鳳)과 계략을 꾸며 반씨의 남편 위윤과 반씨의 친정아버지 반옥(潘玉)을 유배 보낸다.
  - 전개 : 양씨는 결국 세상을 떠나며 채씨를 집안에 들이지 말라는 유언을 남긴다. 반씨의 아들 위홍은 숙모와 숙부의 계략을 이기지 못하고, 반씨와 함께 집을 나와 양부인의 묘소에서 지낸다. 이 무렵 죽은 양부인이 나타나서 반씨 모자를 돕는다.
  - 위기 : 위홍은 유배중인 부친을 찾아가려다 계시를 받고 과거 시험을 볼 준비를 한다. 한편 위진 · 위준 형제는 반씨의 친정을 습격하고 반씨는 몸이 묶인 채로 물속에 뛰어드나 목숨을 건지고, 남편(위윤)과 상봉한다.
  - 절정 : 위홍은 과거에 장원급제하고 죽은 양씨부인의 계시를 받고 채씨의 독살계획을 가까스로 피한다.
  - 결말 : 채씨와 맹씨는 죗값을 받아서 죽고, 위진 · 위준 형제는 북해로 유배를 떠난다. 그 뒤 위씨와 반씨 일가에 남은 이들은 부귀영화를 누린다.
- **주제** : 위씨 가문의 갈등과 해결

4. ① 작품의 내용을 세부적으로 이해하기

❶ 양 부인이 죽자 그 소식을 위진의 아내인 채씨에게 알릴 것에 대해 문중이 모여 의논한다. 문중이 의논하는 것을 본 위진은 모친이 잠시 노하여 채씨를 내보낸 것이니 부고를 알리는 것이 맞다고 주장한다. 반면에 홍이 통곡하며 '금일 문중이 모두 다 공론이 여차한데도 구태여 유언을 저버리니, 이는 문중의 뜻에도 맞지 아니하오며 소질의 마음에도 불가하니이다'라는 것으로 보아 홍과 문중 사람들은 채씨에게 부고를 알리는 것에 반대하였음을 알 수 있다.

② 채씨가 반씨에게 '나는 시댁에 득죄하여 본가에 있기로 존고께 통신을 못하니'라는 것으로 보아, 채씨가 양부인에게 지속적으로 사죄의 뜻을 전했다는 설명은 적절하지 않다.

③ 홍은 숙부인 위진에게 장자이자 부친이 멀리 있어 발상을 못하니 장자 장손인 자신이 발상함이 예문에 당당하다고 주장하며 위진과 논쟁을 벌이고 있다. 그러나 반씨가 남편에게 부고를 전하지 않으려는 위진을 질책하는 장면은 없다.

④ 홍은 자신이 장자 장손임을 내세우고 있고, 문중 사람들은 홍의 의견에 동조하고 있다. 따라서 문중 사람들은 위진에게 모친의 묘소를 정하도록 위임했다는 설명은 적절하지 않다.

⑤ 위진 형제는 '우리는 예문대로 하리니 어찌 장자를 두고 대상하리오.'라고 주장하고 있으므로, 위진이 위윤의 뜻에 따라 자신이 대상할 것을 주장했다는 설명은 적절하지 않다.

5. ② 말하기 방식에 담긴 태도 파악하기

① 위진은 자신의 아내인 채씨는 잘못한 것이 아니나, 모친이 채씨에게 노한 일이 있어 채씨를 집 밖으로 보낸 것 뿐이니, 모친의 부고를 알리는 것이 마땅하다고 주장하고 있다.

❷ 홍은 ⓒ에서 숙부의 말을 듣고 '비록 어른의 말이라도 부당하오면 따를 이유 없으니'라고 강하게 반발하며 이어서 '장자 장손이 발상함은 예문에 당당'하다는 것을 강조하고 있다. 이는 다른 사람의 권위에 기대어 자신의 주장을 펼치고 있는 것이 아니라, 자신의 신념에 근거하여 주장하고 있는 것이고 자신의 생각이 옳음을 강조하는 것은 아니다.

③ 위진 형제는 장자인 형님이 귀향살이를 하고 있어 이 자리에 없으나, 죽지 않고 존재한다는 것을 근거로 자신들이 발상하는 것의 적합함을 주장하고 있다. 이를 반대하는 홍을 두고 '조그만 아이가 알 바가 아니라'라고 하는 것으로 보아, 현재 상황을 설명하며 상대방의 제안에 대해 무시하는 태도를 드러내고 있다.

④ 홍의 숙부가 '우리는 예문대로 하리니 어찌 장자를 두고 대상하리오.'라며 주장하자 문중은 상복 입는 것을 보지 않고 모두 돌아가버린다. 이에 홍은 숙부의 도리에 어긋난 행동 때문에 가문의 일을 그르치게 되었다고 통곡하고 있으므로 적절한 설명이다.

⑤ 채씨와 맹씨가 계략을 꾸며 반씨 모자를 모해하니, 반씨와 홍은 앞으로 닥칠 일을 걱정하며 거처를 옮길 것을 도모하고 있다.

6. ① 외적 준거를 통해 작품을 감상하기

❶ 양 부인은 채씨를 친정으로 보내며 집에 채씨를 들이지 말라는 유언을 남기고 죽는다. 이에 홍과 문중은 채씨에게 부고를 전하는 것에 대해 반대하나, 위진은 채씨의 잘못이 아니라 자신의 모친이 노했던 것 뿐이므로 부고를 알리되 '상복 입기 전에 오라.'고 전한다. 이는 모친의 유언을 어기는 것에 해당하므로, 위진이 모친의 유언에 담긴 수직적 위계질서를 따라 상례를 치르려 했다는 설명은 적절하지 않다.

② 장자인 위윤이 귀양을 가 있는 상황에서 양 부인의 장례를 치르게 되자, 위진은 '형님이 아니 계시어 내가 주장할 것'이라며 장자의 역할을 대신하며 가권을 차지하려고 한다. 그러나 이에 반 씨와 홍이 걸림돌이 되자 위진은 반씨를 일컬어 '상중에 시비를 돋'운다며 노하고 있다.

③ 홍은 할머니의 상사를 당한 상황에서 자신의 부친은 멀리 있어 발상을 하지 못하니, 이럴 경우에 '장자 장손이 발상함'은 '예문에 당당하옵거늘'이라며 이에 대해 '금일 문중이 다 모였으니 결정하소서.'라고 발언하고 있으므로 홍은 예문과 문중의 공론을 통해 기존의 가권을 지키려고 하고 있다.

④ 채씨는 홍을 '황구소아'라고 비하하며 '우리 일문을 다 삼킬 줄 아느냐'고 홍을 꾸짖고 있다. 장자가 귀양을 간 상황에서 위진이 득세하여 가권을 차지하게 하려는 채씨의 욕망이 홍에 대한 적대감으로 나타났음을 알 수 있다.

⑤ 채씨와 맹씨는 자신들의 남편에게 끊임없이 '반씨 모자를 백 가지로 모해하니'라고 하였고, 이로 인해 반씨 모자가 '산중으로 들어'갔으므로 결국 가권이 위진 쪽으로 기울게 되었음을 알 수 있다.

【7~9】 작자 미상, '심청전'

작품해설

'심청전'은 판소리 '심청가'가 소설로 정착된 판소리계 소설로, '효녀지은설화', '거타지(居陀知) 설화', '인신공희(人身供犧) 설화'를 배경 설화로 하고 있다. 이 작품은 '심청'이라는 인물을 중심으로, 심청의 희생과 환생, 심 봉사의 개안(開眼)이라는 내용 전개를 통해 유교적 관념인 '효(孝)'를 형상화하고 있다. 작품은 크게 현실 세계가 중심을 이루는 전반부와 환상의 세계가 중심을 이루는 후반부로 구성되어 있다. 전반부는 심청이 자라서 눈먼 아버지를 봉양하고 공양미 삼백 석에 몸이 팔려 인당수 제물이 될 때까지로, 부모에 대한 효라는 윤리적인 가치가 중점적으로 드러난다. 후반부는 인당수에 빠졌다가 다시 살아난 심청이 황후가 되어 아버지를 만나고, 아버지가 눈을 떠서 행복하게 살게 되는 부분으로, 효에 대한 인과응보(因果應報)라는 주제 의식이 드러난다. 즉, 이 작품은 죽음과 재생이라는 모티프를 통해 현실성과 초월성이라는 두 세계를 접합하면서 작품을 전개하고 있다. 그리고 심청이 황후가 되어 부귀영화를 누리게 되는 것은 가난하고 미천한 사람도 자기희생이나 효행에 대한 보상으로 고귀한 신분에까지 오를 수 있다는 민중들의 신분 상승 욕구를 반영하고 있다고 볼 수 있다.

- **갈래** : 고전 소설, 판소리계 소설
- **성격** : 교훈적, 비현실적, 우연적
- **문체** : 낭송체, 운문체, 구어체, 가사체
- **제재** : 효녀 심청
- **주제** : 효(孝)의 실천, 인과응보(因果應報)
- **특징**
  - ① 전래되는 설화에서 판소리로 가창되다가 고전 소설로 정착되었다.
  - ② 유교적인 효 사상을 바탕으로 하고 있다.
- **구성**
  - 발단 : 심청의 출생과 성장 과정
  - 전개 : 심청이 아버지 눈을 뜨게 하기 위해 몸을 팖.
  - 위기 : 심청이 인당수에 몸을 던짐.

• 절정 : 심청이 다시 살아나 왕후가 됨.
• 결말 : 심청이 아버지를 만나고, 심 봉사는 눈을 뜨게 됨.

■ **전승 과정**

근원 설화	판소리 사설	판소리계 소설	신소설
효녀 지은 설화	심청가	심청전	강상련

같은작가 다른기출

1994학년도 대수능 작자 미상, '심청전'
2005학년도 6월 모의 수능 '심청전(경판본)'
2012학년도 6월 모의 수능 작자 미상, '심청전(완판본)'

7. ⑤ 작품 내용 이해하기

① 심청과 뱃사람 사이에 오고 간 대화를 통해, 심청이 심봉사에게 차마 말을 하지 못하고 ㉠으로 감추고자 한 사건을 확인할 수 있다.
② 심청이 불가피하게 심봉사를 ㉠으로 속이게 되었음이 '어찌할 수 없는 형편이라'에서 드러나고 있다.
③ 심봉사가 "그 부인은 일국 재상의 ~ 삼 형제가 벼슬길에 나아갔으리라."라며 장승상댁 노부인의 집안 사정을 알고 있는 것으로 보아 심봉사가 ㉠에 등장하는 인물을 익히 알고 있음을 확인할 수 있다.
④ 심봉사는 ㉠을 반겨 듣고는 "장승상댁 수양딸로 팔린 거야 관계하랴. 언제 가느냐?"라고 반응하는 것으로 ㉠이 심봉사에게 의심없이 받아들여졌음을 알 수 있다.
❺ 제시된 부분에서 심청과 심봉사 사이의 갈등은 확인할 수 없고, ㉠이 두 인물 사이의 갈등을 해소하는 단초가 된다는 내용은 적절하지 않다.

참고자료

'심청전'의 전체 줄거리

송나라 말년 황주 도화동이란 곳에 심학규라는 봉사가 곽씨 부인과 살고 있었다. 곽씨 부인은 딸 심청을 낳은 지 7일 만에 죽고, 심 봉사가 동냥젖을 얻어 심청을 키운다. 심청은 건강하게 자라나 십오세에 이르러서는 길쌈과 삯바느질로 아버지를 극진히 공양한다. 어느 날 늦게 귀가하는 심청을 마중나간 심 봉사는 실족하여 그만 웅덩이에 빠지는 봉변을 당한다. 이때 마침 몽운사 화주승이 그를 구해 주고 공양미 삼백 석을 시주하면 눈을 뜰 수 있다고 하자, 심 봉사는 시주하겠노라고 서약하고 고민에 빠진다. 그것을 알게 된 심청은 남경 상인들에게 자신의 몸을 팔고 그 대가로 받은 공양미 삼백 석을 몽운사에 시주한다. 장 정승 댁에 수양딸로 가게 되었다고 아버지에게 거짓말한 심청이 행선날이 되어서야 사실을 고하며 하직 인사를 하자 심 봉사는 실신한다. 남경 상인들의 배를 타고 심청은 인당수에 뛰어들지만 용궁으로 이끌어져 죽은 어머니를 만나고 연꽃 속에 들어가 다시 인간계로 돌아온다. 바다에 떠 있는 연꽃을 이상히 여긴 남경 상인들은 그것을 천자에게 바친다. 천자는 연꽃 속에서 나온 심청을 아내로 맞이하고, 황후가 된 심청은 아버지를 찾기 위해 맹인잔치를 벌인다. 소문을 듣고 맹인 잔치에 참석한 심 봉사는 황후가 된 심청을 만나고 눈을 뜨게 된다.

8. ② 작품 속 장치 이해하기

① 별전에 들어서는 인물을 황후는 반기며 가까이 다가오라고 하고 있으나 심봉사는 '겁을 내어' 걸음을 쉽게 떼지 못하고 있는 모습이다. 따라서 황후와 심봉사가 동일한 감정을 느끼고 있다는 진술은 적절하지 않다.
❷ 황후가 심봉사에게 "처자 있으신가?"라고 질문을 함으로써 황후가 심봉사가 아버지임을 확신할 수 있는 계기가 되었다.
③ 제시된 부분에는 심봉사가 부인과 일찍 사별하게 된 이유를 언급하는 내용을 확인할 수 없으므로 적절하지 않다.
④ 심봉사의 강요가 아니라 심청의 선택으로 인해 두 인물이 이별하게 된 것이므로 적절하지 않다.
⑤ '부자간 천륜에 어찌 그 말씀이 그치기를 기다리랴마는 ~ 그 말씀을 마치자 황후 버선발로 뛰어 내려와서'라는 대목을 볼 때, 황후는 심봉사의 발언이 끝나기를 기다린 후 자신이 딸임을 밝히고 있으므로 적절하지 않다.

9. ③ 외적 준거를 바탕으로 작품 감상하기

① 심청이 '눈 어두운 백발 부친과의 영영 이별'을 근심하는 것은 〈보기〉에서 언급한 심청의 효행으로 인해 정작 부친 곁에 남아 돌봐드릴 수 없는 모순적 상황을 염려하는 것이다. 그러나 이를 '엎질러진 물'이라고 '다시금 생각'하며 마음을 다잡으며 수용하려 하고 있음을 알 수 있다.
② 심청이 '이러다간 안 되겠다. 내가 살았을 제' 할 일을 생각하는 것은 심청이 자신의 빈 자리를 염두에 둔 모순적 상황을 걱정하는 것이며, '부친 의복 빨래'를 열심히 하며 그러한 상황에 대비하고 있음을 알 수 있다.
❸ '어찌 아비 눈 뜨리란 말을 듣고 그저 있으리오'라고 말했다는 것은 아버지가 눈을 뜰 수만 있다면 자신을 희생해서라도 이루게 해 드리겠다는 의미로, 효행 그 자체에 의미를 두고 있다. 이를 두고 효행으로 인한 모순적 상황을 걱정하고 있다고 보는 것은 적절한 감상이 아니다.
④ 심봉사가 '눈도 뜨지 못하고 자식만 잃었'다고 말하는 것은 심청의 자기희생에도 불구하고, 〈보기〉에서 언급한 결말의 지연을 위해 설정된 모순적 상황이라고 할 수 있다. 이러한 상황에서 '자식 팔아먹은 놈이 세상에 살아 쓸데 없'다며 심봉사는 자책하고 있음을 알 수 있다.
⑤ 심봉사는 딸의 희생으로도 눈을 뜰 수 없었지만 임당수에 빠졌던 심청과의 상봉으로 인해 '뜻밖에 두 눈'을 뜨게 되는 것은, 〈보기〉에서 언급한 모순적 상황으로 인한 결말의 지연이 극적인 효과를 자아내고 있음을 알 수 있다.

참고자료

'심청전'의 주제 의식

일반적으로 '심청전'의 주제는 심청의 '효(孝)'이다. 그러나 효의 성격에 대해서는 여러 가지 논의가 있다. '심청전'이 표면적으로는 '효'라는 인간의 보편적인 덕목이자 유교의 덕목을 긍정하고 있지만 이면적으로는 이러한 이념을 부정하고 비판하는 것으로 보기도 한다. 심청이 목숨을 버리려 한 것은 아버지에 대한 효성 때문인데 실상 목숨을 버리는 것이야말로 가장 큰 불효에 해당한다는 사실 때문이다. 이런 역설을 통해 '효'라는 유교 윤리를 드러내는 대신 당시 하층민이 겪어야 했던 가난과 평범한 의미의 효도조차 할 수 없었던 상황을 우회적으로 비판하려 했다는 것이다. 이러한 사실은 특히 완판본 '심청전'에서 잘 나타난다. 완판본 '심청전'은 현실적이고 물질 지향적인 인물인 뺑덕 어미를 통해 유교 윤리를 비판하고, 심 봉사를 매우 세속적이고 희극적인 인물로 묘사하고 있다. 이러한 인물 설정은 '심청전'이 전통적인 유교 윤리를 옹호하고 있다는 사실과는 어울리지 않는다. 오히려 '심청전'이 전통적인 윤리를 부정하고 현실을 긍정하고 있음을 보여 준다. 그런가 하면 심청은 물에 빠졌다가 거듭나기 때문에 그 제의(祭儀)적 의미 역시 중요하게 해석되기도 한다. 이처럼 이 작품의 주제는 다양하게 해석되고 있고, 그 현대적 의미도 거듭 평가되고 있다.

Day 15

본문 085쪽

1. ① 2. ④ 3. ③ 4. ⑤ 5. ①
6. ③ 7. ② 8. ③ 9. ④ 10. ③
11. ③

【1~3】 작자 미상, '김학공전'

작품해설

신분제가 와해되는 조선 후기를 배경으로 하고 있는 이 작품은 김학공의 집안에 일어난 비극을 순차적이며 일대기적으로 전개하고 있다. 노비들은 신분 해방을 목적으로 학공의 집을 약탈하고, 학공은 신분을 숨긴 채 살아가다가 과거에 급제한 후 노비들에게 자신의 신분을 공개하며 가문을 몰락하게 한 이들에게 복수한다. 이 안에는 신분제가 흔들림에도 불구하고 기존 질서를 고수하려는 양반 계층의 갈망을 엿볼 수 있다. 기존의 영웅소설에 주인공의 빼어난 능력이 강조되었다면 이 작품에는 나타나지 않는다.

- **갈래** : 현대 소설, 단편 소설, 성장 소설
- **성격** : 영웅 소설, 가문 소설
- **배경**
  - 시간 : 조선 숙종 대
  - 공간 : 강원도 홍천, 계도
- **시점** : 전지적 작가 시점
- **등장인물의 성격**
  - 김학공 : 노비들에게 수모를 겪고, 과거에 급제하여 자신의 가족들을 죽음으로 몰아넣었던 노비들에게 복수한다.
  - 별선 : 학공의 첫 번째 부인으로, 학공이 숨겼던 신분이 밝혀져 신변이 위험하게 되자 스스로 남자 복장을 하여 학공 대신 바다로 던져지는 희생을 자처한다. 학공에 대한 애정이 깊은 인물로 적극적이고 진취적이다.
  - 김동지 : 위기에 빠진 학공을 거두어 아들처럼 키우며 그를 챙기는 정이 많은 인물이다.
- **작품의 구성**
  - 발단 : 김재상(김태일)은 자식이 없어 백일기도를 하여 귀하게 남매를 얻는다. 남매가 태어나고 얼마 못가 김재상은 죽고, 남매는 어머니 밑에서 외롭게 성장한다.
  - 전개 : 노복 박명석은 주변과 공모하여 김학공 모자를 죽이고 재산을 가로챌 계략을 꾸미고, 학공의 어머니는 집에 노비 및 전답 문서와 학공을 숨겨 두고 피난을 간다. 노복들은 학공의 집에 불을 지르고 계도라는 섬으로 터전을 옮겨 마을을 이루고, 학공은 15세가 되어 자신의 신분을 숨긴 채 김동지의 집으로 들어가 그의 지원을 받으며 김동지의 딸 별선과 혼인한다.
  - 위기 : 학공은 자신의 어머니가 숨긴 문서를 간직하고 보다가 자신의 정체를 김동지와 별선에게 들키고, 소문이 퍼져 계도에 살고 있는 노복들에게도 알려진다.
  - 절정 : 노복들은 학공을 죽이려고 찾고, 별선을 학공을 구하기 위해 스스로 남자 복장을 하고 학공 대신 바다에 던져지게 된다. 학공은 여장을 하고 계도를 탈출한다.
  - 결말 : 학공은 꿈속에서 별선을 만나고, 과거에 응시하여 장원급제하여 강주자사가 되어 계도로 돌아와 자신의 가족을 괴롭히고 별선을 죽게 한 노복들을 응징하고, 별선을 위해 제를 올린다. 물에 빠진 별선은 살아 나오고, 학공은 여생에 부귀를 누린 뒤 선계로 돌아간다.
- **주제** : 김학공의 가문에 닥친 비극과 그에 대한 학공의 응징

1. ① 작품의 내용 파악하기

❶ 동지는 학공이 지닌 두루마리 뭉치를 통해 학공이 '강주 홍천부 북면에 사는 김 낭청의 아들 학공'이라는 것을 알게 되었다. '전일에 들으니 ~ 이리 될 줄 어찌 알았으리오'를 통해 김 낭청 댁 종들이 학공의 집을 탈취하고 섬에 와 살고 있음을 알게 된 것은 학공이 지닌 두루마리 뭉치를 발견하기 전이다.
② 별선이 학공에게 '저의 부친이 하시던 말씀을 자세히 말할 즈음에', 어머니 '홍 씨'가 창 밖에서 듣고 학공이 김 낭청의 아들이라는 사실을 알게 되었다고 하였다.
③ 학공은 자신의 부모와 동생을 죽이고, 자신을 구하기 위해 죽은 전처인 별선의 원수를 갚기 위해 계도섬에 다시 돌아온 진의를 감추고, 감색에게 '내 이 섬을 구경코자 와 보니, 섬은 절승지요, 또한 폐치 못할 섬이로다. 그러하나 인총(人叢)이 적으니, 온갖 구실과 전세를 탕감하여 백성이 모여 살게 하도록 나라에 장계했으니 그리들 알라'라고 하였다.
④ 자사 학공이 '전세를 탕감하여 백성이 모여 살게 하도록 나라에 장계했으니 그리들 알라'라고 하자 계도섬 사람들은 그가 학공이라는 것을 알아채지 못하고 '그놈들이 손 모아 축수하더라'라고 하였다.
⑤ 학공은 계도섬 백성들을 모두 모이게 하고, '타동 백성이 이 중에 있거든 좌편으로 앉으라'라고 하며 무고한 이들이 처벌받는 것을 막고자 하였다.

2. ④ 말하기 방식 파악하기

① [A]는 동지가 예전에 들은 이야기에 대한 것으로 과거의 기억이며, [B] 역시 학공이 자신의 신분을 밝히며 과거 자신의 가족에게 일어났던 일을 이야기하는 것이므로 [A]와 [B] 모두 과거에 대한 기억과 언급에 해당한다.
② [A]는 동지가 전해들은 일을, [B]는 자신이 직접 경험한 일에 대하여 요약하여 전달하고 있다.
③ [A]는 과거에 들은 이야기, 즉 김 낭청 댁 종들이 그 아들 학공을 죽여 후환을 없게 하자는 것을 떠올리며 그 학공이 동지 자신의 사위였음을 깨닫고 몹시 놀라는 부분이다. 따라서 자책하는 독백이라고 볼 수 없다. [B]는 자신의 가족을 해친 이들을 앞에 두고 그들을 책망하고 책임을 묻는 자리이므로, 자신의 처지를 하소연한다고 볼 수 없다.
❹ [A]의 동지는 학공의 기구한 과거 사연을 듣고 '이리 될 줄 어찌 알았으리오'라며 탄식하고 있는데 이는 학공이 처한 안타까운 상황을 부각하기 위함이다. [B]의 학공은 자신의 부모, 동생, 전처를 죽음에 이르게 한 원수들에게 '너희들은 나를 모르느냐?'라는 물음의 방식을 통해 상대를 질책하고 있다.
⑤ [A]는 과거의 일에 대한 서술이 있을 뿐, 앞으로 닥치게 될 고난은 암시된 바가 없다. [B]는 학공 자신이 겪었던 사건에 대한 서술과 자신의 가족을 괴롭힌 원수들에 대한 응징을 하는 서술이 나타날 뿐, 고난을 극복하기 위한 대응 방안은 제시된 바가 없다.

3. ③ 외적 준거에 따른 작품 감상하기

① 이 작품의 배경은 주인과 노비의 상하 관계가 분명하던 시대에서 점차 신분의 경계가 불분명해지는 시대로 이행하고 있음을 알 수 있다. 따라서 김 낭청 댁 종들'이 주인댁 가장이 없는 것을 이용하여 학공을 죽이려 하고 재산을 탈취한 것은 주인과 노비의 관계를 절대적이라고 여기기 않았기 때문이라 볼 수 있다.
② '김 낭청 댁 종들'이 김 학공의 집을 탈취하며 그 집 어머니와 동생을 죽이고, 그 당시 발견하지 못한 학공을 잡아 죽여 후환을 없애려고 한 것은 자신들이 한 짓에 대하여 학공이 응징할 것을 염려했기 때문이다.
❸ 학공은 과거에 급제하여 자사가 되어 계도 섬으로 돌아와 '온갖 구실과 전세를 탕감하여 백성이 모여 살게 하도록 나라에 장계했으니 그리들 알라'라며 자신의 뜻을 전한다. 이는 섬에 있는 이들이 섬 안에 머물게 하여 학공이 자신의 가족을 죽인 자를 색출하기 위함이다. 따라서 계도섬에 선정을 베풀고자 한 것은 봉건적 질서를 깨뜨리려는 것이 아니다.
④ 학공이 계도섬을 탈출할 때는 몸을 숨기고 지낼 만큼 자신을 지키는 것이 어려웠으나, 학공이 자사가 된 후로는 '김 낭청 댁 종들'을 응징할 수 있을 정도로 권력을 얻었으며 이는 갈등 관계를 반전시키는 계기가 되었다.
⑤ 계도섬에 자사가 되어 돌아온 학공은 자신의 가족을 몰살한 노비들을 모아서 '일조에 함몰'하였다고 하였다. 이는 개인적으로는 복수이면서, 몰락했던 신분 질서를 회복하려는 양반층의 생각이 반영된 것이기도 하다.

왜 많이 틀렸을까?

학공이 계도섬에 도착하여 자사에게 한 말은 표면적인 의미와 속내가 다른 경우야. 가족들을 해친자들을 응징하기 위해 도착한 곳이므로 그들을 포획하기 위해 그럴듯한 구실을 내세우지. 만약 앞뒤 문맥을 확인하지 않았다면 실수했을 부분이야.

【4~7】 작자 미상, '김인향전'

작품해설

계모가 전처의 소생인 인향과 인형을 학대하고 결국 죽음에 이르게 하고 있으며, 죽은 후에 인향은 생전의 배우자 한림의 꿈에 나타나 자신의 억울함을 토로하고 회생을 위한 사항을 약혼자에게 부탁한다. 한림은 인향에 대한 충신과 애정을 바탕으로 인향 자매를 살려낸다. 죽은 인향이 다시 살아난다는 점에서 전기적 요소가 보이며 대표적인 계모형 소설인 '장화홍련전'과도 비교하여 살펴 볼 작품이다.

- **갈래** : 가정 소설, 한글 소설
- **성격** : 권선징악적, 전기적
- **배경**
  - 시간 : 조선 시대
  - 공간 : 평안도 안주성
- **시점** : 전지적 작가 시점
- **등장인물의 성격**
  - 인향 : 누명을 벗기 위해 스스로 목숨을 끊은 강직한 성품으로, 억울하게 죽은 후 약혼자 한림의 꿈에 나타나 자신의 처지를 호소하고 회생을 요청한다.

- 인형 : 인향의 친오빠. 동생에 대한 극진한 정성을 보인다.
- 한림 : 인향의 약혼자. 약속한 혼인을 지키기 위해 지극정성으로 인향을 위한 제문을 준비하고 회생을 이루어내며 신의를 중요하게 여긴다.

■ **작품의 구성**

- 발단 : 김석곡 좌수는 슬하에 아들 인형과 딸 인향, 인함을 두었으나 부인과 사별하고 정씨와 재혼한다.
- 전개 : 유진위의 아들 성윤이 인향에게 청혼하였고 인향과 성윤은 혼인을 약속한다. 그러나 성품이 모질고 계략에 능한 정씨는 인향에게 떡을 먹여 거짓 잉태한 것처럼 꾸미고 이를 소문낸다. 정씨의 거짓 계략에 넘어간 김좌수는 자신의 딸을 믿지 못하고 인향을 연못에 넣어 죽이라고 지시한다.
- 위기 : 억울함을 이기지 못한 인향은 결국 연못에 투신자살하고, 여동생 인함마저 언니를 따라 목숨을 끊는다. 인향이 죽은 지 반년이 지나자 마을에는 곡성이 들리고 마을은 폐읍 위기에 처한다.
- 절정 : 이를 해결하기 위해 김두룡이 부사로 위임하여 인향 자매의 억울함을 풀어주고 정씨를 처형한다.
- 결말 : 과거에 급제하여 한림학사가 된 인향의 약혼자 유성윤(柳成允)은 꿈에 나타난 인향의 이야기를 듣고 하늘에 인향의 소생을 간청하고, 회생수를 통해 인향 자매는 회생한다. 인향은 유한림과 혼인하여 남은 여생을 함께 한다.

■ **주제** : 계모의 학대로 인한 비극과 권선징악

4. ⑤ 작품의 세부 내용 이해하기

① 한림과 인형은, 인향이 생전에 한림을 위하여 지어 놓은 의복을 보게 된다. 인형은 그 비단 의복을 보고 일장통곡을 하고, 한림은 몹시 슬퍼함과 동시에 인향의 뛰어난 솜씨를 보고 감탄하였다. 따라서 인향의 옷을 보고 감탄한 사람은 인형이라고 한 선지의 내용은 적절하지 않다.

② 한림은 간밤의 꿈에서 인향에게 약병을 받고, 꿈에서 깨어나 인형과 같이 심천동으로 찾아가 묘에 제물을 차려놓고 제문을 읽는다. 이어서 분묘를 헐어 인향과 인함에게 회생수를 뿌리자 그 둘이 숨을 쉬며 돌아누웠다고 하였다. 따라서 인형은 한림과 같이 있을 때, 인향과 인함의 재생을 목격한 것이다.

③ 한림은 인향이 지은 의복을 보고 잠이 들었고 꿈에서 인향을 만난다. 꿈에서 깨어나 '부모께 몽사(夢事)를 아뢰고, 일가친척과 원근 제족(諸族)을 모'은 후 법사를 불러 심천동으로 갔다고 하였으므로 한림의 부모는 한림이 심천동으로 가는 이유를 알고 있었을 것이다.

④ 한림은 간밤에 인향이 꿈에 나와 사연을 이야기하자, 꿈에서 깨어나 법사들을 불러 심천동으로 간다. 심천동에 도착하여 제물을 차리고 '모든 중들이 가사를 입은 후 하늘에 축수하며 옥황님을 불러 축원'하고 있으므로 인향의 회생을 위한 의식을 하고자 법사들을 대동했음을 알 수 있다.

❺ 한림은 심천동에 도착하여 제문을 읽으며 '옥황상제전에 일배주로 축원하오니 불쌍하온 김 낭자를 다시 회생케 하옵시면 미진한 인연을 다시 이어 백년동락으로 지낼까 하오니, 복원 옥황상제님은 다시 회생케 하옵소서'라고 하였으므로 인향과의 인연을 이어 가겠다고 생각하고 있음을 알 수 있다.

5. ① 외적 준거를 통해 작품 감상하기

❶ 한림이 인향에게 제물을 올리는 것은 인향의 회생을 위해서이다. 또한 한림이 인형에게 '인향 소저 나와 백년가약을 맺었으니 필연 나를 위하여 의복을 지어 두었을 것'이라고 말한 것, 심천동으로 가서 '불쌍하온 김 낭자를 다시 회생케 하옵시면 미진한 인연을 다시 이어 백년동락으로 지낼까 하오니'라고 한 것으로 보아 한림과 인향은 이미 혼인을 약속한 사이임을 알 수 있다. 또한 인향이 한림의 꿈에 나타나 '계모의 누명을 애매히 쓰고 죽사와 철천지한을 설원할 길이 없삽더니 명찰하신 성주님을 만나 원수를 갚삽고'라고 하였으므로 인향은 자신의 억울한 한을 이미 해결하였음을 알 수 있다.

② 한림은 인향의 오라비인 인형에게 '인향 소저 나와 백년가약을 맺었으니 필연 나를 위하여 의복을 지어 두었을 것이니'라고 확신하며 인향이 지어 놓은 의복을 보고 눈물 짓는 것으로 보아, 한림은 인향에 대한 믿음을 유지하고 있음을 알 수 있다.

③ 한림이 꿈에서 인향을 만난 후, 심천동에 나아가 '불쌍하온 김 낭자를 다시 회생케 하옵소서'라고 무수히 축원하고, '회생하여 인연을 다시 이어 살았으면 지금 죽어도 한이 없겠나이다'라며 인향의 회생을 거듭 소망하는 것에서 인향을 향한 한림의 진심을 확인할 수 있다.

④ 인향의 죽음은 계모의 계략으로 인한 것이었고, 인향은 죽고 난 뒤 한림의 꿈에 나타나 한림과의 인연을 강조하고 자신의 회생을 축원하길 바라고 있다. 이에 한림은 인향을 위해 회생을 거듭 기원하고, 제물을 갖추어 묘전에 벌이고 축문을 읽어 인향이 다시 깨어나게 한다. 따라서 비극적 사건의 해결과 혼사 장애의 극복이 결합되었음을 알 수 있다.

⑤ 인향은 한림의 꿈에 나타나 자신이 계모의 누명을 애매히 쓰고 죽었으며 그 한을 풀어준 것이 성주님이라고 밝히고 있으므로, 인향과 계모 간의 갈등이 혼사 장애의 요소로 작용했음을 알 수 있다.

6. ③ 중심 소재 파악하기

① ㉠에서 인향은 자신을 죽은 인향의 혼백이라 소개하고, 한림이 자신의 원혼을 위로하였으므로 이제는 한이 없다고 밝히며 고마움을 표하고 있으므로 적절한 설명이다.

② ㉠에서 인향은 자신이 계모의 누명을 애매하게 쓰고 죽어 한을 풀 길이 없었다고 밝히고 있다.

❸ ㉡에서 인향은 한림의 꿈에 나타나, 옥황상제에게 받은 회생수를 전달하며 심천동으로 다시 올 것을 요청한다. 이때의 회생수는 한림과 인향의 변함 없는 애정과 신의에 대한 보상의 의미를 지니고 있다. 따라서 ㉡에서 인향은 자신의 분신에 해당하는 상징적 증표를 한림에게 전달하였다고 파악하는 것은 적절하지 않다.

④ ㉡에서 인향은 한림의 꿈에 나타나 '오늘 정성하심을 하늘이 감동하옵시고 첩을 측은히 여기사 다시 환생케 하오니'라는 소식을 전하고 있으므로 적절한 설명이다.

⑤ ㉠에서 인향은 한림에게 자신을 재생하게 하려면 하늘에 진심으로 축수하여 금생의 인연을 이루게 할 것은 부탁하고, ㉡에서 인향은 한림에게 명일 아침에 음식과 회생수를 갖고 심천동으로 올 것을 전달하고 있으므로 적절한 설명이다.

7. ② 배경의 서사적 기능 이해하기

① ⓐ는 한림이 회생수를 갖고 심천동으로 찾아가는 과정에서 한림과 인향의 바람이 이루어질 것임을 암시하는 구절이다. 따라서 중심 인물의 성격을 확인할 수 있다는 설명은 적절하지 않다.

❷ ⓐ는 주변의 나무들이 반가운 기색으로 한림을 반기는 듯 하고, 두견새가 한림에게 빨리 오라고 부르고, 날짐승과 길짐승 모두가 임을 보고 환영하는 것처럼 보인다고 하였다. 한림은 꿈에서 인향에게 회생수를 받았고, 심천동으로 가면 인향을 회생시킬 수 있다고 하였으므로 ⓐ를 통해 사건이 성공할 것임을 짐작할 수 있다.

③ ⓐ는 주변을 묘사하는 것으로 사건을 빠르게 전개하여 긴박한 분위기를 조성하는 것과는 관련이 없다.

④ ⓐ는 한림이 꿈에서 깨어 날이 새자 제물을 꾸려 심천동으로 찾아가는 장면으로, 시간적 배경의 비약적인 변화가 나타났다고 보는 것은 옳지 않다.

⑤ ⓐ의 공간적 배경은 심천동으로 가는 길이며 현실적 세계를 바탕으로 한다.

【8~11】 작자 미상, '유씨삼대록(劉氏三代錄)'

작품해설

'유씨삼대록'은 국문 장편 소설로, 유씨 가문의 이야기를 3대에 걸쳐 풀어낸다. 1세대인 유백경, 유우성 형제의 이야기, 2세대인 유세기, 유세형 형제 이야기, 3세대인 유관, 유현 형제 등의 이야기를 다채롭게 전개한다. 특히 2세대의 등장인물의 혼담을 중심으로 혼사의 장애물을 극복하고 자신의 삶을 주도적으로 개척하는 인물들에 대한 묘사가 잘 드러난 작품이다.

[놓치지 말자!]

■ **갈래** : 국문 소설, 가문 소설

■ **성격** : 교훈적, 유교적

■ **배경**

- 시간: 중국 명나라 시대
- 공간: 중국 북경

■ **시점** : 전지적 작가 시점

■ **등장인물의 성격**

- 유세기: 배우자에 대한 정조를 지키며 약속을 중요시하는 진중한 인물.
- 유세형: 부마로 간택되는 것을 거부할 정도로 진취적이고 의협심이 강하나 즉흥적임.
- 장씨: 세형의 사랑을 독차지하기 위해 여러 술책을 꾸밈.

■ **작품의 구성**

- 발단: 유승상의 둘째 아들 세형은 장순의 딸 장씨와 약혼한 사이임.
- 전개: 세형은 부마로 간택되고 세형의 거부에도 진양 공주와 혼인하게 됨.
- 위기: 진양 공주는 장씨를 계비로 간택하나, 장씨는 공주를 계략에 빠트림.
- 절정: 세형은 장씨의 말만 믿고 공주를 학대하나, 사건의 전말을 알게 됨.
- 결말: 세형은 자신의 잘못을 반성하고 가정에 충실함

■ **주제** : 유씨 가문의 역사

어휘풀이

• 문책(問責) 잘못을 캐묻고 꾸짖음.
• 능활(能猾) 능력이 있으면서 교활함.

8. ③ 세부 내용 파악하기

① 백공은 한림을 흠모하여 자신의 사윗감으로 삼고 싶은 마음에 거짓말로 일을 꾸며 구혼하면서 '정약'이라는 글자를 더했다고 하였으므로 적절한 설명이다.
② 백공은 한림이 거절의 의사를 밝혔음에도 불구하고 구혼을 지속하여 한림을 곤경에 처하게 하였다.
❸ 선생과 승상은 가문 대대로 내려오는 가법을 지키며 재취를 허락하지 못한다고 하였고, 한림이 잘못한 것이 없다는 것을 확인하고는 기뻐했다고 하였으므로 선생과 승상은 비슷한 입장임을 알 수 있다. 따라서 선생과 승상 사이에서 의견 대립이 심화되었다고 볼 수 없다.
④ 선생과 승상은 한림이 부모의 허락 없이 백공과 혼사를 결정했다고 여기고 집에서 내쫓았으므로 적절한 설명이다.
⑤ 백공이 한림을 사위로 삼고자 일을 만들다가 선생과 승상이 한림을 오해하게 된 것이므로 적절한 설명이다.

9. ④ 말하기 방식 파악하기

① [A]는 장씨('나')가 유생과 백년가약을 맺고 혼인 예물까지 받은 일, 유생이 부마로 뽑힌 일에 대한 정보가 나타나 있고, [B]는 장씨가 세형의 집에 들어와 살게 된 일, 공주가 세형을 부마로 삼아 세형의 집에 영향력을 끼치고 있는 일에 대한 정보가 나타나므로 적절한 설명이다.
② [A]에는 자신과 공주의 처지에 대해 '하늘과 땅 같도다'라고 하고, '공주가 덕을 베풀수록 나의 몸엔 빛이 나지 않으리니'라는 비유적 진술을 통해 자신이 공주보다 못한 처지에 있다는 것을 강조하였다. [B]에는 공주와 자신의 처지를 비교하며 '변변찮은 재주 가진 하졸이 머릿수나 채워 우물 속에서 하늘을 바라보는 것' 같다고 하였으므로 적절한 설명이다.
③ [A]는 '천자의 귀함으로 한 부마를 뽑는데 어찌 구태여 나의 아름다운 낭군을 빼앗아가 위세로써 나로 하여금 공주 저 사람의 아래가 되게 하셨는가'라는 의문형 표현을 통해 자신의 약혼자를 부마로 간택한 자에 대한 원망을 표현한다.
❹ [A]가 장씨가 자신의 처지를 한탄하는 내적 독백이라면, [B]는 세형에게 자신의 외로움과 불쌍한 처지를 알리고 공감을 얻기 위한 말하기이므로, 상대의 환심을 사기 위해 자신의 우월한 지위를 드러내고 있다는 설명은 적절하지 않다.
⑤ [A]의 장씨는 공주가 낭군을 비롯하여 낭군의 가족들을 자신의 편으로 만들 것을 염려하며 '슬프다, 나의 앞날은 어이 될고?'라고 하고, [B]는 자신이 진양궁에 나아가면 궁비와 시녀들이 자신을 비웃던 일을 토로하며 앞으로의 자신의 처지를 우려하고 있다.

10. ③ 배경의 의미 파악하기

① ㉠에서 장씨는 학문을 연마한 바 없으며, ㉡에서 덕행을 닦지도 않았다.
② ㉠은 자신의 처지에 대한 불안과 한탄으로, 불신과는 관련이 없고 ㉡에서 조소를 당한 적도 없다.
❸ ㉠은 장씨의 약혼자인 세형이 공주의 부마가 되었으므로 장씨가 앞으로 자신의 처지를 걱정하며 한탄하는 공간이고, ㉡은 세형이 장씨를 위로하며 신혼의 정을 쌓은 곳이므로 애정을 확인하는 공간이다.
④ ㉠에서 장씨가 계책을 꾸민 적 없으며, ㉡은 장씨와 세형이 만나 애정을 확인하는 장소이다.
⑤ ㉠에서 장씨가 공주보다 먼저 혼인 예물까지 받았다는 언급은 하였으나 선후 시비를 따지는 것이 중심이 아니며, ㉡은 장씨와 세형이 애정을 확인하는 공간이다.

11. ③ 외적 준거에 따라 작품 감상하기

① 유세기와 유세형은 모두 유승상의 아들이며, 유세기의 혼사에 관련된 사건과 유세형과 장씨의 혼사를 앞두고 일어나는 사건이 연결되어 있다.
② 선생과 승상이 아들 유세기가 부모의 허락 없이 백공과 혼사를 결정했다고 여기고 유세기를 집에서 쫓아낸 것으로 보아 적절한 설명이다.
❸ 유세기는 백공 때문에 혼사와 관련하여 곤욕을 치룬 것이고 유세형은 장씨와 먼저 약혼을 하였고 장씨에 대한 애정이 크기 때문에 공주를 멀리한 것이므로, 가법과 인물의 성격 간의 대립이 갈등의 원인이라는 설명은 잘못되었다.
④ 백공은 유세기의 의사에 상관없이 그를 사위 삼으려 하였고, 천자는 유세형이 장씨와 이미 약혼한 몸임에도 불구하고 부마로 삼은 것으로 보아 혼사가 당사자 개인의 문제가 아님을 알 수 있다.
⑤ 유세기에 관련된 이야기는 혼사 갈등을 지나서 소소저와 백년해로했다는 결말로 끝나는 것으로 보아 혼사와 관련된 장애담이 주요 이야기임을 알 수 있다.

고전 시가

Day 16 본문 094쪽

1. ④	2. ③	3. ②	4. ④	5. ⑤
6. ③	7. ④	8. ②	9. ②	

【1~3】 (가) 이현보, '어부단가'

작품해설

자연을 벗하며 고기잡이를 하는 한가한 삶을 노래한 전 5수의 연시조이다. 고려 때부터 전해 오는 '어부가'를 개작한 것으로, 윤선도의 '어부사시사'에 영향을 주었다. 제1수~제4수에서는 속세를 떠나 자연을 벗 삼아 지내는 삶에 대한 만족감을 노래한 뒤 마지막 제5수에서는 세상에 대한 근심과 염려를 버리지 못한 모습을 드러내며, 이를 통해 당시 사대부 계층의 의식 세계를 보여 주고 있다.

■ **갈래** : 연시조
■ **성격** : 강호 한정가, 자연 친화적
■ **주제** : 강호에서 자연을 벗하며 유유자적하는 어부의 삶
■ **중요 시어 및 시구 풀이**
• 일엽편주(一葉片舟): 한 척의 조그마한 배. 화자가 자연 속에서 소박하고 유유자적하게 지내는 모습을 드러냄.
• 굽어보면 천심 녹수 돌아보니 만첩 청산: 강호를 둘러싸고 있는 깊은 녹수와 겹겹의 청산. 속세와의 단절을 가져옴.
• 십장 홍진(十丈紅塵): 열 길이나 되는 붉은 먼지. 번거롭고 속된 세상을 비유함.
• 청하(靑荷)에 밥을 싸고 녹류(綠柳)에 고기 꿰어: 푸른 연잎에 밥을 싸고 푸른 버드나무에 고기 꿰는 모습을 통해 어부의 생활이 드러남.
• 노적 화총(蘆荻花叢): 갈대가 우거진 곳.
• 일반 청의미(一般淸意味): 보통 사람이 지닌 맑은 뜻. 자연의 참된 의미.
• 일생에 시름을 잊고 너를 좇아 놀리라: 자연 경물인 '한운(한가로이 떠도는 구름)'과 '백구(갈매기)'를 '너'로 지칭하며 관계 맺고자 함으로써 자연과 동화하려는 의지를 드러냄.

(나) 박인로, '소유정가'

작품해설

소유정(小有亭)이라는 누정을 배경으로 자연을 즐기는 모습을 노래한 가사이다. 소유정 주변의 아름다운 자연 풍광과 그 속에서 뱃놀이와 낚시를 하며 풍류를 즐기는 삶을 드러낸 뒤, 임금의 은혜에 대한 감사와 태평성대에 대한 소망을 노래하고 있다. 제시된 부분은 추풍이 불 때 벗들과 뱃놀이를 즐기며 느낀 흥취와 만족감을 노래한 부분이다.

■ **갈래** : 가사
■ **성격** : 강호 한정가, 풍류적
■ **주제** : 소유정 주변의 아름다운 자연에서 안빈낙도를 추구하는 삶

■ 중요 시어 및 시구 풀이

- 소정(小艇): 작은 배. 화자가 소박한 뱃놀이를 즐기는 모습을 드러냄.
- 희황천지(羲皇天地)를 오늘 다시 보는구나: 복희씨 때의 태평스러운 세상을 다시 본다는 말로, 뱃놀이에서 느끼는 흥취의 만족감을 드러냄.
- 달 위에 배를 타고 ~ 월궁(月宮)에 올랐는 듯: 하늘에 떠 있는 달과 강물에 비친 달 사이에서 뱃놀이를 하며 월궁(달 속에 있다는 궁전)에 오른 듯한 신비로움을 느낌을 드러냄.
- 물외(物外): 구체적인 현실 세계의 바깥세상. 또는 세상의 바깥.
- 만조(晩潮): 저녁에 들어오는 물.
- 푸른 물풀 위로 ~ 귀범(歸帆)을 재촉하는 듯: 강풍이 일어 귀범(멀리 나갔던 돛단배가 돌아옴)을 도움을 표현함.
- 연파(烟波): 연기나 안개가 자욱하게 낀 수면.
- 동파(東坡) 적벽유(赤壁遊)인들 이내 흥(興)에 미치겠는가: 소식이 적벽에서 했던 뱃놀이도 자신의 흥에 미치지 못할 것이라고 하며 자긍심을 드러냄.

1. ④ 표현상 특징 파악하기

① ㉠에서는 '산두에 한운 일고'와 '수중에 백구 난다'가 대구를 이루며, 산머리와 한가로운 구름, 강과 백구 등의 자연 경물의 모습을 제시하여 한가롭고 고요한 분위기를 조성하고 있다.
② ㉡에서는 초장의 '한운'과 '백구'를 '너'로 지칭하며 '좇아 놀리라'라고 표현함으로써, 이들과 관계를 맺고 동화하려는 의지를 드러내고 있다.
③ ㉢에서는 '바람에 떨어진 갈대꽃'이 석양에 흩날리는 모습을 '눈이 되어' '어지러이 뿌리는' 것으로 감각적으로 표현하여 물가의 아름다운 풍경을 묘사하고 있다.
❹ ㉣에서는 '-어라'라는 명령형 어미를 사용하여 '아이'가 해야 할 닻을 드는 행동을 제시하고 있다. 그러나 이는 만조에 배를 띄워 가기 위해 한 말일 뿐, 이를 통해 자연에 대한 인식의 변화를 촉구하고 있는 것은 아니다.
⑤ ㉤은 중국 송나라 때 소식이 즐긴 뱃놀이도 자신의 흥에는 못 미칠 것이라는 의미로, 뱃놀이를 즐긴 화자의 자긍심을 보여 주고 있다.

2. ③ 시구의 의미와 기능 이해하기

① [A]에서 화자는 속세와 단절된 강호 자연에서 밝은 달이 비치니 더욱 무심하다고 말하고 있다. 이때 달은 배경과 분위기를 드러내는 소재일 뿐, 화자는 달을 절대적 존재로 인식하고 있지 않다. 또한 자연 속에서 무심하게 지냄을 말한 것이지 무심한 삶을 살 수 있도록 기원한 것도 아니다.
② [A]에서는 '녹수'와 '청산'으로 둘러싸인 강호 자연에서 밝은 달이 비치고 있는 정경을 묘사하고 있으나, 달에 인격을 부여하고 있지는 않다.
❸ [B]에서 화자는 가을날 밤에 배로 강을 건너면서 하늘에 떠 있는 달과 강물에 비쳐 '강물 아래 잠긴 달' 사이에 놓이게 되고, 이 정경을 '월궁(月宮)에 올랐는 듯' 한 신비로운 느낌이라고 표현하고 있다.
④ [B]에서 시간의 흐름에 따라 모양을 달리하는 달의 특성을 활용하거나, 계절의 변화를 다채롭게 나타내고 있지는 않다.
⑤ [A]와 [B]의 화자는 모두 자연 속에 은거하고 있으나, 둘 다 달을 대화 상대로 삼고 있지는 않고 위안의 대상으로 여기고 있다고 볼 수도 없다.

3. ② 외적 준거에 따라 감상하기

① (가)의 '어부'는 '십장 홍진'으로부터 단절된 강호 자연에서 '만경파'에 '일엽편주'를 띄워 놓고, '인세를 다 잊었거니 날 가는 줄 아는가'라며 유유자적하고 있다. <보기>에서 '어부'가 정치 현실과 거리를 둔 은자라고 한 것을 바탕으로 할 때, 이는 정치 현실에서 벗어나 인간 세상의 근심과 시름을 잊고 한가로움을 추구하려는 모습이라고 볼 수 있다.
❷ (나)에서 화자는 '때마침 부는 추풍 반갑게도 보이도다'라며 벗을 불러 어촌에 뱃놀이를 가고 있다. 따라서 '추풍'은 뱃놀이의 흥취를 북돋우는 자연 현상이라고 할 수 있다. 그러나 '푸른 물풀 위로 강풍이 짐짓 일어 / 귀범을 재촉하는 듯'으로 보아 '강풍'은 '귀범'을 돕는 자연 현상일 뿐, 흥취의 대상을 강에서 산으로 옮겨 가는 역할을 하고 있지는 않다. '아득하던 앞산이 뒷산처럼 보이도다'는 멀리 있던 앞산이 가까워짐을 표현한 것일 뿐, 산이 흥취의 대상이 된 것은 아니다.
③ (가)의 화자는 '일엽편주'를 '만경파'에 띄워 두고 유유자적하고 있으며, (나)에서는 뱃놀이를 가며 '소정'을 타고 온다. '일엽편주'는 '한 척의 조그마한 배', '소정'은 '작은 배'이므로 둘 다 화자가 강호에서 소박한 뱃놀이를 즐기고 있다는 것을 알려 주는 소재라고 할 수 있다.
④ (가)의 '녹류에 고기 꿰어'는 잡은 물고기를 버드나무에 꿰어 모아 두는 모습으로 어부의 삶과 관련된 행위에 해당하며, <제3수>에서는 이러한 행위를 통해 강호에서의 유유자적한 삶을 나타내고 있다. 또한 (나)에서는 뱃놀이를 간 화자 일행이 그물로 고기를 수없이 잡아 실컷 먹는 뱃놀이의 여러 상황을 연결하여 표현함으로써 강호에서 흥취를 즐기는 삶의 모습을 드러내고 있다.
⑤ (가)의 '어부'는 인세를 다 잊고 속세와 단절된 강호 자연의 삶을 누리면서 '일반 청의미를 어느 분이 아실까'라고 하며 홀로 자족감을 드러내고 있다. 이와 달리 (나)의 어부는 추풍이 불자 벗을 불러 함께 흥겨운 뱃놀이를 하고, '희황천지를 오늘 다시 보는구나', '동파 적벽유인들 이내 흥에 미치겠는가'라며 만족감을 드러내고 있다.

[4~6] (가) 정훈, '탄궁가'

지문해설

제목에서 예측할 수 있듯이 가난한 삶을 탄식하는 내용이 주를 이루는 가사 작품이다. 시적 화자는 향촌 공동체에서 경제적 기반이 취약한 사대부 계층임을 짐작할 수 있으며, 봄이 다가와 농사를 준비하며 생활을 꾸려가려는 의지를 보이나 현실은 너무나 척박하다. 이에 자신을 끈질기게 따라다니는 가난을 '궁귀'라고 칭하며 그를 떼어내고자 정성스럽게 의식을 치르고 있다. 그러나 오히려 '궁귀'는 긴 시간을 함께 해온 존재라는 것을 강조하며 화자를 설득하는 입장을 보이고, 화자는 세상이 자신을 버릴 때, 가난만은 자신을 버리지 않았다는 점에 착안하여 가난도 자신의 운명으로 받아들이고 있다.

■ **주제** : 빈곤한 삶을 받아들이는 수용적 태도

(나) 위백규, '농가'

작품해설

농촌의 생활상을 현실적으로 드러내고 일상의 언어로 평이하게 표현한 이 작품은 연시조의 형식을 보이고 있다. 농촌에서 실제로 하는 풍습을 엿볼 수 있고, 청유형 문장을 사용하며 청자를 고려한 화법을 구사한다. 풍성한 수확을 기다리는 기쁜 마음과 평화로운 농촌의 모습이 조화를 이루는 작품이다.

■ **주제** : 농촌의 소박한 생활상에 대한 만족감

4. ④ 작품의 종합적 이해와 감상하기

❹ (가)에 '춘일이 지지하여 뻐꾸기가 보채거늘'에서 작품의 배경이 봄이라는 것을 알 수 있다. 이러한 봄을 배경으로 시적 화자는 '동린에 쟁기 얻고 서사에 호미 얻고'와 같이 농사를 지을 채비를 하고, '씨앗을 마련'해보지만 식구들의 처지는 늘 '한아'하다. 또한 '베틀 북', '솥 시루'를 쓸 일이 없을 만큼 가난한 처지이고 '세시 삭망 명절 제사'나 '원근 친척 내빈왕객'을 준비는 버겁기만 하다. 이러한 궁핍한 상황을 '궁귀'와 대화하는 방식으로 형상화하고 있으므로 특정 계절을 배경으로 제시해 화자의 처지를 부각하고 있다는 설명은 적절하다.

5. ⑤ 작품의 내용 파악하기

❺ [A]의 화자는 자신을 오랫동안 따라다니는 가난을 '궁귀'라 칭하며 가난을 탈피하고 싶어하나, 결국 '빈천도 내 분(分)이니 서러워해 무엇하리'라며 가난을 수긍하는 태도를 보인다. 따라서 [A]에서 '하늘'을 예찬하는 어조를 취하고 있다는 설명은 적절하지 않다. 또한 [B]의 화자 역시 '면화'와 '이른 벼의 패는 모'를 흡족한 마음으로 대하고 있으며, 이에 '하느님 너희 삼길 제 날 위하여 삼기셨다'라며 풍요로운 결실에 대한 예찬을 하고 있는 것이지, 초월적인 존재인 '하느님'을 예찬하는 것이라고 볼 수 없다.

6. ③ 외적 준거에 따른 작품 감상하기

① (가)의 화자는 봄이 다가오자 집 안에 들어가 '씨앗을 마련'하려고 하지만, 파종을 위해 준비해 둔 볍씨를 반 이상이나 쥐가 먹어 버린 상황을 ㉠처럼 표현하였다. 이는 <보기>에서 '탄궁가'가 향촌 공동체에서 경제적 기반이 취약한 사대부의 모습을 다루고 있다는 부분과 관련된다.
② (가)의 화자는 궁핍한 생활로 인해 '베틀 북'과 '솥 시루'를 쓸 수 없는 상황이다. 식량을 준비하는 기본적인 도구인 '솥 시루'가 쓸 일이 없어서 '붉은 빛이 다 되었다'라고 하는 것으로 보아 <보기>에서 '탄궁가'는 자신의 궁핍한 삶을 실감나게 그려 낸 작품이라는 설명과 관련 있다고 할 수 있다.
❸ (가)의 '원근 친척 내빈왕객은 어이하여 접대할꼬'는 가정과 사회에 대한 책임을 다하기 어려운 자신의 궁핍한 처지에 대한 안타까움의 표현이다. 이는 <보기>에서 '탄궁가'는 향촌 공동체에서 경제적 기반이 취약한 사대부가 가정과 사회에 대한 책임을 다하기 어려운 상황과 관련된다. 그러나 ㉢은 사회적 책임을 내려놓는 향촌 사대부의 죄책감이 아니라, 사회적 책임을 내려 놓

을 수 없음에서 느끼는 어려움을 표현한 것이다.

④ (나)의 '제1수'에는 '비 온 뒤 묵은 풀'이 우거진 밭을 보면서 '두어라 차례 정한 일이니 매는 대로 매리라'라며 밭을 맬 차례가 정해져 있음을 드러내고 있다. 이는 〈보기〉에서 '농가'는 곤궁한 향촌 공동체에서 발전을 위해 여러 방도를 모색하는 것과 관련이 있으며, 사회적 약속에 대한 존중을 향촌 공동체 발전의 방도로 여기고 있음을 알 수 있다.

⑤ (나)의 '제8수'에는 '아이는 낚시질'을 가고, '집사람은 절이채'를 만들고, 화자는 '새 밥 익을 때에는 새 술'을 마시는 풍류에 대하여 만족감을 표현한다. 이는 〈보기〉에서 언급한 향촌 공동체의 발전을 위해 방도를 모색하는 사대부가 가난을 벗어난 이상화된 농촌상을 그리는 것과 관련성이 있다.

【7~9】 (가) 허난설헌, '규원가'

작품해설

조선 시대의 봉건적인 사회 분위기에서 독수공방하는 여인의 외로움과 원망을 노래한 규방 가사이다. 화자는 남편을 기다리며 독수공방하는 처지로, 과거를 회상하며 흐르는 세월을 한탄하고 방탕하게 지내며 집에 돌아오지 않는 남편을 원망한다. 그리고 외로움을 스스로 달래 보려 하다 자신의 신세를 자조하고, 임을 원망하면서도 그리워하는 심정을 드러낸다. 자연물에 자신의 심정을 빗대어 노래하는 한편 고사와 관용구를 인용하는 등 다양한 표현 방법으로 정서를 효과적으로 표현하고 있다.

- **갈래** : 규방 가사
- **성격** : 고백적, 체념적
- **구성**
  - 공후배필은 못 바라도 ~ 어느 임이 날 괴소냐 : 젊은 시절에 대한 회상과 늙음에 대한 한탄
  - 옥창에 심은 매화 ~ 죽기도 어려울사 : 독수공방하는 처지의 서글픈 심정
  - 도로여 풀쳐 혜니 ~ 잠조차 깨우는다 : 거문고를 타며 외로움을 달래고 꿈에서나마 임을 보려는 심정
- **제재** : 독수공방하는 여인의 삶
- **주제** : 남편을 기다리는 여인의 외로움과 한
- **중요 시어 및 시구 풀이**
  - 장안유협 경박자를 꿈같이 만나 있어 : '장안의 호탕하면서도 경박한 사람'을 남편으로 맞게 된 일을 회상함.
  - 봄바람 가을 물이 베오리에 북 지나듯 : 세월이 베의 올에 감기는 북이 지나듯 빠르게 지나감.
  - 겨울밤 차고 ~ 혬만 많다 : 사계절의 풍경을 제시하며 그 속에서 홀로 지내는 자신의 처지에 대한 안타까움을 드러냄. 가을밤에 우는 '실솔'은 화자의 슬픔을 이입한 대상임.
  - 부용장 적막하니 뉘 귀에 들리소니 : 거문고를 타던 화자가 자신의 연주를 들어줄 이가 없는 것에 한탄함.
  - 차라리 잠을 들어 꿈에나 보려 하니 : 아무리 기다려도 돌아오지 않는 남편을 꿈에서나마 보려고 함.

같은작가 다른기출

2001학년도 수능 '규원가'

(나) 작자 미상, '재 위에 우뚝 선 소나무'

작품해설

임과 이별한 화자가 슬픔을 분출하는 모습을 해학적인 표현으로 형상화한 사설시조이다. 화자는 '재 위에 우뚝 선 소나무'와 '개울에 섰는 버들'이 '흔덕흔덕', '흔들흔들'하는 모습에서 임과 이별하여 흔들리는 자신과의 동질성을 발견한다. 그리고 임을 잃은 슬픔에 젖은 자신의 모습을 눈물과 콧물을 '후루룩 비쭉' 쏟는 우스운 모습을 묘사하여 슬픔과 거리를 두려는 태도를 드러내고 있다.

- **갈래** : 사설시조
- **성격** : 해학적
- **구성**
  - 초, 중장 : 소나무와 버들이 흔들거리는 모습
  - 종장 : 임과 이별한 후 눈물을 흘리는 화자
- **제재** : 임과 이별한 처지
- **주제** : 임과 이별한 후의 슬픔과 그리움

7. ④ 표현상 특징 파악하기

① [A]에서 '베오리', '북'은 베를 짜는 여성의 생활에 밀접한 소재로, '봄바람 가을 물'이 '베오리 북 지나듯' 빠르게 지나간다고 하여 흘러가는 세월에 대한 화자의 인식을 시각적으로 표현했다.

② [B]는 '차고 찬 제', '길고 길 제'에서 단어를 반복하여 표현함으로써 추운 겨울밤과 긴 여름날의 특성을 강조했다.

③ [C]에서는 '소나무'가 움직이는 모습은 '흔덕흔덕', '버들'이 움직이는 모습은 '흔들흔들'이라는 발음이 비슷한 의태어로 표현하여 두 대상이 흔들리는 모습의 유사성을 드러냈다.

❹ [A]에서는 '봄바람 가을 물'이라는 계절감이 나타나는 시어를 활용한 구절에서 세월이 빠르게 흐름을 말한 뒤, '설빈화안'이던 화자의 모습이 '면목가증'으로 바뀌었다고 하여 화자의 처지가 달라졌음을 드러내고 있다. [B]에서도 '겨울밤', '자최눈' '여름날'과 같은 계절감이 나타나는 시어를 활용하고 있는데, 관련하여 화자의 처지가 달라졌음이 드러나지는 않는다. 이어진 구절로 보아 겨울밤과 여름날, 삼춘화류 호시절과 가을 달을 지나면서 독수공방하는 화자의 처지는 변하지 않았음을 알 수 있다.

⑤ [B]과 [C]에서는 둘 다 유사한 문장 구조를 반복한 대구를 활용함으로써 운율을 형성했다.

8. ② 시어, 시구의 의미와 기능 파악하기

① ㉠은 '장안유협 경박자'를 남편으로 만났던 일을 회상하는 표현으로 이를 통해 화자의 기억이 흐릿하다거나 화자의 심정이 혼란스러움을 나타냈다고 볼 수는 없다.

❷ (가)의 화자는 남편을 기다리며 외롭게 세월을 보내는 처지로, 아무리 기다려도 남편이 집에 오지 않기에 차라리 잠을 들어 꿈에서나마 남편을 보려 한다. 따라서 ㉡은 현실에서 남편을 만날 수 없기에 화자가 선택한 방법이라 할 수 있다.

③ '삼생의 원업이오 월하의 연분으로 / 장안유협 경박자'를 '꿈같이' 만났다고 한 것으로 보아, ㉠이 임과의 만남에 대한 기대에서 비롯되었다고 보기는 어렵다. 또한 ㉡은 이별한 상황의 임과 만나기 위해 선택한 방법이므로 임과의 이별에 대한 망각에서 비롯되었다고 볼 수 없다.

④ ㉠은 과거 남편과 만났던 일을 회상한 표현이지만, ㉡은 임을 꿈에서나마 보고자 하는 화자의 태도일 뿐 곧 일어날 일에 대해 단정하는 것으로는 볼 수 없다.

⑤ 화자는 '삼생의 원업', '월하의 연분'으로 생각지도 않았던 남편을 만났으므로, ㉠은 인연의 우연성을 드러내는 것으로 볼 수 있지만 그에 대한 우려가 담겨 있다고 보기는 어렵다. 또한 ㉡은 재회의 필연성이나 그에 대한 우려가 담겨 있다고 볼 수 없다.

9. ② 외적 준거에 따라 감상하기

① (가)에서 독수공방하며 외로워하는 화자가 가을밤에 우는 '실솔'의 소리를 듣고 '실솔이 상에 울 제'라고 표현한 것은 자신의 슬픔을 '실솔'에 이입하여 확장한 것으로 볼 수 있다.

❷ (가)에서 '부용장 적막하니 뉘 귀에 들리소니'는 화자가 독수공방의 외로움을 달래기 위해 거문고를 연주해 보지만, 자신이 연주하는 '벽련화 한 곡조'를 들어줄 사람이 없는 것에 한탄을 드러내는 구절이다. 따라서 '뉘 귀에 들리소니'가 외부와의 교감을 거부하고 내면에 몰입하는 모습이라고 볼 수는 없다.

③ (나)에서 '소나무'가 '바람 불 적마다 흔덕흔덕'하는 것에 주목한 것은 화자가 외부 대상의 모습에서 자신과의 동질성을 발견한 것으로 볼 수 있다.

④ (가)에서 '삼춘화류'는 봄날에 꽃이 피고 버들이 돋아나는 풍경으로, 외로운 처지의 화자는 자신의 내면과 대비되는 그와 같은 아름다운 풍경에 관심 없다는 태도를 드러내고 있다. 따라서 '삼춘화류'는 외부와의 단절감을 강조한다고 볼 수 있다. 이와 달리 (나)에서 '흔들흔들'하는 '버들'은 초장의 '소나무'와 마찬가지로 화자가 자신과의 동질성을 발견한 외부 대상의 모습에 해당한다.

⑤ (가)에서 독수공방하며 외로워하는 화자는 '긴 한숨 지는 눈물'로 슬픔을 드러내고 있다. 이와 달리 (나)에서 임을 그리워하며 우는 화자는 '입하고 코'가 '후루룩 비쭉' 하며 눈물, 콧물을 쏟아내는 자신의 우스운 모습에 주목함으로써 슬픔과 거리를 두려는 태도를 보이고 있다.

왜 많이 틀렸을까?

이 문제는 정답인 ②번을 고른 비율만큼 ④번을 고른 비율이 높게 나타났어. 두 선택지 모두 (가)의 화자가 외부 대상과 교감을 거부하고 내면에 몰입하는 것과 관련된 내용인 만큼, 이와 관련하여 (가)의 내용을 이해하는 것이 관건이었어. (가)에 이러한 내용이 어떤 부분인가를 올바르게 파악해야 했던 거지. (가)의 화자는 독수공방하는 외로운 처지로, 계절은 흐르지만 그러한 처지는 변하지 않고 그러다 보니 '삼춘화류 호시절'에도 '경물'에 관심이 없고 슬픔에 빠져 있어. 바로 이 부분에서 외부 대상과 교감을 거부하고 내면에 몰입하는 모습이 나타나지. 화자는 그러다 스스로 외로움을 달래 보려고 거문고를 타는데 연주 솜씨는 그대로지만 이를 통해 다시 한 번 외로운 처지를 확인해. 이는 외부와의 교감을 거부하는 모습이 아니라 교감을 시도하지만 실패하는 모습이라고 해석할 수 있어.

고전 시가 현대어 풀이

(가) 허난설헌, '규원가'

높은 벼슬아치의 배필은 못 바라도 군자의 좋은 짝 되기를 원하더니

삼생의 원망스러운 업보요 월하노인이 맺어 준 부부

의 인연으로
장안의 호탕하면서도 경박한 사람을 꿈같이 만나서
당시의 마음 쓰기가 살얼음 디디는 듯
열다섯, 열여섯을 겨우 지나 타고난 아름다운 모습이 저절로 나타나니
이 얼굴과 이 태도로 평생을 바랐더니
세월이 빨리 지나고 조물주가 시샘이 많아
봄바람 가을 물(세월)이 베의 올에 감기는 북이 지나듯
고운 머리와 아름다운 얼굴 어디 두고 보기도 싫은 모습이 되었구나
내 얼굴 내가 보거니 어느 임이 날 사랑할 것인가
(중략)
옥창에 심은 매화 몇 번이나 피고 졌는가
겨울밤 차고 찬 때 자최눈 섞어 내리고
여름날 길고 길 때 궂은비는 무슨 일인가
봄날 꽃 피고 버들잎 돋는 좋은 시절에 경치를 보아도 아무런 생각이 없다
가을 달 방에 비추어 오고 귀뚜라미가 침상에서 울 때
긴 한숨 지는 눈물 속절없이 생각만 많다
아마도 모진 목숨 죽기도 어렵구나
돌이켜 풀어 생각해 보니 이렇게 살아 어찌하리
청등을 돌려놓고 푸른 거문고 비스듬히 안아
벽련화 한 곡조를 시름 좇아 섞어서 연주하니
소상강 밤비의 댓잎 소리 섞여 들리는 듯
망주석 앞에 천 년 만에 찾아온 이별한 학이 우는 듯
고운 손으로 타는 솜씨는 옛 소리 있다마는
연꽃무늬 휘장이 드리운 방 적막하니 누구의 귀에 들리겠는가
간장이 아홉 굽이 되어 굽이굽이 끊어졌구나
차라리 잠을 들어 꿈에나 (임을) 보려 하니
바람의 지는 잎과 풀 속에 우는 짐승
무슨 일로 원수로서 잠조차 깨우는가

Day 17

본문 098쪽

1. ③ 2. ② 3. ③ 4. ⑤ 5. ④
6. ② 7. ③ 8. ⑤ 9. ② 10. ⑤
11. ②

【1~3】 정철, '관동별곡'

작품해설

작가가 강원도 관찰사로 부임했을 때 금강산과 관동 팔경을 유람한 뒤 그 경치에 대한 감탄을 노래한 기행 가사이다. 경치를 다양한 표현 방법으로 생동감 있게 묘사하면서, 관리로서의 현실 인식을 바탕으로 우국과 연군지정, 애민 정신과 선정에의 포부를 드러내고 있다. 제시된 부분은 본사 중 금강대와 진헐대, 개심대에서의 조망과 화룡소에서의 감회, 불정대에서 본 십이 폭포의 장관을 노래한 부분이다.

- **갈래** : 양반 가사, 기행 가사
- **성격** : 서정적, 서경적
- **구성**
  - 금강대 맨 우층 ~ 눈 아래 구버보고 : 금강대의 선학
  - 정양사 진헐대 ~ 유경도 유경할샤 : 진헐대와 개심대에서 본 금강산
  - 그 알픠 너러바회 ~ 다 살와 내여스라 : 화룡소에서의 감회
  - 마하연 묘길상 ~ 말 못 하려니 : 십이 폭포의 장관
- **제재** : 내금강과 관동 팔경 유람
- **주제** : 관동 팔경에 대한 감탄과 연군지정

같은작가 다른기출

2006학년도 수능 '속미인곡'
2010학년도 6월 모의 평가 '관동별곡'
2013학년도 6월 모의 평가 '사미인곡'
2013학년도 수능 '성산별곡'
2015학년도 수능 B형 '관동별곡'
2016학년도 수능 B형 '어와 동량재를'

1. ③ 표현상 특징과 정서 파악하기

① '금강대'에서 '진헐대'로 이동하면서 자연 경관을 예찬하고 있을 뿐 자연에 대한 이중적 태도를 보이고 있지는 않다.
② '진헐대'에서는 금강산의 진면목을 예찬하고 있고, '불정대'에서는 십이 폭포의 장관을 예찬하고 있을 뿐 이미지의 대립을 통해 화자의 내적 갈등이 고조되고 있는 것은 아니다.
❸ '개심대'에서는 '중향성'을 바라보며 '만이천봉'의 헤아리고 그 기운을 예찬한 뒤 그 기운으로 '인걸'을 만들고 싶다며 감흥을 드러내고 있다. 따라서 선경후정의 방식으로 화자가 바라본 풍경과 그에 대한 감흥이 서술되고 있다고 할 수 있다.
④ '화룡소'에서 화자는 '화룡소'가 '천년 노룡' 같다고 하며 그것이 넓은 바다와 이어져 있음을 묘사하고 있을 뿐 화자의 시선이 원경에서 근경으로 이동하고 있는 것은 아니다.
⑤ '화룡소'에서 '불정대'까지의 이동 경로를 '마하연 묘길상 안문재 너머 디여'와 같이 드러내고 있다.

어휘풀이

- **선경후정(先景後情)** 시에서, 앞부분에 자연 경관이나 사물에 대한 묘사를 먼저하고 뒷부분에 자기의 감정이나 정서를 그려 내는 구성.

2. ② 시구의 의미와 표현 특징 파악하기

① 봉우리들이 '연꽃을 꽂아놓은 듯 백옥을 묶어 놓은 듯'하다고 시각적 형상으로 묘사하여 금강산의 아름다움을 표현하고 있다.
❷ 봉우리들이 '백옥을 묶어 놓은 듯', '동해를 박차는 듯'이라고 묘사하고 있는데 이를 통해 금강산 봉우리의 아름다움과 역동성, 웅장함을 드러내고 있을 뿐 자연의 영속성을 표현하고 있다고 볼 수는 없다.
③ 봉우리가 '동해를 박차는 듯 북극을 떠받쳐 괴고 있는 듯'하다고 하여 금강산의 거대하고 웅장한 느낌을 드러내고 있다.
④ '날거든 뛰디 마나 섯거든 솟디 마나'는 '날거든 뛰지나 말거나 섰거든 솟지나 말거나'라는 의미로, 대구적 표현으로 날고, 뛰고, 솟는 등의 행위를 부각하여 역동적인 느낌을 표현하고 있다.
⑤ 상태를 보여 주는 '고잣는 듯(꽂아놓은 듯)'과 동작을 보여 주는 '박차는 듯'과 같은 표현을 유사한 통사 구조로 나열함으로써 봉우리의 다채로운 면모를 드러내고 있다.

어휘풀이

- **영속성(永續性)** 영원히 계속되는 성질이나 능력.

3. ③ 외적 준거를 바탕으로 감상하기

① '혈망봉'은 '천만겁', 즉 오랜 세월이 지나도록 굽힐 줄 모르는 존재로 묘사되어 있는데 이는 지조라는 이상적 인간상을 자연에 투사한 것으로 볼 수 있다.
② '개심대'에서 봉우리에 맺혀 있는 맑고 깨끗한 기운을 흩어 내어 '인걸', 즉 뛰어난 인재를 만들고 싶다고 하고 있는데, 이는 자연을 바라보며 사회적 책무를 떠올리는 모습으로 볼 수 있다.
❸ '개심대'에서 '중향성'을 바라보며 '천지'가 생겨날 때 자연히 된 줄 알았지만 이제 와 보니 뜻이 있는 듯하다고 하고 있으므로, 천지가 '자연이 되'었다고 본 것은 아니며 자연의 이치가 인간 사회의 영향을 받는다는 인식을 드러내고 있는 것도 아니다.
④ '불정대'에서 본 폭포를 은하수를 베어 실처럼 풀어서 베처럼 걸어 놓은 것으로 묘사하고 있는데, 이는 자연의 미를 현실에서 발견하여 사실감 있게 묘사한 것이라 할 수 있다.
⑤ '불정대'에서 본 풍경에 대해 '여산'이 여기보다 낫다는 말을 못 할 것이라고 하며 그 아름다움을 강조하고 있는데, '여산'은 이백의 시구에 나오는 중국의 명산이므로 이는 관념이 아닌 현실에서 아름다움을 발견하는 작가의 특성을 보여 준다고 할 수 있다.

고전 시가 ▶ 현대어 풀이

정철 '관동별곡'

금강대 맨 꼭대기에 새끼를 친 학이
봄바람에 들려오는 옥피리 소리에 선잠을 깨었던지
학이 공중에 솟아 뜨니

서호의 옛 주인(임포)을 반기듯 넘나들며 노는 듯하구나
소향로봉과 대향로봉을 눈 아래 굽어보고
정양사 진헐대에 다시 올라 앉으니,
여산(여산같이 아름다운 금강산)의 참모습이 여기서야 다 보인다
아아, 조물주의 솜씨가 야단스럽기도 야단스럽구나
(수많은 봉우리들이) 하늘로 날거든 뛰지나 말거나 섰거든 솟지나 말거나
또 연꽃을 꽂아놓은 듯 백옥을 묶어 놓은 듯
동해를 박차는 듯 북극을 떠받쳐 괴고 있는 듯
높기도 하구나 망고대여 외롭기도 하구나 혈망봉이여
하늘에 치밀어 무슨 일을 아뢰려고
오랜 세월이 지나도록 굽힐 줄을 모르는가
아, 너로구나. 너 같은 이 또 있는가
개심대에 다시 올라 중향성을 바라보며
만 이천 봉을 분명히 헤아려 보니
봉마다 맺혀 있고 끝마다 서린 기운
맑거든 깨끗하지 말거나 깨끗하거든 맑지나 말 것이지
저 (맑고 깨끗한) 기운을 흩어 내어 뛰어난 인재를 만들고 싶구나
생김새도 끝이 없고 모습도 많기도 많구나
천지가 생겨날 때에 저절로 된 줄 알았지만
이제 와서 보니 모두가 뜻이 있게 만들어진 듯하구나.
〈중략〉
그 앞의 넓은 바위가 화룡소가 되었구나
천 년 묵은 늙은 용이 굽이굽이 서려 있어
밤낮으로 흘러 내어 넓은 바다에 이었으니,
바람과 구름을 언제 얻어 흡족한 비를 내리려느냐
그늘진 낭떠러지에 시든 풀을 다 살려 내려무나
마하연, 묘길상, 안문재를 넘어 내려가
썩은 외나무다리를 건너 불정대에 올라
천 길이나 되는 절벽을 공중에 세워 두고
은하수 큰 굽이를 마디마디 잘라 내어
실처럼 풀어서 배처럼 걸어 놓았으니
도경에는 열두 굽이라 하였으나 내가 보기에는 더 많구나
이백이 지금 있어서 다시 의논하게 되면
여산이 여기보다 낫다는 말은 못 하려니

【4~8】 (가) 정극인, '상춘곡(賞春曲)'

작품해설

봄날의 경치를 소재로 하여 자연에 묻혀서 사는 안분지족(安分知足)적 삶의 모습을 노래한 가사이다. 이 작품은 사대부 가사 문학의 효시로 알려져 있으며 훗날 송순의 '면앙정가'를 거쳐 정철의 '성산별곡'의 계보를 이어간다. 화자의 시선에 따른 공간 이동과 시상의 전개가 특징이다. '수간모옥'에서 '시냇가', '산 위'와 같은 공간으로 시선이 옮겨지며 다양한 표현 기법을 활용하여 자연의 아름다움을 예찬하고 있다.

[놓치지 말자!]

- **갈래** : 서정 가사, 은일 가사, 양반 가사
- **성격** : 예찬적, 묘사적, 서정적
- **제재** : 춘경(春景)
- **주제** : 봄의 경치를 완상하며 안빈 낙도를 소망함.
- **중요 시어 및 시구 풀이**
  - 홍진(紅塵)에 뭇친 분네 이 내 생애 엇더ᄒᆞ고: 번잡스러운 세속에 묻혀 살아가는 사람들과 자신의 한가한 생활을 대비하며 화자 자신의 삶에 대한 자긍심이 드러난다. '홍진'은 세속을 뜻하며 '산림'은 자연을 뜻하는 것으로 서로 대조를 이룬다.
  - 수풀에 우는 새는 춘기(春氣)를 몯내 계워 소리마다 교태로다: 아름다운 봄 경치에 도취된 화자는 '새'의 울음 소리에 자신의 감정을 이입하였다.

(나) 이이, '고산구곡가(高山九曲歌)'

작품해설

이이가 황해도 해주에 은거하며 지은 연시조이며, 세상 사람들에게 학문 수양과 진리 탐구를 권고하며 자연의 아름다움을 예찬한 작품이다. 주이의 '무이구곡가'의 영향을 받았으나 독창적인 표현 방법으로 '강호가도(江湖歌道)'의 주제 의식을 형상화하였다. 서시 부문에는 고산구곡을 소개하고, 1곡부터 사계절을 바탕으로 '관암(冠巖), 화암(花巖), 취병(翠屏), 송애(松崖), 은병(隱屏), 조협(釣峽), 풍암(楓巖), 금탄(琴灘), 문산(文山)'의 풍류를 표현한다.

[놓치지 말자!]

- **갈래** : 연시조, 평시조, 서정시
- **성격** : 교훈적, 자연 예찬적
- **제재** : 고산의 빼어난 경치
- **주제** : 학문의 권고와 자연의 아름다움을 예찬
- **중요 시어 및 시구 풀이**
  - 주모복거(誅茅卜居)ᄒᆞ니 벗님ᄂᆡ 다 오신다: 자신이 집을 지어 놓으니, 사람들이 학문을 배우겠다고 찾아왔다는 의미로, 주자학을 연구하고자 하는 열의를 표현하였다.
  - 벽파에 곳을 ᄯᅴ워 야외로 보ᄂᆡ노라: 꽃을 물에 흘려 보내 아름다운 선경이 있음을 알리고자 하는 내용으로, 도연명의 '무릉도원'을 연상시킨다.

4. ⑤ 작품의 공통점 파악하기

① 과거를 회상하며 현실의 덧없음을 환기하는 부분은 (가)와 (나) 중 어디에도 나타나지 않는다.
② (가)는 봄의 모습을, (나)는 자연 경치의 수려함을 생동감 있게 표현하고 있으나 (가)와 (나) 모두 음성 상징어를 사용한 부분은 찾을 수 없다.
③ (가)와 (나) 모두 점층적인 표현으로 대상과의 거리감을 강조하고 있는 부분은 찾을 수 없다.
④ (가)에는 역사적 인물에 대한 표현을 찾을 수 없고, (나)에는 '주자'를 언급하며 자연에서 후학을 가르친 주자를 떠올리며 그를 본받고자 하는 내용이 나타난다.
❺ (가)는 '도화행화(桃花杏花)', '녹양방초(綠楊芳草)' 등의 자연물을 통하여 봄이 오는 모습을 시각적으로 드러내고 있다. 또한 (나)는 '관암에 ᄒᆡ 비쵠다', '풍암에 추색(秋色) 됴타'에서 볼 수 있듯이 관암, 풍암 등의 자연물을 통해 해가 비치는 아침의 모습과 가을의 모습을 시각적으로 드러내고 있다.

5. ④ 외적 준거를 통해 작품 감상하기

① ㉠의 청자는 '홍진(紅塵)에 뭇친 분'으로 세속에 묻혀서 사는 사람들을 뜻하고, 화자는 자연에 묻혀 살며 그 아름다움을 만끽하는 인물이므로, ㉠의 청자와 화자는 서로 이질적인 삶을 살고 있음을 알 수 있다.
② ㉡의 화자는 청자에게 '이바 니웃드라 산수 구경 가쟈스라'라고 권유하며 봄의 경치를 함께 감상할 것을 권유할 뿐, 함께했던 지난날의 경험을 상기시키며 동질성 회복을 권유하고 있지 않다.
③ ㉢의 화자는 만약 술독이 비었거든 '날ᄃᆞ려 알외여라'라며 자신에게 알려달라고 말할 뿐, 상대의 부탁을 수용하며 자신과 뜻을 같이할 것을 청자에게 명령하고 있다고 볼 수 없다.
❹ ㉣은 자연 경치에 대한 감탄과 만족감을 다른 사람에게도 알게 하고 싶어하는 화자의 생각이 직접적으로 표현되어 있다. 이는 '사ᄅᆞᆷ이 승지(勝地)를 모로니' 자신이 주변에 알려 '알게 ᄒᆞ들 엇더리'라는 질문 형식으로 듣는 청자를 일깨워 공감을 유도하고 있다.
⑤ ㉤의 '유인'은 자연의 아름다움을 미처 알지 못하는 사람들을 가리킨다. 화자는 그들이 와 보지도 않고 이곳이 볼 것이 없다고 판단하는 것에 대한 안타까움을 표현할 뿐, 눈으로 확인한 사실만을 믿어야 한다고 주장하는 이의 말을 청자에게 전하며 조언을 구하고 있는 것과 무관하다.

6. ② 문학 작품을 능동적으로 감상하기

① 화자는 자연을 완상하며 자신의 삶을 '녯사ᄅᆞᆷ 풍류'와 비교하며, 아름다운 대자연 속에서 '풍월주인 되어셔라'라고 느끼며 자긍심을 느끼고 있다.
❷ 화자는 자연의 아름다움과 섬세함을 '칼로 ᄆᆞᆯ아 낸가 붓으로 그려 낸가'라고 감탄하며 '춘기(春氣)를 몯내 계워' 교태를 부리며 수풀에서 우는 '새'를 두고 '물아일체(物我一體)어니 흥이ᄋᆡ 다ᄅᆞᆯ 소냐'라고 서술한다. 이를 통해 화자가 자연과 자신을 하나로 느끼고 '새'에게 감정 이입을 하고 있음을 알 수 있으므로, 새에 대한 화자의 부러움이 드러난다고 보는 것은 잘못되었다.
③ 오늘은 '답청(踏青)'을 하고 내일은 '욕기(浴沂)'를 하며, 아침에는 '채산(採山)'하고 저녁에는 '조수(釣水)'를 할 것을 나열하는 데에서 자연과 더불어 살며 소박하게 사는 삶에 대한 만족과 그 일들에 대한 화자의 기대감이 나타난다.
④ 화자는 풍경 속에서 풍류를 즐기며 '곳나모 가지 것거 수 노코 먹으리라'라며 여유롭게 술을 마시며 즐기고 있으며, 이를 '청향(淸香)은 잔에 지고 낙홍(落紅)은 옷새 진다'라고 표현하는 데에서 화자가 자연과 느끼는 일체감이 드러난다.
⑤ 시를 읊조리며 천천히 걸어 시냇가에 혼자 앉아, '청류(淸流)'를 보며 떠내려오는 '도화(桃花)'를 보니 '무릉'이 가깝다고 느끼는 것으로 보아 복숭아꽃을 보며 이상향을 연상하고 있는 화자의 취흥과 만족감이 드러난다.

고전 시가 현대어 풀이

정극인 '상춘곡'

세속에 묻혀 사는 사람들아, 이 나의 살아가는 모습이 어떠한고?
옛 사람의 풍류를 따를 것인가 따르지 않을 것인가?
천지간 남자의 몸이 나와 같은 사람이 많건마는,
산림에 묻히어서 지극한 즐거움을 모른다는 말인가?
초가삼간을 시냇물 앞에 두고,
소나무와 대나무 울창한 속에 자연을 즐기는 사람이 되었구나.

엊그제 겨울 지나 새봄이 돌아오니,
복숭아꽃과 살구꽃은 저녁 햇살 속에 피어 있고,
푸르른 버들과 꽃다운 풀은 가랑비 속에 푸르도다.
칼로 오려낸 것인가, 붓으로 그려낸 것인가?
조물주의 신비한 공덕이 사물마다 야단스럽다.
수풀에 우는 새는 봄 기운을 끝내 못 이기어 소리마다 아양떠는 모습이로다.
자연과 내가 한 몸이니 흥이 이와 다르겠는가?
사립문 앞을 이리저리 걸어도 보고, 정자에 앉아도 보니,
천천히 거닐며 시를 읊조려 산 속의 하루가 적적한데,
한가한 가운데 맛보는 진정한 즐거움을 아는 사람 없이 혼자로다.
여보시오. 이웃 사람들아. 산수 구경 가자꾸나.
풀 밟기는 오늘하고 목욕은 내일하세.
아침에 산나물 캐고, 저녁에는 낚시질 하세.
막 익은 술을 두건으로 걸러 놓고 꽃나무 가지 꺾어 수 놓고 먹으리라.
따뜻한 바람이 문득 불어 푸르른 물을 건너오니,
맑은 향기는 잔에 지고, 떨어지는 꽃잎은 옷에 진다.
술독이 비었거든 나에게 알려라.
어린아이에게 술집에 술이 있는지 없는지를 물어,
어른은 막대 집고 아이는 술을 메고,
나직이 시를 읊조리며 천천히 걸어 시냇가에 혼자 앉아,
깨끗한 모래 위를 흐르는 맑은 물에 잔 씻어 (술) 부어 들고
맑은 물을 굽어보니 떠내려 오는 것이 복숭아꽃이로구나.
무릉도원이 가깝도다. 아마도 저들이 그것인 것인고.

7. ③ 시적 공간에 대해 이해하기

① (가)의 화자는 '수간모옥(數間茅屋)'(ⓐ)을 거처로 삼고 있으나, '정자'(ⓑ)와 '시냇ᄀᆞ'(ⓒ)로 옮겨 다니며 경치를 감상하고 풍류를 즐기고 있으므로 적절한 설명이다.
② (나)의 화자는 '관암(冠巖), 화암(花巖), 취병(翠屛), 송애(松崖), 은병(隱屛), 조협(釣峽), 풍암(楓巖), 금탄(琴灘), 문산(文山)'의 경치를 두고 소개하고 있으며 '관암'(ⓔ)와 '풍암'(ⓕ)는 '고산구곡담(高山九曲潭)'(ⓓ)을 구성하는 장소들이므로 서로 대등한 관계이다.
❸ '정자'(ⓑ)는 한가한 가운데 맛보는 진정한 즐거움을 알게 해주는 공간이며, '관암'(ⓔ)은 '히'가 비추자 '원산(遠山)'이 그림같은 풍경을 자랑하는 곳으로 벗이 찾아온 것처럼 바라본다고 했을 뿐, (가)와 (나)의 화자가 각각 ⓑ와 ⓔ를 주위에서 가장 빼어난 경치를 볼 수 있는 곳이라고 서술한 적은 없다.
④ (가)의 화자는 '수간모옥(數間茅屋)'(ⓐ)에 정착한 후 자신이 나무가 울창한 숲 속에서 자연을 즐기는 사람이 되었다고 밝히고, (나)의 화자는 계곡의 아름다움을 모르던 사람들이 자신이 '고산구곡담(高山九曲潭)'(ⓓ)에 터를 정한 후에 '벗님ᄂᆡ 다 오신다'와 같이 찾아왔다며 변화를 드러내고 있다.
⑤ (가)의 화자는 '시냇ᄀᆞ'(ⓒ)에서 주변을 보면서 '명사(明沙) 조ᄒᆞᆫ 믈'을 보며 잔에 술을 붓고, '청류(淸流)'를 굽어보며 떠내려오는 '도화(桃花)'를 보고 있으므로 ⓒ에서 주변으로 시선을 보내고 있고, (나)의 화자는 단풍으로 덮인 '풍암'(ⓕ)에 가을빛이 온 것을 느끼고 그 '풍암'에 '청상(淸霜)'이 엷게 덮인 모습이 마치 절벽이 수놓은 비단 같다고 묘사하고 있으므로 ⓕ를 향해 시선을 보내고 있는 것이다.

8. ⑤ 외적 준거를 통해 작품 감상하기

① 〈제1수〉에서 '고산구곡담(高山九曲潭)'의 아름다움을 사람들이 모르더니, 자신이 터를 잡고 집을 짓자 '벗님ᄂᆡ 다 오신다'고 서술하였다. 이곳에서 후학을 양성하던 주자를 본받아 '학주자(學朱子)를 ᄒᆞ리라'라고 하였으므로, 이는 「송애기」에서 고산구곡의 곳곳에서 지인들과 경험을 공유한 것과 상통하며, 고산구곡이 작자와 '벗님'들의 교유 장소로도 활용되었음을 추리할 수 있다.
② 자신이 '고산구곡담(高山九曲潭)'에 집을 짓자 '벗님ᄂᆡ'들이 찾아왔다는 서술은 〈보기〉의 「고산구곡가」의 창작 이후 이곳을 찾는 이들이 더 많아졌다는 기록과도 통하는 부분이다. 또한 화자가 '주자'를 생각하며 후학을 양성하고자 하는 의지를 '학주자(學朱子)를 ᄒᆞ리라'라고 표현하였는데 사람들이 '고산구곡담(高山九曲潭)'으로 몰려왔다는 것을 통해 사람들이 긍정적으로 반응했음을 알 수 있다.
③ 〈제6수〉의 '은병(隱屛)'은 눈에 띄지 않는 절벽을 뜻하며 그가 이곳에 '수변(水邊) 정사'를 세워 '강학(講學)'을 하며 흥겹게 지낼 것이라고 한 것으로 보아, 〈보기〉의 주자가 무이구곡의 은병에서 후학을 양성한 것을 본받았다고 볼 수 있다. 따라서 '은병'은 주자를 학문적으로 계승하기 위해 선택된 공간이라고도 예상할 수 있다.
④ 〈제6수〉에서 화자는 '수변(水邊) 정사'가 맑고 깨끗한 곳이며, 이곳에서 글도 가르치고 시를 지어 읊으며 흥겹게 지낼 것임을 명시하였다. 이는 〈보기〉의 「송애기」에 자연으로부터 마음을 바르게 하는 도리를 찾는 것과 통하는 부분이며, '강학'과 '영월음풍'이 별개가 아닌 '군자의 참된 즐거움'을 누릴 수 있게 하는 방법이 될 수 있음을 알 수 있다.
❺ 바위를 덮은 '눈'의 모습을 '기암괴석이 눈 속에 무쳐셰라'라고 표현하여 '눈'이 '기암괴석'의 형태를 가리고 있는 겨울의 경치를 표현한 것일 뿐, 바위를 덮은 '눈'에서 자연과 합일을 이루려는 인간의 의지를 엿볼 수 있다고 판단하는 것은 부적절하다.

고전 시가 ▶ 현대어 풀이

이이 '고산구곡가'

고산의 아홉 굽이 도는 계곡의 아름다움을 사람들이 모르더니
풀을 베고 터를 잡아 집을 짓고 사니 벗님네 모두들 찾아오는구나.
아, 무이산에서 후학을 가르친 주자를 생각하고 주자를 배우리라. 〈제1수〉

첫 번째로 경치가 좋은 계곡은 어디인가? 관암에 해가 비친다.
잡초가 우거진 들판에 안개가 걷히니 원근의 경치가 그림같이 아름답구나.
소나무 사이에 술통을 놓고 벗이 찾아온 것처럼 바라보노라. 〈제2수〉

두 번째로 경치가 좋은 계곡은 어디인가? 꽃핀 바위에 봄이 늦었구나.
푸른 물에 꽃을 띄워 멀리 들판 밖으로 보내노라.
사람들이 이 경치 좋은 곳을 모르니, 알게 한들 어떠리. 〈제3수〉

다섯 번째로 경치가 좋은 계곡은 어디인가? 굽이지고 눈에 띄지 않는 병 같은 절벽이 보기도 좋구나.
물가에 세워진 배우고 가르침을 위한 집은 맑고 깨끗하여 좋구나.
여기서 글도 가르치고 시도 지어 읊으면서 흥겹게 지내리라. 〈제6수〉

일곱 번째로 경치가 좋은 계곡은 어디인가? 단풍으로 덮인 바위에 가을빛이 짙구나.
깨끗한 서리가 엷게 덮이니 절벽이 수놓은 비단 같구나.
바람맞이에 있는 맨 바위에 혼자 앉아 집에 돌아갈 일도 잊었구나. 〈제8수〉

아홉 번째로 경치가 좋은 계곡은 어디인가? 문산에 한 해가 저물도다.
기암괴석이 눈 속에 묻혔구나.
사람들은 와 보지도 않고 볼 것이 없다고 하더라. 〈제10수〉

【9~11】 이세보, '상사별곡'

작품해설

조선 후기 이세보가 지은 애정 가사의 일부로 이별한 임을 그리워하는 모습이 잘 드러난다. 화자가 이별 상황에서 행복했던 시절을 회상하며 현재 임을 기다리는 어려움을 토로하고 상사에 괴로워하는 자신의 처지를 드러내는 순으로 내용이 전개된다.

[놓치지 말자!]

- **갈래** : 애정 가사
- **주제** : 임에 대한 그리움
- **특징**
  - 계절의 변화를 통해 이별의 시간이 이어지고 있음을 드러냄.
  - 비유적 표현을 활용하여 이별에 대한 안타까움과 임에 대한 그리움을 노래함.
  - 자연물을 활용하여 이별의 슬픔을 표현하고 애상적 분위기를 형성함.
  - 설의적·영탄적 표현을 사용해 화자의 정서를 강화함.
  - 과거를 떠올리며 임과 행복했던 시절을 그리워함.
  - '긴 한숨'과 '눈물'을 통해 상사의 아픔을 드러냄.

어휘풀이

- **황미시절(黃梅時節)** 노란 매화가 필 때.
- **만학단풍(萬壑丹楓)** 많은 골짜기에 단풍이 듦.
- **삼하삼추(三夏三秋)** 여름과 가을.
- **낙목한천(落木寒天)** 나뭇잎 다 떨어진 겨울의 춥고 쓸쓸한 풍경 또는 그런 계절.
- **운산(雲山)** 구름 낀 산.
- **흉중(胸中)** 마음 속.
- **구회간장(舊懷肝臟)** 지난날을 그리는 애간장.
- **세우사창(細雨紗窓)** 가는 비 내리는 창가.
- **상사몽(相思夢)** 남녀 사이에 서로 그리워하여 꾸는 꿈.

9. ② 표현상의 특징 파악하기

① 대구법을 활용하여 리듬감을 형성하는 것은 'ᄌᆞ네 사정 ᄂᆡ가 알고 ᄂᆡ 사정 ᄌᆞ네 알니'에서 알 수 있다.
❷ 공간의 이동을 활용하여 화자의 의지를 나타내는 부분은 찾아볼 수 없으므로 적절하지 않다.

③ '흉중의 불이 나니 구회간장 다타간다.'에서 화자의 마음 상태를 '불'에 비유하여 부각하고 있음을 알 수 있다.
④ '송안성'에서 청각적인 심상을 활용하여 화자의 상황을 드러내고 있다.
⑤ 설의적인 표현으로 화자의 생각을 강조하고 있는 부분은 '어이 이젓슬가'이다.

10. ⑤ 외적 준거를 바탕으로 작품 감상하기

① '인간의 일이 만코 조물(造物)이 시그런지'에서 화자는 '인간의 일'이나 '조물'과 같은 외적 요인을 임과 재회하지 못하게 하는 이유로 떠올리고 있다.
② '삼ᄒᆞ삼추'와 '낙목한천'은 계절의 흐름을 보여 주므로, 이를 통해 임과 이별한 상황이 지속되고 있음을 나타내고 있다.
③ '듸인난 긴 한숨의 눈물은 몃때런고'에서 화자는 '긴 한숨'과 '눈물'을 통해 임을 기다리며 느끼는 상사의 아픔을 드러내고 있다.
④ '청산녹수 증인두고 ᄎᆞ싱빅년 서로 밍세'에서 화자는 'ᄎᆞ싱빅년'을 '서로 밍세'했던 과거를 떠올리며 임과 행복했던 시절을 그리워하고 있다.
❺ '오는 글발 가는 ᄉᆞ연'이 'ᄌᆞᄌᆞ획획 다정턴이'라고 표현한 것에서 '글발'과 'ᄉᆞ연'이 임과 이별하게 된 원인이라고 생각하는 것은 적절하지 않다.

11. ② 소재의 기능 파악하기

① ㉠과 ㉡은 과거를 잊게 하는 소재나 미래를 예측하는 소재와는 관련이 없다.
❷ ㉠은 화자가 임과 이별하여 애타는 심정을 드러내는 소재이고, ㉡은 화자의 애타는 심정을 해결하기 어렵다는 것을 보여 주기 위한 소재이다.
③ ㉠은 화자에게 부정적 인식을 심어 주는 소재가 아니며, ㉡은 화자의 인식을 긍정적으로 바꾸게 하는 소재도 아니다.
④ ㉠과 ㉡은 모두 화자의 소망을 실현시켜 주는 소재가 아니다.
⑤ ㉠과 ㉡은 모두 자연에 대한 화자의 경외감과는 관련이 없는 소재이다.

고전 시가 ▶ 현대어 풀이

이세보, '상사별곡'

황매화 피던 봄에 이별했는데, 지금은 골짜기에 단풍 들어 가을이 깊었으니
그리워하는 마음이 끝없이 일어나는 것은 임도 나를 그리워하는 것이려니
임과의 굳은 약속과 깊은 정을 어찌 잊었겠는가
세상 살다 보면 일이 많고 조물주가 시기해서인지
여름, 가을 지나가고 추운 겨울이 다시 왔네.
산에 구름이 끼어 아득하니, 소식인들 쉽게 오겠는가.
임을 가다리는 괴로움으로 흘린 눈물은 몇 번이 되는가.
가슴속에 그리움의 불이 타오르니, 그리운 마음에 애가 탄다.
사람이 못 끄는 불이야 없겠지마는
내 가슴을 태우는 불은 물로도 어찌 끄지 못하는가.
자네의 사정을 내가 알고, 내 사정을 자네 알 테니
가는 비 내리는 창가에 날은 저물고 쓸쓸한 바람은 불고 서리 내릴 때 기러기 울음 소리에
임을 그리워하는 꿈에서 깨어나 답답하게 생각하니
꽃과 버들 흐드러진 봄날의 좋은 시절 강가 누각과 사찰에서 경치 좇아
나날이 다달이 임과 사랑하는 즐거움으로 화목하게 지낼 때
푸른 산과 푸른 물을 증인 삼아 다음 생애 한평생을 서로 함께 하자던 맹세
못 보아도 병이 되고 더디 와도 애가 타네.
오는 글발 가는 사연 글자마다 다정하더니
어찌하여 이별로 임을 그리워하는 정이 간절하여 마음이 힘들구나.

갈래 복합

Day 18 본문 106쪽

1. ① 2. ⑤ 3. ③ 4. ③ 5. ④
6. ① 7. ④ 8. ⑤ 9. ⑤ 10. ④
11. ③

【1~5】 (가) 이황, '도산십이곡'

작품해설

이황이 벼슬에서 물러난 후 안동에 도산 서원을 세우고 후진을 양성하며 지은 전 12수의 연시조이다. 자연과 더불어 사는 삶에 대한 지향이 드러난 전 6곡(언지)과, 학문 수양에 정진하는 자세와 의지가 드러난 후 6곡(언학)으로 이루어져 있다. 대구법, 설의법, 대유법 등의 표현 방법과 관념적인 한자어의 사용이 특징적이며 자연물을 활용하여 화자가 추구하는 삶을 드러내고 있다. 제시된 〈제1수〉, 〈제2수〉, 〈제6수〉는 모두 전 6곡에 속하는 부분으로, 자연과 더불어 사는 화자의 감흥이 드러나 있다.

- **갈래** : 연시조(전 12수)
- **성격** : 자연 친화적
- **제재** : 자연 속에서의 삶
- **주제** : 자연과 더불어 사는 삶의 감흥
- **중요 시어 및 시구 풀이**
  - 초야우생(草野愚生): 시골에 묻혀 사는 어리석은 사람. 자연 속에서 지내는 화자 자신을 가리킴.
  - 천석고황(泉石膏肓): 자연의 아름다운 경치를 몹시 사랑하고 즐기는 버릇. 자연 속 삶에 대한 만족감을 드러냄.
  - 연하(煙霞), 풍월(風月): 안개와 노을, 맑은 바람과 밝은 달로 자연을 의미함(대유법).
  - 춘풍(春風)에 화만산(花滿山)하고 추야(秋夜)에 월만대(月滿臺)라: 봄바람에 꽃이 산에 만발하고 가을밤에 달빛이 대에 가득하니. 계절에 따른 자연의 조화를 나타냄.
  - 사시 가흥(佳興): 사계절의 좋은 흥취
  - 어약연비(魚躍鳶飛) 운영천광(雲影天光): 물고기가 물속에서 뛰놀고 솔개가 하늘을 날아다니며, 구름이 그늘을 짓고 햇빛이 빛남. 대자연의 우주적 조화와 오묘한 이치를 의미함.

(나) 김득연, '지수정가'

작품해설

조선 중기의 문인 김득연이 와룡산의 선영 아래 자신이 직접 세운 정자인 지수정을 소재로 지은 가사이다. 지수정을 세운 과정과 그 주변의 자연 풍광, 자연을 벗 삼아 풍월을 읊조리는 삶, 안분지족하는 생활과 그 속에서의 우국의 마음, 도학자로서 살아가는 결의 등이 담겨 있다. 제시된 부분에는 자연 속에서 생활하며 자연의 가치를 확인한 화자의 만족감과 지수정 주변의 아름다운 자연의 모습, 지수정을 이상적 공간으로 인식하는 태도가 드러나 있다.

- **갈래** : 양반 가사, 장편 가사

- **성격** : 예찬적, 묘사적
- **제재** : 지수정(자연 속에 지은 정자)
- **주제** : 지수정을 짓고 자연 속에서 지내는 삶에 대한 만족감

(다) 김훈, '겸재의 빛'

작품해설

조선 시대의 화가 겸재 정선이 그림의 소재로 삼았던 동해안의 승경을 찾아다닌 경험을 담은 기행 수필이다. 옛 망양정 터를 찾아가서 본 현실의 풍경을 바탕으로 그림 속 풍경과 현실의 차이를 사색한 내용을 담고 있다. 글쓴이는 겸재의 그림에 나타난 사실성은 원근에 의해 정립되는 것이 아니라 세계를 관찰하는 인간과의 관계 속에서 정립되는 것이라는 생각을 전하고 있다.

- **갈래** : 수필
- **성격** : 경험적, 사색적
- **제재** : 망양정 터를 찾아간 경험
- **주제** : 겸재의 그림에 나타난 원근과 사실성의 의미

1. ① 작품 간의 공통점 파악하기

❶ (가)의 화자는 자연의 조화로운 모습에 주목하고 있으며 자연과 동화되어 허물없는 삶을 살고자 하고 있다. (나)의 화자는 아름다운 자연 속에 작은 정자를 짓고 그곳을 이상적 공간으로 여기는 태도를 보이고 있다. (다)의 글쓴이는 겸재의 그림에 나타난 사실성에 대해 사색하며 그것이 세계를 관찰하는 인간과의 관계 속에서 정립되는 사실성이라는 데 공감하는 시각을 보이고 있다. 따라서 (가)~(다) 모두 대상에 주목하여 그와 관련된 가치를 추구하는 자세를 나타내고 있다고 볼 수 있다.

2. ⑤ 시구의 의미와 기능 파악하기

① [A]의 〈제1수〉 초장은 '이런들'과 '저런들', '어떠하며'와 '어떠하료'와 같이 유사한 어휘가 반복되어 리듬감이 형성되고 있다.
② [A]의 〈제1수〉 종장에서 '천석고황'은 자연의 아름다운 경치를 몹시 사랑하고 즐기는 버릇을 의미하는 말로, 이것을 고쳐 무엇하겠느냐는 것을 통해 자연 친화적 태도가 드러나고 있다. 이러한 시상은 〈제2수〉 초장에서 '연하', '풍월'로 비유된 자연 속에서 살아가는 모습으로 이어지고 있다.
③ [B]에서는 '산 그림자'가 비친 '작은 연못'의 모습을 '맑은 거울'에 빗대어 묘사함으로써 깨끗한 자연의 형상을 보여 주고 있다.
④ [A]에서는 '연하'를 '집을 삼고' '풍월'을 '벗을 삼'는다고 함으로써 화자와 자연의 가까운 관계를 드러내고 있다. [B]에서 '활수'를 '끌어 들여' '머물게' 한 것은 작은 연못에 물을 머물게 한 것으로, 대상을 가까이하려는 화자의 행동을 보여주고 있다.
❺ [A]의 '허물이나 없고자'는 자연을 벗 삼아 그 속에서 늙어 가는 화자가 바라는 것이므로 미래에 대한 화자의 바람을 표현한 것으로 볼 수 있다. 그러나 [B]의 '티 없어'는 '맑은 거울'로 비유된 작은 연못에 대한 화자의 평가일 뿐, 대상을 관찰하기 전 화자의 심리를 나타낸 것이라고 볼 수 없다.

3. ③ 외적 준거를 바탕으로 감상하기

① (가)에서 '초야우생'은 '초야에 묻혀 사는 어리석은 사람'이라는 뜻으로 자연 속에서 지내는 화자가 자신을 이르는 말이다. 〈보기〉에서 (가)의 강호는 자연의 이치와 인간이 지향하는 이치가 일치된 이상적 공간이라고 했으므로 적절하다.
② (나)에서 '내 혼자 알았노라'는 '천고'에 아무도 모르던 황무지의 '진면목'을 자신이 알아차렸다고 말한 구절로, 자연에서 생활하며 자연의 가치를 발견한 화자의 만족감이 드러나고 있다.
❸ (가)에서 '천석고황'은 자연의 아름다운 경치를 몹시 사랑하고 즐기는 버릇을 의미하는 말로, 화자는 이것을 고쳐 무엇하겠느냐고 하며 자연 속 삶에 대한 만족감을 드러내고 있다. 〈보기〉를 참고할 때 (가)의 화자는 자신이 있는 강호를 자연의 이치와 인간이 지향하는 이치가 일치된 이상적 공간으로 인식하며 조화로운 자연과 합일하고 있으므로, '천석고황'에 이상적 공간에 다다르지 못한 아쉬움이 나타난다는 것은 적절하지 않다. 한편 (나)의 화자는 자연 속에 정자를 세우고 그 공간을 '무릉도원'이라고 하며 이상적 공간으로 여기는 태도를 보이고 있으므로, '무릉도원'에는 현실적 공간을 이상적 공간으로 바라보는 화자의 인식이 드러난다고 할 수 있다.
④ (가)에서는 '사시 가흥', 즉 사계절의 좋은 흥취가 '사람과 한가지라'라고 하며 자연의 이치와 인간이 지향하는 이치가 다르지 않다는 인식을 드러내고 있다. 또한 (나)의 '가지가지 다 좋구나'는 '백석', '벽류', '첩첩한 산들', '빽빽한 소나무' 등 주변 풍경의 아름다움을 발견한 화자의 감탄을 드러낸 것으로 볼 수 있다.
⑤ (가)의 '춘풍에 화만산하고 추야에 월만대라'는 봄바람에 산에 꽃이 만발하고 가을밤에 대에 달빛이 가득한 광경으로, 봄과 가을이라는 계절의 양상을 통해 조화로운 자연의 모습을 드러낸 것이다. (나)의 '벽류는 콸콸 흘러 옥 술잔을 때리는 듯'은 푸른 물이 힘차게 흐르는 모습을 역동적, 비유적으로 묘사한 구절로 화자가 발견한 자연물의 아름다움을 드러내고 있다.

4. ③ 소재 비교 이해하기

① ㉠은 화자가 '운근을 베어 내고', '띠 풀로 지붕 이'어 세운 것이므로 노력을 기울여 만든 인공물이라고 할 수 있다. 그러나 ㉡은 글쓴이가 '겸재가 동해안을 따라 내려가면서 동해 승경을 화폭에 옮겼던 월송정, 망양정, 청간정, 성류굴을 일삼아 떠돌아다'니는 과정에서 찾아간 곳이므로 의도하지 않게 찾아낸 장소는 아니다.
② ㉠은 화자가 자연 속에서 지내며 만들고 이상적으로 여기는 공간일 뿐 현실에서 명예를 실현하려는 의지를 보여 주지는 않는다. ㉡은 '도로 공사로 단애의 허리가 잘리워 나가' 있고 '시멘트 칠갑이 되어 있'는 모습이므로 현실에서 편의를 실현한 결과를 보여 준다고 할 수 있다.
❸ (나)의 화자는 자연 속에 ㉠을 세우고, 그곳을 '남양의 제갈려', '무이의 와룡암'과 같은 옛 현인이 은거한 거처, '무릉도원'과 같은 이상적 공간이라고 인식하는 태도를 보이고 있다. 따라서 ㉠은 화자에게 만족하며 머무르는 삶에 대해 생각하게 하는 장소라고 할 수 있다. (다)에서 ㉡은 겸재의 그림 속 승경을 찾아간 글쓴이가 '옛 정자가 이미 오래전에 없어져 버린 그 허전한 사태'를 목격한 곳인데, 이곳에서 글쓴이는 그 사태가 '그다지 허전하지 않았다'고 하며 사색하고 있으므로 ㉡은 글쓴이에게 허전하지 않은 이유에 대해 생각하게 하는 장소라고 할 수 있다.
④ ㉠은 화자가 자연 속에서 지내며 만든 거처이므로 일상적인 유용성을 상실한 공간으로 볼 수 없다. 한편 ㉡은 옛 망양정을 보고자 하는 사람에게는 본래적인 유용성을 상실한 공간일 수 있겠지만, 글쓴이는 그곳을 찾아가서 옛 정자가 사라진 사태를 목격하고도 그다지 허전하지 않았다고 하며 그 이유에 대해 사색하고 있으므로 글쓴이에게 있어 본래적 유용성을 상실했다고 보기는 어렵다.
⑤ (나)의 화자는 ㉠을 이상적 공간으로 여기며 만족감을 드러내고 있을 뿐 자신의 삶을 가다듬는 태도를 보이고 있지는 않으며, (다)의 글쓴이 또한 ㉡을 통해 사색하고 있을 뿐 자신의 삶을 비판하고 있지는 않다.

5. ④ 외적 준거에 따라 작품 감상하기

① [C]에서 겸재는 먼 산을 그릴 때 그 산과 인간 사이의 거리에 집착하지 않았음을 알 수 있는데, 〈보기〉에 따르면 이는 실물과 똑같이 그리는 것이 능사가 아니라고 본 겸재의 화풍을 보여 준다.
② [C]에서 겸재는 먼 산을 그릴 때 그 거리를 들여다보는 시선의 깊이를 그렸기에, 먼 것들은 원근상의 거리에 의해 격리되는 것이 아니라 깊이에 의해 자리 잡는다고 하였다. 〈보기〉에 따르면 이는 겸재가 산을 그리면서 자신이 생각한 구도로 풍경을 재구성했다는 의미로 볼 수 있다.
③ [C]에서 겸재의 화폭 속 풍경은 '가깝다는 이유만으로 사실성을 부여받지 않'았다고 했는데, 〈보기〉에 따르면 이는 산을 그리면서 뺄 건 빼고 과장할 것은 과장하여 자신이 생각하는 구도대로 풍경을 재구성하려 했기 때문으로 볼 수 있다.
❹ [C]에서 겸재의 화폭 속에서 '인간과 인간에 직접 관련된 것들'은 '비교적 명료한 사실성을 띠고 있지만, 그 사실성은 원근에 의해 정립되는 사실성이 아니'라고 하였다. 또한 〈보기〉에서는 '겸재의 그림은 실물과 똑같이 그리는 것이 능사가 아니라는 점을 증명'하고 있다고 했으므로, 겸재의 그림에서 '비교적 명료한 사실성을 띠'도록 그린다는 것이 풍경의 원근감을 보이는 그대로 실현해야 한다는 의미라고 볼 수는 없다.
⑤ 〈보기〉에서는 그림 속 대상이 화가의 시선에 의해 재구성되어 의미를 지닌 자리에 놓일 때 진정한 그림의 요체가 된다고 하였다. [C]에서 겸재의 그림 속에 나타난 사실성은 세계를 관찰하는 인간과의 관계 속에서 정립되는 사실성이라고 했는데, 이때 '세계를 관찰하는 인간'은 곧 화가이므로 화가의 의도에 따라 풍경을 재구성하는 작업을 통해 그림의 요체가 드러난다고 볼 수 있다.

【6~11】 (가) 박두진, '별-금강산시 3'

작품해설

금강산으로 가는 길에서 본 자연의 모습과 자연 속에서 느낀 정서적 교감을 형상화한 시이다. 화자는 첩첩한 산길을 거쳐 금강산으로 들어가며 자연과 점점 동화된다. 금강산의 오래된 장목과 봉우리, 고운 낙엽과 같은 아름다운 풍광을 음성 상징어를 활

용하여 묘사하는 한편, 바다와 산에서 별들을 바라보는 화자의 내면을 드러내고 있다.

- **갈래** : 산문시, 서정시
- **성격** : 묘사적, 예찬적
- **제재** : 금강산으로 가는 길과 그곳의 아름다운 자연
- **주제** : 금강산의 아름다운 자연 예찬과 그에 대한 동화

(나) 신경림, '길'

작품해설

길을 의인화하여 길에 대한 사람들의 생각에 비판적인 시각을 드러낸 시이다. 길은 자신들이 길을 만들었다고 생각하고, 길이 사람을 밖으로 불러내어 세상 사는 이치를 가르친다고 하는 사람들의 뜻을 좇지 않고 그런 사람들에게 시련을 준다. 하지만 길이 밖으로가 아니라 안으로 나 있다는 것을 아는 사람들에게는 고분고분하며 향기와 그늘을 준다. 이처럼 '밖'과 '안'을 대비하여 내적 성찰을 이끌어 내는 길의 상징적 의미를 드러내면서 사람들이 깨달음을 얻는 과정을 보여 주고 있다.

- **갈래** : 자유시, 서정시
- **성격** : 성찰적, 상징적, 비판적
- **제재** : 길
- **주제** : 안으로 난 길을 통해 얻는 깨달음

(다) 백석, '편지'

작품해설

'당신'에게 쓴 편지 형식의 수필로, 밤을 배경으로 떠오른 두 가지 기억을 친근하게 말하듯 서술하고 있다. 첫 번째 기억은 '당신'에게서 받은 수선화를 보며 떠오른, 글쓴이가 좋아하던 처녀에 대한 것이다. 처녀는 수선화에 빗댈 만큼 아름다웠는데 스물을 넘지 못하고 병을 얻어 글쓴이에게 슬픈 기억으로 남아 있다. 두 번째 기억은 고향의 육보름 밤의 모습으로, 복을 맞이하던 고향의 풍속과 즐거운 분위기를 떠올리고 있다. 글쓴이는 이와 같은 개인적 경험과 공동체적 경험을 통해 슬픔과 즐거움이라는 삶의 양면성을 드러내고 있다.

- **갈래** : 수필
- **성격** : 회상적, 애상적
- **제재** : 밤과 관련하여 떠오른 기억
- **주제** : 밤에 떠올린 과거의 슬픈 기억과 즐거운 경험

6. ① 작품 간의 공통점 파악하기

❶ (가)는 4연에서 '구월 고운 낙엽'을 '낙화'에, 6연에서 '하늘에 별들'을 난만한 '꽃'에 빗대어 자연의 아름다운 속성을 드러내고 있다. (나)에서는 '길'을 의인화하여 인생에 대한 깨달음을 전하는 존재로 표현하고 있다. 그리고 (다)에서는 '나'가 좋아하던 '처녀'를 '수선'에 빗대어 그 아름다움을 나타내려 하고 있다. 따라서 (가)~(다)는 모두 빗대어 표현하는 방식으로 대상의 속성을 드러내고 있다고 볼 수 있다.

② (가)는 5, 6연에서 '어젯밤 잠자던 동해안 어촌'을 회상하며 '오늘밤 산장'에서의 경험이 지닌 의미를 드러내고 있고, (다)는 '남쪽 바닷가 어떤 낡은 항구의 처녀'와 '육보름 밤' 무렵의 고향의 모습을 회상하며 그에 대한 정서를 드러내고 있다. 그러나 (나)에서는 과거 회상이 나타나지 않는다.

③ (가)는 1연에서 '아아'와 같은 감탄사를 활용한 영탄적 어조로 금강산의 자연에서 촉발된 인상을 드러내고 있다. 그러나 (나)와 (다)에서는 영탄적 어조를 찾을 수 없다.

④ (가)의 '-더니라'는 예스러운 표현으로, 과거에 직접 경험하여 알게 된 사실을 회상하여 일러 주는 뜻을 나타내는 종결 어미이다. 그러나 (나)와 (다)에서는 이러한 예스러운 종결 표현을 찾을 수 없다.

⑤ (가)의 '풍설', '낙엽', (다)의 '유월', '육보름' 등은 계절감을 드러내는 표현으로 볼 수 있다. 그러나 (가)~(다) 모두 계절감을 드러내는 표현으로 시간의 경과를 보여 주는 부분은 찾을 수 없다.

7. ④ 외적 준거에 따라 감상하기

① 〈보기〉에서 (가)는 화자가 금강산으로 가는 길에 만난 자연의 모습을 형상화한 시라고 한 것을 참고할 때, (가)의 1연과 2연은 금강산에 가는 과정을 묘사한 부분임을 알 수 있다. 즉 화자가 거쳐 온 '화안한 골 길'과 '백화 앙상한 사이'는 화자가 금강산으로 향하는 여정 속에서 만난 자연의 모습을 묘사한 것이다.

② 〈보기〉에서 (가)의 화자는 자연의 모습을 자신의 내면에 투영하여 주관적 대상으로 묘사했다고 하였다. 이를 참고할 때 (가)의 5연에서 '바다의 별들'이 '장엄히 뿌리어'져 있다고 한 것이나, 6연에서 '하늘에 별들'이 '꽃과 같이 난만'하다고 느낀 것은 화자의 내면에 투영된 별에 대한 주관적 인상을 형상화한 것으로 볼 수 있다.

③ 〈보기〉에서 (나)는 길에 대한 사람들의 생각이 자신의 관점에만 치우쳐 있어서 내면의 길을 찾지 못하고 있음을 일깨우고 있다고 하였다. 이를 참고할 때, (나)에서 '길'이 자신들이 길을 만든 줄 아는 사람들을 끌고 가다가 '벼랑 앞에 세워 낭패시키는' 것은 자신의 관점으로만 길을 이해한 사람들을 일깨우려 한 것으로 볼 수 있다.

❹ (나)에서 '세상 사는 이치'는 사람들이 생각하기에 '길'이 거꾸로 사람들에게 가르치려 하는 것을 의미한다. 이어진 부분에서 이 사람들은 '길의 뜻이 거기 있는 줄로만 알지 / 길이 사람을 밖에서 안으로 끌고 들어가 / 스스로를 깊이 들여다보게 한다는 것을 모른다'고 한 것으로 보아, '세상 사는 이치'에 내면의 길을 찾아내어 내적 성찰을 이끌어 낸 사람들의 생각을 담아 내고 있다고 볼 수 없다.

⑤ (가)의 6연에서 '꽃과 같이 난만하여라'는 '하늘의 별들'의 아름다운 모습을 형상화한 것이고, (나)의 '꽃으로 제 몸을 수놓아 향기를 더하기도 하고'는 길이 밖으로가 아니라 안으로 나 있다는 것을 아는 사람들을 위해 길이 스스로를 꾸미는 모습을 나타낸 것이다. 따라서 두 구절 모두 대상에 대한 화자의 긍정적인 태도가 나타난다고 볼 수 있다.

8. ⑤ 배경 및 소재의 기능 파악하기

① (가)에서 '구월'은 '고운 낙엽은 날리어 푸른 담(潭) 위에 호르르르 낙화같이 지'는 시간으로 나타날 뿐, 화자의 고뇌가 심화되고 있지는 않다.

② (다)에서 '고요하니 즐거운 이 밤'은 글쓴이가 '당신'이 보내준 '수선화 한 폭'을 보며 '어떤 낡은 항구의 처녀 하나'를 떠올리는 시간으로, '당신'과 다시 만날 것에 대한 기대감을 보이고 있지는 않다.

③ (가)의 '어젯밤'은 화자가 어촌에서 별이 장엄히 뜬 모습을 바라보던 시간이고, (다)의 '복덩이가 돌아다닐 것도 같은 밤'은 고향의 육보름 즈음에 기대감으로 들썩이는 밤으로, 둘 다 고독감을 느끼는 시간이라고 볼 수 없다.

④ (가)의 '오늘밤'은 화자가 산장에서 꽃과 같이 난만한 하늘의 별들을 바라보는 시간일 뿐, 화자가 고향에 대한 기억을 떠올리는 시간은 아니다. (다)의 '실비 오는 무더운 밤'은 글쓴이가 처음으로 아름다운 처녀를 알게 된 날로, 지난날을 후회하는 모습은 나타나지 않으므로 이를 후회의 계기로 볼 수는 없다.

❺ (가)에서 '인기척 끊긴 한낮'은 화자가 '생각에 잠기어' 산길을 걷던 시간이므로, 생각에 잠길 만한 시간이라고 할 수 있다. (다)의 글쓴이는 '아직 샐 때가' 먼 '이 남은 밤'에 '당신께서 좋아하실 내 시골 육보름 밤의 이야기나 해서 보내도 좋겠'느냐고 하고 있으므로, '이 남은 밤'은 당신에게 이야기를 계속할 만한 시간이라고 할 수 있다.

9. ⑤ 시구의 의미와 기능 파악하기

① 1연에서는 '아득히 내 첩첩한 산길 왔더니라', '아득히 나는 머언 생각에 잠기어 왔더니라.'에서 '아득히', '왔더니라'를 반복하여, '첩첩한 산길'과 '머언 생각에 잠기'는 화자의 내면을 대응시키고 있다.

② 2연의 '물소리에 흰 돌이 되어 씻기우며 나는 총총히 외롬도 잊고 왔더니라'에서 '흰 돌'은 화자를 비유한 표현으로, '흰 돌'이 되어 물소리에 씻기며 왔다는 것을 통해 화자가 자연과 동화되고 있음이 드러나고 있다.

③ 3연의 '오래여 삭은 장목들'과 '풍설에 깎이어 날선 봉우리'는 오랜 시간에 걸쳐 이루어진 자연의 모습이므로, 자연의 유구함에서 이루어진 분위기를 드러낸다고 할 수 있다.

④ 3연의 '훌 훌 훌'은 흰 구름이 날리는 모습을, 4연의 '쏴아'는 쉬지 않고 부는 물소리 안은 바람소리를, '호르르'는 낙엽이 낙화같이 지는 모습을 표현한 음성 상징어로, 이를 통해 자연의 풍경이 생동감 있게 드러나고 있다.

❺ 5연의 '동해안'은 화자가 '바다의 별들'을 보며 장엄함을 느끼는 공간이고, 6연의 '산장'은 화자가 '하늘에 별들'이 꽃과 같이 난만하게 떠 있는 것을 본 공간이다. 따라서 '동해안'과 '산장'은 화자가 자연의 아름다움을 느낀 유사한 속성의 공간으로, 대조되는 공간이라고 볼 수 없으며, '동해안'에서 '산장'으로의 이동에 따라 화자의 태도가 변화했다고 볼 수도 없다.

어휘풀이

- **조응하다(照應--)** 둘 이상의 사물이나 현상 또는 말과 글의 앞뒤 따위가 서로 일치하게 대응하다.
- **유구하다(悠久--)** 아득하게 오래다.

10. ④ 시상 전개 과정 이해하기

① [B]에서는 '길'이 큰물에 제 허리를 동강 내어 사람들이 길을 버리게 만들기도 한다고 하였는데, 이는 사람들의 뜻과는 다른 길의 모습이므로 [A]에서 '길'이 '사람들의 뜻을 좇지 않는다고 한 것의 구체적인 양상이라고

할 수 있다.

② [B]에는 '길'이 '사람들의 뜻'을 좇지 않는 상황이 나타나는데, [C]에서는 '사람들'이 이러한 상황에 대해 '사람이 만든 길'이 거꾸로 사람들한테 세상 사는 슬기를 가르치는 것이라고 수용한다고 말하고 있다.

③ [C]에서 '사람들'은 길이 사람들에게 '세상 사는 슬기'를 가르친다고 생각함이 드러나는데, [D]에서는 이러한 사람들은 '길이 사람을 밖에서 안으로 끌고 들어가 / 스스로를 깊이 들여다보게 한다는 것을 모른다'고 하여 그들이 깨닫지 못한 바가 무엇인지 밝히고 있다.

❹ [E]에서는 길이 '밖으로가 아니라 안으로 나 있음을 아는 사람'에게만 고분고분하다고 하고 있다. 이는 길이 제 뜻을 굽혀 '사람'에게 복종하는 모습이 아니라, 제 뜻을 깨달은 사람을 부드럽게 대하는 것을 나타낸 것이다.

⑤ [F]에서는 길에 대해 깨달은 '사람들'이 '자기들이 길을 만들었다고 말하지 않는' 모습이 나타나는데, 이는 [A]에서 '자기들이 길을 만든 줄' 아는 '사람들'의 모습과 대비된다.

11. ③ 작품 종합적으로 감상하기

① (다)는 '당신'에게 쓰는 편지 형식을 통해 '당신'에게 직접 말하듯이 표현하고 있으므로, 이 글을 읽는 독자는 편지의 수신인이 된 것처럼 느끼며 친근감을 느낄 수 있다.

② '노란 슬픔의 이야기'는 글쓴이가 과거에 좋아했던 처녀에 대한 이야기로, 글쓴이는 스물을 넘지 못하고 가슴의 병을 얻었던 그 처녀에 대한 기억을 떠올리고 있다.

❸ 글쓴이는 '당신'에게 '당신께서 좋아하실 내 시골 육보름 밤의 이야기'를 전해 주겠다고 하며 자신이 고향에서 육보름에 체험한 풍속 이야기를 전달하고 있을 뿐, '당신'과 글쓴이의 경험을 대비하고 있지는 않다.

④ 육보름에 '새악시 처녀들'은 '부잣집'의 '기왓장을 벗겨 오'는 행동을 하기도 하는데, <보기>를 참고할 때 이는 유쾌한 축제 분위기 속에서 용인된 일탈이라고 볼 수 있다.

⑤ '자깔자깔'은 새악시 처녀들이 육보름 밤에 복물을 길어 오며 이야기를 나누는 소리를, '끼득깨득'은 새악시 처녀들이 축제 분위기 속에서 허용된 일탈에 즐거움을 느끼는 모습을 나타내는 음성 상징어로, 이를 통해 처녀들의 즐거움과 쾌감을 느낄 수 있다.

본문 110쪽

1. ⑤	2. ②	3. ②	4. ①	5. ①
6. ②	7. ④	8. ⑤	9. ④	10. ④
11. ①	12. ⑤			

【1~6】 (가) 황희, '사시가'

작품해설

작가가 벼슬에서 물러난 뒤 전원에서 생활하며 지은 연시조이다. 사계절의 흐름에 따라 한 수씩 읊으면서 전원생활을 하는 모습과 그에 대한 즐거움과 한가로움, 흥겨움 등 자연 속에서의 삶에 대한 만족감을 드러내고 있다. 1수에서는 봄을 배경으로 그물을 손질하고 밭을 가는 분주한 일상이 나타나며, 2수에서는 여름날 가랑비가 내리는 가운데 비옷을 입고 밭을 갈다 녹음이 우거진 곳에 누워 잠드는 모습이 제시되고 있다. 3수에서는 붉게 물든 골짜기에 대추와 밤이 익어 가는 풍경, 추수를 끝낸 논에 게가 기어 다니는 모습과 함께 술을 걸러 먹으리라는 화자의 흥취가 제시되어 있다. 마지막 4수에서는 새도 사람도 하나 없는 눈 덮인 겨울 풍경 속에 홀로 낚싯대를 드리운 노인의 풍류를 노래하고 있다.

- **갈래** : 연시조
- **성격** : 자연 친화적, 풍류적
- **제재** : 자연 속에서의 삶
- **주제** : 사계절에 따른 자연 속 삶의 모습과 풍류

(나) 조우인, '자도사'

작품해설

임금에게 버림을 받고 감옥에 갇힌 작가가 억울한 심정과 임금을 향한 충정을 남녀 관계에 의탁하여 노래한 가사이다. 화자는 임과 이별한 '아녀자'로, 임과 만날 가능성이 희박한 상황에서 그리움과 슬픔, 임에 대한 원망을 드러내고 있다. 제목의 '자도'는 '자신을 애도한다'는 뜻으로, 자신의 죽음을 슬퍼한다는 것에서 죽음을 각오한 심정 또는 죽음에 견줄 만큼의 극단적인 슬픔을 나타낸 것으로 볼 수 있다.

- **갈래** : 가사
- **성격** : 충신연주지사
- **제재** : 임과 이별한 여인의 처지와 심정
- **주제** : 임금에 대한 변함없는 충정

(다) 공선옥, '그 시절 우리들의 집'

작품해설

자연과 조화를 이루며 살아가던 전통적인 집에 대한 그리움을 드러낸 수필이다. '그'가 태어나고 자란 '그 집'은 자연 속에 감춰진 비밀들이 있는 곳으로, 그곳에서는 사계절이 뚜렷하고 자연과 그곳에 사는 사람들의 삶이 명료했다. 그러나 '그 집'을 떠난 뒤 아파트에서 살고 있는 '그'에게 이제 모든 것은 불분명하며, '그의 아이'는 사계절을 알지 못한다. '그 집'에서 어머니가 죽음을 맞은 뒤 탄생과 죽음이 있던 그 집의 역사는 끝이 났으며, 이에 글쓴이는 탄생과 죽음이 없는 '우리들의 집'의 쓸쓸함에 안타까움을 드러내고 있다.

- **갈래** : 수필
- **성격** : 회상적, 성찰적
- **제재** : 과거의 전통적인 집과 오늘날 아파트에서의 삶
- **주제** : 전통적 집에서의 자연 친화적 삶에 대한 그리움

어휘풀이

- **부음(訃音)** 사람이 죽었다는 것을 알리는 말이나 글.
- **조왕신(竈王神)** 부엌을 맡는다는 신. 늘 부엌에 있으면서 모든 길흉을 판단한다고 한다.
- **성주신(--神)** 집을 다스린다는 신.

1. ⑤ 작품 간의 공통점 파악하기

① (가)~(다) 모두 어조의 변화를 통한 긴장감의 조성을 확인할 수 없다.

② (가)에서 화자는 자연 친화적인 삶을 살고 있고, (나)에서 화자는 자신의 상황에 한탄하며 임에 대한 그리움을 드러내고 있을 뿐 둘 다 자연과 인간의 대비를 통해 세태를 비판하고 있지 않다. 이와 달리 (다)는 사계절과 아침과 낮, 저녁과 밤이 뚜렷한 자연과 그 속에서 명료했던 사람들의 삶과, 아침과 저녁, 사계절이 불분명한 현대인의 삶의 모습을 대비하여 세태에 대한 비판적 인식을 드러내고 있다.

③ (가)는 '아니 먹고 어이리', '눈 깊은 줄 아는가' 등에서, (나)는 '임을 언제 살피실꼬', '누구에게 물으리오' 등에서 물음의 형식을 활용하고 있지만 대상과 문답하고 있는 것은 아니다. 또한 (다)에서는 물음의 형식이 사용된 부분을 찾을 수 없다.

④ (가)는 자연 속의 삶의 모습, (다)는 과거의 '그 집'에서의 삶의 모습과 오늘날 현대인의 삶의 모습을 그리고 있을 뿐 초월적 공간이 설정되어 있지 않다. 이와 달리 (나)에서는 임이 계신 곳을 '천문구중', 즉 '하늘'이라는 초월적 공간으로 설정하여 고조된 감정을 드러내고 있다.

❺ (가)는 <제1수>의 '강호에 봄이 드니'에서, (나)는 '음력 섣달 거의로다', '동짓날 자정이 지난밤에 돌아오니'에서, (다)는 '봄과 여름과 가을과 겨울과 아침과 낮과 저녁과 밤이'에서 각각 시간을 나타내는 표현을 활용하여 내용을 전개하고 있다.

2. ② 시상 전개 방식 파악하기

① <제1수>의 초장과 중장에서는 강호에 봄이 와서 분주하게 일하는 모습이 나타나 있을 뿐, 풍경 묘사는 나타나 있지 않다.

❷ <제2수>의 초장에는 삿갓에 도롱이를 입고 가랑비 속에서 호미 메는 모습이, 중장에는 밭을 맨 후 녹음 속에 누워 있는 모습이 나타나 있으므로 인물의 행위가 순차적으로 나열되고 있다고 볼 수 있다.

③ <제2수>의 초장과 중장에서 인물은 가랑비 속에서 밭을 맨 후 녹음에 누워 있는데, 이 행위가 <제3수>의 초장에 나타난 가을에 밤이 떨어지는 모습과 연결된다고 볼 수는 없다.

④ <제3수>의 초장에는 밤이 떨어지는 모습이, 중장에는 벼를 벤 논에 게가 다니는 모습이 나타나 있으므로 이 두 장면이 인과적 관계로 연결된다고 볼 수는 없다.

⑤ <제4수>의 초장은 산에 새가 보이지 않고 들에는 사

람이 보이지 않는 모습이므로 동적인 분위기가 아니라 정적인 분위기가 나타난다고 볼 수 있다.

3. ② 구절의 의미 파악하기

① ㉠은 '천문구중', 즉 임이 있는 궁궐에 가는 것이 아득하다는 의미로, 이 속에 담긴 임과 만날 가능성이 희박하다는 비관적 인식이 화자가 스스로를 애도하게 만든 배경이라고 볼 수 있다.
❷ 화자는 한겨울에 '열흘 추위 어찌할꼬'라며 '임의 터진 옷을 깁고자' 하는 상황이다. 이로 보아 ㉡에서 '음력 섣달 거의로다 새봄이면 늦으리라'라고 한 것은 겨울이 지나기 전에 임의 옷을 기우려 하는 마음을 드러낸 부분으로, 이를 새봄을 맞이하여 이별의 슬픔을 극복하기 위해 마음을 다잡으려 노력하는 모습이라고 볼 수는 없다.
③ ㉢은 간장이 다 썩어 넋조차 그쳤다고 말하고 있으므로, 임에 대한 사무치는 그리움 때문에 자신을 애도하는 것으로 극단적인 슬픔을 드러냈다고 볼 수 있다.
④ ㉣에서 '백일'은 임, '뒤집힌 동이'는 화자의 처지를 나타낸 비유적 표현으로, 백일이 무정하니 뒤집힌 동이에 비치겠느냐는 것은 무정한 임 때문에 자신의 처지가 바뀔 가능성이 없다는 것에 대한 좌절감을 드러낸 표현으로 볼 수 있다.
⑤ ㉤에서 '은쟁'은 악기이고 '원곡'은 원망하는 마음을 담은 곡조로, 악기를 꺼내어 원곡을 타는 것은 임에 대한 원망의 마음을 음악으로 표현하여 내면의 슬픔을 토로하려는 모습으로 볼 수 있다.

4. ① 시구의 의미와 기능 파악하기

❶ (가)의 '녹음'은 화자가 밭을 맨 뒤 누워 있는 곳이므로 평온한 분위기의 장소로 볼 수 있다. 이와 달리 (나)의 '동방'은 자물쇠를 굳게 잠가 닫은 공간이므로, 임의 부재로 인해 화자가 외로움을 느끼는 암울한 분위기의 장소라고 말할 수 있다.
② (가)의 '언제'는 미래의 어느 시기라고 볼 수 있으며, (나)의 '언제' 또한 과거가 아니라 임이 화자의 깊은 정을 살필 미래의 어느 시기로 볼 수 있다.
③ (가)의 '새'는 겨울 산에서 모습을 보이지 않는 자연물을 의미할 뿐 화자의 감정이 이입된 대상물로 볼 수 없다. 이와 달리 (나)의 '자규'는 화자의 슬픔과 한이 이입된 대상물로 볼 수 있다.
④ (가)의 '잠든 나'의 '잠'은 전원 속에서 한가롭게 지내는 모습을 나타낼 뿐, 꿈을 통해서 소망을 실현하기 위한 매개로 볼 수 없다. 또한 (나)에서는 화자가 죽은 뒤 '자규'의 넋이 되어 밤마다 울어 '임의 잠'을 깨우겠다고 함으로써 임에 대한 그리움과 원망을 드러낼 뿐, 꿈을 통해서라도 소망을 실현하려는 태도는 보이지 않고 있다.
⑤ (가)에서 '체 장수 돌아가니'는 익은 술을 맛보게 되는 상황에 대한 기대감을 갖는 계기로 볼 수 있다. (나)의 화자는 '동짓날 자정이 지난밤에 돌아오니' 자물쇠를 굳게 잠가 동방을 닫았으므로 이때 '돌아오니'가 화자가 새로운 상황에 대한 기대감을 갖는 계기라고 볼 수 없다.

5. ① 작품 종합적으로 감상하기

❶ 그는 '그 집'에서 크면서 자연 속에 감춰진 '비밀들'을 깨달았는데, '그 집'을 떠난 뒤에는 '오감' 등 모든 것이 불분명해졌다. '자연 속에는 눈에 보이는 것 말고도 눈에 보이지 않는 무한한 비밀이 감춰져 있었다.'라고 한 것으로 보아, '비밀들'이 그의 '아파트'에 감춰져 있었다고 볼 수는 없다. '그 집'을 떠난 그에게 오감 등 모든 것이 불분명한 것은, 자연의 질서 속에 있는 '그 집'에서는 '봄과 여름과 가을과 겨울과 아침과 낮과 저녁과 밤'이 뚜렷했던 것과 대비되는 모습이므로 자연의 질서를 벗어났기 때문으로 볼 수 있다.
② '그'는 '그 집'에서 크면서 '자연 속에 감춰진 비밀들'을 깨달아 갔는데, '낮게 깔리는 굴뚝 연기를 보고' 비설거지를 한 것은 '다음 날은 틀림없이 비가 올 것'이라는 비밀을 깨달았기 때문으로 볼 수 있다.
③ '그의 아이'가 '여름에 긴팔 옷을 입고 겨울에 반팔 옷을 입'는 것은 사계절이 불분명한 아파트에서의 삶의 모습이다. 따라서 이는 사계절의 구분이 뚜렷하고 자연이 명료한 '그 집'에서 깨달을 수 있는 '비밀들'을 모르고 살아가는 모습이라 볼 수 있다.
④ '그 집'은 탄생과 죽음이 있는 공간인데 '그 집 안주인'인 어머니의 죽음 이후 '누구도 그 집에서 아이를 낳지 않을 것이며', '죽음 또한 그 집에서 일어나지 않을 것'이기에 '그 집의 역사는 그렇게 끝이 난 것'이라고 말하고 있다. 즉 '그 집'의 역사가 어머니의 죽음 후 끝났다고 한 것은 비밀들과 함께할 사람들의 '탄생과 죽음'이 '그 집'에서 사라졌기 때문이라고 말할 수 있다.
⑤ '그 사각진 콘크리트 벽 속'은 아파트이다. 아파트에서 사는 '그의 아이'는 '봄 여름 가을 겨울을 알지 못'하고, '아침 저녁의 냄새와 소리와 맛과 형태와 색깔이 어떻게 다른지 알지 못'하는데, 이는 자연 속에 감춰진 '비밀들'을 알아차릴 줄 아는 감각을 익히지 못한 모습으로 삶을 불분명하게 만든다고 볼 수 있다.

6. ② 외적 준거에 따라 작품 감상하기

① 〈보기〉에서 (가)는 작가가 나이 들어 벼슬에서 물러나 전원에서 생활하며 지은 시조라고 한 것을 참고할 때, (가)에서 배를 타고 홀로 낚시를 즐기는 '저 늙은이'를 작가로 본다면 (가)는 전체적으로 연로한 작가가 전원생활을 하며 느끼는 흥취를 드러낸 작품으로 볼 수 있다.
❷ (가)의 '저 늙은이'가 작가가 아니라면 〈제4수〉는 화자가 '낚대'의 깊은 맛에 몰입하며 한가롭게 지내는 인물을 보며 겨울의 한가로운 정취를 노래한 것으로 볼 수 있다. (가)의 화자는 전원 속에서 한가롭게 지내고 있으므로, 자신과 달리 한가롭게 지내는 인물에게 심리적 거리감을 드러낸다는 것은 적절하지 않다.
③ 〈보기〉에서 (나)는 작가가 임금에게 충언하는 시를 쓴 죄로 옥에 갇혔을 때 지은 가사라고 한 것을 참고할 때, (나)의 '아녀자'를 옥에 갇힌 작가로 본다면 '은침'과 '오색실'로 '임의 터진 옷'을 깁는 상황은 임금에 대한 충심을 표현한 것으로 볼 수 있다.
④ 〈보기〉에서 (다)는 작가가 시골에서 성장한 경험을 반영하여 쓴 수필이라고 한 것을 참고할 때, (다)의 '그'가 작가라면 작가는 자신의 개인적 경험을 '그'라는 타인의 것처럼 전달함으로써 객관화하여 표현한 것으로 볼 수 있다.
⑤ (다)에서는 '그'의 경험을 서술한 뒤 마지막 부분에서 그 경험을 '우리들'의 것으로 확장시키고 있다. 이때 '우리들'에는 작가 자신이 포함된다고 볼 수 있으며, (다)는 작가가 자신의 개인적 경험을 유사한 경험을 가진 다른 사람들의 경험으로 확장함으로써 공감을 이끌어 내고 있다고 볼 수 있다.

【7~12】 (가) 김춘택, '별사미인곡'

작품해설

조선 숙종 때 김춘택이 제주에서 유배 생활을 할 때 지은 가사이다. 정철의 가사에 영향을 받은 작품으로, 정철의 「속미인곡」에 등장하는 '저 각시'와 화자 자신(이 각시)의 처지를 비교하며 임(임금)에 대한 사랑과 그리움을 노래하고 있다. 화자는 '저 각시'와 달리 광한전과 백옥경이 어디에 있는지조차 모르고 임을 한 번도 곁에서 모신 적이 없는 존재이지만, 임에 대한 변함없는 사랑을 애절하게 드러내고 있다. 「속미인곡」의 화자인 '저 각시'와 대화를 시도하는 특이한 구조를 통해 임을 모셔 본 적이 없이 멀리 떨어져 있는 자신의 처지를 강조하며, 죽어서 다른 존재가 되어서라도 임을 모시겠다고 반복적으로 나열하는 전개 방식이 인상적이다. 대화체 구성이라는 점에서 「속미인곡」에 가까우나 내용에 있어서는 「사미인곡」의 영향도 보인다. 군주에 대한 원망은 거의 보이지 아니하고 간절한 충성을 읊었다는 점에서 연군가사의 면모가 두드러지며, 유배가사로서도 가사문학사상 중요한 위치를 차지하고 있다.

- **갈래** : 가사
- **특징**
  - '속미인곡'과 같이 대화체로 시상이 전개됨.
  - 상징적 소재를 통해 임에 대한 정성과 사랑을 드러냄.
  - '각시님'과 화자의 처지를 대비해 서러움을 강조함.
  - 화자의 분신을 설정해 생사를 초월한 사랑을 다짐함.
- **주제** : 임을 그리워하는 마음

(나) 이정보, '님으람 회양 금성 오리나무가 되고~'

작품해설

임에 대한 사랑을 오래도록 지속하려고 하는 화자의 의지를 담은 사설시조이다. 임과 화자 자신이 오리나무와 칡넝쿨로 변신한다는 발상을 통해 어떠한 시련이 있어도 떨어지지 않겠다는 임을 향한 간절한 마음을 노래하고 있다. 화자는 임을 향한 애정을 극대화하고 지속하기 위해 몸 바꿈, 즉 전신이라는 현실 초월적인 상상력을 동원하고 있다.

- **갈래** : 사설시조
- **성격** : 소망적, 묘사적, 회화적, 의지적
- **주제** : 임과의 영원한 사랑을 소망함.
- **구성**
  - 초장: 임은 오리나무로, 화자는 칡넝쿨로 환생함.
  - 중장: 칡넝쿨이 된 화자는 하루종일 임과 함께 있고자 함.
  - 종장: 어떤 시련이 있더라도 함께 하고자 함.

(다) 박지원, '백자증정부인박씨묘지명'

작품해설

죽은 큰누님을 추모하는 내용의 글로 서정적 묘지명의 대표작으로서, 몇 차례의 개작을 통해 완성된 작품이다. 박지원은 '지금 사람들의 비지류(碑誌類)의 글들은 모두 판에 박은 듯, 의례적이고 상투적이어서 작품 하나만 지어 놓으면 이 사람 저 사람에게 옮겨 가며 써먹을 수 있으니 그러고서야 그 사람의 정신과 감정 및 전형(典型)을 어디에서 상상해 볼 수 있겠는가?'라고 말하며 당대 묘지명의 상투적 글쓰기를 신랄하게 비판하고 당대의 관행과는 다르게 죽은 큰누님에 대한 애틋한 정과 추억을 담아 이 글을 완성했다고 한다. 이 글의 핵심은 상여가 실린 조각배를 떠나보내고서 큰누님이 시집가던 날의 개인적인 일화를 회상하는 대목과 조각배가 시야에서 사라진 후 새벽 강가의 풍경을 시집가던 날 큰누님의 모습에 빗대는 대목이다. 이를 통해 죽은 큰누님에 대한 애틋한 정과 추억을 절실하게 묘사해 많은 감동을 주고 있다.

- **갈래** : 수필, 묘지명, 칠언절구 시
- **성격** : 회상적, 애상적, 추모적
- **주제** : 누이의 죽음을 애도함.

7. ④ 작품의 표현 방식 파악하기

① (가)에서는 생사를 초월한 사랑을 다짐하고 있다. 따라서 과거의 인연을 끊고 새로운 인연을 찾으려 하는 삶의 방식을 보여 주고 있다는 진술은 적절하지 않다.
② (나)에서는 임에 대한 사랑을 오래도록 지속하려고 하는 화자의 의지를 내보이고 있다. 따라서 자신의 잘못을 인정하고 새로운 목표를 지향하는 상황을 강조하고 있다는 진술은 적절하지 않다.
③ (다)에서는 누이의 죽음을 애도하고 있다. 여기서는 인생의 허무함을 극복하려는 적극적인 태도는 찾을 수 없다.
❹ (가)의 화자는 임과 떨어진 상황에서 임을 떠올리며 그리워하고 있고, (다)의 글쓴이는 죽은 큰누님을 떠올리며 그리워하고 있음을 알 수 있다.
⑤ (가), (나), (다) 모두 미래에 대한 불안을 언급한 내용은 없다.

8. ⑤ 시구나 구절의 의미 이해하기

① ㉠에서 화자는 대화하듯이 상대방을 부르며 자신의 생각을 드러내고 있다.
② ㉡에서 화자는 인연이 한 가지가 아니며 이별 또한 같을 수 없다고 말하며 이별의 상황이 각자 다르다고 여기고 있다.
③ ㉢에서 화자는 '동섯달 바람비 눈서리'라는 시련이 있더라도 임을 사랑하는 자신의 태도에는 변함이 없을 것임을 강조하고 있다.
④ ㉣에서 글쓴이는 누님이 시집가던 날 여덟 살이었던 자신이 '벌렁 드러누워 발버둥을 치면서 새신랑이 말을 더듬으며 점잔 빼는 말투를 흉내 냈'던 철없던 모습을 드러내고 있다.
❺ ㉤에서 글쓴이는 큰누님과 생과 사의 이별을 겪게 된 안타까운 마음과 슬픈 감정을 드러내고 있다. 이를 두고 좌절감이 완화되었다고 이해하는 것은 적절하지 않다.

9. ④ 화자의 태도나 정서 이해하기

❹ [A]의 '내 얼골 이 거동이 무엇으로 님 사랑할가 / 길쌈을 모르거니 가무야 더 이를가'를 통해 화자가 자신의 행동과 재주가 임의 사랑을 받기에는 부족하기 때문에 임의 사랑을 받지 못했다고 말하며 자신의 처지를 한탄하고 있음을 알 수 있다.

10. ④ 외적 준거에 따라 작품 감상하기

① (가)의 '차라리 싀여져 구름이나 되어서'를 통해 '구름'은 현실의 한계를 벗어나기 위해 화자가 죽어서 다시 태어나기를 바라는 존재임을 알 수 있다.
② (나)의 '삼사월 칡넝쿨'은 화자가 상상력을 발휘해 다른 존재로 몸을 바꾸기를 바라는 대상임을 알 수 있다.
③ (나)에 임이 변신한 '나무'와 화자 자신이 변신한 '칡'이 거미가 나비를 단단하게 동여매듯 빈틈없이 감겨 있기를 바란다는 것에서, 임과 자신의 관계가 굳건하게 이어지기를 바라는 소망이 담겨 있다고 볼 수 있다.
❹ (가)의 '해 다 저문 날'은 '저 각시'가 이동하는 시간을 뜻하므로 화자가 임과 헤어지는 시간으로 이해하는 것은 적절하지 않다. 한편 (나)의 '동섯달'은 시련을 가정하는 것으로 이 역시 화자가 임과 헤어지는 시간으로 볼 수 없다. 또한 '해 다 저문 날'과 '동섯달'이 화자가 변신을 바라는 계기로 작용하고 있다고 보기도 어렵다.
⑤ (가)의 '바람'은 화자 자신이 전생하기를 바라는 존재이고, (나)의 '오리나무'는 화자가 임이 전신하기를 바라는 존재임을 알 수 있다.

11. ① 작품의 맥락을 고려하여 감상하기

❶ (다)에서 글쓴이와 큰누님이 약속한 내용은 드러나지 않으며, 삽입 시에서 약속을 어긴 이유를 구체적으로 밝히지도 않았으므로 적절하지 않다.
② (다)의 '상여와 함께 일제히 떠나는 새벽', '강가에 말을 세우고 저 멀리 바라보니' 등을 통해 [B]의 시적 배경이 새벽녘 강가임을 알 수 있다.
③ (다)의 글쓴이는 [B]의 '보내는 이 도리어 눈물로 옷깃을 적시네.'를 통해 사별의 정서와 관련된 구체적인 행동을 드러내고 있다.
④ (다)의 글쓴이는 [B]의 '보내는 이 쓸쓸히 강 길 따라 돌아서네.'에서 상여를 실은 조각배가 떠난 후 돌아서는 자신의 모습을 제시하고 있다.
⑤ (다)의 글쓴이는 [B]의 '조각배는 이제 가면 언제나 돌아올까?'에서 스스로 묻는 방식으로 더 이상 누님을 대면할 수 없는 상황을 나타내고 있다.

12. ⑤ 구체적 상황에 적용하여 이해하기

❺ 〈보기〉에서 소개된 당대 여성의 묘지명에 기재되는 서술상의 관행에는 고인의 행적 중 살림을 잘해 사후에도 가족들이 풍족하게 지낼 수 있게 한 일을 기록한다고 하였다. 이에 비추어 누님의 남편이 생계가 어려워 이주하는 상황을 구체적으로 언급한 것(ⓑ)은 이러한 상투적인 서술상의 관행에서 탈피한 것이다. 또한 죽은 큰누님과 관련한 일화를 소개한 것(ⓒ), 조각배가 떠나는 새벽 강가의 풍경을 시집가던 날 큰누님의 모습에 빗대어 죽은 큰누님에 대한 개인적인 정과 추억을 묘사한 것(ⓓ)도 마찬가지로 당대의 서술상의 관행에서 탈피한 내용으로 볼 수 있다.
그러나 (다)에서 큰누님의 이름을 '아무개'라고 하였으므로, 이름을 구체적으로 밝혀 가문에 대한 자랑과 누님에 대한 애틋한 정을 드러냈다는 것(ⓐ)은 적절한 이해가 아니다.

Day 20

본문 114쪽

1. ③	2. ③	3. ②	4. ④	5. ①
6. ④	7. ④	8. ④	9. ③	10. ④
11. ④				

【1~6】 (가) 이육사, '초가'

지문해설

화자가 떠나온 지 오래된 고향을 추억하는 작품이다. 작가는 '유폐된 지역에서'라는 창작 장소를 밝힌 바 있으며, 고향은 어둡고 쓸쓸한 모습으로 형상화되어 있다. 마치 '묵화'처럼 희미한 기억으로 남아 있는 고향의 모습 중에는 아름답고 정겨운 장면도 존재하지만, 젊은이들은 돈을 벌기 위해 고향을 떠나가고 쓸쓸함과 외로움이 남아 있는 황량한 겨울의 모습으로 남아 있다.

- **주제** : 고향에 대한 그리움과 각박해진 현실에 대한 안타까움

(나) 김관식, '거산호 2'

작품해설

수시로 변하는 인간의 모습과는 달리 한결같은 산의 모습에 무한한 매력을 느끼는 시적 화자는 산의 푸르른 자태와 고요하고 너그러운 태도를 예찬하고 있다. 이러한 산을 떠나지 않을 것을 다짐하며 산에 머무는 동안에는 진정한 삶의 주인이 될 수 있음을 역설하고 있는 작품이다.

- **주제** : 산에 대한 예찬적 태도

(다) 이옥, '담초(談艸)'

작품해설

자연물을 소재로 인간의 삶에 대한 통찰을 보여주는 고전 수필이다. 글쓴이는 같은 꽃으로 태어나 어떤 것은 본연의 아름다운 모습을 인정받으며 귀한 대접을 받고, 어떤 것은 가치를 인정받지 못하고 가벼운 존재로 취급받는 점을 주목하고 있다. 만물이 세상에 태어나는 것은 하늘에 달려 있으나, 그것에 차별적인 가치를 부여하는 것은 인간이며, 꽃과 풀의 겉모습 등에 치중하여 섣불리 가치를 판단하는 실수를 범하면 안된다는 점을 강조하고 있다.

- **주제** : 자연에 대한 인간의 올바른 마음가짐의 중요성

1. ③ 서술자의 태도 파악하기

❸ (다)에서는 '낳는 것은 하늘에 달려 있으나 영화롭게 하는 것은 인간에 달려 있다'라고 언급하며 하늘은 사사로운 감정이 없으므로 조화가 균일하지만, 인간은 널리 베풀지 못하므로 소원함도 있고 친함도 있다고 하였다. 특히 '풀'에는 감정이 없으므로 '소의 목구멍'을 채우는 것이나 '나비로 하여금 다투어 찾도록 하는 것'에 차별을 두지 않는다고 하였다. 이와 더불어 인간이 자의적으로 대상의 '귀함'과 '천함'을 구분짓는 태도는 지양해야 함을 시사하고 있다. 따라서 (다)에서는 자연과 인간의 관계를 살펴 자연을 바라보는 인간의 태도에 대한 성찰이 드러난다.

2. ③ 외적 준거에 따른 감상하기

❸ [C]에서 '그넷줄에 비가 오면 풍년이 든다더니'는 동네 사람들이라면 이미 알고 있는 속설이다. 그러나 사람들이 고대하던 풍년은 오지 않고 '앞내강에 씨레나무 밀려 나리면'과 같이 도리어 홍수가 난 모습을 묘사하고 있다. 따라서 고향 사람들이 기대하던 앞내강 정경을 묘사하여 화자의 소망이 이루어진 상황을 나타내고 있다는 설명은 적절하지 않다.

3. ② 화자의 태도 파악하기

① 시적 화자는 '사람은 맨날 변해 쌓지만', '산'은 '태고로부터 푸르러 온', '고요하고 너그러워 수(壽)하'는 존재라는 점을 대조하고 있으므로, '산'을 태고로부터 본질을 잃지 않는 불변성을 지닌 것으로 인식한다는 설명은 적절하다.
❷ 시적 화자가 '산'에 대하여 예찬하며 긍정적인 태도를 보이는 이유는 '산'이 '태고로부터 푸르러 온', '고요하고 너그러워 수(壽)하는', '보옥을 갖고도 자랑 않는 겸허한' 모습을 지니고 있기 때문이다. 그러나 이를 두고 '산'이 인간의 덕성을 표면화하는 데 집중하는 적극적 의지를 갖고 있다고 판단하는 것은 적절하지 않다.
③ 시적 화자는 '내 이승의 낮과 저승의 밤에 아아라히 뻗쳐 있어 다리 놓는 산'이라는 표현을 통해 '산'은 삶과 죽음을 이어 주는 존재이며, 죽음 이후에도 함께할 대상이라는 것을 강조하고 있다.
④ 시적 화자는 '네 품이 내 고향인 그리운 산', '산에서도 오히려 산을 그리며'라는 표현을 하고 있으므로, '산'을 근원적 고향으로 인식함으로써 그리움의 대상으로 바라본다고 할 수 있다.
⑤ 시적 화자는 '평생 산을 보고 산을 배우네', '그 품 안에서 자라나 거기에 가 또 묻히리니'와 같이 '산'을 현재 함께하는 존재로 여기면서도 지속적으로 지향해야 할 궁극적인 존재로 인식하고 있다.

4. ④ 작가의 관점 및 주제 의식 파악하기

❹ 네 번째 문단에서 '하늘은 사사로움이 없기에 그 조화(造化)가 균일'하다고 하였으며, 풀은 '소의 목구멍을 채우'는 일이나 '나비로 하여금 다투어 찾도록 하는 것'의 가치에 차이를 두지 않는다고 하였다. 따라서 하늘의 입장에서 보면 모든 풀은 '조화가 균일'한 존재로서 가치의 우열을 가지지 않음을 알 수 있다.

5. ① 작품 간의 공통점, 차이점 파악하기

❶ (가)의 '고향을 그린 묵화'는 '좀'이 친 상태이고, 이는 앞서 제시된 '박쥐 나래 밑에 황혼'과 맞물리며 고향의 어둡고 침울한 분위기를 만들어 낸다. 또한 (나)의 '북창'은 '태고로부터 푸르러 온 산'을 볼 수 있는 통로로 '네 품이 내 고향인 그리운 산'이라고 표현하고 있으므로 산의 '품'에 주목하여 산이 주는 아늑한 분위기를 드러낸다고 볼 수 있다.

6. ④ 외적 준거에 따른 작품 감상하기

① (가)의 1연에서 '초가 집집마다 호롱불이 켜지'는 시간은 바로 앞에 제시된 '황혼이 묻혀 오면'과 어울려 마을에 저녁이 오는 풍경을 시각적 이미지로 보여주고 있다. 이는 〈보기〉의 문학적 표현을 통해 구체적이고 생생한 이미지와 분위기를 환기한다는 내용과 일치한다.
② (가)의 4연에는 '그넷줄에 비가 오'는 '풍년'을 기대하지만 실상은 '앞내강에 씨레나무 밀려 나리는' 홍수가 찾아오고, 마을의 젊은이는 '뗏목'을 타고 '돈 벌러 항구로 흘러'가게 된다. 이를 통해 고향에 머무르지 못하고 객지로 떠나는 젊은이들의 모습과 삶의 불안정한 모습을 확인할 수 있다. 이는 〈보기〉의 문학적 표현을 통해 구체적이고 생생한 이미지와 분위기를 환기한다는 내용을 뒷받침한다.
③ (나)의 '장거리'는 화자가 지양하는 대상으로, '장거리'를 등지고 '산'을 향하여 앉는다고 하였다. 화자가 지향하는 '산'은 '태고로부터 푸르러 온' 존재이므로, '장거리'는 이와 반대로 인심이 쉽게 변하는 세속 공간을 표현하는 시어임을 알 수 있다 이는 〈보기〉의 문학적 표현을 통해 표현 대상을 그와 연관된 다른 관념이나 사물로 대신하여 나타내는 경우와 일치한다.
❹ (다)의 글쓴이는 같은 꽃으로 태어나도 '어떤 것은 부호가의 깊은 장막 안에서 보호를 받고', '어떤 것은 짧은 낫을 든 어리석은 종의 손아귀에서 가을 서리처럼 변'하는 현실을 대조하고 있다. 이때 '부호가의 깊은 장막 안'에서 보호받는 존재는 '눈앞의 봄바람을 지키'고 있으므로, 인간과 가까운 공간의 적막한 분위기를 환기한다고 볼 수 없다.
⑤ (다)의 네 번째 문단에서 같은 풀일지라도, '소의 목구멍을 채우는 것'과 '나비로 하여금 다투어 찾도록 하는 것'과 같이 하찮게 취급거나 귀하게 여겨질 수 있음을 구체적으로 보여준다. 이는 〈보기〉에서 사물의 속성으로 실체를 대신하거나 대상의 한 부분으로 전체를 대신하는 것에 대한 내용과 일치한다.

【7~11】 (가) 조우인, '매호별곡'

지문해설

강호한정(江湖閑情)을 읊은 가사로 상주 지방의 매호에서 자연을 벗하며 한가로이 살아가는 심정을 노래하고 있다. 내용은 3단으로 구성되어 있다. 제1단인 서사(序詞)에서는 벼슬을 버리고 자연 속에 묻혀 살겠다는 뜻을 노래하였다. 제2단인 본사(本詞)에서는 낙동강 서안(西岸)에 있는 매호마을에 들어가 임호정(臨湖亭)·어풍대(御風臺)를 짓고 거기서 바라보는 산천의 아름다움을 유려한 필치로 묘사하였다. 제3단인 결사(結詞)에서는 안빈낙도(安貧樂道)와 독서궁리(讀書窮理)로 옛 성현의 마음가짐을 배우는 한편, 거문고와 술을 벗 삼아 울적한 심정을 달래며 아름다운 자연을 마음껏 즐기는 흥겨운 삶을 노래하였다. 이 작품은 자연 풍광에 대한 묘사가 섬세하고 치밀하며, 어휘구사가 세련된 가사 작품으로 평가받고 있다.

- **갈래** : 가사, 서정가사, 양반가사, 정격가사, 강호한정가
- **성격** : 서정적, 비유적, 예찬적
- **구성**
  - 제1단(서사) : 벼슬을 버리고 자연 속에 묻혀 살겠다는 뜻을 노래
  - 제2단(본사) : 낙동강에 있는 매호마을에서 바라보는 산천의 아름다움을 묘사
  - 제3단(결사) : 아름다운 자연을 마음껏 즐기는 흥겨운 삶을 노래
- **특징**
  - 3.4조, 4.4조, 4음보 연속체
  - 섬세한 비유 묘사와 세련된 어휘가 돋보임
  - 설의적 표현으로 화자의 생각을 강조함
  - 자연에 대한 긍정적인 인식을 드러냄
- **주제** : 자연 속에 사는 한가로운 삶 예찬

(나) 채만식, '다방찬'

지문해설

1930년대 경성의 다방 풍경을 소재로 하여 근대화되어 가는 조선의 모습을 사실적으로 보여 주고 있는 작품이다. 글쓴이는 다방에 대한 풍자와 인식을 제시하며 그에 대한 자신의 생각을 자유롭게 풀어놓고 있다. 글쓴이는 다방이 머리와 몸이 피로하기 쉬운 도시 생활에서 필요성을 인정받을 수 있다고 말하고 있다. 특히 글쓴이는 다방을 근대적 문물을 갖추고 있으며 공적 활동과 사적 활동을 모두 수행할 수 있는 곳으로 묘사하는 등 다방에 대한 긍정적 평가를 강조하여 제시하고 있다. 이 작품은 1930년대 조선의 사회상을 구체적으로 담아내고 있다는 점에서도 의미가 있다고 할 수 있다.

- **갈래** : 수필
- **성격** : 신변잡기적, 사색적, 사실적
- **배경** : 시간: 1930년대, 공간: 경성 일대
- **주제** : 근대화되어가는 경성과 다방 풍경

같은작가 다른기출

2016학년도 대수능 '제향날'
2014학년도 6월 모의 수능 '미스터방'
1998학년도 대수능 '태평천하'

7. ④ 표현상의 특징 파악하기

① ⓐ에서 설의적 표현을 통해 자연에 묻혀 한가로이 생활하는 데서 오는 화자의 감흥을 강조하여 표현하고 있다.
② ⓑ에서 비유적 표현을 통해 '여울'에 대한 화자의 인상을 드러내고 있다.
③ ⓒ에서 대구의 방식을 활용하여 자연 속에서 살아가기 위해 '대도 닦아두고 정자도 지으'며 터전을 마련하려는 화자의 행위를 제시하고 있다.
❹ ⓓ에는 영탄적 표현이 쓰이지 않았고 화자의 의지도 드러나지 않는다.
⑤ ⓔ에서 화자 자신에 대해 열거의 방식을 활용하여 표현하고 있다.

고전 시가 ▶ 현대어 풀이

조우인 '매호별곡'

세상에서 버려진 몸 세상 바깥에 누웠더니,
값없는 풍월과 임자 없는 강산을
조물주가 허락하여 내게 맡겨 선물하니
내 굳이 사양할까, 다툴 이 뉘 있으리.
상산의 동쪽 부근, 낙동강의 서쪽 언덕
안개 노을 헤쳐내고 좋은 경치 찾아들어
대지팡이 짚신으로 이곳저곳 돌아보니
맑은 연못 깊은 곳에 높은 것은 절벽이요,
옥 같은 여울은 비단 편 듯 흘러가네.
대를 닦아두고 정자도 지으려니
연못도 파 보고 골짜기 물 끌어오며
내 힘이 닿는 대로 초가삼간 지어내니

격식 없이 처음이지만 풍경은 끝이 없다.
(중략)
먼 경계 밝게 빛나 거울을 닦은 듯이
십리 밖 어촌들은 안개에 묻혀 아득하니
눈앞의 호수들과 아름다운 경치들을
말로 어찌 이르며 아니 보고 어이 알리.
그런 것은 물론이고 네 계절에 뵈는 경치
피었다가 지는 듯, 푸르다가 시드는 듯
모든 바위 비단인 듯, 모든 계곡 구슬인 듯
화공의 솜씨를 헤아리기 어려워라.
본다 하여 실증 날까, 바뀐 모습 거둬둘까.
늙고 병들고 게으른 이 성품이
세상 물정 모르고 사람 일도 어두워서
공명부귀 구하기에 손이 낯설어
가난하고 차가움을 평생에 겪었지만
즐기며 살라는 명 옛날 잠깐 들었더니
산수에 병이 들어 우연히 들어오니
득실을 모르거든 영욕을 어이 알며
시비를 못 듣거니 들고 나옴을 어이 알까
좁은 방이 쓸쓸하여 움직이던 못하던 간에
작은 방이 적막하여 세상 근심 잊었으니
책 속의 성현 말씀 세상 드문 스승이라.
천지신명은 마음에 비추시며
타고난 성품을 저버리지 말라 하니
거친 밥에 물 한 그릇 이루나 못 이루나
옛 사람의 즐거움이 고요함 속에 깊었구나.

8. ④ 시구의 의미 이해하기

① '갑 업슨 풍월과 임지 업슨 강산', '동천'은 모두 아름다운 자연을 가리킨다. 따라서 '갑 업슨 풍월과 임지 업슨 강산'은 화자가 스스로 찾아와 현재 지내는 곳이며 '동천'과 대조적인 성격을 지닌다고 볼 수 없다.
② '맑은 연못 깁흔 곳의 노프니는 절벽이오'는 벗어나고자 하는 것이 아니라, 화자가 자연속에서 살고자 찾아온 곳이다.
③ '빈천 기한'은 화자가 살아오면서 겪은 삶의 어려움을 가리키며, '산수에 벽이 이셔'는 자연의 즐기는 병을 뜻하므로 이는 화자가 자연속으로 찾아든 이유를 드러내고 있다.
❹ 화자는 방에 홀로 앉아 '책 속의 성현 말씀'과 '천지신명'의 뜻에 따라 '타고난 성품을 저버리지 마자'는 삶의 태도를 되새기고 있다. 따라서 '타고난 성품을 저버리지 마자'는 '책 속의 성현 말씀', '천지신명'과 관련하여 화자가 지향하게 된 태도를 나타낸다고 할 수 있다.
⑤ '거친 밥 마실 물'은 화자가 생활할 때 필요한 최소한의 요소로, 자연의 정취에 심취한 화자가 궁극적으로 얻고자 하는 것으로 보기 어렵다.

9. ③ 글의 세부 내용 이해하기

① ㉠에서는 다방을 배경으로 구두를 벗은 채 걸상 위에 무릎을 꿇고 앉아 있는 사람의 모습을 묘사하고 있다. 이에 대해 글쓴이는 다방 풍경이라는 제목으로 풍자만화에서 보았다고 말하고 있는데 이 사람의 모습이 다방의 풍경과 조화를 이루고 있다는 의도로 소개하고 있지는 않다.
② ㉡에서는 다방인종을 풍자하는 말인 '벽화'라는 말의 의미를 해석하며 이에 동감하는 글쓴이의 생각을 드러내고 있다. 따라서 다방에서 종일토록 시간을 보내는 사람들을 글쓴이가 부러워한다는 내용은 적절하지 않다.
❸ ㉢에서는 명곡을 두루 갖추고 있는 다방에서 틀어주는 웬만한 음악은 귀가 서투른 사람은 못 알아들을 정도의 수준이라고 평가하고 있다. 이는 다방에서 틀어주는 음악의 수준이 높다고 여기는 글쓴이의 생각을 드러낸 것이므로 적절하다.
④ ㉣에서는 살림이 어려운 조선의 중류 사람은 다방에서 갖춘 설비를 마련하는 것은 감히 엄두도 내지 못할 것이라는 생각을 드러낸 것이므로 적절하지 않다.
⑤ ㉤에서 글쓴이는 다방이 중심지에 위치해 있는 현실을 대해 아쉽게 생각하는 것이 아니라, 다방이 중심 지대에 있기 때문에 회담을 하기에 안성맞춤이라고 여기고 있다.

10. ④ 작품의 주요 내용 파악하기

❹ [A]의 '그런 것은 물론이고 네 계절에 뵈는 경치 / 피었다가 지는 듯, 푸르다가 시드는 듯 / 모든 바위 비단인 듯, 모든 계곡 구슬인 듯 / 이화공의 솜씨를 헤아리기 어려워라./ 본다 하여 실증 날까, 바뀐 모습 거둬둘까.'를 통해 사시사철 변화무쌍하며 보여 주는 자연의 다채로운 모습에 대한 화자의 긍정적 인식을 확인할 수 있다. 또한 [B]에서는 도시 생활에서 다방은 '현대인에게 다시없이 고마운 물건이 아닐 수 없다.'라는 내용을 통해 다방이 지니고 있는 효용성에 대한 글쓴이의 긍정적 인식을 확인할 수 있다.

11. ④ 외적 준거를 통해 작품 감상하기

① 〈보기〉에서 3인칭 공간은 '나'와의 관련성이 높아지면 2인칭 공간으로 변한다고 하였다. 이와 관련하여 (가)에서 '너 힘 밋는 딕로 초옥삼간 지어' 냈다고 한 것은, 주체가 자연을 일상생활의 공간으로 삼았다는 점에서 자연과 밀접한 관계를 맺은 것이라고 할 수 있다.
② 〈보기〉에서 2인칭의 공간에서의 체험은 주체에게 3인칭의 공간에서의 체험보다 의미 있는 것이 된다고 하였다. 이와 관련하여 (가)에서 '임호정과 어풍대에서 바라본 풍경'에 대해 '아니 보아 어이 알쏘'라고 한 것은 주체가 자연을 체험하여 자연이 주체에게 2인칭의 공간이 되면 풍경의 가치를 제대로 인식할 수 있지만, 주체가 자연과 관계 맺지 못하면 풍경의 가치를 제대로 인식할 수 없다는 생각을 드러내는 것이라고 할 수 있다.
③ (나)에서 '피로는 자연 걷혀진다'라고 한 것은, 주체가 공간에 부여한 의미를 통해 주체에게 '다방'이 2인칭 공간임을 나타낸 것이라고 할 수 있다.
❹ (가)에서 '시비를 못 듯거니'라고 한 것은 속세의 소식을 듣지 못한다는 뜻으로 화자가 세속을 떠나 자연 속에서 지내고 있음을 나타낸 것이다. 이와 관련하여 화자가 특정 공간에서 품게 된 내면의 욕구를 밝혔다는 내용은 적절하지 않다. 또한 (나)에서 '그것을 모르고 도시에 살다니'라고 한 것은 다방에서 즐길 수 있는 안일과 즐거움을 모르고 살아가는 사람들에 대해 언급한 것으로, 글쓴이가 특정 공간에서 자신을 성찰하는 과정을 보여 주었다는 진술은 적절하지 않다.
⑤ 〈보기〉에서 '나'와의 관련성이 높아진 공간에서의 체험은 주체에게 보다 의미있는 것이 된다고 하였다. 이와 관련하여 (가)에서 '고인 진락'을 제시한 것과 (나)에서 '안일과 그 맛'을 제시한 것은, 공간이 주체와의 관계를 바탕으로 주체의 삶을 의미 있게 만들어 줄 수 있음을 드러낸 것이라고 할 수 있다.

Day 21

본문 119쪽

1. ⑤	2. ③	3. ④	4. ①	5. ③
6. ②	7. ⑤	8. ⑤	9. ⑤	10. ③
11. ③				

【1~6】 (가) 김시습, '유객'

작품해설

청평사에 찾아든 나그네가 봄 산의 기운을 즐기고 속세의 근심을 털어내는 모습을 형상화한 한시이다. 계절감을 드러내는 시어와 구체적인 자연물을 통해 봄 산의 분위기와 흥취를 드러내고 있으며, 다양한 감각적 표현이 나타나 있다.

- **갈래** : 한시
- **성격** : 자연 친화적, 감각적
- **구성**
  - 1~2행 : 청평사에 찾아든 나그네
  - 3~6행 : 봄 산의 흥취
  - 7~8행 : 아름다운 자연 속에서 근심을 잊고자 함.
- **제재** : 청평사(봄 산)
- **주제** : 자연의 아름다움과 근심의 정화
- **중요 시어 및 시구 풀이**
  - 청평사의 나그네 / 봄 산을 마음대로 노니네 : '청평사', '봄 산'을 통해 계절적, 공간적 배경이, '나그네', '노니네'를 통해 화자의 상황이 드러남.
  - 시 읊조리며 신선 골짝 ~ 백 년 근심 사라지네 : 아름다운 자연 속에서 속세의 근심을 잊고자 하는 화자의 모습이 드러남. '신선 골짝'은 화자가 지향하는 공간을 의미함.

같은작가 다른기출

2010학년도 수능 '만복사저포기'
2017학년도 9월 모의평가 '이생규장전'

(나) 김광욱, '율리유곡'

작품해설

작가가 관직에서 물러나 '율리'에서 전원생활을 누릴 때 지은 전 17수의 연시조로 부귀공명을 멀리하고 자연 속에서 유유자적하게 살아가는 삶을 노래했다. '도연명'의 전원생활을 이상으로 삼는 태도와 소박한 전원의 일상에 대한 만족감이 드러나 있다.

- **갈래** : 연시조
- **성격** : 풍류적, 전원적, 예찬적
- **구성**
  - 〈제1곡〉 : 자연으로 돌아온 것에 대한 자부심
  - 〈제8곡〉 : 강산의 청흥을 즐기는 삶에 대한 자부심
  - 〈제10곡〉 : 속세에서 벗어난 해방감과 만족감
  - 〈제15곡〉 : 전원 속에서 소박하게 풍류를 즐기는 삶
  - 〈제17곡〉 : 벗들과 함께하는 소박한 삶에 대한 만족감
- **제재** : 전원생활
- **주제** : 속세를 떠나 자연 속에서 유유자적하게

지내는 삶에 대한 만족감

■ **중요 시어 및 시구 풀이**

• 도연명 죽은 후에 또 연명이 나다니 : 도연명은 중국의 시인으로 〈귀거래사〉를 남기고 관직에서 물러나 귀향하였으며 자연을 노래한 시를 많이 남김. 화자는 관직에서 물러나 자연으로 돌아간 자신을 연명에 빗대고 있음.

• 밤마을 옛 이름이 때마침 같을시고 : '밤마을', 즉 율리는 화자가 돌아간 곳의 지명인데, 도연명이 머문 곳의 이름과 같다는 의미임.

• 삼공, 만호후 : 삼공은 높은 벼슬, 만호후는 세도가로 화자가 보다 가치 있게 여기는 자연과 대비되는 대상임.

• 청흥 : 맑은 흥과 운치

• 필마 추풍에 채를 쳐 돌아오니 : 한 필의 말을 타고 가을바람을 느끼며 채찍을 쳐 고향(자연)에 돌아옴.

• 온 골에 살구꽃 져 쌓이니 갈 길 몰라 하노라 : 온 골짜기에 살구꽃이 떨어져 쌓인 풍경에 갈 길을 몰라 한다는 의미로, 봄날의 풍경과 흥취가 드러남.

• 최 행수 쑥달임 하세 조 동갑 꽃달임 하세 : '행수'는 윗사람, '동갑'은 나이가 같은 이를 이른 말로, 최 행수와 조 동갑에게 쑥전, 화전을 해 놀자고 말하고 있음.

같은작가 다른기출

2011학년도 수능 '율리유곡'

(다) 김용준, '조어삼매'

작품해설

해방 이후의 혼란한 시대상을 살아가는 심경이 드러난 수필로 '조어삼매'는 세상일을 잊고 낚시에 푹 빠지는 것을 의미한다. 글쓴이는 고기를 낚는 취미가 '삼매경'에 몰입할 수 있는 좋은 놀음이기에 낚시를 시도하지만 뜻대로 되지 않자 한탄한다. 그리고 뒤숭숭한 시절 때문에 답답함과 울화를 느낀다고 하며 어지러운 세상을 피해 심산벽촌에 은거하던 옛사람들을 한때는 욕했으나 이제는 그 불우한 심정에 동감하게 된다고 하여 혼란한 시대 상황으로 인한 괴로움을 드러내고 있다.

■ **갈래** : 현대 수필
■ **성격** : 비유적, 비판적
■ **제재** : 낚시
■ **주제** : 낚시를 통해 불의한 세상일을 잊고자 하는 마음

어휘풀이

• **청수하다(淸秀—)** 얼굴이나 모습 따위가 깨끗하고 빼어나다.
• **표연히(飄然—)** 훌쩍 나타나거나 떠나는 모양이 거침없이.
• **청고하다(淸高—)** 맑고 고결하다.
• **삼매경(三昧境)** 잡념을 떠나서 오직 하나의 대상에만 정신을 집중하는 경지. 이 경지에서 바른 지혜를 얻고 대상을 올바르게 파악하게 된다.
• **풍진(風塵)** 1. 바람에 날리는 티끌. 2. 세상에서 일어나는 어지러운 일이나 시련
• **청담(淸淡)** 명리(名利)를 떠난, 맑고 고상한 이야기.

같은작가 다른기출

2004학년도 수능 '게'
2013학년도 9월 모의평가 '조어삼매'

1. ⑤ 작품 비교하여 감상하기

① (가), (나) 모두 자연물을 소재로 하고 있으나, 자연물의 속성에 주목하여 교훈적 의미를 전달하고 있지는 않다.
② (나)는 〈제1곡〉의 '그와 내가 다르랴', 〈제8곡〉의 '만호후인들 부러우랴', 〈제10곡〉의 '이대도록 시원하랴', 〈제17곡〉의 '무슨 시름 있으랴'에서 설의적 표현을 사용하여 속세를 벗어나 자연 속에서 사는 삶을 추구하는 화자의 태도를 드러내고 있다. 그러나 (나)에는 설의적 표현이 사용된 부분이 없다.
③ (가)는 봄 산의 여러 자연물을 통해 풍경을 드러내고 있고, (나)는 〈제15곡〉에서 공간의 이동과 살구꽃이 져 쌓인 풍경을 나타낸 부분이 나타나 있으나 둘 다 먼 경치에서 가까운 곳으로 시선을 옮기고 있는 것은 아니다.
④ (가)의 화자는 '나그네'로 봄 산에서 시를 읊조리며 '백 년 근심 사라지네'라고 하였으므로 내적 갈등에 대한 공감을 유도한다고 볼 수 없다. (나)의 화자 또한 속세를 벗어나 자연 속에서 지내며 만족감을 드러내고 있을 뿐 내적 갈등을 드러낸 부분은 찾을 수 없다.
❺ (가)는 '봄 산'을 통해 계절적 배경이 봄임이 드러나고, '좋은 나물은 때 알아 돋아나고 / 향기로운 버섯은 비 맞아 부드럽네'에서 봄의 풍경을 구체적으로 드러내고 있다. (나) 또한 〈제15곡〉에서 '살구꽃 져 쌓이니'를 통해 봄의 계절감과 자연의 모습을 구체적으로 드러내고 있다.

2. ③ 화자의 태도와 정서 파악하기

① 〈제1곡〉은 '밤마을 옛 이름이 때마침 같을시고'에서 '밤마을'이라는 지명에 주목하여 도연명처럼 '수졸전원'하려는 화자의 지향을 드러내고 있다.
② 〈제8곡〉은 '삼공'이 귀하다고 해도 '강산', 즉 자연과 바꾸지 않을 것이며, 자연 속에서 '청흥'을 즐기고 있기에 '만호후'도 부럽지 않다고 함으로써 화자가 흥취를 즐기는 자연의 가치를 부각하고 있다.
❸ 〈제10곡〉에서 화자는 '어지럽고 시끄런 문서 다 주어 내던지고' 돌아와서 '이대도록 시원하랴'라며 만족감을 드러내고 있다. 그러나 자연물에 대한 연민을 드러낸 부분은 찾을 수 없다.
④ 〈제15곡〉에서는 '새버들 가지 꺾어', '고기 꿰어 들고' '낡은 다리 건너가니'와 같은 행위를 나열하여 전원에서 풍류를 즐기는 화자의 생활을 드러내고 있다.
⑤ 〈제17곡〉은 '최 행수 쑥달임 하세 조 동갑 꽃달임 하세'에서 '최 행수', '조 동갑'을 호명하며 '쑥달임', '꽃달임'을 하여 함께 즐기자는 마음을 전달하고 있다.

3. ④ 구절의 의미 파악하기

① ㉠에서는 '궁핍을 면할 양으로 본의 아닌 생활을 계속'하는 것과 대비하여, '속사를 버리고' '강상의 어객이 되는 것'은 '자유를 사랑하는 청고한 마음'이라고 함으로써 낚시의 의의를 드러내고 있다.
② ㉡에서는 '한 점 찌'는 '객', 글쓴이는 '주인'이 되어, 낚시 도구와 글쓴이가 풍진 세상을 등 뒤에 두고 서로 무언의 우정을 교환한다고 함으로써 낚시에 몰입하는 태도를 표현하고 있다.
③ ㉢에서 '한 점 찌'가 '까딱까딱 흔들리기 시작'하는 것은 고기가 걸렸다는 신호로, 글쓴이가 고기가 낚이는 것을 기다리고 기대한 것에 부응하는 순간을 나타내고 있다.
❹ ㉣에서 언급한 '고요히 서재나 지키'며 '한묵의 유희로 푹 박혀 있는 것'에 대해 '쉽사리 되는 것은 아니'며, '내 서재'에 '며칠만 틀어박혀 있으면 그만 속에서 울화가 터져 나온다.'라고 하였으므로, ㉣이 글쓴이에게 마음의 안정을 찾게 해 준 방법이라고 볼 수는 없다.
⑤ ㉤은 '심산벽촌에 은거하여 청담이나 일삼던' 옛사람들의 심경에 처해 보니 그들의 불우한 심정에 동감하게 된다는 것으로 은거했던 옛사람들에게 기대어 글쓴이의 불우한 심정을 드러내고 있다.

4. ① 작품 비교하여 감상하기

❶ (나)의 〈제1곡〉에서 화자는 자신이 돌아온 마을인 '밤마을'이 '도연명'이 지내던 곳의 이름과 마침 같다고 하며 '수졸전원'하는 것이 '도연명'과 자신이 다르겠느냐고 하여 '도연명'과 같이 전원에서 분수를 지키며 소박하게 살아가고자 하는 태도를 드러내고 있다. 또한 (다)의 글쓴이는 '판교'가 '마음에 맞지 않는 관직을 버리고 거리낌 없는 자유로운 심경에서 여생을 보냈다'고 하며, 자신 또한 그와 같은 마음으로 낚시를 하고자 했다. 따라서 (나)의 '도연명'과 (다)의 '판교'는 각각 화자와 글쓴이가 행적을 따르고자 하는 대상이라고 할 수 있다.
② (나)의 '삼공'은 영의정, 좌의정, 우의정으로, 세속에서 높은 지위를 차지하고 있는 이들을 의미한다. 그러나 (다)의 '성격 파산자'는 성격에 결함이 있는 사람이라는 의미로 문맥상 거리로 나가 공연스레 왔다 갔다 하는 모습을 나타낼 뿐 높은 벼슬을 차지하고 있는 이들을 가리킨다고 볼 수 없다.
③ (나)에서 화자는 '세버들 가지'를 꺾어 낚은 고기를 꿰고 있을 뿐 '세버들 가지'와 자신을 동일시하고 있는 것은 아니다. 또한 (다)의 글쓴이가 '청수한 한 폭 대'와 자신을 동일시하고 있는 모습은 찾을 수 없다.
④ (나)에서 화자가 낚은 '고기'는 화자가 즐기는 생활의 일면을 보여 주는 소재이고 (다)에서 '송사리'는 낚시를 하는 글쓴이가 잡고자 하는 큰 고기가 아닌 작은 물고기일 뿐, 둘 다 화자와 글쓴이가 자신을 보잘것없는 존재로 비유한 표현과는 거리가 멀다.
⑤ (나)에서 화자는 '매일 이렇게 지내면 무슨 시름이 있겠느냐'고 하며 전원생활의 만족감을 드러내고 있다. 또한 (다)에서 글쓴이는 한때는 심산벽촌에 은거하여 청담이나 일삼던 옛사람들을 '욕'한 적도 있었으나 지금은 그들의 심정에 동감한다고 말하고 있는데, 이때 '욕'은 글쓴이의 비판적 태도를 나타낸다. 따라서 (나)의 '시름'이나 (다)의 '욕' 모두 억압적인 존재를 염두에 둔 표현이라고 볼 수는 없다.

5. ③ 인물의 심리 파악하기

❸ [A]에는 큰 놈이 물렸을 거라는 생각에 무거울 것을 대비하여 힘을 잔뜩 주고 낚대를 치켜 올렸는데, 큰 고기는커녕 방게나 개구리 따위가 달려 나오는 상황에 대한 실망감이 드러나 있다. 그리고 [B]에서는 '나는 나대로 제법 강상의 어객인 양하고 나섰는 판에' '고기도 체

면은 알 법한지라' 붕어 새끼쯤이야 안 물리랴 했지만 얼토당토않은 놈들이 마음을 더럽힌다며, 낚시가 뜻대로 되지 않아 붕어 새끼 하나 잡지 못한 처지와 그로 인해 손상된 체면을 한탄하는 것으로 감정이 이어지고 있다.

6. ② 외적 준거에 따라 감상하기

① (가)에서 청평사가 있는 봄 산을 찾아든 화자는 '시 읊조리며 신선 골짝'에 들어서니 '백 년 근심'이 사라진다고 하고 있다. 따라서 '신선 골짝'은 화자가 지향하는 공간이자 '백 년 근심'이 사라지는 공간, 그 이면에 전제된 '백 년 근심'이 유발된 공간은 이와 대비되는 공간이라고 볼 수 있다.

❷ (나)에서 '주가'를 찾으려 '낡은 다리'를 건너가던 화자는 '온 골'에 살구꽃이 져 쌓인 아름다운 풍경에 발길을 멈추고 있다. 즉 '온 골'은 화자가 풍류를 즐기며 지내는 자연으로, '주가'는 이러한 삶을 이루는 한 공간이므로 '주가'와 '온골'이 대비되는 속성을 지닌 두 공간이라고 볼 수 없으며, 따라서 '낡은 다리'가 두 공간 모두에 미련을 버리지 못한 화자의 상황을 상징한다는 것도 적절하지 않다.

③ (나)의 화자는 '어지럽고 시끄런 문서'가 표상하는 속세에서 벗어나 자연으로 돌아와서 '이대도록 시원하랴'라고 말하고 있다. 화자가 돌아온 자연은 속세와 대비되는 공간으로 화자에게 해방감과 만족감을 주고 있다.

④ (다)의 글쓴이는 '고기 낚는 취미도 삼매경에 몰입할 수 있는 좋은 놀음'이라고 하며 '푸른 물이 그득히 담긴 못가'에서 낚시를 한다. 따라서 '못가'는 글쓴이가 낚시의 '삼매경'에 빠지기를 기대하는 공간으로 글쓴이의 지향과 직결되는 공간이다.

⑤ (다)의 글쓴이는 '보이는 것 들리는 것이 모조리 심사 틀리는 소식'이라 그것을 피해 '내 서재'에 틀어박히지만 서재에 며칠만 있으면 '속에서 울화가 터져 나온다'고 하였으므로, 이러한 울화의 이면에는 새로운 공간에 대한 지향이 담겨 있다고 볼 수 있다.

【7~11】 (가) 정철, '사미인곡(思美人曲)'

작품해설

'사미인곡'은 송강의 가사 작품으로 4계절의 변화를 배경으로 그에 따른 연군지정을 표현하고 있다. 임금을 염려하고 사모하는 화자의 정성을 여인이 사랑하는 임과 이별을 겪은 후 그리워 하는 모습에 빗대어 표현하는데, 서사–본사–결사의 3단 구성에 따라 나열하였다. 서사는 임과의 이별 후에 느끼는 그리움과 세월의 무상함을, 본사에는 매화를 꺾어 임에게 보내드리고 싶은 애절한 심정을, 결사는 임에 대한 염려와 독수공방의 외로움을 표현하였다. 속미인곡과 더불어 가사 문학의 백미라고 전해지는 이 작품은 특히 우리말의 섬세하고 유려한 구사가 돋보인다.

■ **주제** : 임에 대한 연군의 정

(나) 신흠, '창 밧긔 워석버석~'

작품해설

창 밖에서 들리는 작은 낙엽 소리에도 그리운 임이 온 것이 아닐까 하고 기대하는 화자의 묘사를 통해 임을 기다리는 애틋한 마음을 표현한 시조 작품이다. 감탄사 '어즈버'를 통해 정서를 집약하고 있으며 '워석버석' 이라는 음성 상징어를 통해 생동감을 부여하고 있다.

■ **주제** : 임을 기다리는 간절한 마음

(다) 유본학, '옛집 정승초당을 둘러보고 쓰다'

작품해설

작가는 예전에 살던 집에 붙인 '고요함이 더위를 이긴다'라는 말의 의미를 다시 한번 생각하며, 집이라는 공간에 대한 감상은 변할 수 있지만, 몸의 고요함과 마음의 고요함을 추구하는 삶의 태도는 무엇보다 소중하다고 역설하고 있다.

■ **주제** : 마음의 고요함을 소중히 여기는 삶의 태도

7. ⑤ 표현상의 특징 파악하기

① (가)의 '노여'는 '전혀'라는 뜻으로 '이 마음과 이 사랑을 비교할 곳이 전혀 없구나'라는 뜻에서 임에 대한 자신의 사랑을 강조하기 위한 수식어이다. 또한 (나)의 '다'는 '유한한 마음이 다 끊어질까 걱정스럽구나'라는 뜻에서 임에 대한 간절한 사랑을 강조하기 위한 수식어이므로, (가)의 '노여'와 (나)의 '다'라는 수식어는 모두 임에 대한 원망의 정서를 강조하기 위해 사용된 것이라는 설명은 적절하지 않다.

② (가)의 'ᄒᆞᄂᆞ고야'는 세월이 빨리 지나감에 대한 탄식을 나타내는 종결 어미이다. 또한 (나)의 'ᄒᆞ노라'는 임을 기다리는 안타까운 심정과 탄식을 독백적 어조로 표현한 것으로 (가)의 'ᄒᆞᄂᆞ고야'와 (나)의 'ᄒᆞ노라'는 모두 화자의 의지를 나타낸 것은 아니다.

③ (가)의 '미화'는 뒤에 이어지는 'ᄀᆞ득 냉담(冷淡)ᄒᆞᆫᄃᆡ 암향(暗香)은 므ᄉᆞ 일고'라는 구절과 연결지었을 때 임에 대한 화자의 사랑을 표현하는 매개라고 볼 수 있으며, 화자와 동일시되는 자연물로도 볼 수 있다. (나)의 '혜란'은 난초가 자란 지름길에 '낙엽은 므스 일고'라는 것으로 보아 낙엽이 떨어지는 장소를 지칭하는 것으로 '혜란'이 화자와 동일시되는 자연물을 의인화하였다고 볼 수 없다.

④ (가)의 '므ᄉᆞ 일고'는 창 밖의 매화가 핀 모습을 보고 '암향은 므ᄉᆞ 일고'라며 매화의 그윽한 향기에 대한 놀라움을 영탄적 어조로 표현하였다. 반면 (나)의 '므스 일고'는 창 밖에서 들려오는 낙엽의 소리에 대한 놀라움을 표현한 것으로, 뜻밖의 대상과 마주하게 된 반가움이라고 보기 어렵다.

❺ (가)의 '님이신가'는 황혼에 뜬 달을 보며 '늣기ᄂᆞᆫ ᄃᆞᆺ 반기ᄂᆞᆫ ᄃᆞᆺ'하는 것으로 보아 임에 대한 그리움과 만나고 싶은 간절한 소망을 표현한 것이다. (나)의 '님이신가' 또한 '창 밧긔 워석버석' 소리에 반응하며 그리워하던 임의 존재를 확인하고 싶어하는 마음이 투영된 것이므로, (가)의 '님이신가'와 (나)의 '님이신가'는 모두 임을 만나고 싶은 간절함을 독백적 어조로 드러낸 것이라는 설명은 적절하다.

8. ⑤ 외적 준거에 따른 작품 감상하기

① 자신이 태어날 때 임을 따라서 태어난 것이며, 'ᄒᆞᆫ ᄉᆡᆼ 연분'임과 동시에 자신과 임과의 인연은 '하ᄂᆞᆯ 모ᄅᆞᆯ 일이런가'라고 하는 것으로 보아 임과의 사랑이 천상의 시간 질서처럼 끝없이 이어지기를 바라는 마음이 반영된 것이라 볼 수 있다.

② 〈보기〉에서 천상의 시간은 생로병사의 과정이 없이 끝없는 사랑이 지속된다고 하였으므로, (가)의 '졈어 잇고'와 '늙거야'는 화자가 천상의 시간에서 벗어나 지상의 시간으로 편입되었음을 알 수 있다.

③ 임을 모시고 광한면(廣寒殿)에 올라 있었던 일을 '엇그제'라고 인식하고 있으나, 실은 '하계에 ᄂᆞ려'온 후로 '삼 년'이 흘렀음을 알 수 있다. 이는 〈보기〉의 지상의 물리적 시간이 심리적으로 압축되어 나타나고 있음을 알 수 있다.

④ '인싱은 유ᄒᆞᆫ'하다는 것은 인간에게 주어진 시간은 한계가 있으나, 인간의 사정에는 관계 없이 '무심ᄒᆞᆫ 세월'은 물 흐르듯이 빨리 지나간다고 표현한 것이다. 이는 〈보기〉에 언급된 천상의 시간은 끝없는 사랑을 지속할 수 있으나, 지상의 시간은 물리적으로 한계가 있다는 것에 대한 불안한 마음을 확인할 수 있다.

❺ '염냥'이 '가ᄂᆞᆫ ᄃᆞᆺ 고텨' 온다는 것은 날씨가 더웠다가 서늘해지는 계절의 변화를 나타낸 것으로 〈보기〉에서 제시된 지상의 시간은 유한한 것과 관련된다. 그러나 임과의 관계 단절에 따른 절망감으로 인해 지상의 물리적 시간이 심리적으로 지연되어 나타나고 있다는 것과는 관련성을 찾기 어렵다.

9. ⑤ 외적 준거에 따른 작품 감상

① 〈보기〉에서 외적 고요란 소리나 움직임이 없이 잠잠한 상태를 뜻한다고 하였다. (나)에서 화자가 창 밖에서 '워석버석' 소리가 들려서 님이 온 줄 알았다가, 알고 보니 '낙엽' 소리라는 것을 알았다고 하였다. 주의를 기울이지 않으면 알아차리기 어려운 낙엽 소리를 방 안에서 들었다는 것으로 보아 화자는 외적 고요의 상태에 있었음을 알 수 있다.

② 〈보기〉에서 내적 고요란 마음이 평온한 상태라고 하였다. (나)의 화자는 사랑하는 임이 다시 돌아오기를 애타게 바라고 있으며 그 기다림이 간절한 나머지 창 밖의 '낙엽' 소리를 임이 오는 소리로 착각하는 것은 화자의 심리가 내적 고요의 상태에 있지 못하기 때문이라고 할 수 있다.

③ 〈보기〉에서 내적 고요란 마음이 평온한 상태를 가리킨다고 하였다. (다)의 화자는 이십 년간 살았던 집을 떠나 이사한 후 삼 년이 흐른 뒤 옛집을 찾아가 보았으나 '인간사가 벌써 바뀌어', '사물에 닿을 때마다 슬픔만 더'하므로 이 집에 다시 살고 싶지는 않다고 밝혔다. 따라서 옛집을 돌아본 경험이 필자로 하여금 내적 고요를 이루기 어렵게 만들었다는 인식이 반영되었음을 알 수 있다.

④ 〈보기〉에서 (다)에서 필자는 고요함에 대한 통찰을 통해 자신이 처한 공간에서 내적 고요를 추구한다고 하였다. (다)의 화자는 옛집에 다시 살고 싶지는 않지만, 새로운 집터에 집을 지어서 옛 이름의 편액을 걸어 옛집에서 지녔던 뜻을 간직하겠다고 하였다. 새로운 집터는 '이미 고요하거늘'이라고 한 것으로 보아, 필자가 외적 고요에 더해 내적 고요를 추구하고 있음을 알 수 있다.

❺ (다)의 화자는 새로운 집터에 집을 지어서 옛 이름의 편액을 걸어둔다고 하였다. 옛집의 편액은 '고요함이 더위를 이긴다[靜勝熱]'는 말이었는데, 이를 두고 누군가가 '임원이 이미 고요하거늘, 다시 '고요함이 이긴다'는 것은 군더더기가 아니겠느냐'고 말한다면 '나'는 '고요한데 또 고요하니, 이것이야말로 고요함'이라고 대답할 것이라고 하였다. 이는 '나'가 내적인 고요와 외적인 고요를 모두 소중히 여기며 추구한다는 뜻으로 볼 수 있다.

따라서 '누군가'가 '외적 고요만으로는 삶에서 느끼는 불편이나 슬픔을 이겨 내기 어렵다고 여겼기 때문'이라는 설명은 적절하지 않다.

10. ③ 작품의 공통점과 차이점 파악하기

❸ (가)는 밤에 '둘'이 뜨자, 그 달을 보며 '님이신가 아니신가'라고 여기며 그리워한다. (다)의 화자는 예전에 살던 장흥방의 길갓집에 오랜만에 들른다. 옛 집을 보며 과거에 선친과 형제들이 모여 학문과 예술을 담론하며 즐거운 시간을 보냈던 때를 추억하나 '즐거움을 잊을 수는 없지마는 다시 되찾을 수는 없다'라고 하였다. 따라서 (가)와 (다) 모두 자신이 있는 공간에서 그 공간에 부재하는 대상을 떠올리는 상황이 나타난다고 볼 수 있다.

11. ③ 작품 종합적으로 감상하기

① 화자는 예전에 장흥방의 길갓집에 살았는데 초당이 동쪽으로 치우쳐 햇볕을 받는 구조여서 여름이면 매우 더웠다고 하였다. 이에 '고요함이 더위를 이긴다[靜勝熱]'는 말을 당호(堂號)로 정해 문설주에 편액을 걸어두었다고 하였다.
② 자신이 이십 년을 살던 집에서 이사한 후, 그로부터 삼 년이 흐른 뒤 옛집을 찾아가 그 곳에서 집안이 번성하였던 때 선친과 형제들과 어울려 즐거운 시간을 보냈던 것을 떠올리고 있다.
❸ 화자는 옛집을 보며 추억에 잠기지만 '즐거움을 잊을 수는 없건마는 다시 되찾을 수는 없다!'라고 표현하고 있으며, '사물에 닿을 때마다 슬픔만 더하므로 이 집에 다시 살고 싶지는 않다'라고 하였다. 따라서 새집에 옛집의 당호를 붙이는 것은 옛집에서 다시 살고 싶어하는 마음을 표현한 것이라고 볼 수 없다.
④ 화자가 오랜만에 찾은 옛집은 처마에 들어오는 산빛, 골짜기 물, 살창, 천막 등이 모두 옛 모습 그대로 유지하고 있다. 그러나 '나'는 인간사가 벌써 바뀌어, 사물에 닿을 때마다 슬픔이 커지므로 옛 집에 다시 살고 싶지는 않다고 밝히며 새 집을 지어 옛집에서 지닌 뜻을 잊지 않겠다고 하였으므로 적절한 설명이다 .
⑤ 화자는 '서경'의 '그릇은 새것을 찾고, 사람은 옛 사람을 찾는다'라는 말을 언급하며 사람이 집보다 더 거처를 많이 하는 것은 없으므로, 집은 그릇보다는 사람에 가깝다고 하였다. 이와 더불어 옛집에서 자신의 가족과 지낸 즐거운 추억을 떠올리며 옛집에 대한 그리움을 드러내고 있다.

Day 22

본문 123쪽

1. ⑤	2. ⑤	3. ②	4. ①	5. ④
6. ①	7. ③	8. ①	9. ⑤	10. ④

【1~5】(가) 김득연, '산중잡곡'

작품해설

김득연이 지수정가를 짓고 난 다음 생각과 느낌을 담은 작품으로 총 49수의 연시조이다. 속세를 떠나 자연과 하나가 되어 만족감을 느끼는 화자의 상황을 시각적, 청각적 이미지를 통해 생생하게 그리고 있다. 또한 자문자답을 통한 설의적 표현이 두드러지며 나이듦과 인생무상의 감상 또한 섬세하게 다루고 있다.

- **갈래** : 연시조
- **성격** : 강호한가
- **어조** : 풍류적
- **제재** : 자연속의 삶
- **주제** : 자연 속에서 만족감과 흥취를 느낌.
- **중요 시구 및 시어 풀이**
  - 이 사이 한가히 앉아 늙는 줄을 모르리라 : 자연에 몰입하여 세월을 잊음.
  - 이 몸이 또 어떠하뇨 무릉인인가 하노라 : 자연을 즐기는 삶에 만족하며 자긍심을 드러냄.

(나) 권섭, '영삼별곡'

작품해설

화자가 영월과 삼척 지방을 돌며 느낀 자연의 아름다움과 그 속에서 느낀 견문을 가사의 형식으로 엮은 작품이다. 기행가사의 일종으로 장소의 변화에 따른 여정과 아름다운 자연 속에서 느끼는 풍류와 만족감을 유려한 문장으로 표현하고 있다.

- **갈래** : 기행가사
- **성격** : 묘사적
- **어조** : 예찬적
- **제재** : 영월, 삼척 지방의 풍경
- **주제** : 자연 속을 거닐며 느끼는 만족
- **중요 시구 및 시어 풀이**
  - 진(秦) 때의 숨은 백성 ~ 도원이 여기보다 낫단 말 못하려니 : 지금 있는 이 곳이 진나라 때의 무릉도원과 비교하여도 부족함이 없을 정도이다.

(다) 이수광 '침류대기'

작품해설

'침류대'란 본래 깨끗한 물이 흐르며 수려한 경치로 당대 문인들이 모여 교류한 곳으로 유명하다. 본문에 언급된 유희경의 거처이기도 한 침류대를 방문한 작가는 개울가에 꽃잎이 가득 떠내려오는 모습을 감각적으로 표현하며 무릉도원과 다를 바가 없다고 감탄한다.

- **갈래** : 수필
- **성격** : 감각적
- **어조** : 예찬적
- **제재** : 침류대의 풍경
- **주제** : 침류대의 아름다운 모습에 대한 감상

1. ⑤ 작품의 시어와 시구 이해하기

① '풍월'과 '연하'는 아름다운 자연을 뜻하는 말로, 나무와 연못을 바라보며 자연과 하나가 된 화자가 '한가히 앉아 늙는 줄을 모르'는 상황과 조응이 되는 대상이다.
② '이 사이'는 앞서 제시된 '솔 아래 길을 내고 못 위에 대를 싸니'에서 '풍월(風月) 연하(煙霞)'를 즐기는 공간이며, '산중'은 '송국(松菊) 원학(猿鶴)'이 자신을 반기며 술을 가득 부어 마실 수 있는 공간으로 풍류를 느낄 수 있는 공간이다. 따라서 '이 사이'와 '산중'은 화자가 현재 자연을 즐기는 공간이라고 볼 수 있다.
③ '이 사이 한가히 앉아 늙는 줄을 모르리라'는 자연과 완전히 동화되어 시간을 초월하여 세월을 잊은 화자의 심정을 표현한 것이다.
④ '기장밥 익게 짓고 산채갱 므로 삶아'는 식사를 해결하는 소박하고 단순한 화자의 삶의 형태를 나타낸다.
❺ '아이야 술 가득 부어라'에서 자연과 한 몸이 되어 시름을 잊고 '낙이망우 하리라'라며 풍류를 즐기는 화자의 모습을 느낄 수 있다. 따라서 이를 통해 풍류적 지향과 정신적 수양 사이의 고뇌를 나타내었다는 설명은 적절하지 않다.

2. ⑤ 표현상의 특징 파악하기

① (가)의 '이 몸이 또 어떠하뇨 무릉인인가 하노라'에서 묻고 답하는 방식을 통해 지금 처해 있는 공간이 무릉도원과 다를 바 없다는 만족감을 드러내고 있다.
② (나)는 '별이(別異)실', '봉당(封堂)', '대관령'을 거치며 영월, 삼척 지방의 풍경에 대한 견문과 감상을 표현하고 있다.
③ '새끼 곰 큰 호랑(虎狼)이 목 갈아 우는 소리', '산골에 울려 있어 기염(氣焰)도 흘난할샤', '도원이 여기보다 낫단 말 못하려니', '하늘에 돋은 별을 져기면 만질노다', '만고에 한결같이 영축이 있었던가' 등에서 과장된 표현을 통해 자연물에서 느끼는 감격과 찬탄을 표현하고 있다.
④ (가)와 (나)는 4음보를 활용하여 운율감을 드러내고 있다.
❺ (가)와 (나) 모두 음성 상징어가 활용된 부분이 나타나지 않으므로 적절하지 않다.

3. ② 외적 준거를 통해 작품을 감상하기

① [A]는 '홍하이 만동(滿洞)하니 이 진짓 거기로다'라며 지금 있는 곳이 바로 '무릉인인가 하노라'라고 하였으므로, 자연의 아름다움과 관련지어 자신이 무릉도원에 산다는 사람들과 유사하다는 인식을 드러낸다고 볼 수 있다.
❷ [B]의 화자는 지금 자신이 처해 있는 공간에 대하여 '도원이 여기보다 낫단 말 못하려니'라고 평가하며 만약 진(秦) 나라 때의 백성이 본다면 이곳이 바로 무릉도원이라고 여길 만큼 황홀하다고 표현하고 있다. 따라서 [B]를 일상적 생활 공간에서 벗어난 사람이 무릉도원보다 나은 새로운 이상향을 찾기 위해 애쓰는 모습을 부각시킨다고 볼 수 없으므로 적절하지 않다.
③ [B]의 화자는 자신이 자리잡은 공간을 예찬하며 '진(秦) 때의 숨은 백성'이 보는 상황을 가정하고 있고, [C]의 화자 역시 현재의 공간에서 마치 '만리장성의 노역을 면하기 위해 피난 왔다가 수백 년 동안 죽지도 않고 살아 있다는 그 진(秦)나라 사람'을 만날 수 있을 것 같다고 묘사하고 있다. 이는 〈보기〉의 「도화원기」에 언급된

수백 년 전 진(秦)나라 때 노역이나 난리를 피하여 온 사람들이 모여 살았다는 무릉도원과 관련 있는 것이다.
④ [C]는 '이 물을 따라 올라가면' 과거 이야기 속에 존재했던 무릉도원에 살았던 사람들을 만날 수 있을 것이라고 하였고, [D]는 눈앞에 펼쳐진 '한 폭의 비단을 펼쳐 놓은 듯 출렁출렁 춤을 추'는 개울가를 보며 '옛날 사람이 일컫는 무릉도원'에 견줄 수 있다고 하였다. 따라서 [C]와 [D]는 모두 「도화원기」와 관련된 자연물이 있는 시냇물의 광경을 통해 무릉도원을 연상하고 있다고 볼 수 있다.
⑤ [B]에서 여행지에서 보고 있는 풍경을 무릉도원과 비교하며 '도원이 여기보다 낫단 말 못하려니'라고 하였고, [D]는 화자의 지인이 살고 있는 누대 주변의 풍경을 두고 '옛날 사람이 일컫는 무릉도원이라는 곳도 여기보다 낫지는 않을 듯하다'라고 하였으므로 적절한 설명이다.

4. ① 화자의 정서 이해하기

❶ '새끼 곰 큰 호랑(虎狼)이 목 갈아 우는 소리'를 듣고 화자는 '산골에 울려 있어 기염(氣焰)도 흉난할샤'라며 짐승이 우는 소리에 대하여 그 기세가 어지럽다고 표현하고 있으므로 적절한 설명이다.
② 고개를 넘으며 '위태코 높은 고개 촉도난이 이렇던가'라고 표현하는 것으로 보아 길이 험하고 넘어가기 쉽지 않다고 느끼고 있음을 알 수 있다. 따라서 걸어가는 길이 평탄해서 먼 산을 바라보며 즐거워했다는 설명은 적절하지 않다.
③ '밤중(中)만 사립 밖에 긴 바람 일어나며'라고 서술한 것으로 보아 인가에 머무르지 못한 것은 아니다.
④ '하늘에 돋은 별을 져기면 만질노다'라고 표현한 부분은 하늘에 떠 있는 별이 마치 손에 닿을 듯 생생하게 느껴진다는 표현에 가까우며, 이를 통해 부재하는 임에 대한 그리움을 표현한 부분은 없다.
⑤ '망망대양이 그 앞에 둘러 있어'라고 표현하며 마치 '대지 산악을 일야의 흔드는 듯'이라고 묘사하고 있으므로, 높은 산들로 시야가 차단되어 바다를 보지 못하게 되자 아쉬워했다고 볼 수 없다.

5. ④ 글의 내용을 세부적으로 파악하기

① ㉠에서 집 뒤에서 고사리를 뜯고, 문 앞에서 맑은 샘물을 길어 식사를 준비하는 과정을 구체적으로 제시하고 있다.
② ㉡은 시냇가에 빠져서 젖은 옷을 볕볕에 쬐어 말리는 모습을 표현한 구절이다.
③ ㉢은 흐르는 물가에 돌을 쌓아 누대를 지은 것을 보고 느끼는 감상으로, 그 누대의 섬돌은 흐르는 물 위로 한 자 남짓 높게 쌓여 있었다고 하였다. 섬돌이 물에 놓인 모습이 마치 물을 베고 있는 것처럼 보였다고 설명하며 '침류대'라는 이름을 붙인 까닭을 짐작하고 있다.
❹ ㉣은 옛날에 유신이란 자가 도원에 들어가 신선을 만나 속세로 돌아오지 않은 것처럼, 침류대에 머물고 있는 유희경 역시 무릉도원과 다름 없는 경치와 풍류를 즐기고 있음에 감탄을 나타내는 표현이다. 따라서 은밀하게 혼자서만 경치를 즐기려는 태도에 문제를 제기하고 있다는 설명은 적절하지 않다.
⑤ ㉤은 침류대의 경치가 무릉도원과 견주어 부족할 것이 없으며, 맑게 흐르는 물소리에 '굳이 씻지 않아도 깨끗해질만큼 정신과 기운이 맑아지고 '바람이 불지 않아도' 날아갈 듯하다고 하였다. 이는 아름다운 경치에 몰입하며 느끼는 흥취와 만족감에 해당하므로 적절한 설명이다.

【6~10】 (가) '문학 작품 의미 생성의 양상'

지문해설

문학 작품의 의미가 생성되는 세 가지 양상을 설명하고 있다. 문학적 의미 생성의 세 가지 양상은 문학 작품에서 자기와 외부 세계의 관계를 파악할 때 적용할 수 있다.
- **주제** : 문학적 의미 생성의 세 가지 양상

(나) 윤선도, '만흥(漫興)'

작품해설

고향인 해남 금쇄동에 은거하면서 지은 것으로 자연과 더불어 유유자적하며 살아가는 흥겨운 삶을 노래한 전 6수로 된 연시조이다. 부귀공명과 같은 세속적인 가치를 추구하는 삶보다 자연에 묻혀 소박하게 사는 자연 친화적인 삶이 더 낫다는 가치관을 한문투의 표현을 거의 사용하지 않고 우리말을 잘 살려 표현한 작품으로, 자연에 묻혀 지내는 한가롭고 흥겨운 심정과 임금의 은혜를 잊지 않겠다는 마음이 드러나 있다. 1~5수에서는 세속적인 삶에서 벗어나 자연 속에서 안분지족 · 안빈낙도하는 삶의 태도, 자연과 물아일체된 경지, 유유자적한 생활 속에서 느끼는 한가로운 정취 등을 노래하고 있다. 그리고 마지막 6수에서는 화자 자신이 자연에서 이러한 삶을 살 수 있는 것이 임금의 은혜 덕분이라고 말하면서 유교적 충의를 잊지 않고 있음을 드러내고 있다.
- **갈래** : 연시조(전6수)
- **성격** : 자연 친화적, 한정가
- **연대** : 조선 후기
- **제재** : 자연에서의 삶
- **주제** : 자연에 묻혀 살아가는 삶의 즐거움
- **특징**
  ① 설의적인 표현을 활용하여 주제를 강조함.
  ② 안빈낙도(安貧樂道)의 삶의 자세와 물아일체(物我一體)의 자연관이 드러남.
- **주제** : 자연에 묻혀 사는 즐거움과 임금의 은혜

같은작가 다른기출

1995학년도 대수능 '오우가'
2000학년도 대수능 '어부사시사'
2003학년도 9월 모의 수능 〈보기〉 '만흥 2'
2005학년도 6월 모의 수능 〈보기〉 '어부사시사'
2007학년도 9월 모의 수능 '만흥'
2012학년도 6월 모의 수능 '견회요'
2014학년도 대수능 예비 시행 '어부사시사'

(다) 이덕무, '우언(迂言)'

작품해설

조선 시대 대문장가로 인정받은 이덕무의 고전 수필로 시정에 살면서 은거에 마음을 두는 작은 즐거움을 누리는 자신의 삶에 대한 성찰과 자부심을 우회적으로 표현하고 있다. '나'는 어디에 사느냐와 어디에 마음을 두느냐를 고려하여 삶의 유형을 나누고 있다. 즉 사람들이 각기 '산림'과 '시정'에 살면서 '명리'를 마음에 두거나 '은거'를 마음에 두는 것에 따라 크고 작은 부끄러움과 즐거움을 안고 사는데, '나'는 그중 작은 즐거움을 누리며 사는 자가 가장 높은 것으로 치고 있다. 이덕무는 북학파 실학자로 영, 정조 시대에 활약한 문인이다. 가난한 서얼 출신으로 정규 교육을 거의 받지 못했으나 스스로의 힘으로 학문을 갈고 닦았다. 당대 최고 지성인 박지원, 홍대용, 박제가, 유득공과 교류하면서 '위대한 백 년'이라 불리는 18세기 조선의 문예 부흥을 주도했다. 그는 천진하고 순수한 감정을 중시한 독창적인 글쓰기 철학을 바탕으로 조선의 생생한 진경을 담은 수많은 시와 산문을 남겼다.
- **갈래** : 고전 수필
- **성격** : 사색적, 철학적
- **주제** : 시정에 살며 은거에 마음을 두는 자신에 대한 성찰과 자부심

6. ① 시상 전개 방식 파악하기

❶ 〈제1수〉에서 '산슈 간 바회'아래는 화자가 은자로서 소박하게 '뛰집을 짓'고 사는 구체적 공간으로 경험적 성격과 연결된 공간으로부터, 〈제6수〉의 '강산'은 '내 분으로 누엇ᄂᆞ냐'라며 나의 분수로는 이렇게 편안히 누울 수 없는 이상적인 공간으로, 관념적 성격과 연결된 공간으로 시상이 전개됨을 알 수 있다.
② 〈제2수〉의 '보리밥 픗ᄂᆞ믈', '바횟 긋 믉ᄀᆞ'는 구체성이 드러나는 소재이고, 〈제3수〉의 '뫼'도 추상성이 아닌 구체성이 드러난 소재이므로 적절하지 않다.
③ 〈제2수〉의 '부를 줄이 이시랴'는 '부러울 것이 없다'는 의미를 강조하기 위한 설의적 표현으로 의문을 제기하고 있다고 진술하는 것은 적절하지 않다. 〈제5수〉의 'ᄒᆞ시도다'는'하셨도다'라는 뜻으로 영탄적 표현이 사용되었다.
④ 〈제3수〉의'됴하ᄒᆞ노라'에서 화자가 자연을 즐기며 좋아하는 현재의 긍정적인 심정이 드러나며, 〈제4수〉에서 자연을 즐겼던 '소부'와 '허유'가 이제 생각해 보니 영리하다고 감탄하고 있으니 역사에 대한 부정으로 바뀌었다고 볼 수 없다.
⑤ 〈제3수〉의 '됴하ᄒᆞ노라'에서 정서적 반응이 드러나지만 〈제6수〉에서 감각적 표현은 드러나지 않으므로 적절하지 않다.

오H 많이 틀렸을까?

작품에 쓰인 시공간, 소재, 표현 방법, 화자의 인식과 태도, 정서 등을 파악해서 선택지에 구체적으로 적용할 수 있어야 해결할 수 있었던 다소 어려운 문항이었어. 윤선도의 '만흥'은 친숙한 작품이지만, 이 문항에서 제시한 것처럼 꼼꼼하게 구체적인 구절들을 대입해 보고 정리해 보는 작업이 필요해.

고전 시가 ▶ 현대어 풀이

윤선도 '만흥'

산수 간 바위 아래에 띠풀로 이은 초가집을 지으려 하니,
그것(나의 뜻)을 모르는 남들은 비웃는다지만,
어리석고 시골에 사는 세상 물정 모르는 내 생각에는
(이것이) 내 분수인가 하노라. 〈제1수〉
보리밥, 풋나물을 알맞게 먹은 후에
바위 끝 물가에서 실컷 노니로라.
그 나머지 다른 일이야 부러워할 것이 있으랴.
〈제2수〉
잔 들고 혼자 앉아 먼 산을 바라보니
그리워하던 임이 온다고 한들 반가움이 이러하랴(이 정도이랴)
말도 웃음도 아니하지만 마냥 좋아 하노라. 〈제3수〉

누가 (자연이) 삼공보다 낫다더니 만승천자가 이만하겠느냐
이제 생각해 보니 소부와 허유가 영리하도다.
아마도 자연 속에서 느끼는 한가한 흥취는 비할 데가 없으리라. 〈제4수〉
내 천성이 게으른 것을 하늘이 아셔서
세상의 많은 일 가운데 하나도 맡기지 않으시고
다만 다툴 상대가 없는 자연을 지키라고 하셨도다. 〈제5수〉
강산이 좋다고 한들 나의 분수로 (이렇게 편안히) 누워 있겠는가
(이 모두가) 임금의 은혜인 것을 이제 더욱 알겠도다.
(하지만) 아무리 갚고자 하여도 내가 할 수 있는 일이 없구나. 〈제6수〉

7. ③ 외적 준거를 바탕으로 작품 감상하기

① (가)에서 문학 작품의 의미가 생성되는 양상 가운데 '자기와 외부 세계를 상호적으로 대비하여 양자에 대한 새로운 해석을 통해 의미를 생성하는 경우'에 적용해 보면, (나)에서 '산슈 간'에서 살고자 하는 마음과 이에 공감하지 못하는 '놈들'의 생각을 병치하여 화자와 '놈들' 사이의 거리가 드러남으로써, 자기와 외부 세계 사이의 소원한 관계가 유지된다.
② '바횟 굿 믉구'에서 즐거움을 누리는 삶과 '녀나믄 일'을 대비하여 세상과 거리를 두려는 화자의 태도가 드러남으로써 자기와 외부 세계 사이의 소원한 관계가 유지된다.
❸ '님'에 대한 '반가옴'보다 더한 감흥을 불러일으키는 '뫼'의 의미를 부각하는 것은 (가)에 따르면 자기와 외부 세계와의 거리는 가까워지고 친화적 관계가 형성된다고 하였다. 따라서 화자와 '님' 사이의 거리가 드러남으로써, 자기와 외부 세계 사이의 소원한 관계가 유지된다는 진술은 적절하지 않다.
④ 자연 속에서 느끼는 한가한 흥취는 '삼공'이나 '만승'보다 더한 가치를 지닌다고 강조하는 것은 (가)에 따르면 자신의 의식 등을 대상에 투영하여 외부 세계에 새로운 의미를 부여하는 경우이다. 이로써 화자와 '님쳔' 사이의 거리가 가까워짐으로써, 자기와 외부 세계 사이의 친화적 관계가 형성된다.
⑤ '강산' 속에서의 삶이 '님군'의 '은혜' 덕택임을 제시한 것은 (가)에 따르면 외부 세계의 일반적 삶의 방식이나 가치관, 이념 등을 자기 내면으로 수용하여, 자신을 새롭게 해석함으로써 의미를 만들어 내는 경우이다. 이로써 화자와 님군 사이의 거리가 가까워짐으로써, 친화적 관계가 형성된다.

8. ① 작품의 중심 생각 파악하기

❶ (다)에서 시정에 살면서 은거에 마음을 두고 사는 글쓴이는 '참으로 가장 높은 것은 작은 즐거움을 누리는 자'라고 정리하고 있다. 따라서 '부끄러움'과 '즐거움'의 조화를 권유하고 있다고 볼 수 없다.
② 글쓴이는 '산림에 살면서 명리에 마음을 두는 것', '시정(市井)에 살면서 명리에 마음을 두는 것,'산림에 살면서 은거에 마음을 두는 것', '시정(市井)에 살면서 은거에 마음을 두는 것'을 고려하여 삶의 유형을 나누고 있다.
③ 산림에 살면서 명리에 마음을 두는 것은 큰 부끄러움이라고 했고, 산림에 살면서 은거에 마음을 두는 것은 큰 즐거움이라고 했다. 그런데 큰 부끄러움을 안고 사는 자는 백(百)에 반이라고 했고, 큰 즐거움을 누리는 자는 백에 서넛쯤 된다고 하였다. 따라서 '산림'에 사는 사람 중에는 '즐거움'을 누리는 경우보다 '부끄러움'을 가진 경우가 더 많다.
④ '큰 부끄러움'과 '작은 즐거움'은 산림에 사느냐 시정에 사느냐에 따라, 명리를 마음에 두느냐 은거를 마음을 두느냐에 따라 다르다고 하였다.
⑤ 글쓴이는 '명리'를 '부끄러움'에, '은거'를 '즐거움'에 대응시켜 '은거'의 가치를 '명리'의 가치보다 높이 두고 있음을 드러내고 있다.

9. ⑤ 구절의 의미 파악하기

① ㉠에서 자신을 '어리고 하암', 즉 '어리석고 시골에 사는 세상 물정 모르는' 사람이라고 하며 자신을 겸손하게 표현하고 있다. 이를 두고 자신의 문제를 회피하고 있는 것으로 진술하는 것은 적절하지 않다.
② ㉡은 자신이 다른 사람들과는 다른 생각을 가졌다고 언급한 것으로 이를 두고 자신의 과오를 인정하고 있다고 보는 것은 적절하지 않다.
③ ㉠에서 자문자답의 형식은 나타나지 않았으므로 적절하지 않다.
④ ㉡은 자신의 생각을 진술한 구절로, 남의 말을 인용하여 표현하고 있지는 않다.
❺ ㉠에서는 자신을 겸손하게 표현하면서 분수에 맞는 삶에 대한 자부심을 드러내고 있고 ㉡에서는 시정에 살면서 은거에 마음을 두며 작은 즐거움을 누리는 자신의 삶에 대한 자부심을 우회적으로 표현하고 있다.

10. ④ 외적 준거를 바탕으로 작품 감상하기

① (나)에서 무정물인 '뫼'에 대한 호감을 표현한 것은 자신의 정서를 대상에 투영한 것으로 볼 수 있다.
② (다)에서 '가장 높은 것은 작은 즐거움을 누리는 자'로 본 것은 자신의 생각을 투영하여 세계를 해석하는 것이라고 볼 수 있다.
③ (다)에서 삶의 방식을 상대적 기준에 따라 나누어 평가한 것은 자신의 가치관과 세상 사람들의 생각을 비교하여 세계의 의미를 새롭게 파악한 것이라고 볼 수 있다.
❹ (나)는 '소부, 허유'를 언급하고 있으므로 선인들의 삶의 태도를 자기 내면으로 수용한다고도 볼 수 있으나, (다)에서는 대다수 사람들과는 다른 생각을 가진 자신에 대한 자부심을 드러내고 있다. 따라서 대다수 사람들의 뜻을 자기 내면으로 수용하고 있다는 진술은 적절하지 않다.
⑤ (나)의 5수에 '내 셩이 게으르더니 하늘히 아르실샤'에서 자기 본성을 하늘의 뜻에 연관지은 것과, (다)의 '나의 이 말은 대부분의 사람들의 생각과는 거리가 먼'에서 자기 삶의 방식을 일반적인 삶의 방식과 견준 것은 자기 삶의 가치를 새롭게 해석하여 의미를 만들어 낸 것이라고 할 수 있다.

Day 23

본문 127쪽

1. ② 2. ③ 3. ⑤ 4. ③ 5. ②
6. ⑤ 7. ① 8. ③ 9. ①

【1~4】 (가) 신광수, '단산별곡'

지문해설

1772년(영조 48)에 영월의 부사로 부임한 신광수가 단양팔경을 돌며 단양의 산수의 절경과 풍치를 노래한 기행 가사이다. 총 99행으로 3 · 4조의 율격을 보이고 있다. 단양지역의 남한강 일대 경승을 유람하며 한강을 지나 장회 나루를 거쳐 '송정별-우화교-이요루-봉두정-이운당'을 지나 관부에 도착하는 과정과 단양팔경을 중심으로 단양의 풍경을 추보적으로 전개하고 있다. 빼어난 묘사와 감상을 중심으로 표현하였으며 국문학적 가치가 높은 작품이다.

- **갈래** : 기행가사, 고전시가
- **성격** : 추보적, 묘사적
- **어조** : 예찬적
- **제재** : 단양팔경
- **주제** : 단양팔경의 절경과 풍경에 대한 감상
- **중요 시구 및 시어 풀이**
  - 신선이 농사짓던 열두 배미 요초(瑤草)를 심었던가 : 땅이 비옥하고 기름져 마치 과거 신선들이 농사지으며 요초를 심은 것이 아닌가 싶음.
  - 양액(兩腋) 청풍(淸風)이 가볍게 들리는 듯 : 아름다운 풍경에 자신이 신선이 된 듯 한 착각이 들 정도임.

(나) 김훈, '자전거 여행'

지문해설

김훈의 섬세하고 묘사적인 필체가 돋보이는 수필로 봄날의 흙을 밟으며 자전거 여행을 하는 감상을 유려한 문체로 표현하였다. 페달을 밟으며 느끼는 다리의 긴장감이 기분 좋게 느껴지고, 다리는 지치지만, '기진한 힘 속에서 새 힘의 싹들이 돋아나오'고 있다며 대지의 비밀을 알아챈 듯한 느낌을 나타낸다. 자전거 여행에 이어서 임진강에 가득한 물을 바라보며 강의 생명력과 평화로움을 만끽하는 화자의 모습을 그린 작품이다.

- **갈래** : 현대 수필
- **성격** : 사색적, 묘사적
- **어조** : 예찬적
- **제재** : 봄날의 자전거 여행
- **주제** : 봄날의 풍경 속에서 자전거 여행을 하며 삶에 대한 희망을 발견함.
- **중요 시구 및 시어 풀이**
  - 기진한 힘 속에서 새 힘의 싹들이 돋아나오고, 나는 그 비밀을 누릴 수 있지만 설명할 수 없다 : 봄날의 기운을 느끼며 봄의 정기를 온몸으로 받아들이는 과정을 묘사하고 있다.

1. ② 표현상의 특징 파악하기

① (가)는 단양지역을 유람하며 단양 산수의 절경을 상세하게 묘사한 작품으로 '석주탄 밧비 건너 강선대 올나셔니'와 '하늘기둥은 우뚝 솟아 북극을 괴왓ᄂᆞᆫ 듯', '화표ᄂᆞᆫ 우뚝 서서 백학이 넘노ᄂᆞᆫ 듯' 등에서 대구의 표현이 나타난다. 그러나 대구의 방식을 통해 계절의 변화를 표현하는 부분은 나타나지 않는다.

❷ (가)의 [A]의 '놀랍다', '뚤넛ᄂᆞᆫ고', '몰낫도다' 등의 영탄적 표현을 통하여 석문의 유려한 아름다움과 감탄을 나타내고 있다.

③ (가)에 대상에 감정을 이입하여 화자의 애상감을 심화하는 부분은 나타나지 않는다.

④ (가)는 석문을 거쳐 은주암, 단암서원, 강선대, 오로봉, 호천대, 옥순봉, 단구동문 등을 유람하는 여정과 감상을 표현하고 있으나, 과거와 현재를 대비하여 화자의 삶의 태도를 드러낸 부분은 없다.

⑤ (가)의 [A]에 '놀랍다 져 산봉우리는 어이ᄒᆞ여 뚤넛ᄂᆞᆫ고'는 주어와 서술어의 순서를 도치하여 석문의 아름다움을 강조한 것이지, 화자의 체념적 인식을 강조하는 것은 아니다.

고전 시가 ▶ 우리말 풀이

신광수 '단산별곡'

취한 눈을 잠깐 들어 석문을 바라보니
놀랍구나, 저 봉우리 어이하여 뚫었는가.
용문산 때린 도끼 수문을 내었는가.
거령의 큰 손바닥 산 창문을 밀쳤는가.
오랜 옛날 활짝 열어 닫을 줄을 모르도다.
신선들이 농사짓던 열두 배미 땅에다가 요초를 심었던가.
신선들은 어디 가고 풀만 남았으니
우리 백성 농사짓기 권하여서 모두를 장수하게 만들고자.
강 가득히 바람 물결 치는 곳에 은주암이 기묘하네
한 잎 작은 고깃배로 들어가면 처사 종적 그 뉘 알리.
팔판동 깊은 곳이 무릉이라 하건마는
사람들 사는 곳이 어디인지 흰 구름만 잠겼어라.
하진에서 배를 내려 단암서원 참배하니
지금까지 끼친 덕이 산수 간에 흘러 있다.
석주탄 바삐 건너 강선대에 올라서니
양쪽 겨드랑이 맑은 바람에 가볍게 들리는 듯
오로봉 진면목은 연꽃이 솟았는 듯
호천대 올라 앉자 전체를 얼추 보고
창하정 잔을 들어 흐릿한 기운 희롱하다.
홀연히 돌아보니 이 몸이 신선이 된 듯
편안한 흥 가득 실어 한 구비 흘러 도니
마주 오는 옥순봉이 또다시 신기하다.
하늘 기둥 우뚝 솟아 북극을 괴었는 듯.
화표는 우뚝 서서 백학이 날아든 듯.
벽옥 낭간 열매인 듯 낱낱이 벌렸으니
이 떨이 열매 열면 봉황이 먹으리라
단구 동문 새긴 글자 선현의 필적이라
신선 땅을 중히 여겨 경계를 정하셨나.

2. ③ 작품의 내용 파악하기

① [A]에서 화자는 석문을 바라보며 '놀랍다 져 산봉우리는 어이ᄒᆞ여 뚤넛ᄂᆞᆫ고'라며 경이감을 표하고, '용문산 ᄯᅵ린 도ᄭᅵ'가 '수문'을 만들고, '거대한 신령의 큰 손바닥'이 '산창(山窓)'을 만들어낸 것처럼 보인다고 표현하며 석문의 모습이 마치 초월적 존재가 만든 것처럼 신이하다고 하였다.

② [B]의 화자는 현재 서 있는 땅을 과거에 '신선이 농사짓던' 곳에 비유하며 지금은 '선인(仙人)'은 사라지고 '풀'만 남았다고 하였다. 즉 현재 마주친 이 땅은 마치 신선이 살아서 농사를 짓던 곳처럼 비옥한 땅이니 이곳에서 백성들이 농사짓기를 하여 삶이 나아지를 바라고 있다.

❸ [C]의 '은주암'은 강 가득히 바람과 물결이 치는 곳에 자리잡은 곳으로 그 분위기가 '기묘ᄒᆞ샤'라고 하였다. 만약 작은 고깃배로 들어간다면 종적을 찾을 수 없을 만큼 신비로운 곳이다. 또한 '팔판동'은 '무릉'에 비유되며 사람들이 사는 곳이 어디인지 찾을 수 없어 '흰 구름만 잠겼'다는 곳이라 하였다. 따라서 은주암과 팔판동이 속세와 단절된 곳이라는 설명은 적절하지만, 이를 통해 자신의 종적을 다른 사람이 알 것을 걱정하는 마음을 드러낸다고 볼 수 없다.

④ [D]에서 화자는 호천대에서 풍경을 보며 술을 먹고 '이 몸이 등선(登仙)ᄒᆞᆫ 듯'이라는 황홀감을 표현하고 있다.

⑤ [E]에서 화자는 옥순봉의 모습을 '하늘 기둥은 우뚝 솟아 북극을 괴왓ᄂᆞᆫ 듯', '화표(華表)ᄂᆞᆫ 우뚝 서서 백학이 넘노ᄂᆞᆫ 듯', '벽옥낭간(碧玉琅玕)*이 낫낫치 버러시니'처럼 여러 대상에 빗대어 표현하며 풍경의 신이함과 아름다움을 표현하고 있다.

3. ⑤ 작품의 세부 내용 파악하기

❺ ㉤은 임진강을 보며 그 하구의 시간과 공간을 '느리고 평화롭다'라고 느끼는 장면이다. 그 하구는 '한강, 임진강, 한탄강이 거기서 모이고, 개성쪽에서 내려온 예성강이 그 큰 물길에 합쳐'지는 곳으로 이름은 '조강(祖江)'이라고 하였다. 화자는 그 강을 일컬어 '소멸의 힘으로 신생을 이끄는 새로운 시간의 강'이라고 하였다. 자신의 자전거는 조강 언저리를 나아가고 있다고 하였으므로 조강의 의미를 가치있게 여기는 것일 뿐, 조강의 새로운 의미를 발견하고 싶다는 설명은 적절하지 않다.

4. ③ 외적 준거에 따른 작품 감상하기

① (가)에서 '단암서원'을 참배하러 간 화자는 '지금까지 ᄭᅵ친 덕이 산수간의 흘너 잇다'라며 이 고장을 이끌어 온 선현들의 지혜와 선정(善政)을 예찬하고 있다.

② (가)에서 '오로봉'에 오른 화자는 '오로봉'의 참된 아름다움은 마치 '부용이 소사ᄂᆞᆫ 듯' 즉, 연꽃이 피어있는 것과 비슷하다고 표현하며 오로봉의 아름다움을 연꽃에 비유하고 있다.

❸ (가)의 '단구동문 새긴 글ᄌᆞ 선현의 필적이라'는 것은 이곳에 필적을 남긴 선현('이황')의 발자취와 학문적 경지를 기리는 뜻에서 표현한 것으로, 화자 자신이 높은 학문의 경지에 도달한 것이라고 볼 수 없다.

④ 봄의 땅은 흙의 알맹이들이 녹고 부풀면서 바퀴를 흙의 안쪽으로 끌어당긴다고 하였다. 그렇게 부푼 봄의 땅 위로 자전거 페달을 밟을 때 '지쳐서 주저앉은 허벅지에 새 힘은 가득하다'고 하였다. 이를 통해 화자가 봄의 생명력을 여행을 통해 깨닫고 있음을 알 수 있다.

⑤ 도라전망대에서 마주 보이는 개성 남쪽의 들녘에서 농부들이 손수레를 끌며 농사를 짓는 모습을 보며 화자는 '대지의 향기가 봄바람에 실려온다'라고 표현하였다. 이는 후각적 심상을 활용하여 봄날의 감흥을 감각적으로 표현한 것에 해당한다.

【5~9】 (가) 신계영, '월선헌십육경가(月先軒十六景歌)'

작품해설

'월선헌'은 정자의 이름이다. 이 정자에서 내려다본 16개의 경치라는 제목으로, 자연의 아름다운 풍경과 안분지족의 태도를 노래한 가사 작품이다. 작가가 관료 생활을 하다가 마무리하고 자연을 벗삼아 살며 쓴 작품으로 생활과 밀접한 전원 생활에서 느끼는 즐거움이 곳곳에서 드러난다.

[놓치지 말자!]

- **갈래** : 가사
- **성격** : 자연 예찬적, 자연 친화적
- **어조** : 예찬적
- **제재** : 자연 풍경에 대한 예찬
- **주제** : 자연에서 느끼는 만족감
- **중요 시구 및 시어 풀이**
  - 전가(田家) 흥미ᄂᆞᆫ 날로 기펴 가노매라: 농가의 재미는 날로 깊어 가노라.
  - 몸이 한가ᄒᆞ나 귀 눈은 겨를 업다: 몸이 한가하나 귀눈은 볼 것이 많다.
  - 세상 공명은 계륵이나 다ᄅᆞ소냐: 세속적인 삶의 가치는 소용은 없으나 버리기는 아까운 것이다.

(나) 권근, '어촌기(漁村記)'

작품해설

'공백공'은 나랏일을 하느라 자연을 둘러볼 새 없는 인물이다. 그는 벼슬에 몸담고 있지만 마음만은 자연의 흥취를 느끼고 싶은 사람으로 어부의 삶을 이상적으로 여기고 있다. 그는 사계절이 변하더라도 어부의 즐거움은 끝이 없으며 그 안에서 무한한 즐거움을 느끼며 만족하고 있다. 공백공은 부귀영화를 멀리하고, 스스로 세상의 물욕에서 벗어나 강호에 은거하고자 한다.

[놓치지 말자!]

- **갈래** : 수필
- **성격** : 자연 예찬적, 자연 친화적
- **어조** : 예찬적, 고백적
- **제재** : 강호의 삶과 세속에 대한 가치관
- **주제** : 강호에서 만족스러운 삶을 사는 즐거움
- **중요 시구 및 시어 풀이**
  - 사계절이 차례로 바뀌건만 어부의 즐거움은 없는 때가 없다: 사계절이 바뀌어도 어부의 일상은 즐거움으로 가득차 있다.
  - 부귀 보기를 뜬구름과 같이 하고 공명을 헌신짝 벗어 버리듯 하여, 스스로 세상의 물욕 밖에서 방랑하는 것이니: 화자의 가치관이 집약된 구절로, 세속적인 부와 명예를 멀리하려는 태도가 드러난다.

5. ② 작품을 종합적으로 감상하기

① ㉠은 아이들이 게를 잡기 위해 그물을 치는 모습을 그리고 있으므로 전원에서의 생활상이, ㉥은 어른과 아이가 한데 어울려 갈매기와 백로를 벗 삼아 고기를 잡

는 모습에서 자연과 동화되는 삶이 나타난다고 볼 수 있다.

❷ ⓛ에는 어부가 노를 저으며 부르는 노래에서 자연의 정취가 드러나나, ⓢ은 공백공의 이상향이 어부에 있으며, 외로운 배를 노 저어 물을 따라 다니면서 유유자적하게 지내는 것을 소망하고 있는 부분으로 고독을 해소하려는 의지는 나타나지 않는다.

③ ⓒ은 처마 끝에 보이는 빛을 보며 임금이 계신 '옥루(玉樓)'를 떠올리고 있으므로 자연현상에서 연상된 그리움의 대상이 나타난다고 할 수 있고, ⓩ은 배를 타고 흰 물결을 일으키며 나아가는 기분이 마치 하늘을 오르는 것 같다고 하였으므로 배의 움직임에 따른 청아한 풍경이라고 할 수 있다.

④ ⓡ은 술잔을 기울이니 하늘의 달빛이 술잔에 비치어 마치 달을 따르는 듯한 상황이, ⓞ은 어부의 삶을 즐기면서 고기와 생선을 안주 삼아 술을 마시는 흥겨운 삶의 모습이 나타나므로 적절한 설명이다.

⑤ ⓜ은 속세에서 벗어나 몸은 한가하나 자연의 경치와 소리를 듣느라 분주한 상황을, ⓩ은 어부의 생활을 하며 고기를 잡아 펄떡거리며 뛰는 모습을 보는 것에서 기쁨을 느끼고 있으므로 적절한 설명이다.

6. ⑤ 외적 준거에 따른 감상하기

① '만경 황운'은 넓은 들판에 벼가 익어 황금 물결처럼 일렁이는 모습을 표현한 것이므로 전원 생활에서 농경으로 일군 결실의 풍요로움을 표현한 것이다.

② '내노리 ᄒᆞ쟈스라'는 명절을 맞이하여 '내놀이'를 하자고 권유하는 내용으로 청유형 표현을 통해 드러냈다.

③ 가을이 되어 풍족하고 여유로운 분위기와 함께 '블근 게'는 속이 여물고, 살진 '눌은 ᄃᆞᆰ'을 색채 이미지를 통해 드러냈다.

④ 긴 모래밭에 게를 잡으려고 불을 밝게 밝힌 장면과 밀물이 굽이치는 장면을 묘사하여 현장감을 살렸다.

❺ '경(景)도 됴커니와 생리(生理)라 괴로오랴'는 화자가 느끼는 경치의 아름다움에 대한 예찬과 '생활이 괴로우랴'라는 설의적 표현을 통해 '생활이 괴롭지 않다'라는 뜻을 강조하고 있다. 따라서 이를 두고 생업의 현장에서 느끼는 고단함이라고 표현한 것은 옳지 않다.

참고자료

신계영, 「월선헌십육경가」 현대어 풀이

동녘 언덕 밖의 크나큰 넓은 들에
아주 넓은 누런 들판 한 빛이 되어 있다.
중양절이 가깝구나. 들놀이 하자스라.
붉은 게 여물었고 누런 닭이 살쪘으니
술이 익었으니 벗이야 없을 소냐.
농가의 흥미는 날로 깊어 가노매라.
살여울 긴 모래밭에 밤 불이 밝았으니
게 잡는 아이들이 그물을 흩어 놓고
호두포 먼 굽이에 밀물이 밀려오니
돛단배의 뱃노래는 고기 파는 장사로다.
경치도 좋거니와 생활이라 괴로우랴.
(중략)
어와, 이 맑은 경치 값이 있을 것이라면
적막하게 닫힌 문에 내 분수로 들어오랴.
사사로이 비추는 햇빛이 없다함이 거짓말이 아니로다.
초가지붕 비친 빛이 옥루라고 다를 소냐.
맑은 술통 바삐 열고 큰 잔에 가득 부어
죽엽주 맑은 술을 달빛 따라 기울이니
가벼운 흥겨움에 잘하면 날겠구나.
이적선이 이러하여 달을 보고 미쳤도다.
봄, 여름, 가을, 겨울 경치가 아름답고
밤낮 아침저녁 놀며 즐김이 새로우니
몸이 한가하나 귀와 눈은 겨를 없구나.
남은 생애 얼마인가 백발이 날로 기니
세상의 공명은 계륵이나 다를 소냐.
강호에서 어조와 새와 한 맹세가 깊었으니
옥당과 금마에 꿈속의 넋이 섞이었다.
초당에 달빛 아래 시름없이 누워 있어
거친 술에 물고기 안주로 종일 취하기 원하노라.
이 몸이 이리 지냄도 역시 임금의 은혜이셨다.

7. ① 말하기 방식 파악하기

❶ 공백공은 자신의 뜻을 '어부(漁父)'라고 밝히며 '여름날 뜨거운 햇빛이 쏟아질 때, '겨울 하늘에 눈이 날릴 때' 등 계절에 따라 즐길 수 있는 풍류와 행위를 소개한다. 배를 저어 조류를 따라 오르내리며 즐기는 일, 안주와 술을 먹는 일, 배에 기대어 휘파람을 불며 노래 부르는 일, 그물을 치고 물고기를 잡는 일 등을 소개하며 사계절이 바뀌어도 어부의 즐거움은 무한하다고 하며 큰 만족감을 드러낸다.

② '어찌 시세에 영합하여 이름을 낚시질하고, 벼슬길에 빠져들어 생명을 가볍게 여기며 이익만 취하다가 스스로 함정에 빠지는 자와 같겠는가'에서 세속적 가치만을 추구하며 스스로 함정에 빠지는 이를 언급하며 자신은 그와 다르다는 것을 강조하고 있으나, 이를 두고 자신의 결백을 입증하고 있다고 볼 수 없다.

③ 공백공이 자신의 뜻은 '어부'이나, 강태공이나 엄자릉처럼은 될 수 없다고 언급한 부분이 있으나 이를 두고 상대에 대해 심리적 거리감을 느껴 자신의 생각 표현을 자제하고 있다고 볼 수는 없다.

④ '이것이 내가 몸은 벼슬을 하면서도 뜻은 강호에 두어 매양 노래에 의탁하는 것이니, 그대는 어떻게 생각하는가?'라는 질문을 '나'에게 던지고 있으나 질문에 답변하며 현실에 대처하는 자신의 태도를 밝히고 있지는 않다.

⑤ 물가에서 배를 젓는 일, 안주와 술을 먹는 일, 노래 부르며 휘파람 부는 일, 물고기 잡는 일 등을 소개하며 어부로서 느끼는 만족감을 표현할 뿐, 자신의 무력감을 깨닫고 있지 않다.

8. ③ 외적 준거에 따른 감상하기

① 벗은 스스로를 칭하며 '부귀 보기를 뜬구름과 같이 하고 공명을 헌신짝 벗어 버리듯 하여, 스스로 세상의 물욕 밖에서 방랑'한다고 하였으므로 적절한 설명이다.

② 작가는 벗의 이야기를 듣고 난 후 '내가 듣고 즐거워하며 그대로 기록하여 백공에게 보내고, 또한 나 자신도 살피고자 한다'고 하였으므로 작가는 벗의 생각에 공감하고 있음을 알 수 있다.

❸ 작가가 벗을 '아우'로 삼고 있는 이유는 공백공이 작가와 태어난 해는 같으나 생일이 뒤이기 때문이다. 따라서 '아우'로 삼고 있다고 하여 벗이 추구하는 삶의 자세가 작가로부터 전해 받은 것이라는 해석은 적절하지 않다.

④ 벗은 '강태공'은 성인이고, '엄자릉'은 현인이니 자신이 감히 그들의 삶의 태도를 따라 갈 수 없다고 하며 자신의 겸손함을 드러낸다.

⑤ 작가는 벗이 '나라의 옥새를 주관'하는 벼슬을 지녔음에도 마음에 사욕이 없고, '사물에 초탈하였'으므로 벗의 가치관과 이야기를 기록할 만하다고 여긴 것이다.

9. ① 구절의 의미 파악하기

❶ ⓐ의 앞 문장에서 화자는 세상의 공명은 '계륵이나 다를소냐'라며 부귀영화가 소용 없음을 강조하지만, ⓐ에서 자연의 물고기, 새와 더불어 지내려는 약속이 '옥당금마(玉堂金馬)'에 섞이고 말았다고 표현하는 것으로 보아, 화자는 현재 '강호'에 몸담고 있으나, 훗날 정치 현실로 복귀하려는 의지를 갖고 있음을, ⓑ의 '공백공'은 높은 벼슬에 위치하고 있으나 어부의 삶을 영위하며 자연과 더불어 살기를 원하고 있으므로 '강호'에 은거하려는 태도를 나타낸다고 할 수 있다.

② ⓐ에 대한 설명은 적절하지만, ⓑ에서 '공백공'이 정치 현실에서 신뢰를 잃었음을 판단할 근거가 없으므로 적절하지 않은 설명이다.

③ ⓐ에는 훗날 정치계로 돌아가고픈 화자의 태도가 나타날 뿐, 정치 현실의 번뇌를 해소하려는 자세는 찾을 수 없다. ⓑ의 '공백공'은 유유자적한 태도로 이치에 따른 생활을 하려는 것이지, 정치 현실과 갈등하여 '강호'에 은거하려는 자세라고 볼 수 없다.

④ ⓐ에서 화자가 자신이 늙어 가는 것을 체념하는지에 대한 내용은 찾을 수 없으며, ⓑ에서 '공백공'이 정치 현실을 외면한다는 것은 확인할 수 없다.

⑤ ⓐ에서 화자가 임금에게 맹세하며 정치 현실의 이상을 실현하고자 하는지에 대한 내용은 나타나지 않는다. ⓑ의 '공백공'은 벼슬길에 빠져들어 이익만 취하는 자에 대한 비판을 할 뿐, 정치 현실의 폐단에 실망하여 '강호'에 은거하려는 희망을 드러낸다고 볼 수 없다.

미니 Test

Day 24

본문 131쪽

1. ② 2. ⑤ 3. ④ 4. ③ 5. ③
6. ② 7. ④ 8. ④ 9. ⑤ 10. ①
11. ④ 12. ①

【1~5】 '지식 재산 보호와 디지털세'

지문해설

지식 재산을 기반으로 창출되는 정보 통신 기술(ICT) 산업에서의 지식 재산 보호 문제와 지식 재산으로 거두는 수입에 대한 과세 문제를 다룬 글이다. 최근 ICT 다국적 기업이 지식 재산으로 거두는 수입에 대해 디지털세 도입이 진행 중이다. 많은 ICT 다국적 기업이 법인세율이 낮은 국가에 회사를 설립하고, 그 자회사에 이윤을 몰아주는 방식으로 법인세를 회피하기 때문에, 이를 도입한 국가에서 ICT 다국적 기업이 거둔 수입에 대해 부과하는 디지털세를 도입하고자 하는 것이다. ICT 산업을 주도하는 국가에서 더 중요한 문제는 지식 재산 보호의 국제적 강화일 수 있다. 지식 재산 보호의 최적 수준은 유인 비용과 접근 비용의 합이 최소화될 때이며, 각국은 그 수준에서 자국의 지식 재산 보호 수준을 설정하는데 특허 보호 정도와 국민 소득의 관계에 대한 한 연구에 따르면 그 최적 수준에 대한 국가별 입장은 다르게 나타난다.

■ 비문학 지문 어떻게 이해할까?

- 1문단: 정보 통신 기술(ICT) 산업의 지식 재산 보호와 과세 문제
  - 2문단: 디지털세의 개념과 도입 배경
    - 3문단: ICT 다국적 기업의 법인세 회피 방법
  - 4문단: ICT 지식 재산 보호의 국제적 강화

■ **주제** : ICT 다국적 기업의 지식 재산 수입에 대한 디지털세 도입과 지식 재산 보호의 국제적 강화

1. ② 세부 내용 이해하기

① 첫 번째 문단에서 법으로 보호되는 특허권과 영업 비밀의 공통점은 '모두 지식 재산'이라는 점을 알 수 있다.
❷ 첫 번째 문단에서 영업 비밀은 '일정 조건을 갖추면 법으로 보호받을 수 있다.'고 언급하고 있을 뿐 영업 비밀이 법적 보호 대상으로 인정받기 위한 절차는 제시되어 있지 않다.
③ 두 번째 문단에 따르면 디지털세는 이를 도입한 국가에서 ICT 다국적 기업이 거둔 수입에 대해 부과하는 세금인데, 이 제도 도입의 배경에는 '법인세 감소에 대한 각국의 우려가 있다'고 하고 있다.
④ 세 번째 문단에서 ICT 다국적 기업이 특허 사용에 대한 로열티를 지출함으로써 자회사에 법인세가 부과될 이윤을 최소화하여 법인세를 줄인다는 것을 알 수 있다.
⑤ 네 번째 문단에서 이론적으로 봤을 때 지식 재산 보호의 최적 수준은 유인 비용과 접근 비용의 합이 최소가 될 때임을 알 수 있다.

2. ⑤ 핵심 내용 이해하기

① 디지털세는 ICT 다국적 기업이 지식 재산으로 거두는 수입에 대한 과세와 관련된 것일 뿐 지식 재산 보호를 강화할 수 있는 수단인 것은 아니다.
② 두 번째 문단에서 '디지털세는 이를 도입한 국가에서 ICT 다국적 기업이 거둔 수입에 대해서 부과한 세금'이며, 법인세는 '수입에서 제반 비용을 제외하고 남은 이윤에 대해 부과하는 세금'임을 알 수 있다.
③ 세 번째 문단에서 ICT 다국적 기업의 본사를 많이 보유한 국가 중 어떤 국가들은 'ICT 다국적 기업의 활동이 해당 산업에서 자국이 주도권을 유지하는 데 중요하기 때문에라도 디지털세 도입에는 방어적'이라고 한 것과, 네 번째 문단에서 'ICT 산업을 주도하는 국가에서 더 중요한 문제는 ICT 지식 재산 보호의 국제적 강화일 수 있다.'고 한 것으로 보아 ICT 산업을 주도하는 국가가 디지털세 도입에 적극적이라고 볼 수는 없다.
④ 세 번째 문단에서 ICT 다국적 기업이 여러 국가에 자회사를 설립하는 방식으로 회피하는 것은 법인세임을 알 수 있다. 디지털세는 이 법인세 감소에 대한 각국의 우려로 인해 도입되는 것이다.
❺ 두 번째 문단에서 '디지털세는 이를 도입한 국가에서 ICT 다국적 기업이 거둔 수입에 대해 부과되는 세금'이라고 하고 있다.

3. ④ 내용 추론하기

①, ② 세 번째 문단에서 법인세율이 높은 나라에 세운 자회사에서 발생할 이윤을 줄이기 위해 법인세율이 낮은 나라에 세운 자회사에 로열티를 지급한다고 하고 있는데, 이를 통해 ICT 다국적 기업 자회사의 수입이 법인세율이 높은 국가일수록 많은지는 알 수 없다. 다만 법인세율이 높은 국가에 세워진 자회사가 법인세율이 낮은 국가의 자회사에 로열티를 지출하여 법인세가 부과될 이윤을 줄이려고 한다는 것을 알 수 있을 뿐이다.
③, ⑤ 두 번째 문단에서 법인세는 수입에서 제반 비용을 제외하고 남은 이윤에 대해 부과하는 세금이라고 하고 있다. 세 번째 문단에서 ICT 다국적 기업 Z사는 법인세율이 높은 나라에 세운 자회사에서 발생할 이윤을 줄이기 위해 법인세율이 낮은 나라에 세운 자회사에 로열티를 지급하도록 한다고 하였으므로, 이때 법인세율이 높은 나라에 세운 자회사는 수입 대비 제반 비용의 비율은 높고, 수입 대비 이윤 비용의 비율은 낮을 것이다. 즉 수입 대비 제반 비용의 비율은 법인세율이 높은 국가일수록 높고, 수입 대비 이윤의 비율은 법인세율이 낮은 국가일수록 높을 것이다.
❹ 세 번째 문단에서 ICT 다국적 기업 Z사가 법인세율이 매우 낮은 A국에 세운 자회사에, 법인세율이 A보다 높은 B국에 세운 자회사로 하여금 로열티를 지출하도록 하여 B국에 세운 자회사에 법인세가 부과될 이윤을 최소화한다고 하고 있다. 따라서 〈보기〉에서 세운 가설이 참이라면 'ICT 다국적 기업은 법인세율이 높은 국가의 자회사에서 수입에 비해 이윤을 줄이는 방식으로 법인세를 줄이고 있다.'라고 할 수 있을 것이다.

4. ③ 구체적 사례에 적용하기

① [A]에 따르면 ICT 산업을 주도하는 국가에서는 ICT 지식 재산 보호의 국제적 강화를 중시할 수 있다. 유인 비용은 지식 재산의 보호가 약할수록 유용한 지식 창출의 유인이 저해됨으로서 발생한 손해이다. 따라서 ICT 산업에서 주도적인 국가는 〈보기〉의 S국이 유인 비용을 현재보다 크게 인식하여 지식 재산 보호 수준을 높이기 바랄 것이라고 볼 수 있다.
② [A]에서 '지식 재산의 보호가 약할수록 유용한 지식 창출의 유인이 저해되어 지식의 진보가 정체되고, 지식 재산의 보호가 강할수록 해당 지식에 대한 접근을 막아 소수의 사람만이 혜택을 보게 된다.'고 하고 있다. 〈보기〉의 S국에서는 지식 재산 보호 수준이 낮을 때가 높을 때보다 지식 창출 의욕이 저하되어 손해가 더 심각할 수 있다.
❸ 〈보기〉에서 S국의 지식 재산 보호 정책을 대표하는 것은 특허 보호 정책이라고 하고 있다. [A]에서 지식 재산의 보호가 약할수록 지식 창출의 유인이 저해되어 발생한 손해를 유인 비용이라고 하고, 지식 재산의 보호가 강할수록 해당 지식에 대한 접근을 막아 발생한 손해를 접근 비용이라고 하며 지식 재산 보호의 최적 수준은 두 비용의 합이 최소가 될 때라고 하고 있다. 따라서 〈보기〉의 S국에서 현재의 특허 제도가 특허권을 과하게 보호한다고 판단한다면 지식 재산의 보호 수준을 낮춰 접근 비용을 낮추고 싶어 할 것이다.
④ [A]에서 '특허 보호 정도와 국민 소득의 관계를 보여주는 한 연구에서는 국민 소득이 일정 수준 이상인 상태에서는 국민 소득이 증가할수록 특허 보호 정도가 강해지는 경향이 있지만, 가장 낮은 소득 수준을 벗어난 국가들은 그들보다 소득 수준이 낮은 국가들보다 오히려 특허 보호가 약한 것으로 나타났다.'고 하고 있다. 〈보기〉에서 S국은 현재 국민 소득이 가장 낮은 수준의 국가라고 하였으므로 S국의 국민 소득이 점점 높아진다면 특허 보호 정도는 소득 수준이 낮은 수준이었을 때보다 약해졌다가 점점 강해질 것이라고 볼 수 있다.
⑤ 〈보기〉의 S국이 지식 재산 보호 수준을 높인다면 이에 따라 지식 재산의 보호가 약할수록 유용한 지식 창출의 유인이 저해되어 발생하는 손해(유입 비용)는 감소하고, 지식 재산의 보호가 강할수록 해당 지식에 대한 접근을 막아 소수의 사람만이 혜택을 볼 때 발생하는 손해(접근 비용)는 증가할 것이다.

왜 많이 틀렸을까?

이 지문과 관련한 문제는 전반적으로 정답률이 낮은 편이었는데, 지문 내용을 구체적 사례에 적용할 것을 요구한 이 문제의 정답률이 특히 낮았어. [A]에서 지식 재산의 보호와 유인 비용, 접근 비용의 개념과 관계를 파악하면 적용이 크게 어렵지만은 않은 문제였는데, 특히 ④번 선택지에 대한 판단의 근거를 지문에서 제대로 찾지 못해 헷갈린 학생들이 많았던 듯해. [A]에 지적 재산 보호 수준과 관련하여 '특허 보호 정도'에 대한 연구 사례가 제시되어 있는데 이러한 사례도 선택지에 적용할 수 있어야 해. '지적 재산 보호 수준=특허 보호 정도'인 점을 파악했다면 ④번 선택지가 적절한 설명임을 쉽게 파악할 수 있었을 거야.

5. ③ 내용의 인과 관계 파악하기

① Z사가 법인세율이 상대적으로 높은 B국의 자회사로 하여금 법인세율이 매우 낮은 A국의 자회사에 로열티를 지출하게 한 것은 법인세율이 높은 국가에서의 이윤을

줄여 법인세를 회피하기 위해서이므로 ⓐ는 'Z사의 전체적인 법인세 부담을 줄인다'로 바꿔 쓸 수 있다.
② Z사가 B국의 자회사가 법인세율이 매우 낮은 A국의 자회사에 로열티를 지출하게 하였으므로 이때 A국의 자회사의 수입은 늘어날 것이다. 따라서 ⓐ는 'A국의 자회사가 거두는 수입을 늘린다'로 바꿔 쓸 수 있다.
❸ Z사가 법인세율이 상대적으로 높은 B국의 자회사로 하여금 법인세율이 매우 낮은 A국의 자회사에 로열티를 지출하게 한 것 B국의 자회사 대신 A국의 자회사의 수입을 늘려 낮은 법인세율에 따라 법인세를 내기 위해서이다. 즉 Z사는 B국의 자회사에 법인세가 부과될 이윤을 최소화하고, A국의 자회사의 이윤을 극대화하여 법인세를 회피하려 하는 것이다. 따라서 ⓐ를 'A국의 자회사가 얻게 될 이윤을 줄인다'로 바꿔 쓰는 것은 적절하지 않다.
④ 법인세는 재화나 서비스의 판매 등을 통해 거둔 수입에서 제반 비용을 제외하고 남은 이윤에 대해 부과하는 세금이다. 따라서 ⓐ에서 '법인세가 부과될 이윤을 최소화한다'는 것은 곧'자회사가 낼 법인세를 최소화한다'는 것으로 바꿔 쓸 수 있다.
⑤ B국의 자회사가 A국의 자회사에 지출하는 로열티는 제반 비용의 일부이다. 따라서 B국의 자회사가 로열티를 지급하여 법인세가 부과될 이윤을 최소화하는 것을 의미하는 ⓐ는 'B국의 자회사가 지출하는 제반 비용을 늘린다'로 바꿔 쓸 수 있다.

6. ② 의사소통 방식 이해하기

① 진행자는 지도사의 답변에 '제 생각에는 ~ 그런 것 같네요.'라고 자신의 의견을 덧붙이고 있음을 알 수 있다.
❷ '지도사'는 '진행자'가 잘못 이해하고 질문한 내용을 바로잡아 주고자 한 내용은 없다. 다만 진행자가 '중·장년층이 주로 이런 활동에 참여할 거라고 많은 분들이 생각하시는데, 실제로는 그렇지 않죠?'라고 지도자에게 질문하자 지도사가 '청소년부터 노년층까지 폭넓은 연령층이 참여'한다고 답변하며 일반적으로 잘못 생각할 수 있는 내용을 제시하고 있을 뿐이다.
③ '진행자'는 '지도사'의 답변을 듣고 '말씀하신 참가 신청은 어떻게 할 수 있나요?'라며 추가 정보를 요청하고 있음을 알 수 있다.
④ '진행자'는 '네, 업무 처리가 생각만큼 잘 ~ 그럴 땐 좀 힘들죠.'라며 자신의 경험을 언급하며 '지도사'의 질문에 대해 답변하고 있음을 알 수 있다.
⑤ 지도사는 '스트레스가 줄어들고 마음이 좀 편해지실 겁니다. 꼭 한번 참여해 보세요.'라며 기대되는 긍정적 결과를 언급하며 진행자의 참여를 권유하고 있음을 알 수 있다.

7. ④ 자료 활용 계획 파악하기

① (가)에서 ㉠의 숲의 소리를 제시하여 산림 치유 프로그램 활동을 간접 체험할 수 있도록 하였다.
② (가)에서 ㉠의 동영상을 제시하여 숲에서의 활동을 생생하게 전달하고 있다.
③ (가)에서 산림 치유 프로그램 참가 후 스트레스 점수의 평균값이 감소하였다는 ㉡에서 수치 변화를 제시하여 프로그램의 효과를 나타내고 있다.
❹ (가)에서 ㉡의 표를 제시하여 참가자의 스트레스 정도가 참가 전과 후를 비교할 때, 스트레스 점수 평균값이 감소했음을 언급하였다. 그런데 이와 관련하여 많은 직장인들이 스트레스 관련 질환 주의군에 속한다는 것을 언급한 것은 아니므로 적절하지 않다.
⑤ (가)에서 ㉢을 제시하여 산림 치유 프로그램 운영 장소의 수와 분포에 대한 정보를 제공하고 있다.

8. ④ 글쓰기 전략 이해하기

① (가)에서 '숲은 마음을 토닥여 주는 친구'라고 숲을 비유적으로 표현했는데, (나)에서 '인터뷰에서 숲을 '마음을 토닥여 주는 친구'라고 했던 말이 마음에 와닿았다'라며 산림 치유 프로그램이 나에게 도움이 되었음을 제시하고 있다.
② (가)에서 산림 치유 프로그램이 스트레스 해소에 좋다고 했는데, (나)에서 '그런 점이 나에게 도움이 될 것 같아 산림 치유 프로그램에 참여하기로 마음먹었다.'라고 참여 계기를 밝히고 있다.
③ (가)에서 산림 치유 프로그램에 청소년들도 참가한다는 말을 듣고, (나)에서 '내 또래의 다른 청소년들도 산림 치유 프로그램을 많이 찾는구나.'라고 기존의 생각이 바뀌었음을 밝히고 있다.
❹ (가)에서 숲의 환경 요소가 심신에 좋은 영향을 준다고 했는데, (나)에는 산림 치유 프로그램에서 만난 다른 사람들도 좋은 영향을 받았음은 언급되지 않았다.
⑤ (가)에서 청소년을 대상으로 하는 산림 치유 프로그램의 운영 시기와 장소에 대한 정보를 얻지 못했는데, (나)에서 인터뷰에서 제시한 누리집을 통해 구체적 정보를 찾을 수 있었음을 언급하고 있다.

9. ⑤ 조건에 맞게 표현하기

① 제시된 조건에서는 프로그램에 참여하기 전과 후의 마음 상태를 표현하고, 삶의 자세에 대한 다짐을 나타내도록 하고 있다. 그런데 두 조건이 모두 충족되지 않았다.
② 삶의 자세에 대한 다짐을 나타내는 조건이 충족되지 않았다.
③, ④ 프로그램에 참여하기 전과 후의 마음 상태를 표현하는 조건이 충족되지 않았다.
❺ '성격 때문에 속상해하던 나'는 프로그램에 참여하기 전의 마음 상태이고, '속상했던 마음이 풀리고'는 프로그램에 참여한 후의 내 마음 상태를 나타내므로 첫 번째 조건이 충족되었다. 그리고 '내 모습을 아끼며 살아갈 것이다.'에서 삶의 자세에 대한 다짐이 나타나므로 두 조건을 모두 충족하고 있다.

10. ① 한글의 창제 원리 이해하기

❶ ⓐ는 종성 글자는 따로 만들지 않고 초성 글자를 다시 사용한다는 내용으로, 종성이 사용된 예를 통해 확인할 수 있다. 〈자료〉에서 종성이 사용된 것은 '붇, 스ᄀᆞᄫᅵ, 쫙, 홁'의 4개이다.
② ⓑ는 ㅂ 순경음의 표기에 대한 내용으로, 'ㅂ' 아래 'ㅇ'을 이어 쓴 예를 통해 확인할 수 있다. 〈자료〉에서는 '사비, 스ᄀᆞᄫᅵ'에 'ㅸ'이 사용되었다.
③ ⓒ는 병서에 대한 내용으로, 자음을 두 개 이상 옆으로 나란히 붙여 쓴 예를 통해 확인할 수 있다. 〈자료〉에서는 'ᄢᅵ니, 쫙, 홁'에 'ㅴ, ㅶ, ㄺ'이 각각 사용되었다.
④ ⓓ는 초성 글자 아래 붙여 쓰는 중성 글자에 대한 내용으로, 'ㆍ, ㅡ, ㅗ, ㅜ, ㅛ, ㅠ'가 사용된 예를 통해 확인할 수 있다. 〈자료〉에서는 '붇, 스ᄀᆞᄫᅵ, 홁'에 'ㅜ, ㅡ, ㆍ'가 각각 사용되었다.
⑤ ⓔ는 초성 글자 오른쪽에 붙여 쓰는 중성 글자에 대한 내용으로, 'ㅣ, ㅏ, ㅓ, ㅑ, ㅕ'가 사용된 예를 통해 확인할 수 있다. 〈자료〉에서는 'ᄢᅵ니, 사비, 쫙'에 'ㅣ, ㅏ'가 각각 사용되었다.

11. ④ 표준어 규정 이해하기

① ⓐ의 '푼다'는 용언 어간 '푸-'에 종결 어미 '-ㄴ다'가 결합한 것으로, 이때 'ㄴ'과 'ㄷ'은 모두 어미에 속해 있는 소리이기 때문에 된소리되기가 일어나지 않는다.
② ⓑ의 '여름도'는 체언 '여름'과 조사 '도'가 결합하면서 'ㅁ'과 'ㄷ'이 이어진 것이기 때문에 된소리되기가 일어나지 않는다.
③ ⓒ의 '잠가'는 '잠그-+-아'로 형태소가 분석되는데, 'ㅁ'과 'ㄱ'이 모두 '잠그-'라는 하나의 형태소 안에 속해 있는 소리이기 때문에 된소리되기가 일어나지 않는다.
❹ ⓓ의 '안겨라'는 '안-+-기-+-어라'로 형태소가 분석되며, 이때 'ㄴ'은 어간, 'ㄱ'은 어미에 속해 있는 소리이므로 'ㄴ'과 'ㄱ'이 어미끼리 결합하면서 이어진 소리라는 설명은 적절하지 않다. ⓓ에서 '-기-'는 용언 어간에 결합한 피·사동 접사이기 때문에 'ㄱ'이 된소리로 발음되지 않는 것이다.
⑤ ⓔ의 '큰지'는 용언 어간 '크-'에 어미 '-ㄴ지'가 결합한 경우로, 이때 'ㄴ'과 'ㅈ'은 어간과 어미가 결합하면서 이어진 소리가 아니라 모두 어미에 속해 있는 소리이기 때문에 된소리되기가 일어나지 않는다.

12. ① 문장의 짜임 이해하기

❶ ㉠의 안긴문장에서 관형사절인 '내 친구가 보낸'에는 '보내다'가 요구하는 필수적 부사어가 생략되어 있고, ㉡의 안긴문장에서 명사절인 '테니스 배우기'에는 '배우다'의 주어가 생략되어 있다.
② ㉠의 명사절인 '책을 제시간에 받기'는 '를'과 결합하여 목적어 역할을 하며, ㉡의 명사절인 '테니스 배우기'는 '가'와 결합하여 주어 역할을 한다.
③ ㉠의 안긴문장에서 명사절 '책을 제시간에 받기'에는 '받다'의 주어가 생략되어 있다. ㉢의 안긴문장인 '우리 가족이 점심을 먹은'에는 주어 '우리 가족'이 생략되지 않고 나타나 있다.
④ ㉢의 안긴문장인 '우리 가족이 점심을 먹은'은 '식당이'를 꾸며 주는 관형어 기능을 하며, ㉣의 안긴문장 중 '신이 닳도록'은 '돌아다녔다'를 꾸며 주는 부사어 기능을 한다.
⑤ ㉢의 관형사절 '우리 가족이 점심을 먹은'에는 목적어 '점심을'이 생략되지 않고 나타나 있으며, ㉣의 관형사절 '아름다운'에는 주어가 생략되어 있다.

시험 직전까지 꼭 챙겨 봐야 할 국어 오답 Note

끝난 시험도 다시 봐야 진짜 실력! 자신의 부족한 부분을 채워보세요.
채점 기록표와 자유 연습장으로 학습 효과를 2배로 높여주는 오답노트입니다.

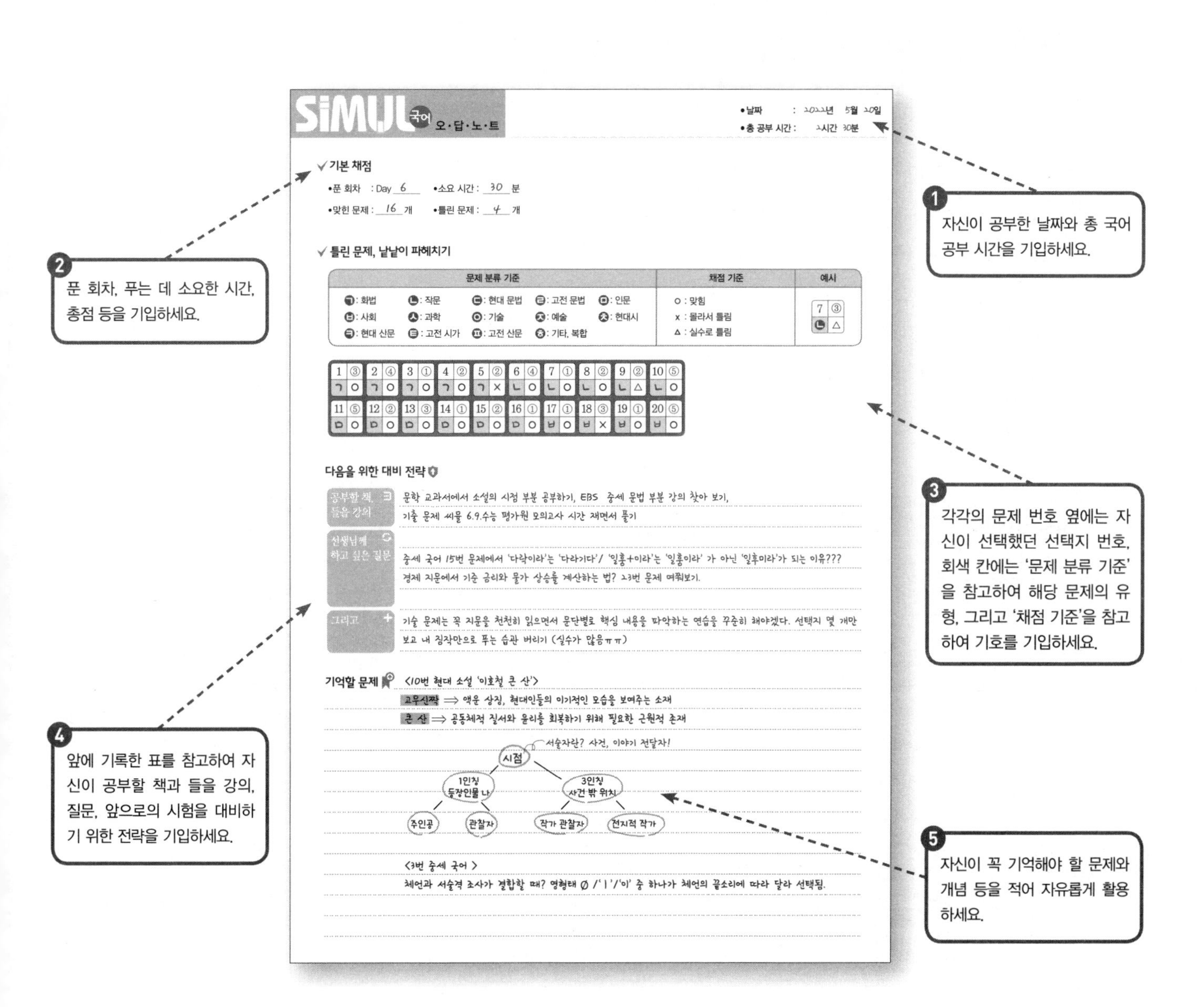

뒷면에 있는 오답노트 양식을 가위로 잘라내 복사하거나, PDF 파일을 프린트하여 사용하세요.
골드교육 홈페이지(www.goldedu.co.kr)에서 오답노트의 PDF 파일을 무료로 다운받을 수 있습니다.

•날짜 : 년 월 일
•총 공부 시간 : 시간 분

✓ 기본 채점

•푼 회차 : Day______ •소요 시간 : ______분

•맞힌 문제 : ______개 •틀린 문제 : ______개

✓ 틀린 문제, 낱낱이 파헤치기

문제 분류 기준	채점 기준	예시
㉠: 화법 ㉡: 작문 ㉢: 현대 문법 ㉣: 고전 문법 ㉤: 인문 ㉥: 사회 ㉦: 과학 ㉧: 기술 ㉨: 예술 ㉩: 현대시 ㉪: 현대 소설 ㉫: 고전 시가 ㉬: 고전 산문 ㉭: 기타, 복합	ㅇ : 맞힘 x : 몰라서 틀림 △ : 실수로 틀림	7 ③ ㉡ △

1	2	3	4	5	6	7	8	9	10
11	12	13	14	15	16	17	18	19	20

다음을 위한 대비 전략

공부할 책, 들을 강의

선생님께 하고 싶은 질문

그리고

기억할 문제